ELEVENTH EDITION

DICHO Y HECHO

BEGINNING SPANISH

Silvia Sobral
Brown University

Kim Potowski
University of Illinois Chicago

VISTA®
HIGHER LEARNING

Boston, Massachusetts

Creative Director: José A. Blanco

Senior Director, Editorial: Judith Bach

Editorial Development: Gisela María Aragón-Velthaus, Sarah Wu

Project Management: Karys Acosta, Tiffany Kayes

Rights Management: Annie Pickert Fuller, Kristine Janssens

Technology Production: Diana Arias, Lauren Krolick, Lori Vance

Design: Catalina Acosta, Daniela Hoyos, Radoslav Mateev, Gabriel Noreña, Verónica Suescún, Andrés Vanegas

Production: Oscar Díez, Sebastián Díez, Andrés Escobar, Adriana Jaramillo, Daniel Lopera, Daniela Peláez, Jimena Pérez, Alejandra Rodríguez, Diana Salinas

Student Edition (Loose-Leaf) ISBN: 978-1-54338-256-3
Student Edition (Perfectbound) ISBN: 978-1-54338-257-0
Instructor's Annotated Edition ISBN: 978-1-54338-255-6
Library of Congress Control Number: 2022944090

1 2 3 4 5 6 7 8 9 TC 27 26 25 24 23 22

Printed in Canada

TABLE OF CONTENTS

Contenido

The Vista Higher Learning Story
Your Specialized World Language Publisher

Independent, specialized, and privately owned, Vista Higher Learning was founded in 2000 with one mission: to raise the teaching and learning of world languages to a higher level. This mission is based on the following beliefs:

- It is essential to prepare students for a world in which learning another language is a necessity, not a luxury.
- Language learning should be fun and rewarding, and all students should have the tools they need to achieve success.
- Students who experience success learning a language will be more likely to continue their language studies both inside and outside the classroom.

With this in mind, we decided to take a fresh look at all aspects of language instructional materials. Because we are specialized, we dedicate 100 percent of our resources to this goal and base every decision on how well it supports language learning.

That is where you come in. Since our founding, we have relied on the invaluable feedback of language instructors and students nationwide. This partnership has proved to be the cornerstone of our success by allowing us to constantly improve our programs to meet your instructional needs.

The result? Programs that make language learning exciting, relevant, and effective through:

- unprecedented access to resources;
- a wide variety of contemporary, authentic materials;
- the integration of text, technology, and media;
- and a bold and engaging textbook design.

By focusing on our singular passion, we let you focus on yours.

The Vista Higher Learning Team

VISTA®
HIGHER LEARNING

500 Boylston Street, Suite 620, Boston, MA 02116-3736 TOLL-FREE: 800-618-7375
TELEPHONE: 617-426-4910 FAX: 617-426-5209 www.vistahigherlearning.com

CONTENIDO

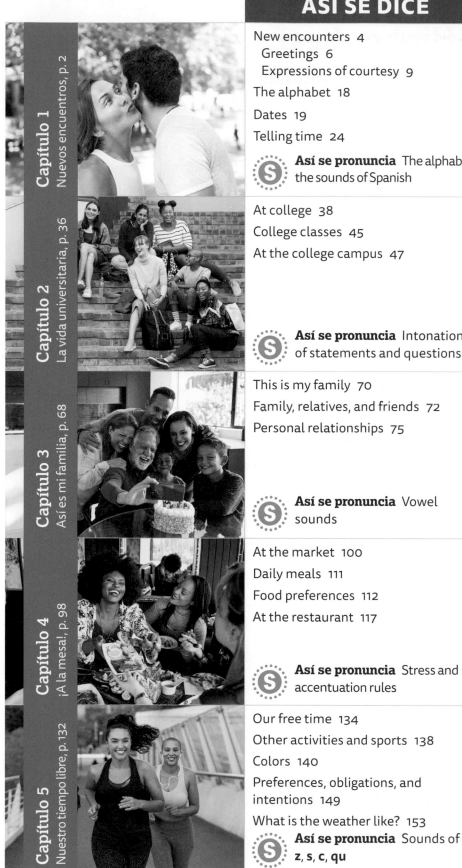

CONTENIDO

CONTENIDO

 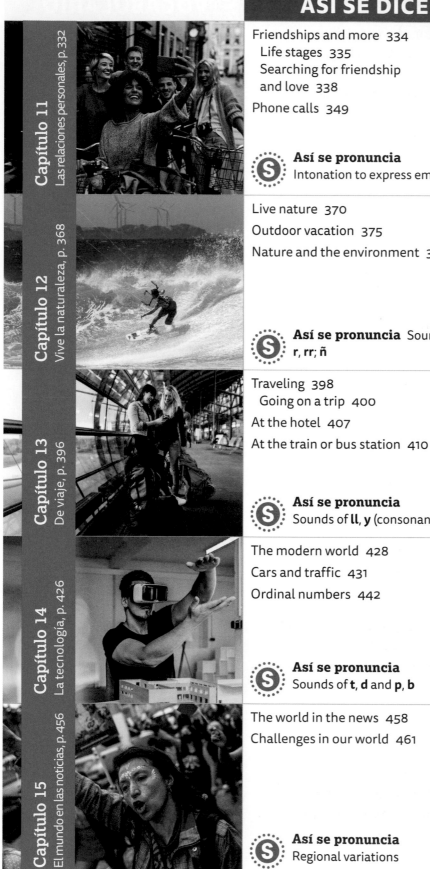 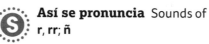

Welcome to a new edition of *Dicho y hecho*, your introduction to the Spanish language and the rich and vibrant cultures of the Spanish-speaking world. For the **Eleventh Edition**, we have fully updated and redesigned our content to make your learning experience more rewarding, current, and relevant.

Our commitment as authors to you remains the same: provide you with a highly flexible, enjoyable, and effective language learning experience, no matter whether you meet face-to-face, hybrid, or online. We have retained the hallmark features that have made *Dicho y hecho* a top-selling introductory college program while striving to improve on the quality of our content, new technology, and a better course organization.

What is the *Dicho y hecho* approach?

Dicho y hecho, **Eleventh Edition** is a class-tested program based on sound communicative language principles that are supported by Second Language Acquisition research findings.

Communicative competence. Contemporary and compelling topics motivate you to engage with texts and with your peers, while a variety of activities, tools, and strategies support the development of your communicative competence in all modes of communication: interpretive, interpersonal, and presentational.

Cultural and intercultural competence. Culturally rich content that is carefully integrated helps you gain cultural awareness and appreciate Cultural Products, Practices, and Perspectives of a diverse range of people in your own community and around the world.

Input processing. Learners process new language best when they first encounter vocabulary and structures in contextualized input through illustrations and/or text. New language is practiced through a carefully designed pedagogical sequence, moving from meaningful input-based activities, through guided output, to open-ended, creative production.

Focus-on-form. Form-meaning connections are a core component of the learning process. Language instruction is at the service of communication.

Task-supported language instruction. Purposeful tasks support you to produce new language independently and creatively as you work toward a tangible goal or outcome. Engaging and meaningful themes promote self-expression and creativity and provide opportunities to use the language in real-world tasks.

Visible learning. Learners perform better when they understand the goals for the tasks and when they have clear expectations of the outcomes.

> **"Our role as educators is to guide our students to become informed, inquisitive citizens who can question, reflect, and listen to others."**
>
> - Silvia Sobral

What are your course goals as a learner?

By the end of this introductory Spanish course, you will:

- Participate in everyday-life situations and effectively and appropriately carry on short spontaneous conversations about familiar and contemporary topics.

- Communicate for a range of purposes, such as describing, informing, requesting information, expressing personal opinions, giving instructions, and creative expression.

- Identify main ideas and key information in non-specialized Spanish oral and written texts.

- Present information to a general audience on a range of familiar topics related to daily life and your own experiences.

- Explore, compare, and research Cultural Products and Practices to better understand Cultural Perspectives of the Spanish-speaking communities around the world.

- Apply critical thinking and problem-solving skills to research, analysis, exchange of information, and ideas, in order to understand and present ideas, solve problems, and carry out tasks and projects, both individually and collaboratively.

How does *Dicho y hecho* support your intellectual and language growth?

Diversity, Inclusion, and Social Justice Themes

As you gain confidence in your own language skills, *Dicho y hecho* aims at fostering contexts that are inclusive of diverse backgrounds and perspectives. Some of the selected readings, videos, and cultural topics will facilitate insightful discussions about important topics, such as how each person defines family, the question of access and affordability in cities and housing, cultural appropriation in the fashion industry, the environment, technology to foster inclusion, and race-based inequalities.

Strategies

To support your growth as an independent language learner, *Dicho y hecho* continues to feature strategies in the skill development section, *Dicho y hecho*. These strategies will help you with different stages of the learning and creative process, such as interpreting, planning, monitoring, and evaluating. New strategies in the **Cultura** section aim at supporting your digital literacy skills.

ACTFL World-Readiness Standards

Dicho y hecho aligns with the main principles of the ACTFL 21st-Century Skills. The **Eleventh Edition** reflects an increasing focus on developing your communicative competence by putting more emphasis on what you, as a learner, can do with the language while increasing your own agency in the process. The ACTFL goals (five Cs) —communication, culture, connections, comparisons, and communities— have informed every aspect of *Dicho y hecho* by providing the framework for the development of language skills in activities that focus on meaningful and achievable communication. The **Eleventh Edition** maximizes your opportunities to develop the three modes of communication —interpersonal, interpretive, and presentational— by ensuring that all activities require genuine communication, and that there are more opportunities to interpret, discuss, and create than ever before.

NEW TO THE ELEVENTH EDITION!

- **The Student Edition has a brand-new design** to make your learning experience as intuitive as possible.

- **Revised Learning Objectives** on the Chapter Opener pages and **new Learning Objectives** in each section make the learning process transparent and help you understand the purpose and intention behind everything you do. Can-do statements at the end of each section promote self-reflection about your own progress.

- **New, highly engaging authentic texts in great variety of formats:** infographics, commercials, photos, and short authentic video clips start each chapter. These simple and dynamic materials invite you to immerse yourself in the chapter theme with thought-provoking questions while often previewing some of the vocabulary and grammar of the chapter.

- **Así se dice** sections were revised to **ensure high-frequency and appropriate vocabulary terms** were presented and practiced. **¿Qué observas?** and **¿Y tú?** activities were consistently added to visual presentations. Also, **¿Qué observas?** are expanded online with more questions.

- **Así se forma** sections were carefully revised to **create a more explicit inductive approach** to grammar instruction. Each explanation starts with guiding questions and a sample text to further develop your critical thinking skills by observing language in context.

- The **Grammar Scope and Sequence** was slightly adjusted:
  Capítulo 1: Numbers from 0 to 99 moved from **Así se dice** to **Así se forma**.
  Capítulo 2: Order of the grammar changed to be more logical:
  1. Regular **-ar** verbs
  2. Regular **-er/-ir** verbs
  3. Verb **ir** + **a** + destination.
  Capítulo 3: Descriptive adjectives with **ser** moved from **Así se dice** to **Así se forma** within the same chapter.

- Many activities in **Así se dice** and **Así se forma** have been revised or replaced to include updated and more meaningful practice.

- Throughout the sections, **cultural content has been replaced or fully updated** to ensure content is accurate, contemporary, and relevant. **Cultura** readings, **Nota cultural**, and **En mi experiencia** notes offer a wide range of perspectives and aim at fostering a deeper understanding of your own culture as well as of the vast diversity of the Spanish-speaking world.

- **Cultura** continues to offer two cultural readings per chapter, but the order changed:

  ▶ The thematic reading appears earlier in the chapter, after the first **Así se forma** grammar topic. The reading focuses primarily on Cultural Products and Practices. New or revised pre-reading and post-reading activities support comprehension and elicit cross-cultural comparisons.

  ▶ The regional reading now appears after the last **Así se forma** grammar topic and features countries or regions. As educators, we understand it is not possible to teach the culture of a place in one single spread. Thus, the new or revised readings are meant to serve as a springboard, spark your curiosity, and encourage you to do your own research based on your own interests. A digital strategy is designed to guide your online research.

  ▶ The regional reading in **Capítulo 15** was replaced to include Equatorial Guinea, the only Spanish-speaking country in Africa.

- **The *Dicho y hecho* skill development section** was renamed so that you can easily identify each subsection. They were also fully updated and reorganized to move from interpretive (**Lectura** and **Video**) to presentational (**Proyecto oral** and **Proyecto escrito**).

- **Lectura** replaces former **Para leer** and it includes **eight new readings** that cover contemporary topics:
  Capítulo 2: Estudiar en el extranjero
  Capítulo 5: Tejer: más que ocio
  Capítulo 7: Desaparece El Barrio: Gentrificación en East Harlem
  Capítulo 9: Medicina ancestral en Perú
  Capítulo 11: México y su Día de Muertos
  Capítulo 13: Isla Chiloé, entre lo salvaje y lo moderno
  Capítulo 14: Innovadores y solidarios
  Capítulo 15: Mecanismos de verificación

- **A new authentic video collection** replaces the old cultural videos, **Para ver y escuchar**. These thought-provoking authentic videos were carefully chosen to reflect a variety of formats and facilitate discussion about current issues, including social justice themes, as well as offer a wide range of voices and perspectives from across the Spanish-speaking world.

- A new **Proyecto oral** better integrates the chapter content. It replaces the former **Para conversar** task. The project is supported by guiding questions, examples, and a rubric to set clear expectations.

- Just like the oral projects, a new **Proyecto escrito** replaces the former **Para escribir**. This culminating writing task better integrates the chapter contents and provides you with more support and clearer expectations.

Available only on the Supersite!

- *VideoEscenas:* You will find this video, including assignable activities, now entirely online.

- **Así se pronuncia:** This section was revised to give special attention to pronunciation topics with a communicative value, i.e. common mispronunciations that lead to communication breakdowns, such as placing the oral stress in **hablo** vs. **habló**.

- **WebSAM:** The Workbook and the Lab Manual are now integrated into one section —the WebSAM— to better reflect the input output model.

Icons

Familiarize yourself with these icons that appear throughout *Dicho y hecho*:

Presentation, tutorial, video, or vocabulary tools available online

Textbook activity available online

Listening activity/section

Partner activity for print only

Partner Chat activity available online

Info Gap activity available online

Group activity for print only

Group Chat activity available online

The new **Video** in the *Dicho y hecho* skill development section features **fifteen new authentic videos.** This compelling collection was carefully selected to help you develop your interpretive auditory skills, support the chapter themes, and bring a diverse and inclusive coverage of the Spanish-speaking world to the program. Some of these videos shed light on real issues that truly matter to their communities, such as urban interventions through art, cultural preservation and heritage, mental health, climate change, and race relations. Through these videos, you will be exposed to different regional accents, even from within the same country. Just like in your native language, there is a great variety of accents within each of the Spanish-speaking countries.

Capítulo 1: Introduce yourself, Spain/Mexico/Colombia/ Ecuador

People from different countries introduce themselves with their name, age, origin, and hobbies.

Capítulo 2: ¿Por qué estudiar en la Universidad Siglo 21?, Argentina

Students share their experiences of in-person learning at a university in Cordoba Province, Argentina.

Capítulo 3: Familia en cualquiera de sus moldes, Costa Rica

A food brand from Costa Rica celebrates different family types.

Capítulo 4: Plátanos ecológicos, Dominican Republic

The consumption of organic bananas in the Dominican Republic has been limited to a few Dominicans. Zaura Muñiz teams up with small growers to bring change to her community.

Capítulo 5: El poder de las olas, Peru

A female surfer champion teaches the sport to low-income teens and seeks to inspire them to dream big.

Capítulo 6: Un día en la vida de un fotógrafo, Mexico

A photographer shows us a glimpse of his daily life and describes what he does in a typical day.

Capítulo 7: Muros con historia, Uruguay

Two artists from **Colectivo Licuado** discuss their work as well as messages of unity in Latin American street art and the role of women in today's society.

Capítulo 8: Artesanas indígenas contra la apropiación cultural, Mexico

In the debate about cultural appropriation, female artists fight for visibility and respect towards their ancient form of art.

Capítulo 9: Si no estás bien, pide ayuda, Spain

The testimony of basketball player Ricky Rubio and the guidance of expert Lucía Galán invite students to reflect on their experiences with stress and the need to ask for help when mental struggles arise.

Capítulo 10: La revolución arquitectónica de los Andes, Bolivia

Bolivian architect Freddy Mamani gained world fame for a revolutionary style of architecture. Different voices, including Mamani's, explain why it is part of a movement embracing local culture and traditions.

Capítulo 11: Catalina, Mexico

Catalina is an old woman who lives on her own in the city. One day she finds a message at her door. The gifts from a secret admirer give the woman renewed enthusiasm.

Capítulo 12: El Mate: Agricultura regenerativa, Argentina

Two farmers explain how regenerative agriculture can change everything: from the quality of the products we eat, to the animals' well-being, to the environment.

Capítulo 13: Un hotel hecho por mujeres indígenas, Mexico

Indigenous women from Puebla State open their own hotel to preserve their cultural heritage, gain independence, and instill the love of their land.

Capítulo 14: Reforestar España con drones y *big data*, Spain

CO2 Revolution startup founder Juan Carlos Sesma fights against deforestation and climate change with big data and drones, and a method 100 times more effective than the traditional one.

Capítulo 15: La España AFRO es invisible, Spain

During the Afro-Conscience Festival in Madrid, different voices of the Afro-community talk about race relations and demand further visibility of the Afro-descendant community.

CHAPTER OPENERS

make the learning process visible and invite you to immerse yourself in each theme.

Chapter overview A chapter outline and clearly stated Learning Objectives prepare you for the linguistic and cultural topics you will study in the chapter. These Learning Objectives are tied to section-specific objectives that are measured by completing tasks at the end of each one.

Opener texts Dynamic photos, videos, infographics, and texts invite you to immerse yourself in the chapter topic and serve as a springboard for personal reflection and class discussion.

- Supersite resources are available for every section of the chapter at **vhlcentral.com**. Icons show you which textbook activities are also available online, and where additional practice activities are available. The description next to the ⑤ icon indicates what additional resources are available for each section: videos, audio recordings, readings and presentations, and more!

- Textbook activity

ASÍ SE DICE

presents and practices the chapter vocabulary in meaningful contexts.

Contextualized vocabulary Active vocabulary is presented in a variety of contextualized formats, such as illustrations with labels and speech bubbles and comprehensible texts. English translations are provided for items that may be particularly difficult to understand solely through visual or textual context.

¿Qué observas? ¿Y tú? With each visual presentation, you will check your understanding of the new vocabulary in context with simple questions that progress from input to output.

Meaningful activities The carefully revised and updated activity sequence that follows each presentation will help you practice new vocabulary in relatable and meaningful contexts, including real-world tasks to engage with your peers, collaborate, and build community.

- Vocabulary hotspots with audio

- Textbook activities, including audio and chat activities

- Additional autograded activities for extra practice

- **Así se pronuncia** section with presentations and activities

ASÍ SE FORMA

presents and practices linguistic functions in meaningful contexts.

ASÍ SE FORMA Ⓢ Tutorial | Learning Objective: Express likes and dislikes

1. Express likes and dislikes

The verb *gustar*

1. Read and listen to the conversation, focusing on the message, and make educated guesses about what they are saying.
2. Read the text again and focus on the forms **gusta**/**gustan**. Can you identify when each of these two forms is used?
3. Pay attention to the forms **me**, **te**, **nos**, and **le**. Whom does each refer to? Indicate whether it is Gerardo, Leticia, Verónica, or both Leticia and Verónica.

Leticia: Son las ocho de la noche, ¿dónde cenamos?
Gerardo: La cafetería **me gusta**, pero es tarde y probablemente no tienen muchas opciones.
Leticia: ¿Y un restaurante? ¿**Te gustan** los restaurantes cerca del campus? A mí amiga Verónica y a mí **nos gusta** mucho la taquería Oaxaca.
Gerardo: ¿Sí? ¿Qué tacos **les gustan** a ustedes?
Leticia: Pues, **nos gustan** todos los tacos, pero mis favoritos son los tacos de pescado. A Verónica **le gustan** más los tacos al pastor: tienen carne de cerdo marinada, cebolla, piña y cilantro.
Gerardo: ¡Suena delicioso! ¡Vamos!

Although the verb **gustar** is usually translated as the verb *like*, its structure is similar to that of English verbs *interest, please, disgust*, etc. in that something (the subject) is pleasant or unpleasant to someone (the indirect object). Therefore, what the person likes or dislikes determines the form of the verb as singular (**gusta**) or plural (**gustan**). The person who likes something (to whom something is pleasing) is expressed with indirect object pronouns (**me, te, le, nos, os, les**).

(A mí) El aguacate **me** gusta.	*I like avocado.* (Avocado is pleasing to me.)
(A nosotros) Nos gustan las fresas.	*We like strawberries.* (Strawberries are pleasing to us.)
A Mario no **le** gusta comer fruta.	*Mario does not like eating fruit.* (Eating fruit is not pleasing to Mario.)

Person(s) who like (indirect object)	+	gusta(n)	+	thing(s) liked (subject)
me/te/le/nos/os/les		gusta		el helado / la fruta / comer
		gustan		las uvas / las fresas

¡Atención!
The indirect-object pronouns, meaning *to me, to you, to you/ him/her, to us, to you, to you/them*, will be studied in detail in **Capítulo 7**.

ASÍ SE FORMA

▸ Note that the indirect object pronoun always precedes the verb. The subject can be placed before or after.
Me gusta el pescado.   =   El pescado me gusta.

▸ If what is liked is an activity, use the singular form **gusta** with the infinitive (**-ar, -er, -ir** form) of the appropriate verb:
Nos **gusta comer**.   *We like to eat.*
Les **gusta cenar** en restaurantes y **asistir** a conciertos.   *They like to have dinner in restaurants and attend concerts.*

▸ To clarify the meaning of **le** and **les**, add **a** + person: **a Pedro, a ella, a las niñas, a ellos**, etc.:
Pedro y Ana toman el desayuno juntos.   *Pedro and Ana have breakfast together.*
A Pedro le gusta tomar café, pero a ella le gusta el té.   *Pedro likes to drink coffee, but she likes tea.*

▸ For emphasis, add **a mí, a ti, a usted, a nosotros**, etc., and to ask follow-up questions, use **¿Y a ti? ¿Y a usted?**, etc.
A mí no me gustan los frijoles, **¿y a ti?**   *I don't like beans, do you?*
A él le gustan, **¿verdad?**   *He likes them, right?*

▸ To express different degrees of like and dislike, use:

(me gusta) **mucho**   **bastante**   **un poco**   (no me gusta) **nada**

Ⓢ 1 ¡Me gusta! Listen to each statement and decide which food item is being talked about.

Modelo You hear: Me gusta.   You choose: ☐ los limones   ☑ el ajo

1. ☐ las zanahorias ☐ el pescado
2. ☐ la lechuga ☐ las fresas
3. ☐ las cerezas ☐ el jamón
4. ☐ el bistec ☐ las naranjas
5. ☐ las peras ☐ la langosta
6. ☐ el pavo ☐ las chuletas

Ⓢ 2 Y a ti, ¿te gusta? You are going to compare preferences with a partner.

Paso 1 Individually, write sentences stating whether you like these foods.

Modelo las peras
Las peras me gustan mucho/no me gustan para nada/etc.

1. la sopa de verduras
2. los camarones
3. beber agua
4. el ajo
5. la ensalada de frutas
6. comer carne
7. ir al mercado
8. los guisantes

Paso 2 In pairs, compare your likes and dislikes.

Modelo Estudiante A: *Las peras me gustan mucho.*
Estudiante B: *A mí me gustan mucho también.* or *A mí no me gustan.*

1. la sopa de verduras
2. los camarones
3. beber agua
4. el ajo
5. la ensalada de frutas
6. comer carne
7. ir al mercado
8. los guisantes

Así se forma • 105   106 • Capítulo 4

Inductive approach to grammar Preview new grammar topics by examining a short text. Guiding questions help you think inductively and critically by observing language in context. Right from the start, you will make form-meaning connections to understand how grammatical structures are vehicles of information.

Clear presentations The revised grammar presentations are precise, clear, and visually enhanced. The explanations feature sample sentences using the chapter context and vocabulary.

Meaningful activities The carefully revised and updated activity sequence that follows each presentation will help you practice the new structures in diverse formats and relatable contexts, including real-world tasks to engage with your peers, collaborate, and build community.

- Grammar tutorials
- Audio recordings of all short sample texts
- Textbook activities, including audio and chat activities
- Additional autograded activities for extra practice
- Online-only *VideoEscenas* with streaming video and activities

COMMUNICATIVE PRACTICE

Así se dice and **Así se forma** develop your language skills while fostering critical thinking and collaboration.

ASÍ SE DICE Audio: Así se pronuncia

1 ¿Vegetariano o no? Write down the foods that you hear and decide whether a vegetarian person would eat them (**Sí**) or not (**No**).

1. _____ Sí☐ No☐
2. _____ Sí☐ No☐
3. _____ Sí☐ No☐
4. _____ Sí☐ No☐
5. _____ Sí☐ No☐
6. _____ Sí☐ No☐
7. _____ Sí☐ No☐
8. _____ Sí☐ No☐

2 ¿Qué es? Read these descriptions and identify the foods they are referring to.

1. _____ Fruta ovalada y muy grande, perfecta para un picnic el 4 de Julio.
2. _____ Son frutas de un árbol (tree), pequeñas, rojas (red), abundantes en junio.
3. _____ La carne de la pata (leg) de un cerdo.
4. _____ Esta fruta es el ingrediente esencial del guacamole.
5. _____ Verdura pequeña y blanca (white), de sabor (flavor) muy fuerte.
6. _____ Crustáceo grande, exquisito. ¡Cuesta mucho!
7. _____ Granos muy pequeños y blancos, esenciales en la comida de Asia.
8. _____ Ave (bird) grande. Es típico en la cena del día de Acción de Gracias (Thanksgiving).
9. _____ Tipo de pescado con una carne de color rosa (pink) y naranja (orange).
10. _____ Variación regional de la papa.

En mi experiencia
Emmanuel, Atlanta, GA

"In Spain, my host mother went to the supermarket for most of her shopping, but preferred the local market or **mercado** for perishables. She had loyal relationships with individual vendors — she would buy fruit from only one particular stall, fish from another person, etc. The food was always very fresh, but you had to pay in cash, and you could buy only what you could carry home. During my semester in Spain, I made sure to make time to explore the **mercados** in the new cities I visited. I vividly remember the bustling atmosphere of the Mercado San Miguel in Madrid, the Mercado de la Ribera in Bilbao, and the Mercado Victoria in Córdoba."

Is there a market like this or a farmers' market where you live? What are the advantages and disadvantages of shopping at one?

Nota de lengua
We use the definite article when we speak about a class or type of things, or make a generalization.

La fruta es muy sana.	*Fruit is very healthy.*
Las manzanas tienen vitaminas.	*Apples have vitamins.*

The indefinite article is often omitted after **hay** and other verbs (**tener, necesitar, querer**, etc.) when we refer to a nonspecific thing or an indeterminate amount.

Necesitamos (unas) manzanas.	*We need (some) apples.*
¿Tenemos manzanas?	*Do we have any apples?*

Note the difference between:

Las manzanas no cuestan mucho.	→ *all apples, in general*
Siempre tengo manzanas.	→ *some, nonspecific apples*

3 Una cena con amigos You are going to a potluck dinner and you need to prepare these dishes. In pairs, you are going to make a shopping list for the grocery store.

Paso 1 Each of you chooses to be **Estudiante A** or **B**. Then, individually, write a list of ingredients you need for your dish.

Estudiante A: sopa de verdura y pollo   Estudiante B: ensalada de fruta

Paso 2 What do you need to buy? Each of you has a list of the items you have at home. If you can use any in your dish, cross that ingredient off your list from **Paso 1**. Then, discuss with your partner to find out if he/she has any of the other ingredients you need. If so, cross them off your list. Be sure to read the **Nota de lengua** on use of articles before you start.

Modelo Estudiante A: ¿Tienes zanahorias?
Estudiante B: Sí, tengo zanahorias./ No, no tengo zanahorias.

Estudiante A

Los ingredientes que tienes: cebollas, ajo, arroz, frijoles, aguacate, naranjas y duraznos.

Estudiante B
Los ingredientes que tienes: salchichas, papas, zanahorias, miel, fresas y un limón.

Paso 3 What ingredients are you still missing? In pairs, write a shopping list for the grocery store.

4 ¿Qué comemos? In pairs, take turns asking each other questions about your eating and food shopping preferences. Ask follow-up questions and share your own experience.

Estudiante A

1. ¿Cuál es tu verdura favorita? ¿Qué verdura no comes frecuentemente o nunca?
2. ¿Comes legumbres como frijoles o garbanzos?
3. ¿Hay cocina en tu casa o en tu residencia? ¿Cocinas verduras, carne o pescado? ¿Qué alimentos son esenciales en tu dieta?

Estudiante B
1. ¿Cuál es tu fruta favorita? ¿Qué fruta no comes frecuentemente o nunca?
2. ¿Comes granos con frecuencia, por ejemplo, arroz o maíz?
3. ¿Dónde compras comida? ¿Vas al mercado o al supermercado con frecuencia? ¿Qué es importante para ti cuando compras comida?

Palabras útiles
la comida *food*
el costo *cost*
fresca/o *fresh*
el garbanzo *chickpea*
para mí/para ti *for me/for you*
la sostenibilidad *sustainability*

Gradual sequence Vocabulary and grammar presentations are supported by a carefully sequenced set of communicative activities that lead you from input, where you are required to understand the new language and respond to it, to production of output, guided at first and then in open-ended activities. These activities ask you to think critically and invite creative use of the new language for personal expression and authentic communication with your peers.

Critical thinking and collaboration You will have many opportunities to engage in real and purposeful interactions and real-world tasks with a tangible goal or outcome. In pairs or in groups, in the classroom or online, you will collaborate to solve communication gaps, make plans, make decisions, express preferences, or make recommendations. **Situaciones** are role-play activities that present interactive, often humorous situations that must be worked out using the language presented and practiced in the chapter.

Multistep approach Many of these tasks involve multiple steps building on each other. Often you will start working individually before doing pair or group work.

• Textbook activities, including chat activities

CULTURA

The first reading features a current topic related to the chapter theme.

Contemporary topics Readings about contemporary topics help you develop your language skills while gaining cultural awareness and understanding of Products, Practices, and Perspectives from a diverse range of people in the Spanish-speaking communities around the world.

Inclusive approach Topics range from how and where people like to spend their free time in the Dominican Republic to the continuous growth of some capital cities in Latin America, to social media influencers in the Spanish-speaking world. Thoughtful questions ask you to reflect upon those issues in your own community.

- Textbook and additional activities for extra practice

CULTURA

The second reading highlights relevant Cultural Products, Practices, and Perspectives related to a country or region and encourages you to further explore the culture.

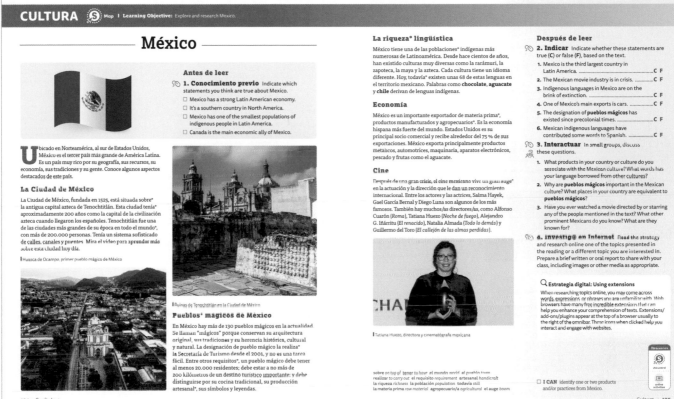

Inquiry-based approach Readings about a country or region of the Spanish-speaking world showcase key Cultural Products, Practices, and Perspectives. The inquiry-based approach to culture is designed to spark your curiosity and take it further with an Internet research activity. As you share your findings with your peers, you will develop a broader view of the country or region of focus and gain new understandings of your own cultural beliefs.

Digital strategy Each chapter features a digital strategy, such as changing settings, using extensions, and comparing sources.

- Interactive readings include maps, images, and video
- Textbook and additional activities for extra practice

DICHO Y HECHO: LECTURA

develops your interpretive reading skills in the context of the chapter theme.

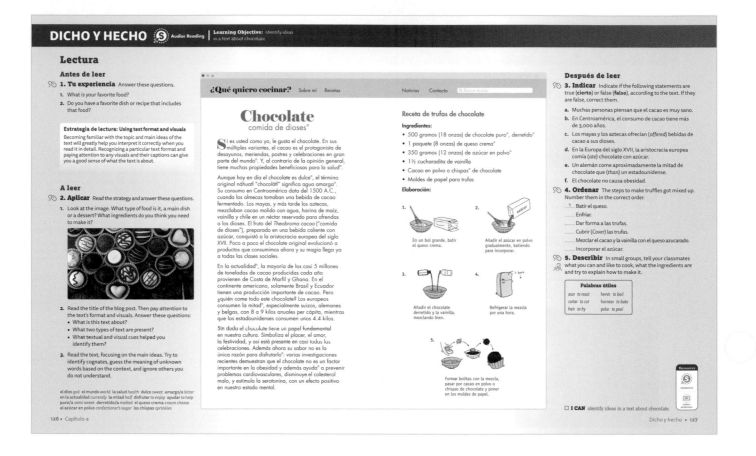

Thematic readings You will be exposed to high-interest and compelling topics in a variety of formats. New and updated content and length are level appropriate.

Reading strategies Each section features a reading strategy that will help you develop your confidence in reading independently.

Interpretive and discussion activities Pre-, during, and post-reading activities support you at every step of the process, from activating your background knowledge, to checking your comprehension, to analyzing and interpreting.

- Audio-sync reading that highlights text as it is being read
- Textbook and additional activities for extra practice

DICHO Y HECHO: VIDEO

develops your interpretive listening skills with compelling authentic videos.

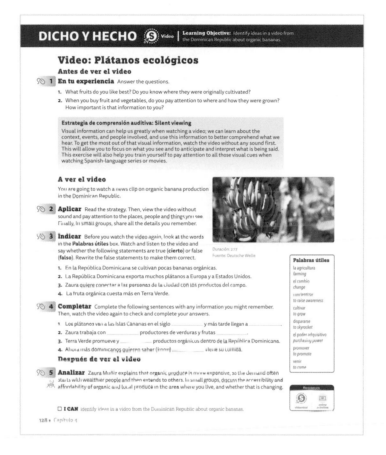

Authentic videos Engaging and compelling ads, news reports, stories, talks, and short films from different countries were carefully selected to shed light on current cultural aspects and reflect a diverse and inclusive view of the Spanish-speaking communities around the world.

Listening strategies A listening strategy featured and practiced with each video will help you develop your listening skills.

Interpretive and discussion activities Pre-, during, and post-viewing activities support you every step of the process, from silent viewing, to checking your comprehension, to analyzing and interpreting.

- Streaming video with instructor-managed options for subtitles and transcripts in Spanish and English
- Interactive video with integrated viewing activities for guided support
- Textbook and additional activities for extra practice

DICHO Y HECHO: PROYECTO ORAL AND PROYECTO ESCRITO

spark your creativity and further develop your speaking and writing skills.

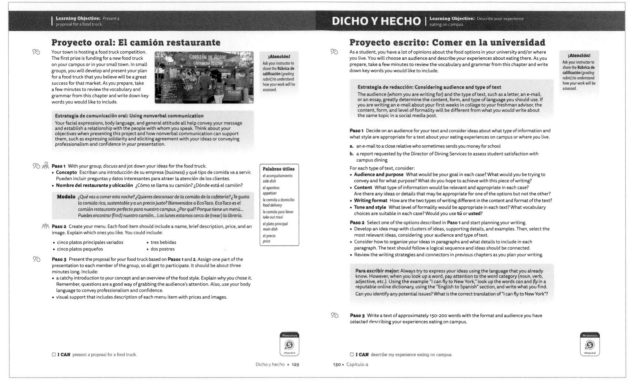

Proyecto oral This multistep project is a culminating oral task. It connects to previously presented content and themes, promotes self-expression, and provides opportunities to use the language in real-world tasks.

Proyecto escrito This multistep project is a culminating writing task tied to the chapter theme, and it integrates some of the vocabulary and grammar of the chapter. Just like the oral project, it is also designed to promote self-expression and provide opportunities to use the language in real-world tasks.

Rubrics Online rubrics are designed to help you understand expectations about how your work will be assessed.

- Textbook activities, including chat, student video recording, and composition
- Rubrics

Plus! Also found on the Supersite:

- Vocabulary Tools: customizable word lists, flashcards with audio. These appear at the end of the chapter for review before projects and tests.

- WebSAM, including audio activities

- Forums for oral assignments, group presentations, and projects

- Live Chat to connect with your instructor in real time, without leaving your browser (instant messaging, audio chat, video chat)

- Communication center for instructor notifications and feedback

- Online, interactive Student Edition with access to Supersite activities, audio, and video

Program Components

For Students

Student Edition Textbook

Student Edition vText

This virtual, interactive Student Edition provides a digital text, plus links to Supersite activities and media.

Supersite

Included with the purchase of every new student edition, the passcode to the Supersite (**vhlcentral.com**) gives you access to a wide variety of interactive activities for each section of every chapter of the student text, including auto-graded activities for extra practice with vocabulary, grammar, video, and cultural content; reference tools; video clips; News and Cultural Updates; the Lab Program MP3 files, and more.

WebSAM (Workbook/Lab Manual)

Completely integrated with the Supersite, the WebSAM provides access to online Workbook and Lab Manual activities with instant feedback and grading for auto-graded activities.

- The Workbook contains the workbook activities for the **Así se dice** and **Así se forma** sections of the Student Edition.

- The Lab Manual focuses on building your pronunciation and listening skills in Spanish. It contains audio-based activities for the **Así se dice** and **Así se forma** sections of the Student Edition.

ACKNOWLEDGMENTS

No project of the scope and complexity of **Dicho y hecho** could have materialized without the collaboration of numerous people. The author team gratefully acknowledges the contributions of the many individuals who were instrumental in the development of this work.

Reviewers for the Eleventh Edition

Special thanks to those instructors using the **Tenth Edition** whose thoughtful and constructive feedback was instrumental in shaping the **Eleventh Edition**:

Douglas Bush, Converse College, OH
Tizziana Carmona, University of Detroit Mercy, MI
Maritza Chinea-Thornberry, University of South Florida, FL
Judith Downing, Rutgers University-Camden, NJ
Luz M. Escobar, Southeastern Louisiana University, LA
Marie Guiribitey, Florida International University, FL
Roberto Jimenez-Arroyo, University of South Florida Sarasota-Manatee, FL
Amos Kasperek, Bob Jones University, SC
Marianna Kunow, Southeastern Louisiana University, LA
Kathleen Leonard, University of Nevada, Reno, NV
Charles Molano, Lehigh Carbon Community College, PA
Nadina Olmedo, University of San Francisco, CA
Dr. Jerry Parker, Southeastern Louisiana University, LA
Karyn Schell, University of San Francisco, CA

We would like to also thank those instructors who provided constructive feedback for the new **Proyectos**:

Kate Grovergrys, Madison Area Technical College
Kenneth V. Luna, Ph.D., California State University, Northridge
Cristina Sparks-Early, Northern Virginia Community College

And finally, Vista Higher Learning is grateful to the loyal users of **Dicho y hecho**, who over the years have continued to provide valuable insights and suggestions:

Susan Ackerman, *Santa Rosa Junior College;* Amy Adrian, *Ivy Tech Community College;* Ana Afzali, *Citrus College;* Silvia Albanese, *Nassau Community College (SUNY);* Pilar Alcalde, *University of Memphis;* Emmanuel Alvarado, *Palm Beach State College;* Rafael Arias, *Los Angeles Valley College;* Bárbara Ávila-Shah, *University at Buffalo, SUNY;* Ann Baker, *University of Evansville;* Miriam Barbaria, *Sacramento City College;* Sandra Barboza, *Trident Technical College;* J. Raúl Basulto, *Montgomery College;* Anne Becher, *Colorado University-Boulder;* María Beláustegui, *University of Missouri, Kansas City;* Mara-Lee Bierman, *SUNY Rockland Community College;* Virgilio Blanco, *Howard Community College;* Ana Boone, *Baton Rouge Community College;* Kate Bove, *Asheville-Buncombe Technical Community College;* Kathryn Bove, *Asheville Buncombe Community College;* Melany Bowman, *Arkansas State University;* Maryann Brady, *Rivier College;* Cathy Briggs, *North Lake College;* Suzanne Buck, *Central New Mexico Community College;* Majel Campbell, *Pikes Peak Community College;* Mónica Cantero, *Drew University;* Amy Carbajal, *Western Washington University;* Catalina Castillón, *Lamar University;* Chyi Chung, *Northwestern University-Evanston;* Dawn M. Ciciola, *Iona College;* Daria Cohen, *Rider University;* Heather Colburn, *Northwestern University-Evanston;* Marcos Contreras, *Modesto Junior College;* Rifka Cook, *Northwestern University;* Manuel Cortés-Castañeda, *Eastern Kentucky University;* Mayra Cortes-Torres, *Pima Community College;* Maximiliano Cuevas, *Pitt Community College;* Jackie Daughton, *University of North Carolina-Greensboro;* Debra Davis, *Sauk Valley Community College;* Patricia Davis, *Darton College, Main Campus;* William Deaver, Jr., *Armstrong Atlantic State University;* Laura Dennis, *University of the Cumberlands;* Aurea Diab, *Dillard University;* Dorian Dorado, *Louisiana State University;* Mark Dowell, *Randolph Community College;* Carolyn Dunlap, *Gulf Coast Community College;* Lucia Dzikowski, *Seminole State College;* Deborah Edson, *Tidewater Community College-Virginia Beach;* Linda Elliott-Nelson, *Arizona Western College;* Margaret

Eomurian, *Houston Community College*; Luz Escobar, *Southeastern Louisiana University*; Tanya Farnung-Morrison, *University at Buffalo, North Campus*; Jill Felten, *Northwestern University*; María Ángeles Fernandez, *University of North Florida*; Oscar Flores, *SUNY Plattsburgh*; Leah Fonder-Solano, *University of Southern Mississippi*; Sarah Fritz, *Madison Area Technical College*; Jennifer Garson, *Pasadena City College*; Elaine Gerber, *Wayne State University*; Thomas Gilles, *Montana State University*; Leonor Vázquez González, *University of Montevallo*; Andrew Gordon, *Mesa State College*; Ana Grey, *North Carolina State University*; James Gustafson, *Southern Utah University*; Dennis Harrod, *Syracuse University*; Mary Hartson, *Oakland University*; Candy Henry, *Westmoreland County Community College*; Yolanda Hernández, *College of Southern Nevada -Cheyenne Campus*; Lorena Hidalgo, *University of Missouri, Kansas City*; Christopher Hromalik, *Onondaga Community College*; Laurie Huffman, *Los Medanos College*; Martha Hughes, *Georgia Southern University*; Jessica E. Hyde-Cadogan, *University of New Haven*; Nuria Ibáñez, *University of North Florida*; Mary Lou Ippolito, *Trident Technical College*; William Jensen, *Snow College*; Amarilis Hidalgo de Jesús, *Bloomsburg University of Pennsylvania*; Ana Jimenez-Leary, *Pitt Community College*; Shelley Jones, *Montgomery College*; Dallas Jurisevic, *Metropolitan Community College - Elkhorn campus*; Hilda M. Kachmar, *St. Catherine University - St. Paul Campus*; Amos Kasperek, *Bob Jones University*; Vasiliki Kellar, *The Community College of Philadelphia*; Karl Keller, *University of Alabama in Huntsville*; Mary Jane Kelley, *Ohio University*; Isidoro Kessel, *Old Dominion University*; Pedro Koo, *Missouri State University*; Beth Kuberka, *SUNY Buffalo*; Sharyn Kuusisto, *City College of San Francisco*; Ryan Labrozzi, *Bridgewater State University*; Deborah Lemon, *Ohlone College*; María Helena López, *Northwest Florida State College*; Leticia P. López, *San Diego Mesa College*; Nuria R. López-Ortega, *University of Cincinnati*; Alisa Linarejos, *Brown University*; José López-Marrón, *CUNY Bronx Community College*; Joanne Lozano, *Dillard University*; Alfonso Abad Mancheno, *Guilford College*; Laura Manzo, *Modesto Junior College*; Dora Y. Marrón Romero, *Broward College*; Kara McBride, *St. Louis University, Frost Campus*; Peggy McNeil, *Louisiana State University*; Nelly A. McRae, *Hampton University*; Christopher Miles, *The University of Southern Mississippi*; Elaine Miller, *Christopher Newport University*; Nancy Mínguez, *Old Dominion University*; María Eugenia Moratto, *University of North Carolina, Greenboro*; María Yazmina Moreno-Florido, *Chicago State University*; Asha Nagaraj, *Northwestern University*; Sandy Oakley, *Palm Beach Community College*; María de los Santos Onofre-Madrid, *Angelo State University*; Denise Overfield, *University of West Georgia*; Marilyn Palatinus, *Pellissippi State Community College*; Sue Pechter, *Northwestern University*; Tina Peña, *Tulsa Community College*; Tammy Pérez, *San Antonio College*; Rose Pichón, *Delgado Community College*; Aida Ramos-Sellman, *Goucher College*; Kay Raymond, *Sam Houston State University*; Angelo Rodríguez, *Kutztown University of Pennsylvania*; Deborah Rosenberg, *Northwestern University*; Laura Ruiz-Scott, *Scottsdale Community College*; Christina Sabin, *Sierra College*; Clinia Saffi, *Presbyterian College*; Phillip Santiago, *Buffalo State College*; Román Santillán, *Medgar Evers College, CUNY*; Roman Santos, *Mohawk Valley Community College - Utica Campus*; Karyn Schell, *University of San Francisco*; William Schott, *University of Missouri, Kansas City*; Patricia Betancourt Segui, *Palm Beach State College*; Lilian Contreras Silva, *Hendrix College*; Luis Silva-Villar, *Mesa State College*; María Sills, *Pellissippi State Community College*; E. Esperanza Simien, *Baton Rouge Community College*; Roger Simpson, *Clemson University*; Dawn Slack, *Kutztown University of Pennsylvania*; Víctor Slesinger, *Palm Beach Community College*; Nori Sogomonian, *San Bernardino Valley College*; Juan Manuel Soto, *El Centro College*; Juan Manuel Soto, *Indiana University-Bloomington*; Lucy Soto, *Seminole State College*; Benay Stein, *Northwestern University*; Jorge Suazo, *Georgia Southern University*; John Sullo, *Iona College*; Roy Tanner, *Truman State University*; Joe Terantino, *Kennesaw State University*; Linda Tracy, *Santa Rosa Junior College*; Sara Tucker, *Howard Community College*; Mayela Vallejos-Ramírez, *Mesa State College*; Claudia Polo Vance, *University of North Alabama*; José L. Vargas-Vila, *Indian University-Purdue*; Michael Vermy, *SUNY Buffalo State College*; Celinés Villalba, *Rutgers, The State University of New Jersey*; Michael Vrooman, *Grand Valley State University*; Mary Wadley, *Jackson State Community College*; Valerie Watts, *Asheville-Buncombe Technical Community College*; Kathleen Wheatley, *University of Wisconsin-Milwaukee*; Sheridan Wigginton, *California Lutheran University*; Kelley Young, *The University of Missouri-Kansas City*; U. Theresa Zmurkewycz, *St. Joseph's University*.

Silvia Sobral

Kim Potowski

AUTHORS

Soon after becoming *Licenciada* in English Philology in Spain, I arrived at the University of Illinois at Urbana-Champaign to pursue an M.A. in Teaching English as a Second Language. At first, I believed that my job consisted in explaining grammar rules and exceptions, giving examples, correcting mistakes. Since then, my academic work, my experience teaching and a growing awareness of the relation between language and sociopolitical issues have proved that language learning and teaching are much more complex and exciting processes. I also want to acknowledge my own positionality as a white European Spanish speaker in the United States. **Dicho y hecho** brings together my experience, that of my co-author as well as the multiple perspectives of a large editorial team for a language program that we hope will facilitate teaching and learning while making it a meaningful, enjoyable endeavor.

> *Dedico este trabajo a mis profesores, estudiantes y colegas, de quienes sigo aprendiendo, y especialmente a mis padres, Eusebio y María de los Ángeles, por enseñarme, inspirarme y apoyarme siempre.*

Silvia Sobral

Kim Potowski

I was raised on Long Island, New York, where my interest in Spanish was nurtured by my teachers Mr. Martin Stone and Mr. Paul Ferrotti. After finishing my B.A. in Spanish at Washington University in St. Louis (and a wonderful sophomore year in Salamanca, Spain), I completed an M.A. in Hispanic Linguistics at the University of Illinois at Urbana-Champaign. I took a two-year hiatus to teach English in Mexico City and an additional few months in Colmar, France, then returned to Urbana and completed a Ph.D. in Hispanic Linguistics with a concentration in Second Language Acquisition and Teacher Education. I have been at the University of Illinois at Chicago since 1999, where I direct the Spanish for Heritage Speakers program.

> I thank my husband Cliff Meece and his parents, Gayle Meece and Cliff Meece Sr., for all of their support.

ELEVENTH EDITION

DICHO Y HECHO

BEGINNING SPANISH

Nuevos
encuentros

Learning Objectives
In this chapter, you will:

- Participate in basic exchanges to introduce yourself, provide basic personal information, and tell time.
- Describe yourself and others.
- Discuss how people greet one another in Spanish-speaking communities.
- Explore and research where Spanish is spoken around the world.
- Identify basic ideas in written and spoken texts.
- Introduce yourself.
- Write a simple poem in Spanish using your creativity and words you know.

(S) **Así se pronuncia** The alphabet; the sounds of Spanish

¡Bienvenidos! Answer the questions.

1. Read the flyer and indicate your personal choices.

Reasons to learn Spanish

Welcome to your Spanish learning journey! Here are some reasons why people learn Spanish. Indicate which apply to you and add any that may not be mentioned here.

☐ To learn more about the Hispanic cultures in the U.S. and better communicate with those who speak Spanish.

☐ To acquire a skill that will be relevant for my professional career.

☐ To travel abroad and be able to communicate with people in Latin America, Spain, and other parts of the world.

☐ To communicate with relatives who speak Spanish.

☐ To learn about cultures from other countries: their perspectives, values, and also their food, arts, etc.

☐ Other: _____

_____

_____

2. In small groups, compare your answers. What are the more common answers? Is there a reason listed in the flyer that you had not considered before? What about other reasons your classmates came up with?

3. Answer these questions individually. Then, in groups, compare and comment on your answers.
   • Do you understand or speak any languages other than English? How did you learn them?
   • Have you ever learned (or started to learn) Spanish or another language in a classroom setting? If so, what do you remember about the experience? Were there things you liked or did not like? Things that worked well or did not work for you?
   • What expectations do you have about learning Spanish now? What are you looking forward to? Do you have any concerns?

Nuevos encuentros

Apoyo de vocabulario

¿Cómo te llamas?/ ¿Cómo se llama?	*What's your name?*
Me llamo...	*My name is . . .*
Buenos días.	*Good morning.*
Te/Le presento a...	*I want to introduce you to . . .*
Encantado/a.	*It's nice to meet you.*
Mucho gusto.	*I'm pleased to meet you.*
¿De dónde eres?	*Where are you from?*
Soy de...	*I'm from . . .*

¡Atención!

Remember to listen to and interact with this new vocabulary on the Supersite.

¿Qué observas? (*What do you observe?*)

Answer the questions about the image. Find additional questions on the Supersite.

1. Who is greeting someone they know?
2. Who is talking about their place of origin?
3. Who is asking another person where he or she is from?
4. Who is introducing one person to another?
5. Who is introducing him/herself?

¿Y tú? (*How about you?*) Answer the questions about yourself.

1. How do you greet a classmate you already know?
2. How do you greet a classmate you meet for the first time?
3. How do you greet a professor?
4. How do you greet a potential boss?

Las presentaciones *(Introductions)*

In Spanish, there are two ways of addressing someone and, therefore, there are two equivalents of the English *you*: **tú** and **usted**. In general, use **tú** with classmates, relatives, friends, and others in a first-name-basis relationship; use **usted** with professors and other adults in a last-name-basis relationship.

<u>Informal</u>

Hola, me llamo...

¿Cómo te llamas (tú)?

<u>Formal</u>

Buenos días, me llamo...

¿Cómo se llama (usted)?

▶ To say you are pleased to meet someone, you can say:

Mucho gusto.

Encantado. *(said by males)*/**Encantada.** *(said by females)*

▶ To ask where someone is from, say:

<u>Informal</u>

¿De dónde eres?

<u>Formal</u>

¿De dónde es usted?

▶ To say where you are from, say: **Soy de...**

Saludos y despedidas

Observe and compare these conversations. They introduce greetings (**los saludos**) and expressions of farewell (**las despedidas**). Note that while some are markedly formal or informal, others are appropriate in any situation.

FORMAL

Prof. Ruiz: Buenos días, señorita García.	*Good morning, Miss García.*
Susana: Buenos días, profesor Ruiz. ¿Cómo está usted?	*Good morning, Professor Ruiz. How are you?*
Prof. Ruiz: Muy bien, gracias. ¿Y usted?	*Very well, thanks. And you?*
Susana: Bien, gracias.	*Fine, thanks.*
Prof. Ruiz: Adiós.	*Goodbye.*
Susana: Hasta mañana.	*See you tomorrow.*

INFORMAL

Luis: ¡Hola!	*Hello!/Hi!*
Olga: ¡Hola! ¿Qué tal? ¿Cómo estás?	*Hi! How's it going? How are you?*
Luis: Fenomenal. ¿Y tú? ¿Qué pasa?	*Terrific. And you? What's going on?*
Olga: Pues nada. Bueno, voy a clase.	*Not much. Well, I'm going to class.*
Luis: Pues, hasta luego.	*Well, see you later.*
Olga: Chao.	*Bye.*

- The appropriate use of **tú** vs. **usted** for *you* varies widely by region and even by generation. For example, if greeting a 30-year-old store clerk in Spain you would use **tú**, but in some parts of Colombia you would use **usted**. Expected uses also change over time.

- In some regions of Central and South America, such as Costa Rica, Argentina, and Uruguay, **vos** is used instead of **tú**:

  ¿Como te llamás vos?   *What is your name?*

- In many Spanish-speaking countries, **buenas tardes** (*good afternoon*) is used while there is still daylight.

- **Buenos días** and **Buenas tardes/noches** are also used in informal settings, especially the first time you see people during a given day. **Buenas noches** (*good night*) is also often used as a farewell.

1 ¿Quién...? Refer to the image in the vocabulary presentation to see who...

1. ...is using an informal greeting.
   a. Carmen y Alfonso   **b.** Inés y la profesora Falcón
2. ...is informally introducing one person to another.
   a. Javier   **b.** Inés
3. ...is introducing themselves.
   a. Linda y Manuel   **b.** Alfonso y Carmen
4. ...is formally introducing one person to another.
   a. Octavio   **b.** Inés
5. ...is informally asking about someone's origin.
   a. la profesora Falcón   **b.** Octavio

2 ¿Formal o informal? Listen to these people as they greet each other and indicate whether they are addressing each other in a formal or informal manner.

	Formal	Informal
1.	☐	☐
2.	☐	☐
3.	☐	☐
4.	☐	☐

3 ¿Cómo estás? Listen and choose the appropriate response to each greeting or question.

1. **a.** Me llamo Juan.　　**b.** Hola, ¿qué tal?　　**c.** Soy de Estados Unidos.
2. **a.** Muy bien, ¿y tú?　　**b.** Pues nada.　　**c.** Gracias.
3. **a.** Fenomenal.　　**b.** Soy de México, ¿y tú?　　**c.** Hasta pronto.
4. **a.** Muy bien, gracias.　　**b.** Pues nada.　　**c.** Bueno, pues, hasta luego.
5. **a.** ¿Qué pasa?　　**b.** Buenas tardes.　　**c.** Chao.

4 En una conversación In pairs, **Estudiante A** reads his/her conversation prompts, and **Estudiante B** selects the appropriate response from the available options. Then, reverse your roles.

Estudiante A

Hola, ¿qué tal?

¿De dónde eres?

Hasta mañana.

Encantada.

Estudiante B

Soy de California, ¿y tú?

Bien, ¿y tú?

Igualmente.

Adiós.

Estudiante B

¿Cómo te llamas?

Buenos días, Sr. Soto. ¿Cómo está?

Hasta luego.

Te presento a Sara.

Estudiante A

Muy bien, gracias, ¿y usted?

Me llamo Antonio.

Chao.

Mucho gusto.

5 Las presentaciones You are going to introduce a classmate to other students and your instructor.

Paso 1 Talk to at least five of your classmates and your instructor. Take notes with the information you learn.

- Greet them (remember to greet your instructor with formal forms!).
- Introduce yourself and learn their names.
- Find out where they are from.
- Say goodbye.

> **Modelo** **Estudiante A:** *Hola, me llamo Antonio. Y tú, ¿cómo te llamas?*
> **Estudiante B:** *Me llamo Raquel. ¿Cómo estás?*
> **Estudiante A:** *Muy bien, gracias. ¿De dónde eres?*

Paso 2 Find one of the classmates you met earlier and introduce her/him to the other classmates you met and the instructor. When your classmate introduces you to others, be sure to respond appropriately.

> **Modelo** *Roberto, te presento a mi amiga Raquel. Raquel es de...*
> *Profesor(a), le presento a...*

☐ **I CAN** introduce myself; meet and greet others.

Resources

vhlcentral

SAM

online activities

Expresiones de cortesía

What is considered polite behavior—when to say please, thank you, etc.—varies across cultures and communities. Always observe what others do and err on the side of politeness.

Expresiones de cortesía	Expressions of courtesy
Con permiso.	*Pardon me./Excuse me. (to seek permission to pass by someone or to leave)*
Perdón./Disculpe.	*Pardon me./Excuse me. (to get someone's attention or to seek forgiveness)*
Lo siento (mucho).	*I'm (so/very) sorry.*
Por favor.	*Please.*
(Muchas) Gracias.	*Thank you (very much).*
De nada.	*You're welcome.*

1 **Con cortesía** Write an appropriate courtesy expression for each image.

Mariano is going to pass by, but the space is a bit tight. What does he say?

Nora wants to speak to Darío, but he is busy. What does Nora say?

Julián spills his drink on a table he shares with Victoria. What does he say?

Manolo gives Marina a gift. What does she say?

What does Manuel say to Marina?

2 **Somos muy corteses también** In pairs, write appropriate expressions or interactions for each situation. Be ready to act them out for the class.

1. You drop a book on the bus, and another passenger picks it up and hands it to you.
2. You excuse yourself before you walk in front of someone.
3. You lightly bump into someone and seek her/his forgiveness.
4. You get a person's attention and ask the person her/his name and where she/he is from.
5. You stop an older person you do not know in the street and ask for the time.

☐ **I CAN** use courtesy expressions.

1. Describe yourself and others

Subject pronouns and the verb *ser*

Read and listen to the complete dialogue first. Then, go back and observe the words in boldface. Can you tell what they mean? Can you draw any connections between these words and the people they are talking about (underlined)?

Tania: Hola, <u>yo</u> **soy** Tania. **Soy** estudiante en la universidad, ¿y <u>ustedes</u> **son** estudiantes también?

Isabel: Sí, <u>nosotros</u> también **somos** estudiantes. <u>Yo</u> me llamo Isabel y **soy** de Perú y este (*this*) es Jorge, <u>él</u> **es** chileno.

Jorge: ¿<u>Tú</u> de dónde **eres**, Tania?

Tania: **Soy** de Cuba.

Jorge: Entonces, todos <u>nosotros</u> **somos** de Latinoamérica.

In the previous section you used some subject pronouns to address people (**usted, tú**) and forms of the verb **ser** (*to be*): **¿De dónde *es* usted? ¿De dónde *eres*? Soy de...** Here are some more subject pronouns and forms of **ser**.

Subject pronouns	Ser (*to be*)
yo (*I*)	**Soy** estudiante.
tú (*you, singular informal*)	**Eres** inteligente.
usted (Ud.) (*you, singular formal*)	**Es** de Bolivia.
él (*he*)/**ella** (*she*)	**Es** profesor/profesora.
nosotros/as (*we*)	**Somos** estudiantes.
vosotros/as (*you, plural informal*)	**Sois** inteligentes.
ustedes (Uds.) (*you, plural*)	**Son** de Panamá.
ellos (*they, masc.*)/**ellas** (*they, fem.*)	**Son** profesores/profesoras.

▶ **Ustedes** is formal in Spain but both formal and informal in Latin America. In Spain, **vosotros/as** is used to informally address a group.

▶ Use subject pronouns only *to emphasize, to contrast,* or *to clarify.* Avoid them otherwise, since Spanish verb endings already indicate who the subject is.

Yo soy de Cuba y **él** es de Chile.	*I am from Cuba and he is from Chile.*
Soy de Cuba.	*I am from Cuba.*
Somos estudiantes.	*We are students.*

▶ Use the verb **ser** *to tell who a person is, where a person is from,* and *what a person is like.*

Tania **es** estudiante.	*Tania is a student.*
Es de Cuba.	*She is from Cuba.*
Es muy independiente.	*She is very independent.*

- ▶ **Vos** is used instead of **tú** in many parts of Latin America including Argentina, Uruguay, Paraguay, and some areas of Central America.
- ▶ To ask a yes/no question, simply add question marks and change the inflection of your voice.

  Eres pesimista. → ¿**Eres** pesimista?   *Are you a pessimist?*

- ▶ With questions that use interrogative words, note that the verb (here, **eres**) precedes the subject (**tú**), when the subject is mentioned.

  ¿De dónde **eres** (**tú**)?   *Where are you from?*

  ¿Cómo se llama la profesora?   *What is the professor's name?*

- ▶ To make a negative statement, place **no** before the verb.

  No soy estudiante.   *I am not a student.*

- ▶ In answering negatively to yes/no questions, repeat the **no**.

  ¡**No, no soy** pesimista!   *No, I'm not a pessimist!*

1 **¿Quién es?** Indicate to whom each statement refers. In some cases, there is more than one correct option.

1. ¿Eres profesor?   **a.** yo   **b.** tú   **c.** usted
2. Es estudiante.   **a.** yo   **b.** tú   **c.** Roy
3. Somos independientes.   **a.** tú y yo   **b.** Roy y tú   **c.** Roy y yo
4. Son de Arizona.   **a.** Julia y Roy   **b.** Julia y tú   **c.** Julia y yo
5. ¿Es responsable?   **a.** tú   **b.** Roy   **c.** usted
6. Soy de Nueva York.   **a.** yo   **b.** tú   **c.** Roy

2 **¿Cierto o falso?** Complete each sentence with the appropriate form of **ser**. Then indicate whether the statements are true (**cierto**) or false (**falso**). If you are not sure, research the answer or make an educated guess.

	Cierto	Falso
1. Mi profesor(a) de español _____ de Nueva York.	☐	☐
2. Yo _____ responsable.	☐	☐
3. Elizabeth Acevedo y Erika Sánchez _____ escritoras.	☐	☐
4. Mis compañeros de clase (*classmates*) y yo _____ de Estados Unidos.	☐	☐
5. El español _____ la lengua nativa de casi (*almost*) 500 millones de personas.	☐	☐

Elizabeth Acevedo

Erika Sánchez

☐ **I CAN** describe myself and others using memorized or familiar words.

Greetings

Antes de leer

1. Tu experiencia Answer these questions.

1. How do you and your friends usually greet each other?

2. How do you greet people you don't know—younger, your own age, and older? Do you think greeting practices vary around the U.S.?

Después de leer

2. Identificar How would the following Spanish-speakers probably greet and say goodbye to each other?

a. Flavia and Antonio, Peru

b. Juan and Daniel, Mexico

c. Mr. González and Mrs. Burgos, Chile

d. Clara and Lucía, Spain

3. Evaluar Why might it be considered important to greet and say goodbye to everyone at social gatherings?

☐ **I CAN** discuss the different ways people greet one another in Spanish-speaking communities.

In many Spanish-speaking communities, greetings involve some physical contact, especially when greeting friends and relatives. Although there is regional and individual variation, it is common for women to greet friends and relatives, both male and female, with a single light kiss. In Spain and some other countries, they kiss once on each cheek. Men often greet male friends and relatives with a short hug or a handshake, although in cultures such as Argentina it's not uncommon for male friends to greet each other with a light kiss. In formal situations or when people are on a last-name basis, they normally use a handshake only. When people part ways, they tend to repeat the same gesture as when they greeted each other.

You may find that leaving may take longer in Hispanic cultures, especially among close friends or relatives, starting a farewell and getting back into conversation once or twice before actually ending the conversation or leaving.

When unsure of how to interact appropriately, observe what native speakers do and try to follow their behavior as best as you can.

"In Spain, I quickly learned that you're supposed to kiss on the cheek when you greet someone, but I kept almost crashing faces with people! Finally, I noticed that you always go left first, putting right cheek to right cheek. Also, when arriving at a social gathering, you greet each person individually instead of waving a general 'hello'. Not doing so may be interpreted as abrupt or even rude."

—Bridget, Rochester, NY

Resources

vhlcentral

online activities

2. Describe yourself and others

Gender and number agreement

Read and listen to how Isabel describes herself and her friend Jorge. What do you notice about the ending of the words in bold? What is the ending when the subjects are two people? How do these words change when the subject is masculine singular? And how about when the subject is feminine singular?

> En general, Jorge y yo somos similares. Somos **responsables**, **independientes** y **optimistas**. Pero somos un poco diferentes también. Jorge es **extrovertido**, **dinámico** y **creativo**, y yo soy **introvertida**, **tranquila** y un poco **seria**.

> ¡Atención!
> New vocabulary consisting of cognates will not be introduced with translation, but you can find translations for the words in boldface in the **Repaso de vocabulario** section at the end of each chapter.

▶ Here you have a list of adjectives (words we use to describe people and things) that are commonly used with **ser** to describe people. They are all cognates, that is, words that are identical or similar in both languages and have the same meaning. Do you recognize them?

▶ Some adjectives may be used to describe both males and females.

arrogante	independiente	**optimista**	rebelde
eficiente	**inteligente**	paciente	**responsable**
egoísta	irresponsable	**pesimista**	terrible
flexible	liberal	puntual	tolerante

▶ But other adjectives change **-o** to **-a** when referring to a female.

ambicioso/a	dinámico/a	**introvertido/a**	religioso/a
atlético/a	**extrovertido/a**	modesto/a	romántico/a
cómico/a	generoso/a	organizado/a	serio/a
creativo/a	impulsivo/a	práctico/a	**tranquilo/a**

▶ To describe more than one person, add **–s** to adjectives that end in a vowel and **–es** to those ending in a consonant.

inteligente → inteligente**s**   puntual → puntual**es**

▶ Some adjectives of nationality have different forms for males and females while others have only one.

mexicano, mexicana   español, española   estadounidense

ASÍ SE FORMA

1 **¿Similares o diferentes?** You are going to share the adjectives that describe you.

Paso 1 Individually, indicate which statements are true for you. Then add one more true statement using one or more adjectives presented in this section.

☐ **1.** Soy optimista. ☐ **4.** Soy responsable. ☐ **7.** Soy tranquilo/a.

☐ **2.** Soy creativo/a. ☐ **5.** Soy extrovertido/a. ☐ **8.** Soy flexible.

☐ **3.** Soy serio/a. ☐ **6.** Soy paciente. ☐ **9.** _____

Paso 2 In pairs, compare your answers orally. Then write sentences about your differences.

> **Modelo** **Estudiante A:** *Yo soy un poco optimista, ¿y tú?*
> **Estudiante B:** *Sí, yo soy optimista también. Soy muy optimista.*

Palabras útiles
muy *very*
un poco *a bit*
también *also*
tampoco *neither/not either*

2 **¿Cómo son?** Write the number of each sentence you hear near the photo of the person/people it describes. You will hear two descriptions for each photo.

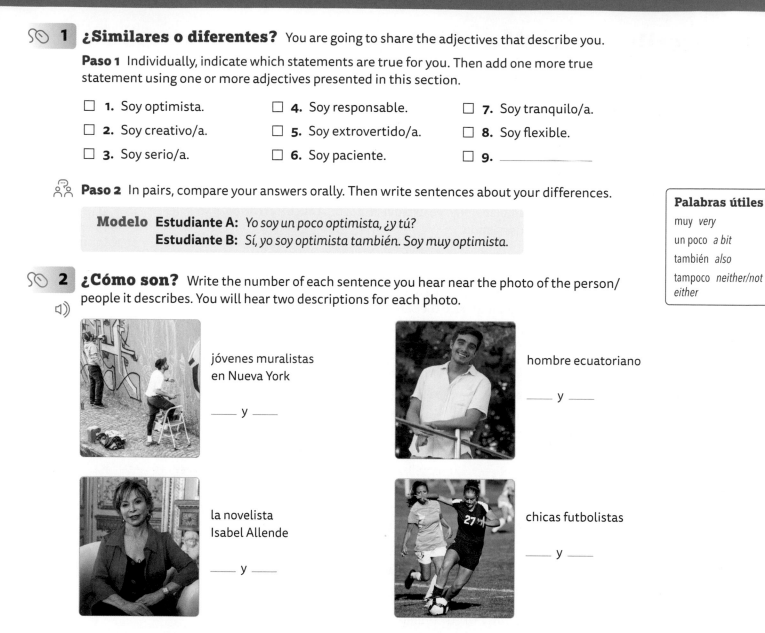

jóvenes muralistas en Nueva York

____ y ____

hombre ecuatoriano

____ y ____

la novelista Isabel Allende

____ y ____

chicas futbolistas

____ y ____

Nota cultural

Una escritora chilena

Isabel Allende is a prolific Chilean author whose novels are international bestsellers, with more than 75 million books sold. She received Chile's National Literature Prize in 2010 and former President Obama awarded her the Presidential Medal of Freedom in 2014. Two of her novels, **La casa de los espíritus** (*The House of the Spirits*) and **De amor y de sombra** (*Of Love and Shadows*), were made into movies, and her TED talks have attracted more than 8 million viewers.

Fuente: isabelallende.com

3 Personas célebres In pairs, follow the model to write about the people below. Use adjectives you have already learned and new ones from the list to describe them. Then select two more people and write similar descriptions about them.

> **Modelo** Penélope Cruz (actriz/España)
> *Penélope Cruz es actriz y es de España. Es muy talentosa y dinámica.*

influyente	famoso/a	fuerte (*strong*)	popular	talentoso/a

1. Fernando Tatís Jr. (jugador de béisbol/ República Dominicana)

2. Camila Cabello (cantante/Cuba)

3. Julio Torres (comediante y productor/El Salvador)

4. Sonia Sotomayor (jueza/ Estados Unidos)

4 Mi personalidad You are going to express similarities and differences between a classmate and yourself.

Paso 1 In pairs, greet and introduce yourselves and talk about your origins. Then ask each other yes/no questions to determine your personality traits. Take notes.

> **Modelo** **Estudiante A:** *¿Eres (muy) extrovertido/a?*
> **Estudiante B:** *Sí, soy muy extrovertido/a. / No, no soy (muy) extrovertido/a. ¿Y tú?*

Paso 2 Walking around the classroom, introduce your classmate to three other students. Tell her/his name, origin, and two personality traits.

> **Modelo** *Mi amigo/a se llama... o Te presento a mi amigo/a...*
> *Es de...*
> *Es... y...*

Paso 3 Tell the class one difference between you and your classmate and two things you have in common. Remember to add **-s** or **-es** to the adjective to form the plural.

> **Modelo** *(Partner's name) es... y yo soy...*
> *Él/Ella y yo somos... y...*

Resources

vhlcentral

SAM

online activities

☐ **I CAN** describe myself and others using memorized words.

3. Express small quantities and identify phone numbers

Numbers from 0 to 99

Read and listen to the numbers. What do you observe about how they are formed?

Es el autobús 61.

Es el número 18.

Son 50 mil pesos.

Es el apartamento 95.

Los números del 0 al 99

0 **cero**	10 **diez**	20 **veinte**	30 **treinta**
1 **uno**	11 **once**	21 **veintiuno**	31 **treinta y uno**
2 **dos**	12 **doce**	22 **veintidós**	32 **treinta y dos**
3 **tres**	13 **trece**	23 **veintitrés**	…
4 **cuatro**	14 **catorce**	24 **veinticuatro**	40 **cuarenta**
5 **cinco**	15 **quince**	25 **veinticinco**	50 **cincuenta**
6 **seis**	16 **dieciséis**	26 **veintiséis**	60 **sesenta**
7 **siete**	17 **diecisiete**	27 **veintisiete**	70 **setenta**
8 **ocho**	18 **dieciocho**	28 **veintiocho**	80 **ochenta**
9 **nueve**	19 **diecinueve**	29 **veintinueve**	90 **noventa**

▶ **Uno** is used for counting, but before a noun we use the indefinite article **un** (masculine)/ **una** (feminine). The same holds true for **veintiuno**, **treinta y uno**, and so on.

Un profesor, **una** profesora y **veintiún** estudiantes son de Texas.

One (male) professor, one (female) professor, and twenty-one students are from Texas.

▶ The numbers from 16 to 29 are written as one word: **diecisiete**, **veinticuatro**. Those from 31 on are written as three words: **treinta y tres**, **cincuenta y seis**.

▶ Note the numbers that carry accent marks: **dieciséis**, **veintidós**, **veintitrés**, **veintiséis**.

▶ When giving phone numbers, digits are usually given in pairs and the article **el** (*the*) precedes the phone number:

Es el (8-12) 4-86-05-72 (**ocho, doce; cuatro, ochenta y seis, cero, cinco, setenta y dos**).

1 ¿Correcto o incorrecto?

Paso 1 Listen to some math problems and decide whether the answer is correct (**C**) or incorrect (**I**).

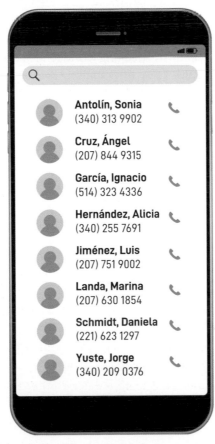

y +	menos –	son =

1. C I   **2.** C I   **3.** C I   **4.** C I   **5.** C I

Paso 2 Listen to a few math problems and provide the answers. Write them out in words.

2 Más matemáticas
Write five simple math problems like the ones you just heard. In pairs, take turns reading your problems to your partner and writing out answers to hers/his. Then, check each other's answers.

> **Modelo** **Estudiante A:** *Diez y ocho son...*
> **Estudiante B:** *Dieciocho.*

3 Números de teléfono
You are going to identify phone numbers.

Paso 1 Listen as your instructor reads telephone numbers from the phone list. Raise your hand when you know whose number was read and tell whose number it is.

> **Modelo** *Es el número de Juan Millán.*

Paso 2 In pairs, take turns reading phone numbers and identifying the person whose number it is.

Antolín, Sonia
(340) 313 9902

Cruz, Ángel
(207) 844 9315

García, Ignacio
(514) 323 4336

Hernández, Alicia
(340) 255 7691

Jiménez, Luis
(207) 751 9002

Landa, Marina
(207) 630 1854

Schmidt, Daniela
(221) 623 1297

Yuste, Jorge
(340) 209 0376

☐ **I CAN** express small quantities and identify phone numbers.

ASÍ SE DICE

S Audio: Vocabulary | **Learning Objective:** Exchange email addresses and birthdays.

El alfabeto

These are the letters of the alphabet (**alfabeto** or **abecedario**) and their names. Listen and repeat.

El alfabeto

a (a)	**A**rgentina	**j** (jota)	**J**uárez	**r** (ere)	Puerto **R**ico
b (be)	**B**olivia	**k** (ka)	Nueva Yor**k**	**s** (ese)	**S**an **S**alvador
c (ce)	**C**uba, **C**iudad Real	**l** (ele)	**L**aredo	**t** (te)	**T**egucigalpa
d (de)	**D**allas	**m** (eme)	**M**anagua	**u** (u)	**U**ruguay
e (e)	**E**cuador	**n** (ene)	**N**icaragua	**v** (uve)	**V**enezuela
f (efe)	**F**lorida	**ñ** (eñe)	Espa**ñ**a	**w** (uve doble)	**W**ashington
g (ge)	**G**uatemala, **G**erona	**o** (o)	**O**axaca	**x** (equis)	e**x**amen, Mé**x**ico
h (hache)	**H**onduras	**p** (pe)	**P**anamá	**y** (ye)	**Y**ucatán
i (i)	**I**quitos	**q** (cu)	**Q**uito	**z** (zeta)	**Z**acatecas, Cu**z**co

Nota de lengua

The letters **w** and **k** are rare in Spanish and appear mostly in foreign words. The letter **x** is pronounced as "ks" in most words (**examen**), but it is pronounced as "j" in many names of places (**México**) because the sound of "j" was spelled as *x* in old Spanish and the old spelling is still used.

1 **¿Cómo se escribe?** You are going to spell the names of some places.

Paso 1 Listen to the spelling of the names of some Hispanic cities and write them down.

1. _____   4. _____

2. _____   5. _____

3. _____   6. _____

Paso 2 Choose three countries or cities in the Spanish-speaking world (check the *Maps* section at the back of the book) and write them down. In pairs, take turns spelling the names of your places for your partner and write down the names of the places she/he spells for you.

2 **Mi nombre y mi número de teléfono** In small groups, ask for and give each other your names, phone numbers, and e-mail addresses, spelling things out in Spanish. Write the information accurately, as it will be used later for a Class Directory.

> **Modelo** **Estudiante A:** *¿Cómo te llamas?*
> **Estudiante B:** *Me llamo Rachel Smith: R-a-c...*
> **Estudiante C:** *¿Cuál es tu número de teléfono?*
> **Estudiante B:** *Es el cuatro ochenta y seis, cero, cinco, setenta y dos.*
> **Estudiante D:** *¿Cuál es tu correo electrónico?*
> **Estudiante B:** *Es rachel33@dicho.com: r-a-c-h...*

Palabras útiles

la arroba @	el correo electrónico *e-mail address*	el número de teléfono *phone number*
el celular (*Lat. Am.*)/el móvil (*Spain*) *cell phone*	¿Cuál es tu...? *What is your...?*[1]	el punto *dot*

[1] We use *cuál* meaning *what* when we are asking about specific information or data. You will learn other Spanish words that correspond to different uses of *what* later on.

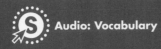
Las fechas

Septiembre

Enero	Febrero	Marzo	Abril	Mayo	Junio	Julio	Agosto	Septiembre	Octubre	Noviembre	Diciembre

Lunes	Martes	Miércoles	Jueves	Viernes	Sábado	Domingo
					1	2
3	4	5	6	7	8	9
10	11	12	13	14	15	16
17	18	19	20	21	22	23
24	25	26	27	28	29	30

└─ el **día** ─┘   └─ el **fin de semana** ─┘

─── la **semana** ───

Apoyo de vocabulario

el día	day
la fecha	date
el fin de semana	weekend
la semana	week

Los días

lunes	Monday
martes	Tuesday
miércoles	Wednesday
jueves	Thursday
viernes	Friday
sábado	Saturday
domingo	Sunday

Los meses

enero	January
febrero	February
marzo	March
abril	April
mayo	May
junio	June
julio	July
agosto	August
septiembre	September
octubre	October
noviembre	November
diciembre	December

▶ To ask about the day of the week:

¿Qué día es hoy? _What day is it today?_

▶ With the day of the week, the definite article **el** (singular) or **los** (plural) is used to indicate _on_.

El sábado vamos a una fiesta. _On Saturday (This Saturday), we are going to a party._

Los miércoles vamos al gimnasio. _On Wednesdays, we go to the gym._

▶ The plural of **el sábado** and **el domingo** is **los sábados** and **los domingos**. The other days use the same form in the singular and in the plural: **el lunes → los lunes**.

Pero **hoy es 13 de junio** y mi cumpleaños° **es el 13 de julio.**

el cumpleaños _birthday_

▶ To ask about the date:

¿Qué fecha es hoy? _What's the date today?_

▶ To tell the date, use cardinal numbers (**dos, tres, cuatro,...**). In Latin America, the first of the month is always expressed with **el primero**. In Spain, **el uno** is used.

Hoy es **(el) cuatro de abril**.

Mañana es **(el) primero de abril**. (Latin America)

Mi cumpleaños (_birthday_) es **el uno de abril**. (Spain)

▶ In Hispanic calendars, the week usually begins on Monday.

▶ To express the month in a date, use **de** before the month.

el 25 **de** diciembre el diez **de** mayo

▶ When dates are given in numbers, the day precedes the month.

4/7 = **el cuatro de julio**

▶ Note that days of the week and months are not capitalized in Spanish.

> **¡Atención!**
> A word in parentheses ( ) in an example indicates that it is optional.

1 **¿Cierto o falso?** Listen to statements about what days of the week certain dates fall on, and mark whether the statements are true (**cierto**) or false (**falso**) based on the calendar in the vocabulary presentation.

	Cierto	Falso
1.	☐	☐
2.	☐	☐
3.	☐	☐
4.	☐	☐
5.	☐	☐

2 ¿Qué día es? In pairs, one of you selects a day in the month of September, from the calendar in the vocabulary presentation, and the other one indicates on what day of the week it falls. Take turns.

> **Modelo** **Estudiante A:** *¿Qué día es el catorce de septiembre?*
> **Estudiante B:** *Es viernes.*

3 Días feriados Match each of the holidays (**días feriados**) with the month or months when they are celebrated in the United States. For how many of them can you give the date as well?

> **Modelo** el Día de Navidad (*Christmas*)
> *El Día de Navidad es en diciembre. Es el veinticinco de diciembre.*

1. Janucá (*Hanukkah*)
2. el Día de Acción de Gracias (*Thanksgiving Day*)
3. el Día de los Reyes Magos (*Three Kings Day*)
4. el Día de los Enamorados (*Valentine's Day*)
5. el Día de las Madres (*Mother's Day*)
6. el Día de los Padres (*Father's Day*)
7. el Día de la Independencia (*Independence Day*)
8. el Día del Trabajo (*Labor Day*)

a. enero
b. febrero
c. mayo
d. junio
e. julio
f. septiembre
g. noviembre
h. noviembre o diciembre

4 ¿Qué mes? Complete with appropriate months.

1. El mes ahora (*now*) es _____
2. Tres meses de 30 días son _____ , _____ y _____ .
3. Tres meses de 31 días son _____ , _____ y _____ .
4. Un mes con 28 o 29 días es _____ .
5. Continúa el patrón (*pattern*): diciembre, noviembre, octubre, _____ , _____ .
6. Continúa el patrón: enero, marzo, _____ , _____ , septiembre, noviembre.

Nota cultural

Cinco de Mayo

Cinco de Mayo is *not* "Mexican Independence Day"! It commemorates an important victory against the French in the town of Puebla. In Mexico, people have May 5th off, but it is not celebrated with parties as it is in the United States. Mexican Independence Day is on September 16th, when the **Grito de Independencia** is celebrated.

5 **¿Qué opinas?** Individually, complete the statements with the appropriate day(s), including appropriate articles (**el/los**), and months. Then in small groups, share your answers with your classmates. Are your opinions similar?

1. Mi día de la semana favorito es _____.

2. Mi mes favorito es _____.

3. El peor (*worst*) día de la semana es _____.

4. El peor mes del año es _____.

5. Este semestre, un día con muchas (*with many*) clases es _____.

6. Un mes con mucho estrés es _____.

7. Un día malo (*bad*) para exámenes es _____.

8. Un día bueno para hacer (*good to have*) fiestas es _____.

Nota cultural

Not all holidays are celebrated equally or on the same dates across Hispanic countries. For example, Mother's Day is always in May, but the actual date varies from one country to another. There are many Catholic holidays, but other religious and cultural traditions are also celebrated: **Janucá** in Jewish communities, **Día de Santa Bárbara Changó** in Cuba, and **Día de Muertos** in Mexico and much of Central America are just some examples. A popular holiday with children is **Día de los Reyes Magos**, celebrated on January 6, although **Santa Claus** is gaining popularity. Traditionally, children leave their shoes by the window and the Three Kings leave gifts next to them.

6 **Los cumpleaños** You are going to indicate a classmate's birthday.

Paso 1 Write the date of your birthday (**cumpleaños**) on a small piece of paper using numbers for the day and the month (**día/mes**) and give it to your instructor.

Paso 2 Your instructor will give each student one of the pieces of paper. Move around the class to find the person whose birthday is written on it.

> **Modelo** **Estudiante A:** *¿Cuándo es tu cumpleaños?*
> **Estudiante B:** *Mi cumpleaños es el ocho de octubre.*

Paso 3 Tell the class the name of the student whose birthday information you have and when her/his birthday is.

> **Modelo** *El cumpleaños de Roberta es el ocho de octubre.*

El día del santo

In many Hispanic countries, it is common to celebrate your birthday and also your saint's day (based on the Catholic tradition). Countries, cities, and other communities and groups also have a patron saint that protects them. There is even a patron saint of animals, San Antonio Abad.

ENERO						
LUNES	**MARTES**	**MIÉRCOLES**	**JUEVES**	**VIERNES**	**SÁBADO**	**DOMINGO**
◯ LUNA LLENA DÍA 1 - 31	☾ C. MENGUANTE DÍA 9	◯ LUNA NUEVA DÍA 17	☽ C. CRECIENTE DÍA 24	**1** JESÚS MANUEL	**2** SAN BASILIO M.	**3** STA. GENOVEVA
4 SAN AQUILINO	**5** S.TELESFORO	**6** LOS S. REYES EPIFANÍA	**7** SAN RAYMUNDO	**8** SAN LUCIANO	**9** SAN MARCELINO	**10** SAN GONZALO
11 SAN HIGINIO	**12** S. ARCADIO M.	**13** SAN HILARIO	**14** SAN FÉLIX M.	**15** SAN MAURO ABAD	**16** SAN MARCELO	**17** SAN ANTONIO ABAD
18 SANTA BEATRIZ	**19** SAN MARIO	**20** SAN SEBASTIÁN	**21** SANTA INÉS	**22** SAN VICENTE M.	**23** SAN ALBERTO	**24** SAN FRANCISCO DE S.
25 SANTA ELVIRA	**26** S. TIMOTEO OB.	**27** STA. ÁNGELA V	**28** STO. TOMÁS DE A.	**29** SAN VALERIO	**30** STA. MARTINA	**31** SAN JUAN BOSCO

7 **El día del santo** You are going to identify saints' days.

Paso 1 Individually, look at the calendar page from the **Nota cultural** and find what days these people are celebrating their saints' day. Can you find a saint's day for someone you know?

> **Modelo** ¿En qué fecha es el santo de Ángela?
> El santo de Ángela es el 27 de enero.

1. Elvira   **2.** Gonzalo   **3.** Martina   **4.** Tomás   **5.** Félix

Paso 2 In pairs, take turns asking each other about other January saints' days.

> **Modelo** **Estudiante A:** ¿Qué día es el santo de Basilio?
> **Estudiante B:** Es el 2 de enero.

En mi experiencia

Kim, Long Beach, CA

"I was studying abroad in Oviedo, Spain. A friend and I took my host mom out to dinner for her birthday and we paid the bill without her knowing. When she found out, she was upset. I explained to her that in the United States, it's polite to pay for dinner on someone's birthday. She said that in Spain it is the opposite: The birthday person is the one who treats others on that day."

Why might it be that the birthday individuals in Spain are the ones who treat their friends? Why might the birthday person in this scenario have been offended?

Resources

vhlcentral

SAM

online activities

☐ **I CAN** exchange email addresses and birthdays.

Decir la hora

▶ When you want to know what time it is, ask **¿Qué hora es?** For telling time (**decir la hora**) on the hour, use **es** for *one o'clock* only. Use **son** for all other times.

Es la una.

Son las ocho.

▶ To state the number of minutes past the hour, say the name of that hour plus (**y**) the number of minutes.

Es la una **y** diez.

Son las cuatro **y** cuarto.
Son las cuatro **y** quince.

Son las diez **y** media.
Son las diez **y** treinta.

Son las once **y** cuarenta.

> **¡Atención!**
>
> In most Spanish-speaking countries, **de la tarde** is used while there is still daylight, and thus may extend until 7:00 P.M. or even 8:00 P.M.

▶ To state the number of minutes before the coming hour, give the next hour less (**menos**) the number of minutes to go before that hour.

Es la una **menos** diez.

Son las nueve **menos** veinticinco.

▶ To differentiate between hours in the morning, afternoon, and evening, use the following expressions.

Son las seis **de la mañana**.

Son las seis **de la tarde**.

Son las diez **de la noche**.

Es **mediodía**.

Es **medianoche**.

▶ To ask at *what time* a class or event takes place, use **¿A qué hora...?**

—**¿A qué hora** es la clase?

—Es **a las ocho y cuarto** de la mañana.

► There is some regional variation in how people tell the time. For example, in Mexico one would express minutes for the coming hour as:

Son diez para la una.

Son veinticinco para las nueve.

► Speakers of Spanish rarely use A.M. and P.M., which are restricted to writing (although they are becoming more widely used in spoken Spanish in the United States). When speaking, one would say:

las seis **de la mañana**

las seis **de la tarde**

1 ¿Qué hora es? You are going to identify and tell time.

Paso 1 Individually, listen to the times given and identify the clock (**reloj**) that tells each time.

> **Modelo** You hear: *Son las ocho y media de la mañana.*
>   You say: *Reloj 3.*

1. 2. 3. 4.

5. 6. 7. 8.

Paso 2 In pairs, one of you chooses a clock and tells the time on it. The other identifies the clock that tells that time.

> **Modelo** Estudiante A: *Son las once y cinco de la mañana.*
>   Estudiante B: *Reloj 3.*

1. 2. 3. 4.

5. 6. 7. 8.

2 **¿A qué hora?** In pairs, look at your corresponding TV schedules. Then ask each other at what time the programs indicated on each of your lists are on.

Modelo **Estudiante A:** *¿A qué hora es La casa de la risa?*
Estudiante B: *A las seis de la tarde.*

Estudiante A

Horario Univisión (Hora del este)

En la mañana	
7:00 a. m. - 10:00 a. m.	¡Despierta América!
10:00 a. m. - 12:00 p. m.	Al punto con Jorge Ramos
En la tarde	
12:00 p. m. - 1:00 p. m.	Noticiero Univisión
1:00 p. m. - 2:00 p. m.	Hoy
2:00 p. m. - 3:00 p. m.	Amor eterno
3:00 p. m. - 4:00 p. m.	Nosotros los guapos
4:00 p. m. - 5:00 p. m.	El Gordo y la Flaca
5:00 p. m. - 6:00 p. m.	Primer impacto
6:00 p. m. - 6:30 p. m.	La casa de la risa
6:30 p. m. - 7:00 p. m.	Noticiero Univisión
En la noche	
7:00 p. m. - 8:00 p. m.	¿Qué le pasa a mi familia?
8:00 p. m. - 9:00 p. m.	La rosa de Guadalupe
9:00 p. m. - 10:00 p. m.	Noche de estrellas
10:00 p. m. - 11:00 p. m.	Historias para contar
11:00 p. m. - 11:30 p. m.	Primer impacto extra
11:30 p. m. - 12:00 a. m.	Noticiero Univisión - Edición nocturna

Horario Telemundo (Hora del este)

En la mañana	
7:00 - 10:00	Hoy día
10:00 - 12:00	La casa de los famosos
En la tarde	
12:00 - 13:30	Noticias Telemundo mediodía
13:30 - 14:30	Pasión de gavilanes
14:30 - 15:30	En casa con Telemundo
15:30 - 17:00	Al rojo vivo
17:00 - 18:00	En casa con Telemundo
18:00 - 20:00	Noticias Telemundo
En la noche	
20:00 - 21:00	Hercai: amor y venganza
21:00 - 22:30	Así se baila
22:35 - 23:35	Noticias Telemundo en la noche

Estudiante B

Estudiante A

Ask about Telemundo's schedule:

1. En casa con Telemundo
2. Hoy día
3. Así se baila
4. La casa de los famosos
5. Noticias Telemundo en la noche

Estudiante B

Ask about Univisión's schedule:

1. Al punto con Jorge Ramos
2. Hoy
3. ¿Qué le pasa a mi familia?
4. El Gordo y la Flaca
5. ¡Despierta América!

3 El mundo hispano Times on the map are given according to the 24-hour clock. Tell what time it is in each city according to the information on the map. What do these cities have in common?

> **Modelo** ¿Qué hora es en San Salvador, El Salvador?
> Son las 7:30. o Son las 7 y media de la mañana.

1. ¿Qué hora es en Lima?
2. ¿Qué hora es en Buenos Aires?
3. ¿Qué hora es en Los Ángeles?
4. ¿Qué hora es en Nueva York?
5. ¿Qué hora es en Madrid?
6. ¿Qué hora es en Chicago?
7. ¿Qué hora es en Manila?
8. ¿Qué hora es en Malabo?

Malabo es la capital de Guinea Ecuatorial.

☐ **I CAN** tell time.

El español en el mundo

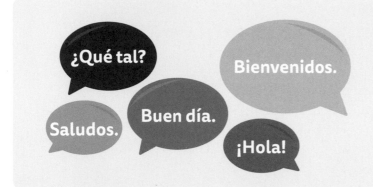

Antes de leer

🔗 **1. Conocimiento previo** Answer these questions.

1. Can you name five countries where Spanish is spoken?

2. Do you think the United States ranks high on the list of countries with large Spanish-speaking populations?

Presence in the World

According to the 2021 annual report published by **Instituto Cervantes**, almost 493 million people speak Spanish as their first language, making it the second in the world after Chinese and ahead of English. When considering total number of speakers Spanish followed Chinese and English, with 591 million speakers. Watch the video to learn about Spanish speakers in Canada.

| Países hispanohablantes | Países donde se habla español pero no es la lengua oficial

Map created based on data from the Instituto Cervantes 2021 Annual Report *El Español: una lengua viva.*

| Bilingual Spanish/English signage in Cusco, Perú

An Official Language

Spanish is the primary language in 20 different countries—see *Maps* section at the back of the book to familiarize yourself with them—and it is also an official language in Equatorial Guinea, in Africa. Spanish often coexists with other regional and indigenous languages, such as Quechua, Aymara, Nahuatl, Catalan, etc.

Presence in the United States

Did you know that the United States has approximately 41 million Spanish speakers, making it the fifth largest Spanish-speaking country in the world?

Street mural in the Hispanic neighborhood of Pilsen in Chicago, Illinois.

Relevant in Many Fields

Spanish is among the three most used languages in business, science, Internet, and media. For instance, after English, more streaming content is produced and consumed in Spanish than in any other language. The value of Spanish, however, goes beyond its vast use. It stems from the diversity of its people, the wide-ranging values and knowledge transmitted through it, and the rich literary and cultural works created in this language.

Mexican folk dancers at the annual tilting festival in Aabenraa, Denmark.

Después de leer

2. Interactuar In small groups, discuss what you have learned in this text that is new, surprising, or especially interesting to you.

3. Colaborar Collaborate with your class to create an idea map to record what you know about Spanish and the Spanish-speaking world. Some categories to consider:

- Countries where Spanish is an official language and/or widely spoken.
- Words and expressions you already know in Spanish.
- Influential Hispanic people in politics, science, the arts, etc. from the U.S. and abroad.
- Literary and artistic works, songs, movies, and TV shows.
- Foods and dishes, celebrations, and customs.

4. Investig@ en Internet Read the strategy and research online one of the topics from the idea map in the previous activity or a different topic you are interested in. Prepare a brief written or oral report to share with your class, including images or other media as appropriate.

> 🔍 **Estrategia digital: Using general keywords**
>
> When researching online, your questions and search terms are key to finding the right information. If you are unfamiliar with a topic, use general search terms for a general overview, and then add specific keywords to focus your search on an area. For example, if you are interested in Mexican regional food, you may use these search terms:
>
> → **regional gastronomy Mexico**

☐ **I CAN** identify five or more communities where Spanish is spoken around the world.

Lectura: En las redes sociales

The **Dicho y hecho** section will help you develop your reading, listening, writing, and oral skills in Spanish and offer strategies to do it more effectively.

Antes de leer

1. Conocimiento previo Answer these questions.

1. How many different social media (**redes sociales**) platforms do you regularly use? Do you use them on your phone, on browser-based platforms, or both?

2. What are some of the sections, elements, and tools you expect to see on a social media site?

Estrategia de lectura: Using previous knowledge

You have already learned to seek cognates to help your understanding of Spanish texts. You can also use other knowledge to help you better understand. Internet, newspapers, etc. often use common formats, icons, and images that you may recognize.

A leer

2. Aplicar

First, read the strategy. Then, look at this social media page in Spanish. Can you tell what the different sections of the page are for? Can you figure out what the icons might mean? In pairs, mark the icons you can interpret and underline any words you understand (cognates, words you can figure out through context, etc.). When you finish, compare your findings with another pair.

Patricia Jiménez

Editar perfil ✎

¿Qué estás pensando, Patricia?

◻ Video en vivo   ▣ Foto/video

★ **Favoritos**

Noticias

Mensajes   2

Eventos   1

Fotos

Buscar amigos

⊕ **Páginas**

Crear una página

Noticias de páginas   20+

Descubrir más páginas   8

Más...

14 Hoy... **Cumpleaños de Ana**

Ana Barrio
Hace 54 minutos cerca de Madrid

¿Quién sabe a qué hora es la fiesta de cumpleaños de Tomás?

👍 Me gusta   Comentar

Pepe Yo
Es a las 9 y media, en su apartamento.

Hace 18 minutos   Me gusta   Responder

Escribe un comentario... 📷

Cristina B.
Compartió la foto de Restaurante Mar y Tierra

Mi plato favorito del restaurante.
¡DELICIOSO!

Restaurantes del mundo 👍
Blog culinario
A 174.367 personas les gusta esta página

👍 Me gusta   Comentar

Después de leer

🔗 **3. Inferir** Find these words or sentences in the social media page and infer what they mean.
- Noticias _____
- Páginas _____
- Perfil _____
- Buscar amigos _____
- ¿Qué estás pensando? _____
- Compartir _____
- Me gusta _____
- Plato _____

🔗 **4. Analizar** How much of what you could figure out was based on what you know about social media platforms? How much was based on words you know and cognates you could recognize?

🔗 **5. Explorar** You are going to open an account in a new social media platform. Complete the **Editar perfil** section in Spanish to the best of your abilities.

Editar perfil	X

Foto de perfil   Editar

Foto de portada   Editar

Nombre:

Quién eres: (Descríbete)

Detalles

🏠 Ciudad: 💼 Compañía/Empleo:

🎓 Centro educativo: 🎂 Cumpleaños:

☐ **I CAN** make educated inferences about a text.

Video: Introduce yourself

Antes de ver el video

1 Conocimiento previo Answer the questions: ¿Cómo te llamas? ¿De dónde eres?

> **Estrategia de comprensión auditiva: Ignoring words you don't know**
>
> As you start learning a language, it is key to focus on what you can understand and what you need to complete the task at hand, letting go of the rest. In fact, trying to understand every word can lead you to get caught up in something you may not need. A better strategy is to temporarily ignore words that you don't immediately understand.

A ver el video

In this video, Spanish speakers introduce themselves.

Duración: 2:29
Fuente: Easy Spanish

2 Aplicar Read the strategy. Watch and listen to the video once, ignoring what you don't understand. Then, read the instructions in each step (**paso**) so that you know what to look for. Watch the video again up to 1:01 and complete the activities.

Paso 1 Indicate the expression each person uses to introduce himself/herself. Hint: One person uses two.

1. Yo soy...	2. Me llamo...	3. Yo me llamo...		
Sebastián ___	Joán ___	Fernando ___	Sergio ___	Camila ___
Alejandro ___	José Luis ___	María ___	Juan ___	

Paso 2 The people in the video mention their age using the expression **Tengo (número) años**. Indicate how old each person is.

José Luis ___	Alejandro ___	Joán ___	María ___
Sebastián ___	Sergio ___	Fernando ___	Juan ___

Después de ver el video

3 Analizar In small groups, discuss the experience of watching a video in Spanish.

1. What did you learn from this video? Had you heard about the countries mentioned before? Would you be able to place them on a map? Did you learn any new words or a different way to saying something?

2. What was the experience like? What aspects were easier and which ones were more challenging? Did you learn any strategies you can apply next time you watch a video in Spanish?

Palabras útiles

Bienvenidos.
Welcome.

la calle
street

la ciudad
city

¿Cuántos años tienes?
How old are you?

la edad
age

la isla
island

Nos vemos.
See you later.

☐ **I CAN** identify basic ideas in a video where people introduce themselves.

Resources

vhlcentral   online activities

Proyecto oral: Tu presentación

You are going to create a video profile to share with your classmates. As you prepare, take a few minutes to review the vocabulary and grammar from this chapter and write down key words you would like to include.

¡Atención!

Ask your instructor to share the **Rúbrica de calificación** (*grading rubric*) to understand how your work will be assessed.

Estrategia de comunicación oral: Practice what you are going to say

Before making any kind of oral presentation, it is important to prepare and practice what you are going to say out loud. The objective is not to memorize your text, but to try out the sounds and rhythm and to have the ideas and details ready.

Paso 1 Prepare what you are going to say. Write down the information you will share in Spanish, checking the different sections of the chapter as needed. Make sure to include the information from the list and follow the model:

- the date and time.
- your name, spelling both your first and last names.
- where you are from.
- that you are a student.
- a brief description of your personality, including both features you have and do not have.

Modelo *Hoy es viernes, 12 de septiembre y es la una y media de la tarde.*
Me llamo Gloria Barnes. Se escribe ge, ele, o, ere, i, a... be, a, ere, ene, e, ese.
Soy de Burlington, Vermont.
Soy estudiante.
Soy optimista, puntual y dinámica. No soy cómica.

Paso 2 Read it out loud a few times, and then say it out loud without reading it until you feel ready to video record.

Paso 3 Introduce yourself to your classmates based on **Pasos 1** and **2**. Your presentation should be about one minute long.

Speaking and writing in Spanish

To help you develop communication skills in Spanish, each chapter includes guided oral and written projects where you will practice a strategy (**Estrategia**) as you complete a task. To start, follow these general recommendations:

- Completing a task involves multiple steps, even if you are not aware of it or combine different steps as you go. In a second language, it is essential to pay attention to one step at a time; make sure you plan and organize your content first, and focus on grammar and spelling later.
- Find simple ways to convey your ideas in Spanish, making the most of the language you already know. Avoid thinking about what you want to say in English. Instead, consider what you know in Spanish and focus on what you can say with that language.

☐ **I CAN** introduce myself.

Proyecto escrito: Retrato en poesía

Even though you are just starting your Spanish learning journey, you should already feel free to use the language for personal, playful expression. You are going to write a brief portrait in the form of a poem about someone you know. As you prepare, take a few minutes to review the vocabulary and grammar from this chapter and write down key words you would like to include.

> **¡Atención!**
> Ask your instructor to share the **Rúbrica de calificación** (*grading rubric*) to understand how your work will be assessed.

Estrategia de redacción: Using connecting words

Feel free to use any other vocabulary and phrases that you have learned so far to enrich your text and to keep that language active. These connectors can help you link ideas:

y	*and*	**también**	*also*
o	*or*	**tampoco**	*neither*

Paso 1 Think of a person important in your life and brainstorm ways to describe him/her. It does not have to rhyme! You may:

- use descriptive adjectives and cognates from the chapter.
- mention where this person is from.
- include questions you learned, such as **¿Cómo se llama?, ¿De dónde es?, ¿Cómo es?**

Paso 2 Write your poem, playing with different ideas and formats until you find one that you like and that sounds good to you. It is a good idea to read your ideas out loud. If you need a jumpstart, start off with this structure and try modifications. Once completed, set it aside for at least one day. When you're finished writing, be prepared to share your project with the class.

Es (adjetivo), (adj.), y (adj.),

no (adj.), (adj.), (adj.).

También es (adj.), no (adj.).

Es (adj.), no (adj.). Tampoco es (adj.).

¿Es (adj.)? Sí, es...

¿Es (adj.)? Sí, es...

¿Es (adj.)? No, no es...

Es mi (amigo/a, padre...): (nombre de la persona).

☐ **I CAN** write a simple poem in Spanish.

Palabras útiles

amigo/a
friend

hermano/a
brother/sister

mejor amigo/a
best friend

mi
my

muy
very

padre/madre
father/mother

pero
but

un poco
a bit

Resources

vhlcentral

Saludos y expresiones comunes   Greetings and common expressions

Adiós.   Goodbye.

Buenos días, señorita/señora/señor.   Good morning, Miss/Ma'am/Sir.

Buenas tardes.   Good afternoon.

Buenas noches.   Good evening.

Chao.   Bye./So-long.

Hasta luego.   See you later.

Hasta mañana.   See you tomorrow.

¡Hola!   Hello!/Hi!

¿Cómo está usted?/¿Cómo estás?   How are you?

¿Qué tal?   How is it going?

(Muy) Bien gracias.   (Very) Well, thanks.

Fenomenal.   Great.

¿Qué pasa?   What's happening?

Pues nada.   Not much.

Le presento a...   (formal) I would like to introduce you to ...

Te presento a...   (informal) I want to introduce you to ...

Mucho gusto.   Nice meeting you.

Encantado/a.   Pleased to meet you.

Igualmente.   Nice meeting you, too.

El gusto es mío.   The pleasure is mine.

¿Cómo se llama usted?/ ¿Cómo te llamas?   What's your name?

Me llamo...   My name is ...

¿De dónde es usted?/¿De dónde eres?   Where are you from?

Soy de...   I am from ...

Expresiones de cortesía   Expressions of courtesy

Perdón./Disculpe.   Pardon me. Excuse me. (≠ Con permiso.)

Lo siento (mucho).   I am (very) sorry.

Con permiso.   Pardon me. Excuse me. (≠ Perdón./Disculpe.)

Por favor.   Please.

(Muchas) gracias.   Thank you (very much).

De nada.   You're welcome.

Adjetivos para describir a personas   Descriptive adjectives

atlético/a   athletic

cómico/a   funny, comical

creativo/a   creative

extrovertido/a   extroverted

flexible   flexible

inteligente   intelligent

introvertido/a   introverted

optimista   optimist

pesimista   pessimist

responsable   responsible

tranquilo/a   calm, tranquil

Verbo   Verb

ser   to be

Los días de la semana   The days of the week

lunes   Monday

martes   Tuesday

miércoles   Wednesday

jueves   Thursday

viernes   Friday

sábado   Saturday

domingo   Sunday

¿Qué día es hoy?   What day is it?

el día   day

la fecha   date

la semana   week

el fin de semana   weekend

Los meses   The months

enero   January

febrero   February

marzo   March

abril   April

mayo   May

junio   June

julio   July

agosto   August

septiembre   September

octubre   October

noviembre   November

diciembre   December

¿Cuál es la fecha de hoy?/ ¿Qué fecha es hoy?   What's the date today?

¿Qué hora es?   What time is it?

¿A qué hora...?   At what time...?

la hora   time/hour

y/menos   and/less

cuarto/media   quarter/half

de la mañana/tarde/noche   in the morning/ afternoon/evening

Es mediodía/medianoche.   It's noon./ midnight.

Los números del 0 al 99

See page 16.

El alfabeto

See page 18.

Capítulo
2

La vida universitaria

Learning Objectives
In this chapter, you will:

- Participate in basic conversations about your campus, classrooms, school supplies, and academic subjects.
- Discuss daily activities.
- Identify basic concepts about the role of public universities in the Spanish-speaking world.
- Explore and research Puerto Rico.
- Identify main ideas in written and spoken texts.
- Make plans to meet with classmates.
- Write an informal e-mail describing college life.

 Así se pronuncia Intonation of statements and questions
VideoEscenas ¿Estudiamos o no?

Tu experiencia personal   Answer the questions.

1. What are you enjoying or not enjoying about college? Select your answers.

	Muy positivo	Positivo	No muy positivo	Negativo
1. los profesores				
2. la vida (*life*) social				
3. mi residencia/casa/apartamento				
4. las clases				
5. la comida (*food*) de las cafeterías				
6. el campus				

2. Rank the subjects from **1** (your favorite) to **5** (your least favorite).

____ biología   ____ español   ____ filosofía   ___ historia   ____ matemáticas

3. Read the infographic that shows results of a survey of 800 students in Mexico and answer the questions.
   - En la infografía, ¿hay datos interesantes? ¿Hay datos sorprendentes?

MÉXICO
Qué opinan los estudiantes

Materia favorita
37% matemáticas
12,5% español
12,1% historia

Materia menos favorita
43% matemáticas
15,6% biología
8,3% filosofía

Aspectos positivos de regresar a clases
30% ver a los amigos
36,4% adquirir nuevos conocimientos
21,9% conocer nuevas personas
2,9% ns/nc
2,8% las actividades deportivas y artísticas
2,9% las clases
3,1% salir de casa

Aspectos negativos de regresar a clases
41% levantarse temprano
30% el tránsito
5% ns/nc
1% las clases
1% los compañeros
9% los maestros
13% las tareas

ver *to see* **el conocimiento** *knowledge* **conocer** *to know* **nuevo/a** *new* **la casa** *home* **levantarse** *to get up* **ns/nc (no sabe/no contesta)** *in surveys,*
indicates no answer **el/la compañero/a** *partner, peer* **la tarea** *task, homework*

Fuente: Notimex, Gabinete de Comunicación Estratégica (GCE)

En la universidad

En el laboratorio

la impresora
la papelera (de reciclado)
imprimir
el trabajo (escrito)
el papel/una hoja de papel

los auriculares
la pantalla
escuchar
el teclado
la tableta

navegar por la red/Internet
la computadora
buscar
la página web/ el sitio web
el ratón

En la clase

el aula
el proyector
la tarea

Tarea:
Literatura chilena
págs: 80-89
Prueba el viernes

la profesora
la ventana
el televisor
el libro (de texto)
el estudiante/el alumno
el diccionario
ESPAÑOL
la calculadora
la silla
la mesa
el escritorio
el lápiz
el bolígrafo/la pluma
el cuaderno
el (teléfono) celular/móvil

Apoyo de vocabulario

el aula	*classroom*
buscar	*to look for*
enviar/mandar	*to send*
navegar por la red	*to surf the Web*
la pantalla	*screen (in TV, computer, movies)*
el papel/una hoja de papel	*paper/a sheet of paper*
la tarea	*homework*
el trabajo (escrito)	*an academic paper/essay*
usar	*to use*

¡Atención!

New vocabulary is better learned when you make the connection between the thing or concept and the Spanish word directly, without an English translation. Therefore, we only include translations for new words when illustrations or context are not enough to figure out their meaning. All new words are translated in the section **Repaso de vocabulario** at the end of each chapter.

¿Qué observas? Answer the questions about the images.

1. Un estudiante está en el laboratorio. ¿Qué usa para imprimir el trabajo: la impresora o la papelera?

2. ¿Dónde hay papel? ¿Hay papel en la papelera? ¿Hay papel en la impresora?

3. Una estudiante navega por la red. ¿Qué usa: el ratón o la pluma?

4. Para buscar palabras en español, ¿usas un diccionario o una aplicación en tu teléfono o computadora?

¿Y tú? Answer the questions about yourself.

1. ¿Usas tu computadora portátil o una tableta en clase?

2. ¿Prefieres usar un libro de papel o un libro electrónico?

3. Las aulas en tu universidad, ¿son similares o diferentes?

4. En tu aula de español: ¿cuántos estudiantes hay? ¿Hay ventanas? ¿Cuántas (*How many*)? ¿Qué otras cosas (*other things*) hay?

Nota de lengua

Hay means *there is* or *there are* in a statement, and *is there* or *are there* in a question. It is used with singular and plural forms.

Hay una ventana en el aula.	***There is*** a window in the classroom.
Hay veinte estudiantes.	***There are*** twenty students.
¿**Hay** mucha tarea?	***Is there*** a lot of homework?

1 Asociación de palabras First, identify the word that doesn't belong in each group. Then, add others that do belong.

1. la impresora	el ratón	la computadora	la tiza	_____
2. el marcador	el lápiz	la pluma	el cuaderno	_____
3. el alumno	la mesa	la ventana	la puerta	_____
4. el reloj	el mapa	el borrador	la mochila	_____
5. los auriculares	el papel	el cuaderno	el diccionario	_____

2 ¿Cuántos/as hay? You are going to discuss how well equipped your classroom or study space is.

Paso 1 Look around and indicate how many (**cuántos/as**) of each item there are (**hay**) in your classroom or the space where you typically study. Add one more item you feel it is important to have.

En el aula/mi espacio de estudio hay...

sillas _____	ventanas _____	pizarras _____
escritorios y mesas _____	proyectores _____	libros _____
computadoras _____	relojes _____	marcadores/tizas _____

Paso 2 In pairs, decide how well equipped (**bien equipado/a**) your classroom or study space is and add some things you would want for the classroom or study space and/or yourselves.

Nuestro espacio/El aula está equipado/a ☐ muy bien ☐ adecuadamente ☐ insuficientemente.
También queremos (*we want*) _____ para (*for*) el espacio de estudio/aula y _____ para nosotros (*for us*).

3 Las categorías In pairs, how many words can you write down for each category in three minutes?

aula   materiales escolares (*school supplies*)   tecnología   personas

4 ¿Qué es importante? You are going to share preferences with the class.

Paso 1 Indicate how important it is for you to have these classroom objects.

	Es esencial.	Es importante.	No es importante.	No uso esto (*this*).
1. libros de texto de papel				
2. cuadernos y bolígrafos				
3. una computadora portátil				
4. un diccionario electrónico				
5. una calculadora (¡no en el celular!)				

Paso 2 Share your results with the class. What are your classmates' preferences? Do your individual preferences coincide with those of the rest of the class?

☐ **I CAN** describe college classrooms and school materials.

Resources

ⓢ vhlcentral

SAM

online activities

1. Describe people, places, and things

Nouns and articles

Read and listen to this text, paying attention to its meaning, and noting the words in boldface (articles). What do you observe about the endings of the words (nouns) that follow them? Do you notice any patterns?

En **el** aula hay **una** pizarra interactiva. También hay **un** proyector con **una** pantalla. En **la** clase de arte **la** profesora usa **el** proyector todos **los** días. **Los** estudiantes también usamos **la** tecnología, por ejemplo, **los** libros electrónicos, **las** tabletas y, naturalmente, **los** teléfonos móviles.

All nouns in Spanish have two important grammatical features: gender (masculine and feminine) and number (singular and plural). Note that, although gender may reflect a biological distinction in some nouns referring to persons and animals, it is merely a grammatical feature in nouns that refer to nonliving things.

Gender: Masculine and Feminine Nouns

Masculino	Femenino
Most nouns referring to a male: **el** estudiante **el** profesor **el** señor	Most nouns referring to a female: **la** estudiante **la** profesora **la** señora
Most nouns that end in **–o**: **el** escritori**o** **el** compañer**o**	Most nouns that end in **–a**: **la** impresor**a** **la** compañer**a**
Most nouns that end in **–r** or **–l**: **el** borrado**r** **el** pape**l**	Almost all nouns ending in **–ón** and **–d**: **la** informaci**ón** **la** universida**d**
BUT some nouns that end in **–a** are masculine: **el** map**a** **el** día **el** program**a**	BUT some nouns that end in **–o** are feminine: **la** man**o** (*hand*) **la** fot**o**

▸ **Aula** is feminine even though it uses the article **el**. The plural form is **las aulas**.
▸ Finally, some nouns ending in **–e** and **–ista** can be either masculine or feminine. **el** estudiant**e** **el** tur**ista** **la** estudiant**e** **la** tur**ista**

Number

Read again the description of the classroom. Can you identify two distinct groups of articles besides masculine and feminine? For each group, how many different forms do you see? How do they relate to the nouns?

▸ Singular nouns ending in a vowel form the plural by adding **–s**. un estudiante → dos estudiante**s**
▸ Nouns ending in a consonant add **–es**. un reloj → dos reloj**es**
▸ But nouns ending in **–z** change to **–ces**. Spanish-spelling rules disallow the combination **z** + **e**. Instead change the **z** to a **c**. un lápiz → dos lápi**ces**

Definite and indefinite articles

The articles that accompany nouns must agree with respect to gender and number. Therefore, articles have masculine and feminine forms as well as singular and plural forms.

	Definite articles (*the*)		Indefinite articles (*a/an; some*)	
	singular	**plural**	**singular**	**plural**
masculino	**el** alumno	**los** alumnos	**un** alumno	**unos** alumnos
femenino	**la** alumna	**las** alumnas	**una** alumna	**unas** alumnas

Nota de lengua

Note that when talking about a group that includes both masculine and feminine nouns, we use the masculine plural.

dos chicos y tres chicas → unos chicos

▶ In general, definite articles indicate that the noun is specific or known.

El libro de historia es fantástico.　　　*The history book is fantastic.*

La puerta de **la** oficina está cerrada.　　*The office door is closed.*

▶ Indefinite articles are used to refer to new information, and indicate that the noun is unspecified or unknown.

Hay **un** libro en la mesa.　　　*There is a book on the table.*

¿Buscas **un** diccionario?　　　*Are you looking for a dictionary?*

▶ Some Spanish speakers use alternative forms to the masculine plural for mixed groups to explicitly recognize women and people who do not identify with neither of these two genders. For example, instead of **bienvenidos** (*welcome*), some people can use:

Bienvenidos y bienvenidas or **Bienvenides**

These forms are not considered standard at the moment but, as with any situation of language evolution, this can change if their use keeps spreading out in the community.

1 **¿Qué es?** Select the appropriate definite article (**el**, **la**, **los**, **las**) and the noun to identify each object or person.

computadora/ computadoras	estudiante/ estudiantes	mapa/ mapas	mesa/ mesas	profesor/profesora/ profesores/profesoras

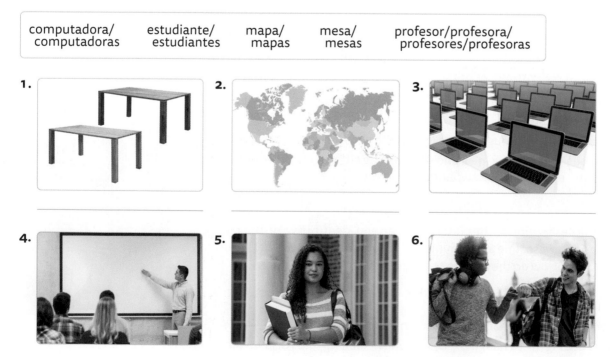

1.　　　2.　　　3.

4.　　　5.　　　6.

2 La mochila de Sara What is in Sara's backpack today? Use appropriate articles and vocabulary forms to describe what you see. Use **No hay...** to indicate that an item is not there. Then, indicate whether you also have that in your backpack or bag today.

> **Modelo** *En la mochila de Sara hay un cuaderno. En mi mochila también (also) hay unos cuadernos./En mi mochila no hay un cuaderno.*

1. pluma
2. computadora portátil
3. lápiz
4. libro
5. celular
6. calculadora

3 La mochila de tu compañero/a You are going to guess what items might be in your partner's backpack.

Paso 1 In pairs, write down what you guess is in your partner's backpack or school bag (**la bolsa**) today. Here is some additional vocabulary.

> **Modelo** *En la mochila de Karen hay unas plumas, unos libros...*

| los cargadores | la botella de agua | la cartera | las llaves |

Paso 2 Now read your guesses to each other and respond, letting your partner know what is really in your backpack or school bag.

> **Modelo** *Sí, es cierto. En mi mochila hay unas plumas, pero no hay unos libros. Hay un libro.*

4 ¿Qué usas? In pairs, take turns asking your partner about the things he/she uses for schoolwork. Remember to use appropriate articles.

> **Modelo** diccionario
> **Estudiante A:** *¿Usas un diccionario?*
> **Estudiante B:** *Sí, uso un diccionario, ¿y tú?/No, no uso un diccionario, ¿y tú?*
> **Estudiante A:** *Sí, yo uso un diccionario (también)./No, yo no uso un diccionario (tampoco).*

Estudiante A

1. plumas
2. calculadora
3. libros de texto electrónicos
4. papelera
5. celular

Estudiante B

1. lápices
2. cuaderno
3. libros de texto de papel
4. impresora
5. tableta

Resources

vhlcentral

SAM

online activities

☐ **I CAN** describe specific and unspecified people, places, and things.

Las universidades públicas
en los países hispanos

Antes de leer

1. En Estados Unidos Answer these questions.

1. What is the cost of attending a state university in the United States?

2. What percent of United States students do you think take out loans to pay for college?

La Universidad de Salamanca, fundada en 1218, es la universidad pública más antigua de España. Desde entonces las universidades públicas son una parte fundamental del sistema educativo en los países hispanos. Los gobiernos financian el costo de la educación en estas universidades y los estudiantes pagan° los libros, los materiales y las tarifas° accesibles. El costo total para estudiantes varía dependiendo de la región y las universidades específicas. Por ejemplo, la Universidad de la República, en Uruguay, es gratuita°, pero la Universidad de Chile cuesta más de 6.000 dólares por año. Además, muchos estudiantes estudian en su ciudad natal° y viven° con sus familias porque es más económico. Por eso no es muy común tener préstamos°.

El costo accesible no significa mala calidad educativa. El *QS World University Rankings* de 2022 considera que dos universidades públicas son las mejores de América Latina, la Universidad de Buenos Aires (número 69 en el *ranking* global) y la Universidad Nacional Autónoma de México (105 global). Los alumnos de estas instituciones incluyen premios Nobel, presidentes e intelectuales distinguidos.

Aunque° también hay numerosas universidades privadas en los países hispanos, el acceso a la educación superior pública tiene un efecto democratizador y ofrece la oportunidad de acceso a millones de estudiantes de escasos recursos°.

pagar *to pay* **la tarifa** *fee* **gratuito/a** *free* **la ciudad natal** *hometown* **vivir** *to live* **el préstamo** *loan* **aunque** *although* **de escasos recursos** *low-income*

▌Universidad Nacional Autónoma de México

Después de leer

2. Identificar Indicate which of these ideas are stated in the text.

☐ **1.** Many universities in the Spanish-speaking world are public.

☐ **2.** All public universities are free for students.

☐ **3.** It is common for students to attend university in their hometown.

☐ **4.** Many students do not move out of their family homes.

☐ **I CAN** identify basic aspects of the role of public universities in the Spanish-speaking world.

3. Comparar y analizar In pairs, discuss these questions.

1. How are colleges in the United States different from each other and from the ones you have read about in the text?

2. What might be the main advantages and potential disadvantages of attending a public university such as the ones described in the text?

Resources

vhlcentral

online activities

ASÍ SE DICE (S) Audio: Vocabulary | **Learning Objective:** Discuss classes and places on campus.

Las clases universitarias

UC | Inicio → Estudiar → Estudios | Español | Inglés | Buscar (Q)

UC
Gobierno
Centros
Servicios

Estudiar
Estudios
Admisión
Becas

Investigar
Bibliotecas
Laboratorios
Proyectos

Vida universitaria
Cultura
Deportes
Eventos

Facultad de Arte
• El arte
• La música

Facultad de Ciencias Políticas y Sociales
• Las ciencias políticas
• La psicología
• La sociología
• El periodismo

Facultad de Idiomas
• El alemán
• El español
• El francés
• El inglés
• El chino

Facultad de Ciencias
• La biología
• La física
• La química

Facultad de Ingeniería y Ciencias de la Computación
• La ingeniería
• La computación/La informática

Facultad de Matemáticas
• El álgebra
• El cálculo

Facultad de Ciencias Económicas y Negocios
• La economía
• Las finanzas
• La contabilidad
• La administración de empresas

Facultad de Educación
• La educación

Facultad de Humanidades
• La filosofía
• La historia
• La literatura
• La religión

Apoyo de vocabulario

la administración de empresas	business administration	la facultad	school, department
el alemán	German	la informática	computer science
la contabilidad	accounting	los negocios	business
		la química	chemistry

¿Qué observas? ¿En qué facultad estudian música los estudiantes? ¿Y en cuál estudian física y biología? ¿Qué puedes estudiar (can you study) en la Facultad de Humanidades?

¿Y tú? ¿Ofrece tu universidad cursos en estas materias? ¿Qué materias de esta lista estudias?

Nota de lengua
Note that **la facultad** refers to a *school* or department as an administrative division within a university. It does not refer to the professors. To talk about the *faculty*, use **el profesorado**.

1 ¿Es lógico? Listen to the statements and indicate whether they are logical or illogical, based on what the individuals are using.

	Lógico	Ilógico
Modelo You hear: Es la clase de francés. You see: Carmen usa un libro de español.	☐	☑
1. Marta y Alberto usan unos microscopios.	☐	☐
2. Alfonso usa un programa de cálculo para la computadora.	☐	☐
3. Inés usa un violín.	☐	☐
4. Yo uso un tubo con ácido sulfúrico.	☐	☐
5. Tú usas un libro sobre (about) Picasso.	☐	☐
6. Natalia y Linda usan una copia de Hamlet.	☐	☐

2 **¿En qué clase?** Indicate what class these students are probably attending. There might be more than one possibility.

> **Modelo** Manuel usa una calculadora.
> *Es la clase de matemáticas, la clase de ingeniería o la clase de física.*

1. Sofía y Maribel usan un libro sobre (*about*) Abraham Lincoln.
2. Nosotros usamos libros sobre Sigmund Freud.
3. Ustedes usan un libro sobre la Biblia y el Corán.
4. Usas un libro sobre el sistema educativo.
5. Uso un libro sobre los mercados financieros (*financial markets*).
6. Isabella usa un diccionario.

3 **¿Qué clases recomiendan?** This semester you have been recruited as peer advisors for first-year students at your university.

Paso 1 Individually, read each profile and recommend two classes for each student.

Iris: Mis clases este semestre son cálculo, química y computación. Busco (*I am looking for*) una clase interactiva para hablar con otras personas.

Javier: Busco clases para estudiar sobre el cuerpo (*body*) y la mente (*mind*) de las personas.

Tina: Mis clases son muy difíciles (*difficult*) y estoy un poco estresada. Busco una clase diferente, con un componente creativo.

Florencia: La tecnología y los robots son fascinantes. ¿Qué clases recomiendan?

Paso 2 In small groups, compare your recommendations and come up with a list of three options for each student.

> **Modelo** *Para (For) Iris, la clase de...*

4 **¿Qué clase es?** You are going to share some opinions about your classes.

Paso 1 Individually, write down the name of the class that, in your opinion, best fits each description.

1. Es muy interesante, pero difícil.
2. Es fascinante.
3. Es muy fácil (*easy*).
4. Es muy popular.
5. Es muy importante.
6. Es recomendable.

Paso 2 In small groups, compare your answers. Do you agree in your opinions?

> **Palabras útiles**
>
> es verdad
> *it is true*
>
> estoy de acuerdo
> *I agree*
>
> no estoy de acuerdo
> *I disagree*
>
> para mí no
> *not for me*

En el campus universitario

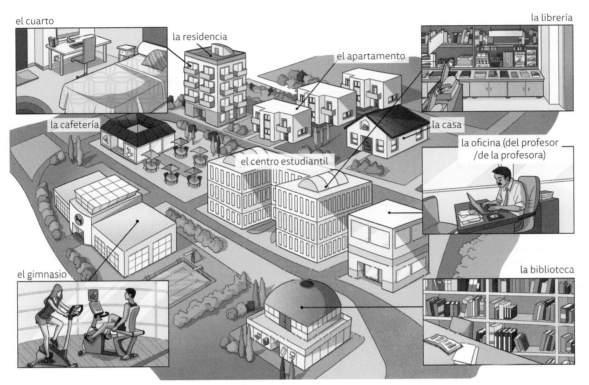

¿Qué observas? En el campus universitario, ¿hay un gimnasio? ¿Hay un centro estudiantil? ¿Qué hay en la residencia: un cuarto o una librería?

¿Y tú? ¿Vives en una residencia estudiantil? ¿Está cerca de tus clases? ¿Estudias en tu cuarto o casa, o en la biblioteca?

5 ¿Dónde? Listen to the places and indicate the name of the place that matches each description. Note that some places may fit more than one description.

1. Hay estudiantes. Duermen. (*They're sleeping.*)
2. Hay estudiantes. Estudian.
3. Hay profesores.
4. Hay estudiantes. Comen. (*They're eating.*)
5. Hay máquinas de ejercicio.

6 ¿Adónde? You are going to discuss the places you go to in certain situations.

Paso 1 Individually, indicate where (**adónde**) you would go in these situations.

1. ¡No tengo (*I don't have*) el libro de texto! Voy a (*I'm going to*)...
2. Tengo (*I have*) mucha tarea de español esta tarde. Voy a...
3. No estoy bien, estoy cansado (*I'm tired*). Voy a...
4. ¡La clase de ingeniería es muy difícil! Voy a...
5. Tengo un examen. Necesito (*I need*) concentración para estudiar. Voy a...

Paso 2 In small groups, compare your preferences.

> **Modelo** *Cuando* (When) *no tengo el libro de texto voy a la librería. Scott también va* (he goes) *a la librería, pero Ivy lo compra en Internet.*

7 La Universidad de Puerto Rico You are going to compare two campuses.

Paso 1 Individually, imagine that you are studying abroad at the Río Piedras campus of the University of Puerto Rico (UPR). Using the campus map as a guide, answer the questions about the UPR. Then, answer for your own campus.

Preguntas	La UPR	Mi universidad
1. ¿Dónde cenan (*have dinner*)?		
2. ¿Dónde compran (*buy*) libros?		
3. ¿Dónde admiran obras de arte?		
4. ¿Dónde consultan libros para sus trabajos académicos?		
5. ¿Cuántas (*How many*) residencias hay?		
6. ¿Hay transporte público?		

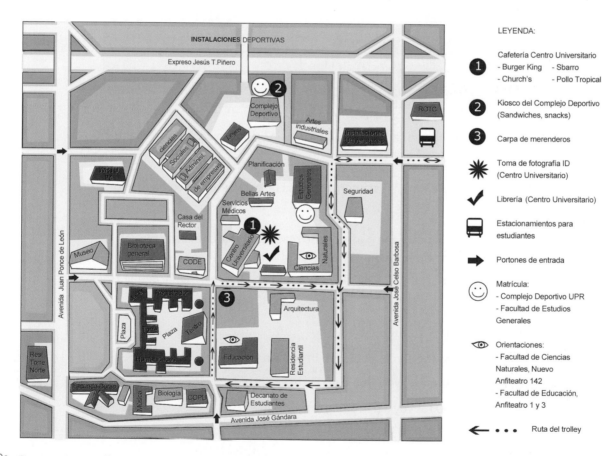

LEYENDA:

1 — Cafetería Centro Universitario
- Burger King   - Sbarro
- Church's   - Pollo Tropical

2 — Kiosco del Complejo Deportivo (Sandwiches, snacks)

3 — Carpa de merenderos

✳ — Toma de fotografía ID (Centro Universitario)

✔ — Librería (Centro Universitario)

🚌 — Estacionamientos para estudiantes

➡ — Portones de entrada

☺ — Matrícula:
- Complejo Deportivo UPR
- Facultad de Estudios Generales

👁 — Orientaciones:
- Facultad de Ciencias Naturales, Nuevo Anfiteatro 142
- Facultad de Educación, Anfiteatro 1 y 3

← • • • — Ruta del trolley

Paso 2 In small groups, compare the UPR Río Piedras campus with yours.

> **Modelo** *En UPR hay un teatro, y aquí (here) hay un teatro también.*

Paso 3 In small groups, talk about the facilities in campus you listed in **Paso 1**. Do you use them frequently? Why? Explain with examples.

☐ **I CAN** discuss classes and places on campus.

Resources

vhlcentral

SAM

online activities

2. Discuss daily activities

The present tense and regular *-ar* verbs

Read and listen to the text and follow these steps:

1. Focus on the message and make educated guesses about the meanings of the words (verbs) in boldface.

2. Focus on the verb endings: What do they convey?

3. Examine the underlined words and phrases that indicate when or how frequently the actions and events take place. Can you deduce their meanings based on words you already know and context?

Todos los días, Alicia y Carolina **llegan** al campus a las ocho de la mañana. Alicia **desayuna** cereal o tostadas en la cafetería a veces, pero Carolina solo (*only*) **compra** un té. Los lunes a las nueve de la mañana es la clase de psicología. Allí (*There*) **escuchan** al profesor y **toman** apuntes en sus tabletas. En la tarde **regresan** a la residencia y **preparan** sus lecciones. Ahora son las cuatro de la tarde, Alicia y Carolina **hablan** por teléfono:

Alicia: Hola, Caro, ¿cómo **estás**?

Carolina: Bien, ¿y tú? ¿Dónde **estás** ahora?

Alicia: En este momento **llego** a la puerta de la residencia.

Carolina: El examen de psicología es mañana, ¿**estudiamos** juntas por la tarde?

Alicia: Sí, **estudiamos** de tres a seis de la tarde y más tarde **cenamos** en la pizzería, ¿está bien?

Carolina: Bueno, pero **regresamos** al cuarto temprano, antes de las ocho de la noche.

▶ These are some common **-ar** verbs that describe daily activities.

cenar	*to have dinner*	regresar	*to return, to go back*
comprar	*to buy*	sacar buenas/ malas notas	*to get good/ bad grades*
desayunar	*to have breakfast*	tomar (apuntes)	*to take (notes)*
hablar	*to speak*	trabajar	*to work*
llegar	*to arrive*		

▶ Spanish regular verbs follow one of three ending patterns, corresponding to three possible infinitive endings **-ar**, **-er**, and **-ir**.

▶ These are the forms for simple present **-ar** verbs. Note that the infinitive ending **-ar** is replaced by the endings in boldface.

hablar	*to speak*		
singular forms		**plural forms**	
yo	habl**o**	nosotros/as	habl**amos**
tú	habl**as**	vosotros/as	habl**áis**
usted, él/ella	habl**a**	ustedes, ellos/as	habl**an**

¡Atención!

• Generally, subject pronouns (**yo**, **tú**...) are not used in natural speech unless clarification or contrast is needed. They are included in charts to identify the verb forms.

• Unlike nouns, Spanish verbs do not have gender: Both males and females say **hablo** (I speak).

ASÍ SE FORMA

▶ You may have noticed earlier that the present tense expresses actions that:

1. refer to a more extended present or recurring actions.

Alicia y Carolina **llegan** al campus a las ocho de la mañana.

Alicia and Carolina arrive on campus at 8 a.m.

En la clase de psicología **escuchan** al profesor y **toman** apuntes.

In their psychology class, they listen to the professor and take notes.

2. occur at the moment of speech.

| Hola, ¿cómo **estás**? | *Hi, how are you?* |
| ¿Dónde **estás** ahora? | *Where are you now?* |

3. refer to future actions.

| ¿**Estudiamos** juntas por la tarde? | *Shall we study together in the afternoon?* |
| Más tarde **cenamos** en la pizzería. | *Later, we will have dinner at the pizzeria.* |

▶ There are many expressions to indicate when or how frequently we do something. Read again the text about Alicia and Carolina and note the expressions used to indicate time.

Expresiones de tiempo	*Time expressions*
¿Cuándo estudiamos?	*When do we study?*
a tiempo	*on time*
ahora	*now*
antes de/después de (clase)	*before/after (class)*
esta mañana/tarde/noche	*this morning/this afternoon/tonight*
más tarde	*later*
por/en la mañana/la tarde/la noche	*in the morning/afternoon/night*
tarde	*late*
temprano	*early*
todas las mañanas	*every morning*
todas las tardes	*every afternoon*
todo el día	*all day long*
todos los días	*every day*
todos los fines de semana	*every weekend*

▶ Here are some terms to express frequency, organized in a continuum.

¿Con qué frecuencia? *(How often?)*

+ —————————————————————————————— –

siempre   casi (*almost*) siempre   con frecuencia   a veces   casi nunca   nunca

▶ The placement of expressions of frequency is flexible. Note that when **casi nunca** and **nunca** are placed after the verb, the negative word **no** goes before the verb.

| **Nunca estudio** en la biblioteca. | **No estudio** en la biblioteca **nunca**. |

1 ¿Quién habla? Listen to Alicia as she describes some of Carolina's activities and her own activities on a regular school day. She will ask you some questions as well. Indicate whether each statement refers to **Alicia (yo)**, **Carolina (ella)** or **las dos (**both, **nosotras)**, and then indicate your answers to her questions under **tú**.

	Alicia (yo)	Carolina (ella)	las dos (nosotras)	tú
1.				
2.				
3.				
4.				
5.				
6.				

2 ¿Cuándo? Indicate whether the verb in each sentence refers to events that take place at the moment of speaking (**ahora**), in general (**en general**) or repeated actions (**acción habitual**), or to future events (**en el futuro**).

1. Casi nunca escucho música clásica.
2. Yo estudio derecho, y tú ¿qué estudias?
3. A veces estudiamos en el centro estudiantil.
4. El sábado desayunamos en el restaurante.
5. Los sábados desayunamos en el restaurante.
6. (To friend with headphones) ¿Qué escuchas?
7. Jorge está muy concentrado, ¿qué estudia?
8. Esta noche trabajo de ocho a diez.

3 Un día en la clase de español You are going to discuss habits related to your Spanish class.

Paso 1 Individually, create sentences saying how frequently you do these activities in Spanish class. Use the phrases provided and the time expressions you have learned.

> **Modelo** llegar tarde   *Casi nunca/A veces llego tarde a clase.*

1. llegar tarde
2. tomar apuntes
3. hablar inglés
4. preparar la lección
5. completar la tarea
6. estudiar la gramática y el vocabulario

Paso 2 In small groups, ask your classmates and share your answers as well.

> **Modelo** **Estudiante A:** *¿Ustedes llegan tarde con frecuencia?*
> **Estudiante B:** *No, nunca llego tarde./A veces llego tarde...*

Paso 3 Individually, write a brief paragraph answering this question: En general, ¿son tus hábitos de estudio de español similares o diferentes de tus compañeros?

> **Modelo** *En general, somos similares/diferentes. No llegamos tarde a clase casi nunca...*

ASÍ SE FORMA

4 Estudiantes y sus rutinas You are going to share ideas about daily routines.

Paso 1 Individually, describe what you imagine each person does at the times indicated. Use words you have learned so far or from the **Palabras útiles** box.

> **Modelo** *Los lunes en la mañana Olivia desayuna en la cafetería antes de la clase de...*

| los lunes en la mañana | los viernes en la tarde | los sábados en la noche |

Palabras útiles

bailar *to dance*
cocinar *to cook*
descansar *to rest*
limpiar *to clean*
mirar *to watch*
viajar *to travel*
visitar *to visit*

Olivia

Carlos

Mariana

Sebastián

Paso 2 In small groups, compare your ideas. Did you come up with similar routines? Whose routine is the most similar to your own?

5 Imagina You are going to discuss daily activities.

Paso 1 Individually, write down five guesses about what you think your partner does in a typical school day. Use verbs you have learned so far.

> **Modelo** *Después de las clases, estudias en la biblioteca.*
> *Envías mensajes de texto a tus amigos con mucha frecuencia.*

Paso 2 Take turns sharing your sentences with your partner, who will indicate whether your guesses are true (**cierto**) or false (**falso**).

☐ **I CAN** discuss daily activities.

Resources

vhlcentral

SAM

online activities

3. Talking about actions in the present

Regular -er and -ir verbs; *hacer* and *salir*

Read and listen to the text, focusing on the message and make educated guesses about the meaning of the verbs in boldface that describe daily actions. Then, look at the verb endings. What information do they convey? Do they all follow the same patterns? What forms are different?

Me llamo Ángel y **asisto** a la Universidad Politécnica de California. **Hago** muchas clases. En las clases de literatura **leemos** y **escribimos** mucho. En la clase de informática analizamos sistemas y **aprendemos** a usar *software*. A veces no **comprendo** todo, pero un compañero de clase **comparte** sus notas conmigo (*with me*). Cuando (*when*) **salimos** de clase, vamos a la cafetería. Allí **comemos**, **bebemos** y hablamos. **Vivo** en la residencia estudiantil. Los sábados por la mañana voy al gimnasio y por la noche **salgo** con mis amigos. No **hago** mucho los domingos.

Y tú, ¿a qué universidad **asistes**?, ¿y qué cursos **haces**?, ¿**aprendes** mucho también?

▶ These are some common **-er** and **-ir** verbs that describe daily activities.

aprender	*to learn*	compartir	*to share*	leer	*to read*
asistir a	*to attend*	comprender	*to understand*	salir	*to go out, to leave*
beber	*to drink*	escribir	*to write*	salir a	*to go to (a place, to do something)*
comer	*to eat*	hacer	*to do, to make*	salir de	*to leave (a place)*

Regular -er and -ir verbs

▶ Observe the forms for **comer** and **vivir** in the present tense. Note that you drop the **-er/-ir** from the infinitive and replace it with endings to agree with the subject of the verb. Note, also, that **-er** and **-ir** verbs have identical endings except in the **nosotros** and **vosotros** forms.

comer *to eat*				vivir *to live*			
singular forms		**plural forms**		**singular forms**		**plural forms**	
yo	com**o**	nosotros/as	com**emos**	yo	viv**o**	nosotros/as	viv**imos**
tú	com**es**	vosotros/as	com**éis**	tú	viv**es**	vosotros/as	viv**ís**
usted, él/ella	com**e**	ustedes, ellos/as	com**en**	usted, él/ella	viv**e**	ustedes, ellos/as	viv**en**

Hacer and *salir*

▶ The verbs **hacer** (*to do, to make*) and **salir** (*to leave, to go out*) are irregular only in the **yo** form.

hacer: **hago**, *haces, hace, hacemos, hacéis, hacen*

salir: **salgo**, *sales, sale, salimos, salís, salen*

Hago la tarea todas las noches.   *I do homework every night.*

Salgo con mis amigos los fines de semana.   *I go out with my friends on weekends.*

ASÍ SE FORMA

1 **¿En qué clase?** You are going to discuss class activities.

Paso 1 Individually, indicate what classes you have this semester, and indicate which statements are true for each.

En mi clase de...	español			
1. aprendo cosas muy interesantes.				
2. hacemos mucha tarea.				
3. hablo y participo en clase.				
4. comprendo todo o casi todo.				
5. asistimos a clase muchas horas por semana.				
6. hago muchos exámenes.				
7. investigo (*I research*) en Internet.				
8. escribo muchos trabajos.				

Paso 2 In small groups, ask each other questions and share your responses to the statements in **Paso 1.**

Paso 3 Of the classes you just heard about, which one would you like to take? Explain briefly why.

> **Modelo** Quiero (*I want to*) tomar la clase de _sociología_ porque
> _los estudiantes aprenden cosas interesantes._

2 **En tu tiempo libre** You are going to discuss leisure activities.

Paso 1 Individually, use the prompts to create sentences describing what you and your friends do in your free time (**tiempo libre**). Add details such as when, how frequently, where, or with whom you do them.

> **Modelo** mirar series de televisión/videos en Internet
> *No miro series de televisión, pero mis amigos y yo miramos videos en Internet a veces.*

1. mirar series de televisión/videos en Internet
2. beber café/té
3. leer noticias (*news*)/ficción/blogs
4. salir a... con...
5. cenar en... con...
6. asistir a conciertos/al teatro/a eventos deportivos
7. escribir mensajes de texto/poesía/en un diario (*journal*)
8. hacer ejercicio (*to exercise*)/deporte/meditación

Paso 2 In pairs, change your sentences into questions. Then, take turns asking and answering each other's questions. When possible, ask follow-up questions to get more details.

> **Modelo** *¿Miras series de televisión? ¿Dónde?*

3 **Tu nuevo/a compañero/a de cuarto** You are meeting your new roommate today and you want to get to know each other better. In pairs, decide who is going to be **Estudiante A** and who **Estudiante B**.

Paso 1 Individually, prepare some questions to ask about your topics.

> **Modelo** estudiar: ¿Estudias en tu cuarto? ¿Estudias por la noche? ¿Qué materias estudias?

Estudiante A

1. ir a clase, estudiar, leer y hacer tarea, trabajar
2. desayunar, comer y cenar
3. usar la computadora, navegar por Internet, enviar mensajes

Estudiante B

1. escuchar música, ir al gimnasio, practicar un deporte (sport)
2. hablar con amigos (friends) y familia, salir
3. comprar libros y material escolar

Paso 2 In pairs, have a simple conversation using your questions to move it along. Ask follow-up questions and feel free to share with each other your own routine.

4 **Situaciones** In pairs, imagine that one of you goes to the bookstore to buy your books and school supplies, and the other is the store assistant at the bookstore. Follow this outline.

- You recognize each other from class, introduce yourselves, and talk about your classes and other things you do or places you go.
- The person buying asks about availability and/or prices of certain items (**Necesito...** – *I need...*).
- The store assistant responds and tells the price of things (**Sí, hay.../No, no hay...; Los lápices son $2,50 [dos dólares cincuenta]**).
- You say goodbye to each other.

5 **Sondeo sobre el tiempo libre** You are going to conduct a survey (**sondeo**) about leisure time (**tiempo libre**) activities.

Paso 1 Individually, describe what you do in your time off, using the verbs listed in **Paso 2**.

Paso 2 Based on **Paso 1**, interview your classmates to identify those who share your preferences. Transform your statements into questions, as in the model. When someone answers affirmatively, write down her/his name. How many affirmative answers can you get?

Actividades de tiempo libre	¿Quién?
Modelo Asistir a... *Asisto a conciertos de rock. (¿Asistes a...?)*	Megan
1. Asistir a...	
2. Hacer...	
3. Salir a... con...	
4. Hablar con...	
5. Comer... en...	
6. ¿...?	

☐ **I CAN** discuss daily activities.

Resources

vhlcentral

SAM

online activities

4. Going places

Ir + *a* + destination

Read and listen to the conversation focusing on the message and make educated guesses about the meaning of the verb forms in boldface. How are these similar or different from other verb forms you have seen before? Can you tell who (**yo**, **tú**, etc.) each form refers to? Then, read the text again and observe the preposition **a** in the text. What do you notice about its position and meaning?

Camila: Hola Javier, ¿**adónde vas** tan rápido?

Javier: **Voy a** clase de álgebra. Hoy hay una prueba, y **voy** tarde.

Camila: Oye, ¿**vas a** la fiesta de Alicia el viernes?

Javier: No, los viernes mis amigos y yo **vamos a** un club.

Camila: ¿Todos los viernes **van al** club a bailar? ¿Qué club es?

Javier: Pues, el club de matemáticas.

▸ To state where you are going, use the verb **ir** (*to go*) + **a** (*to*) + destination.

ir	*to go*	
singular forms		
yo	voy	**Voy** a clase todos los días (*every day*).
tú	vas	¿**Vas** al cuarto por la tarde?
usted, él/ella	va	Ella **va** a la universidad.
plural forms		
nosotros/as	vamos	**Vamos** al restaurante.
vosotros/as	vais	¿**Vais** al centro estudiantil?
ustedes, ellos/as	van	Ellas **van** al gimnasio.

▸ Note the different question words used to ask where someone is and where someone is going:

¿Dónde? = *Where?*   ¿Dónde estás?

¿Adónde? = *Where to?*   ¿Adónde vas?

▸ Also, note the contraction between the preposition **a** when followed by the article **el**:

a (*to*) + **el** (*the*) = **al**   Vamos **al** cuarto de Anita.

a + **la, los, las** = no change   Vamos **a la** biblioteca.

1 **¿Quién y cuándo?** You are going to identify different meanings of **ir** in some sentences.

Paso 1 Read the sentences and indicate who they are referring to.

	yo	tú	Ángel	Ángel y yo	mis amigos
1. ¡Espera (*wait*)! ¿Adónde vas?	☐	☐	☐	☐	☐
2. A veces vamos al gimnasio.	☐	☐	☐	☐	☐
3. Siempre vas tarde a clase.	☐	☐	☐	☐	☐
4. El sábado van a una fiesta.	☐	☐	☐	☐	☐
5. En este momento voy a clase de inglés...	☐	☐	☐	☐	☐
6. ... y esta tarde voy a clase de historia.	☐	☐	☐	☐	☐

Paso 2 Read the sentences again and indicate whether the action is taking place right now (**ahora**), is a general or recurring action (**habitual**), or is an action that will occur in the near future (**futuro**).

	ahora	habitual	futuro
1.	☐	☐	☐
2.	☐	☐	☐
3.	☐	☐	☐
4.	☐	☐	☐
5.	☐	☐	☐
6.	☐	☐	☐

2 **¿Adónde?** Read the cue and decide where each person is probably going. Then, complete the sentence with the correct form of the verb **ir** followed by the preposition **a** and a destination.

> **Modelo** Esta noche hay una clase de pilates.
> Lucía (voy / vas /(va)/ vamos / van) *al gimnasio*.

1. En mi (*my*) mochila hay una calculadora.
   (Voy / Vas / Va / Vamos / Van) _____.

2. ¡Pedro y Rafa son muy fuertes!
   Siempre (voy / vas / va / vamos / van) _____.

3. Hay examen en tu clase de chino mañana.
   ¿(Voy / Vas / Va / Vamos / Van) _____ para estudiar?

4. No hay clase de cálculo esta tarde.
   El profesor de cálculo (voy / vas / va / vamos / van) _____.

5. Tú y yo trabajamos mucho esta semana, pero hoy es sábado.
   Esta noche (voy / vas / va / vamos / van) _____.

ASÍ SE FORMA

En mi experiencia

Andrew, Fayetteville, NC

"In Mexico, it took me a while to get used to how time and timeliness are perceived differently. For instance, in many informal situations, arriving a bit late is not considered impolite. Also, when someone says that something will happen "ahora" or "ahorita", they may not mean right now or even in the next few minutes."

In what situations is timing more or less strict in the United States, or in your home culture, if different?

3 El horario Work with a classmate and write her/his name in the schedule (**horario**).

Paso 1 In pairs, ask your partner about his/her classes and other activities on a typical week, and what days and times he/she goes to each. Take careful notes.

Modelo	Estudiante A:	*¿A qué clases y actividades vas este semestre?*
	Estudiante B:	*Este semestre voy a clase de química, historia de Estados Unidos,...*
	Estudiante A:	*¿Qué días vas a clase de química? (...) ¿A qué hora vas? (...) ¿Vas a la cafetería/biblioteca/...? (...)*

Palabras útiles

el club de (fotografía)
(photography) club

de (diez) a (once)
from (ten) to (eleven)

¿Qué hora es?
What time is it?

el trabajo
job

el trabajo voluntario
volunteer work

El horario de _____

	lunes	martes	miércoles	jueves	viernes
8:00 a. m.					
9:00 a. m.					
10:00 a. m.					
11:00 a. m.					
1:00 p. m.					
2:00 p. m.					
3:00 p. m.					
4:00 p. m.					
5:00 p. m.					

Paso 2 Compare your schedules. Are they similar or different? Write a short report and prepare to share it with the class.

Modelo *Nuestros horarios son similares/diferentes: por las mañanas yo voy...*
y/pero Jason va.../Jason y yo vamos...

4 **Los profesores** You have talked about what you and other students do. Now, imagine your Spanish professor's routine on a typical school day. Write a paragraph describing his/her activities and the places he/she goes. Make educated guesses, but feel free to be creative!

Palabras útiles

Después *Then*

Más tarde *Later*

Finalmente *Finally*

> **Modelo** *Por la mañana, el profesor/la profesora...*

5 **Situaciones** In small groups, imagine that one of you is a prospective student and another is his/her parent. You meet a volunteer student guide who is going to introduce you to campus.

- The guide greets the visitors and asks how they are doing and where they are from. Remember to use formal language (**usted**) to speak to an adult you do not know.
- The prospective student and parent engage in conversation with the guide, asking questions about the university (courses, places on campus), academic and extracurricular activities, where to go in different situations, etc. The guide offers ideas and suggestions.
- At the end, the guide says he/she has to go (to class, the library...). They all say goodbye.

Nota cultural

Choosing a university in Mexico

In Mexico, the process to choose and apply to universities is different from the process in the United States. For example, in UNAM, the largest university in Mexico, it starts during the last year of high school. There, students enter an area of studies geared toward the major they want to pursue. Once they finish high school, they take an entrance exam and indicate their preferred campus in their application. Mexican students usually prefer to attend the campus closest to their family's home.

Resources

vhlcentral

SAM

online
activities

☐ **I CAN** discuss going places.

Puerto Rico

Antes de leer

🔗 **1. Conocimiento previo** Indicate which facts you think are true about Puerto Rico.

☐ It's an island in the Caribbean.

☐ It's a state of the United States.

☐ Puerto Ricans are U.S. citizens.

☐ Puerto Rican culture has African influences.

Puerto Rico es el país hispano con más conexión a Estados Unidos por su estatus administrativo como estado asociado. Conoce algunos aspectos destacados de este país.

Naturaleza variada

En la isla de Puerto Rico, parte del archipiélago de las Antillas Mayores en el Caribe, la naturaleza es muy variada: hay montañas, ríos°, bosques tropicales y playas. En Vieques hay **bahías bioluminiscentes**, donde millones de minúsculos organismos, los dinoflagelos, emiten una luz azul°. Mira el video para aprender más sobre este país.

❙ Bahía bioluminiscente, Vieques

❙ Comic "La Borinqueña"

Cultura taína

Los taínos eran el pueblo indígena de la isla. En su lengua, el nombre de la isla es **Boriquén**. Hoy, muchas personas de Puerto Rico se identifican con la palabra° **boricua**. Otras palabras taínas son *barbacoa*, *iguana*, *huracán* y *tabaco*. En el comic "La Borinqueña" la superheroína recibe sus poderes° de los dioses° taínos.

El vejigante

Un personaje° popular en las celebraciones de carnaval de Puerto Rico es el **vejigante**. Representa una fusión cultural de influencias africanas, españolas y caribeñas. El carnaval de Loíza es muy popular. Las máscaras° se hacen de cáscaras° de coco° y se pintan de colores brillantes.

Historia

Años importantes en la historia de **Puerto Rico**:

Antes de 1493 El pueblo taíno habita la isla con una organización social desarrollada y una cultura sofisticada.

1493 Cristóbal Colón llega a la isla.

1898 Puerto Rico se incorpora a Estados Unidos.

1917 Los puertorriqueños reciben la nacionalidad estadounidense. No hace falta pasaporte para viajar desde Estados Unidos a Puerto Rico.

1952 Puerto Rico se convierte en Estado Libre Asociado° con su propio° gobierno. Las leyes° federales de Estados Unidos se aplican en Puerto Rico, pero no es parte del territorio nacional y no hay representante con voto en el Congreso.

Presencia en Estados Unidos

Hay importantes **comunidades puertorriqueñas** en varios estados de Estados Unidos, especialmente en Florida, Nueva York y Nueva Jersey. En realidad, hay aproximadamente 5,6 millones de personas de origen puertorriqueño en el área continental de Estados Unidos y 3,4 millones en Puerto Rico.

▮ Desfile puertorriqueño en Nueva York

La música

El **trap latino** es un subgénero del hip hop originado en Puerto Rico y muy popular en toda Latinoamérica, España y también Estados Unidos. Algunos músicos de trap son Ozuna, Bad Bunny y Daddy Yankee.

Después de leer

2. Indicar Indicate whether these statements are true (**C**) or false (**F**), based on the text.

1. Nature is very diverse in Puerto Rico. ....**C F**
2. The people of Puerto Rico are **taínos**. ....**C F**
3. Puerto Rico is a state of the United States, but has no representatives in Congress. ....**C F**
4. More people of Puerto Rican origin live outside the island than on the island. ....**C F**
5. There is a strong presence of African heritage in the culture of Puerto Rico. ....**C F**

3. Interactuar In small groups, discuss these questions.

1. Had you heard the terms **boricua** or "Newyorican" before? What was your understanding of these terms? How do they connect with what you have learned here?
2. Do you remember hearing or reading about Puerto Rico in the news? What were the news stories about?
3. What prominent Puerto Ricans, from the island or the mainland, do you know? What are they known for?

4. Investig@ en Internet Read the strategy and research online one of the topics presented in the reading or a different topic you are interested in. Prepare a brief written or oral report to share with your class, including images or other media as appropriate.

> 🔍 **Estrategia digital: Using general keywords**
> When researching online, your questions and search terms are key to finding the right information. If you are unfamiliar with a topic, use general search terms for a general overview, and then add specific keywords to focus your search on an area. For example, if you are interested in art, use these key words:
> → **arte popular Puerto Rico**

el **río** *river* **azul** *blue* la **palabra** *word* el **poder** *power* el **dios**/la **diosa** *god/goddess* el **personaje** *character* la **máscara** *mask* la **cáscara** *shell* el **coco** *coconut* el **Estado Libre Asociado** *Commonwealth* **propio/a** *own* la **ley** *law*

☐ **I CAN** identify one or two products and/or practices from Puerto Rico.

Resources

vhlcentral

online activities

Lectura

Antes de leer

🔗 **1. Conocimiento previo** Answer these questions.

1. Have you studied abroad (**en el extranjero**) or considered studying abroad?

2. What are the main reasons why you might or might not want to spend a summer or semester abroad?

Estrategia de lectura: Identifying cognates

Cognates are words that look similar in English and Spanish and have the same meaning. For example, in this reading **fenómeno** (*phenomenon*) and **global** (*global*) are cognates. Identifying these words can significantly help your reading comprehension, but watch out for false cognates—words that share a similar spelling, but actually mean different things. For example, **lectura** in Spanish means *reading* in English, not *lecture*. Context will help you identify and sort out useful cognates from false cognates.

A leer

🔗 **2. Aplicar** Read the strategy and answer these questions.

1. Look over the text quickly and use your previous knowledge to answer: What type of information would you anticipate in a text about studying abroad?

2. Read the text, paying attention to individual words, and identify each cognate you recognize. Do cognates help you understand what the text is about? Give a few examples.

 SIU

ESTUDIAR EN EL EXTRANJERO

Estudiar en el extranjero° es un fenómeno global. Nuestra organización ofrece una gran variedad de programas en diferentes países de Latinoamérica.

Beneficios de estudiar en el extranjero

*   Obtener créditos universitarios en programas académicos de calidad.

*   Desarrollar° tu competencia intercultural y comprender mejor el mundo°.

*   Hacer amigos° internacionales.

*   Aprender a ser independiente.

*   Mejorar° tus oportunidades laborales en el futuro.

*   Aprender o mejorar tu español.

Tipos de programas

*   **Cursos de español** Cursos intensivos en todos los niveles con certificados oficiales. Cursos avanzados de lengua a través de° la literatura, la historia y los estudios culturales. Verano o semestre.

*   **Programa de pregrado** Puedes cursar asignaturas relevantes a tu programa de estudios y participar en actividades extracurriculares. Proceso de acreditación universitaria. Semestre o año completo.

*   **Cursos especiales y prácticas** Desarrolla competencias avanzadas y profesionales con cursos especializados y prácticas en áreas de la salud, la tecnología y los negocios.

---

en el extranjero *abroad*   **desarrollar** *to develop*   **el mundo** *world*   **el amigo/la amiga** *friend*   **mejorar** *to improve*   **a través de** *through*   **el anfitrión/la anfitriona** *host/hostess*   **la beca** *scholarship*   **la solicitud** *application*

Programas internacionales   **Galería**   **Sobre nosotros**   **Contacto**

Alojamiento

- Residencial. Cuartos individuales, dobles y suites con cocina.
- Con familia anfitriona°.

Admisión y becas°

- Requisitos: 2,5 GPA
- Costo: $17.500 – $ 23.450. Incluye tasas locales y transferencia de créditos.
- Becas y ayuda financiera: Paquete de ayuda financiera transferible y becas especiales. Información en nuestra oficina administrativa.

Para más información y solicitudes°, contacta con la Oficina de Educación Global (oeg@uni.edu).

Después de leer

3. Identificar Identify the statement that best describes the text.

1. Blog entry by a student who is studying abroad.
2. A report on the phenomenon of studying abroad.
3. An informational page by an institution that organizes study abroad programs.

4. Categorizar The text lists a number of benefits of studying abroad. Indicate which ones are academic benefits (**beneficios académicos**), personal benefits (**beneficios personales**), or both (**los dos**).

5. Indicar Based on the text, indicate what types of courses, accommodations, and resources are offered by the programs described.

☐ Basic Spanish courses
☐ Internship in a business office
☐ Advanced Spanish language through technology
☐ Rotation in a hospital

☐ Accredited college courses
☐ Graduate courses
☐ Individual apartments
☐ Accommodation with a host family

6. Analizar In pairs, discuss these questions.

1. What are the main factors you would consider if you were planning to study abroad? Consider academic, personal, and financial factors.
2. Assuming you are able to find a program that fits your needs, where would you like to go to study and why?

7. Investig@ en Internet You really want to learn more Spanish and start looking into Spanish language summer programs in Latin America or Spain. Find a program you are interested in and print out or write down all the important information (dates, price, what is included in the program). Be ready to explain why you chose that program. Remember to use the digital strategy on page 61 for researching an unfamiliar topic.

Resources

vhlcentral

online activities

☐ **I CAN** identify basic facts in a text about study abroad.

Video: ¿Por qué estudiar en la Universidad Siglo 21?

Antes de ver el video

Ⓢ **1** **Predecir** You are going to watch a promotional video for **Universidad Siglo 21** (*21ˢᵗ Century*) in Córdoba, Argentina. Consider the name of the university and the photo to make an educated guess about a key feature the university emphasizes.

Duración: 1:03
Fuente: Universidad Siglo 21

> **Estrategia de comprensión auditiva: Identifying cognates**
>
> As you learned in **Estrategia de lectura**, English and Spanish share many cognates. Identifying cognates when you listen will be very helpful for comprehension, but it can be challenging until you develop the ability to recognize the sounds of Spanish and visualize the words you hear. In normal speech we link words together, so it is not as obvious where each begins and ends. To become proficient in this skill, it is important to continue practicing it as you listen to other texts in the future.

A ver el video

In this video, geared for prospective college students, you will hear students highlight what they like about their university.

2 **Aplicar** Read the strategy and watch the video twice, writing down any words you recognize, particularly cognates. If you are not sure about how to spell a word, write it down spelling it as best you can. Do not worry if you only recognize one or two words. Then, in small groups, compare your notes.

Ⓢ **3** **Completar** Read these sentences from the video. Then listen to the video once or twice, writing the words you hear. They are all words you know or close cognates. As before, it is fine to approximate the spelling.

00:01: Estudiar en el Experimenta es otro mundo. Es totalmente _____.
a. moderno   **b.** especial   **c.** innovador

00:05: El Experimenta son las materias que más disfruto, en las cuales los _____ se pueden explayar más y contar su experiencia.
a. estudiantes   **b.** profesores   **c.** alumnos

00:19: Vos empezás a adquirir valores, _____ que no solo te lo da un libro, sino que te lo da una charla con un profesor, un vínculo con un _____ de otra provincia o de otro país.
a. redes; marcador   **b.** experiencias; compañero   **c.** pruebas; cuarto

00:45: Y es una universidad muy _____ .
a. moderna   **b.** interesante   **c.** futurista

Después de ver el video

Ⓢ **4** **Analizar** In small groups, discuss these questions: Does **Universidad Siglo 21** have many things in common with your university? How are they different? What was interesting to you about this university? Which factors affect the access and quality of education where you live?

☐ **I CAN** identify basic ideas in a video about a university in Argentina.

Resources
vhlcentral   online activities

Proyecto oral: Una reunión y un plan divertido

You have formed a study group with two of your Spanish classmates. You are going to plan a meeting (**una reunión**) to study together for one hour and, because you get along so well, you also want to plan a fun activity to do together this weekend. As you prepare, take a few minutes to review the vocabulary and grammar from this chapter and write down key words you would like to include.

¡Atención!

Ask your instructor to share the **Rúbrica de calificación** (*grading rubric*) to understand how your work will be assessed.

Estrategia de comunicación oral: Simplifying your expression

As you begin sharing ideas in Spanish, you may have more things you want to say than you can actually express. Avoid translating complex sentences from English to Spanish. Instead, formulate your ideas more simply in Spanish, using the vocabulary and structures you have learned. For example, instead of translating *I attend a regularly scheduled study group for my organic chemistry class on alternating Sunday afternoons*, you can say **A veces, estudio con mis compañeros de la clase de química los domingos**.

Paso 1 In your notebook, draw and complete a calendar of your activities for next Friday, Saturday, and Sunday.

Paso 2 Prepare the questions you will want to ask and ideas to convey to make these plans. For example:

- To ask about timing of events or activities.
  ¿A qué hora/Cuándo sales de clase?   ¿Qué haces el viernes a la una de la tarde?
- To describe what you will be doing and when.
  El viernes salgo de clase a las...
- To make suggestions, and to accept or reject them.
  ¿Vamos a...?   Sí, vamos a... / Lo siento, pero...

Paso 3 With your group, build a detailed schedule of everyone's activities asking questions and sharing information about what you all are doing, when, and where. Find times when everyone is available and decide together on the following:

- when and where you are going to meet to study Spanish for one hour.
- when you are going to do something fun, and what you are planning to do.

> **Modelo** **Estudiante A:** *¿Estudiamos el viernes a la una de la tarde?*
> **Estudiante B:** *Sí, de acuerdo (agreed). ¿Jugamos al baloncesto el domingo?*
> **Estudiante C:** *¡Muy bien! ¿A qué hora?*

Paso 4 Individually, present the plans you made with your classmates to study and to do something fun. Your presentation should be between one and two minutes long. Feel free to use your schedule as a visual reference but do not read from a script.

☐ **I CAN** make plans with classmates.

Palabras útiles

el centro comercial
the mall

de... (*time*) a... (*time*)
from... until...

descansar
to rest

hacer ejercicio
to exercise, to work out

jugar al tenis/
  baloncesto/fútbol
  americano/béisbol
*to play tennis/
  basketball/football/
  baseball*

mirar la televisión/
  una película
to watch TV/a movie

la reunión
meeting

el supermercado
the supermarket

Resources

vhlcentral

DICHO Y HECHO | Learning Objective: Create an informal e-mail message.

Proyecto escrito: Mi universidad

You volunteer to help international students coming to spend a semester at your university. You are going to write an e-mail to a group of prospective students from a Spanish-speaking country describing your university and telling them a bit about your routine here. As you prepare, take a few minutes to review the vocabulary and grammar from this chapter and write down key words you would like to include.

¡Atención!

Ask your instructor to share the **Rúbrica de calificación** (*grading rubric*) to understand how your work will be assessed.

Estrategia de redacción: Brainstorming

The first stage of the writing process consists of generating ideas by brainstorming, jotting down all ideas that come to mind. The goal is to explore the topic, so do not worry about how those ideas connect, grammar, etc. As much as possible, try to brainstorm in Spanish, recalling words and structures you have already learned.

Paso 1 What aspects of your life as a student at your university can you talk about? What specific ideas could you mention for each topic? Review **Capítulos 1** and **2** for ideas as well as useful vocabulary and expressions. Consider:
- la universidad
- personas: amigos/as, compañeros/as de clase, etc.
- tus clases y actividades extra académicas
- otros detalles: cuándo y dónde comes, cuándo sales y con quién (*who with*), etc.

Paso 2 Now that you have some ideas for the content, think about your message:
- Keep in mind who you are writing to. What ideas will be relevant and interesting for them? Will you use **tú** or **usted**?
- How are you going to organize your ideas in a cohesive, logical sequence? Use the words in **Para escribir mejor** to connect ideas. You may follow this outline:

Greeting, e.g., Queridos amigos:

Párrafo 1: *Introduce yourself, e.g.*, Me presento. Soy... y soy estudiante en...

Párrafo 2: *Describe aspects of the university, e.g.*, La Universidad de Arizona es... Hay...

Párrafo 3: *Describe your activities on a typical day, e.g.*, Por la mañana... Pero por la tarde...

Conclusion and farewell, e.g., La Universidad de Arizona es ideal porque.... Hasta pronto, ...

Para escribir mejor Use these words to add and contrast ideas:

Palabras	Usos
y *and;* **o** *or;* **pero** *but;* **porque** *because*	Used to connect ideas within a sentence.
también, **además** *besides, in addition;* **tampoco** *(not) either*	Typically used at the beginning or end of a sentence.

Paso 3 Write an e-mail of about 100–150 words to an international peer in which you describe your university and routine based on **Pasos 1** and **2**. Be prepared to share your project with the class.

Resources
vhlcentral

☐ **I CAN** create an informal e-mail message.

En la clase/el aula

el alumno/el estudiante *student (male)*
la alumna/la estudiante *student (female)*
el bolígrafo/la pluma *pen*
el borrador *eraser*
la calculadora *calculator*
el (teléfono) celular/móvil *cell phone*
el cuaderno *notebook*
el diccionario *dictionary*
el escritorio *desk*
el examen/la prueba *exam*
el lápiz *pencil*
el libro (de texto) *(text)book*
el mapa *map*
la mesa *table*
la mochila *backpack*
la nota *grade*
el profesor *teacher/professor (male)*
la profesora *teacher/professor (female)*
la puerta *door*
el proyector *projector*
el reloj *clock*
la silla *chair*
la tarea *homework*
el televisor *television set*
la tiza *chalk*
la ventana *window*

En el laboratorio

los auriculares *headphones*
la computadora (portátil) *(laptop) computer*
el correo electrónico/el e-mail *e-mail*
la impresora *printer*
el marcador *marker*
el mensaje (electrónico) *(e-mail) message*
la página web *Web page*
la pantalla *screen*
el papel/una hoja de papel *paper/a sheet of paper*
la papelera (de reciclado) *(recycling) bin*
la pizarra (blanca/interactiva) *(white/interactive) board*
el ratón *mouse*
la red *the Web/Internet*
el sitio web *website*
la tableta *tablet*
el teclado *keyboard*
el trabajo (escrito) *academic paper, essay*

Las materias

la administración de empresas *business administration*
el alemán *German*
el álgebra *algebra*
el arte *art*
la biología *biology*
el cálculo *calculus*
el chino *Chinese*
las ciencias políticas *political science*
la computación/informática *computer science*
la contabilidad *accounting*
la economía *economy*
la educación *education*
el español *Spanish*
la filosofía *philosophy*
las finanzas *finances*
la física *physics*
el francés *French*
la historia *history*
la ingeniería *engineering*
el inglés *English*
la literatura *literature*
las matemáticas *mathematics*
la música *music*
los negocios *business*
el periodismo *journalism*
la psicología *psychology*
la química *chemistry*
la religión *religion*
la sociología *sociology*

Los lugares *Places*

el apartamento *apartment*
la biblioteca *library*
la casa *home/house*
la cafetería *cafeteria*
el centro estudiantil *student center*
el cuarto *room*
la facultad *school or department within a university*
el gimnasio *gymnasium*
la librería *bookstore*
la oficina (del profesor/de la profesora) *(professor's) office*
la residencia estudiantil *student dorm*
la universidad *university*

Las acciones y los estados de la vida universitaria

aprender *to learn*
asistir a *to attend*
beber *to drink*
buscar *to look for*
cenar *to have dinner*
comer *to eat, to have lunch*
compartir *to share*
comprar *to buy*
comprender *to understand*
desayunar *to have breakfast*
enviar *to send*
escribir *to write*
escuchar *to listen to*
estudiar *to study*
hablar *to talk*
hacer *to do, to make*
hay *there is, there are*
imprimir *to print*
ir *to go*
leer *to read*
llegar *to arrive*
mandar *to send*
navegar por la red/Internet *to surf the Web*
preparar *to prepare*
regresar *to return, to go back*
sacar buenas/malas notas *to get good/bad grades*
salir *to go out, to leave*
tomar (apuntes) *to take (notes)*
trabajar *to work*
usar *to use*
vivir *to live*

Hacer preguntas

¿Adónde? *Where to?*
¿Cuándo? *When?*

Expresiones de tiempo y frecuencia

See page 50.

Así es mi familia

Learning Objectives
In this chapter, you will:

- Participate in basic conversations about family and friends, and your relationship with them.
- Describe yourself and others as well as location and conditions.
- Identify concepts about the role of grandparents in some Hispanic cultures.
- Explore and research Hispanic communities in the United States.
- Identify basic facts in written and spoken texts.
- Carry out an interview about a special person.
- Write a description of your family.

Así se pronuncia Vowel sounds

VideoEscenas Mi cuñado favorito

🖉 **La familia** Answer the questions.

1. Look at the images. What might they be?

☐ ads in a parenting magazine   ☐ illustrations in a textbook

☐ illustrations in a scientific journal   ☐ photos from a brand's social media account

Fuente: Galletas Pozuelo
el amor *love* **sino** *but (after a negative statement)* **juntos/as** *together* **unidos/as** *united* **la sangre** *blood* **el/la pariente** *relative*

2. These images are part of a commercial campaign by Costa Rican food brand Pozuelo. Which definition of family best aligns with the messages here?
  • La familia es un grupo de personas con relación de matrimonio o de sangre.
  • La familia es un grupo de personas con lazos (*ties*) afectivos.
  • La familia es un grupo de personas que viven juntas (*that live together*).

3. Who and what do you associate to the word "family"?

ASÍ SE DICE

Audio: Vocabulary | **Learning Objective:** Discuss family and friends, and your relationship with them.

Así es mi familia

Me llamo Juanito. Andrés y Julia son mis **padres**, y tengo (*I have*) dos **hermanas**: Elena y Clara. Mis **abuelos** son José, Tina (los padres de mi papá), Noé y Lucía (los padres de mi mamá). El **tío** Antonio es hermano de mi mamá y la **tía** Elisa es su **esposa**. Ellos tienen (*They have*) un **hijo**, Ricardo, y una **hija**, Tere, que son mis **primos**. Estas son las **fotos** de mi familia.

el abuelo y los nietos (2022)

Andrés y Julia, novio y novia (2015)

Andrés y Julia, esposo y esposa (2016)

la nieta
(de Noé)

la hermana

el hermano

los niños Elena,
Juanito y Clara (2023)

el hombre

la mujer

la bebé

la niña

el gato

el perro

Apoyo de vocabulario

el hombre	*man*
la mujer	*woman*
los niños	*children*

¿Qué observas? Answer the questions about the images.

1. ¿Es cierto o falso?
   - Noé es el abuelo de Ricardo.
   - Tere es nieta de Lucía.
   - Julia es prima de Elisa.
   - Andrés es hijo de José.
   - Julia es hija de Tina.
   - Elena es nieta de Tina.
   - Ricardo es primo de Clara.
   - Noé es tío de Antonio.
   - Julia es tía de Tere.
   - Noé es suegro de Julia.

2. Observa las fotos. En la foto de Andrés y Julia de 2015, ¿son esposo y esposa? ¿Son novio y novia? ¿Andrés es el novio o la novia? Y en la foto de 2016, ¿qué son Andrés y Julia?

¿Y tú? Answer the questions about yourself.

1. Considera la palabra (*word*) "familia". ¿Imaginas una familia nuclear o una familia extendida?

2. Tu familia nuclear, ¿es grande o pequeña? ¿Y tu familia extendida?

3. ¿Tienes (*Do you have*) una relación cercana (*close*) con tu familia extendida?

4. ¿Qué celebras con la familia nuclear y con la familia extendida? ¿Qué celebras con los amigos?

5. ¿Hay perros, gatos u otras (*or other*) mascotas?

Nota de lengua

There are different terms to refer to a romantic partner: **esposo/a, marido** when married; **novio/a, enamorado/a** (parts of Lat. Am.) when dating; **mi amor** as a term of endearment.

A general term that anyone can use is **pareja** (*partner, significant other*) and it can refer to a male or a female. Note that **la pareja** also means *pair, couple*.

Another example of regional variation is the term for *car*:

carro - Mexico

auto - Argentina

coche - Spain

La familia, los parientes y los amigos

Yadira tells Amalia about her family, relatives, and friends.

Amalia: Yadira, eres de la República Dominicana, ¿verdad?

Yadira: Sí, pero mi familia y yo vivimos en Nueva York.
Mis padres son **divorciados** y ahora vivo con mi madre y
su esposo, mi **padrastro** Julián.

Amalia: ¿Y **cuántos** hermanos tienes?

Yadira: Aquí en Nueva York está mi **hermanastro** Elías,
el hijo de mi padrastro.
Mi hermano **mayor** se llama Raúl , pero no vive en Estados
Unidos. Mi hermana **menor** se llama Paula y **tampoco** vive aquí.

Amalia: Ah, ¿no? ¿**Dónde** están?

Yadira: Los dos están en Santo Domingo. Mi hermano vive con su esposa, mi **cuñada**
Marta, y sus hijos, mis **sobrinos** Pablo y Martita.

Amalia: ¿**Quién** más de tu familia está en Santo Domingo?

Yadira: Mi padre, mis abuelos, tíos, primos... todos mis **parientes**. Y mi **mejor amiga**, Pilar.
Estar lejos de ellos es un poco difícil, pero **también** tengo buenos amigos aquí.

> **¡Atención!**
> The verb **tener** (*to have*) and its different forms **tengo, tienes, tiene**... will be formally introduced later in the chapter.

Apoyo de vocabulario

el amigo/la amiga	*friend*
el hermanastro/la hermanastra	*stepbrother/stepsister*
mayor	*older*
mejor	*better, best*
menor	*younger*
los parientes	*relatives*
también	*also*
tampoco	*neither*
¿Cuántos/Cuántas?	*How many?*
¿Dónde?	*Where?*
¿Quién/Quiénes?	*Who?*

Note the word order in these expressions:

mejor/buen/buena + noun   **mi mejor amiga**

noun + **mayor/menor**   **mi hermano mayor**

1 **¿Cierto o falso?** You are going to identify members of the family.

Paso 1 Individually, listen to the following statements (each one will be repeated twice) and decide whether they are true (**C**) or false (**F**).

> **Modelo** You hear: El hijo de mis padres es mi hermano.
> You indicate: Ⓒ

1. C F   **2.** C F   **3.** C F   **4.** C F   **5.** C F   **6.** C F

Paso 2 Individually, write three statements explaining who various members of the family are. In pairs, take turns reading your statements and identifying the family members described.

> **Modelo** **Estudiante A:** Es el hijo de mi tía.
> **Estudiante B:** Es tu primo.

2 **La familia de Yadira** Based on what you learned about Yadira's family in the vocabulary presentation, indicate whether these statements are true (**C**) or false (**F**). Then correct the false statements so they are true.

1. El padre es divorciado. .... **C F**

2. Elías es hijo de la mamá. .... **C F**

3. Raúl es hermano mayor de Paula. .... **C F**

4. Marta y Paula son cuñadas. .... **C F**

5. Martita es sobrina de Paula. .... **C F**

6. Yadira tiene tres parientes. .... **C F**

3 **¿Es cierto?** Write five statements about your family; some should be true and some false. Then, in small groups, read the statements to your classmates, who will try to guess which are true (**Es cierto.**) and which are false (**Es falso.**).

> **Modelo** Hay cinco personas y también dos perros en mi familia.

En mi experiencia

Erica, Plymouth, MA

"My best friend is Mexican-American. When I first started visiting her house as a kid, I noticed that her mom called her **m'ija** (*my daughter*) and her son **m'ijo** (*my son*). Sometimes she would also call them **mi amor** (*my love*), **mami/mamita** (*mommy/little mommy*) or **papi/papito** (*daddy/little daddy*), as terms of affection."

What terms are used in your community to refer to one's children? Are you aware of different ways to refer to relatives (e.g., parents, grandparents) in English in the United States?

4 Muchas familias Read about the different family types described in the infographic. You will discuss the information with a classmate.

Fuente: ADN40, México

un solo *only one* **mismo/a** *same* **con** *with* **elegido/a** *chosen* **sin** *without* **parentesco sanguíneo** *blood kinship*

Paso 1 Individually, indicate what family type or types best describes these families.

- En la boda de Ricardo y Teresa están sus padres, hermanos, abuelos, muchos tíos y primos, y sus amigos íntimos (*closest friends*).
- Marina y Ana María viven con su hijo biológico Baruch, su hija adoptiva Estrella y dos gatos.
- Lorena y Luis Miguel están casados, y los dos tienen hijos de matrimonios anteriores (*prior*). Todos viven juntos (*together*).

Paso 2 In pairs, compare your answers from **Paso 1**. Then, collaborate to write a description of two more families and indicate what family types they are, according to the text.

Paso 3 In pairs, discuss these questions.

- A veces escuchamos: "Mi amigo/a es como (*like*) un(a) hermano/a". ¿Hay amigos/as en tu vida (*life*) con una relación o función similar a un pariente?
- Si (*If*) vives en el campus, ¿son tus amigos/as una familia para ti?

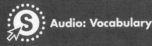

Relaciones personales

*Read about Carmen's relationship with her family. As you read, observe the new vocabulary, and how the word **a** is used. Does it appear in similar contexts? What do you think it might indicate?*

Carmen trabaja, estudia y es madre **soltera**. Sus hijas gemelas (*twins*), Tina y Mari, tienen tres años. Carmen **ama a** sus hijas con todo el corazón (*heart*). Cuando va al trabajo o a la universidad, su tía o la niñera (*babysitter*) **cuidan a** las niñas. Todas las mañanas, al salir de la casa, Carmen **besa** y **abraza a** Tina y **a** Mari. Con frecuencia **llama a** sus padres, que viven en Ponce, Puerto Rico. Ellos **visitan a** Carmen y **a** sus nietas dos veces al año.

Apoyo de vocabulario

abrazar	*to hug*	cuidar a	*to take care of*	soltero/a	*single*
amar	*to love*	llamar	*to call*	visitar	*to visit*
besar	*to kiss*				

Nota de lengua

- The preposition **a** always precedes the direct object when it is a person (or persons). It is called *a* **personal** and there is no equivalent in English. Note that **a + el → al**.

– ¿**A** quién buscas?	*Who(m) are you looking for?*
Busco **a** mi amigo/**al** profesor.	*I am looking for my friend/the professor.*

- When the direct object is not a person, there is no **a**.

– ¿Qué buscas?	*What are you looking for?*
– Busco su apartamento.	*I am looking for his apartment.*

---

1 **¿A quién?** You are going to ask and answer questions about your personal relationships.

Paso 1 Individually, answer these questions about you, your family, and your friends.

	Yo	Mi compañero/a
1. ¿A quién en tu familia amas mucho (*a lot*)?		
2. ¿A quién besas o abrazas con frecuencia?		
3. ¿A quién llamas por teléfono con frecuencia?		
4. ¿A qué parientes visitas con más frecuencia?		
5. ¿A quién admiras (*admire*) mucho?		
6. ¿A quién escuchas siempre (*always*)?		

Paso 2 In pairs, take turns asking each other the questions from **Paso 1** and take notes of your partner's answers. Do not forget to use "**a personal**" in your answers! Can you find similarities?

☐ **I CAN** discuss family and friends, and my relationship with them.

1. Express possession and age

The verb *tener* and *tener... años*

Read and listen to this conversation and observe the forms in boldface. Can you guess the meaning of this verb? Can you tell who the subject is for each form?

Miguel: Hoy no puedo ir a la biblioteca. **Tenemos** una celebración familiar importante: es el cumpleaños de mi abuelo.

Sandra: ¡Qué bien! ¿Cuántos años **tiene**?

Miguel: **Tiene** 81 años. Por eso **tenemos** una gran fiesta esta noche.

Sandra: ¿**Tienes** un regalo (*gift*) para él?

Miguel: Uy, no... ¡No **tengo** nada! Voy a la librería, allí siempre **tienen** libros interesantes.

The verb *tener*

You have already informally used **tener** (*to have*) to express possession, as in **tengo dos hermanos**. Now observe the following forms (note that **tener** is irregular in the present).

Tener (irreg.)		
yo	**tengo**	**Tengo** un hermano.
tú	**tienes**	¿**Tienes** sobrinos?
usted, él/ella	**tiene**	Mi madre **tiene** cuatro hermanas.
nosotros/as	**tenemos**	Mi hermano y yo **tenemos** un perro.
vosotros/as	**tenéis**	¿**Tenéis** carro?
ustedes, ellos/ellas	**tienen**	Mis tíos **tienen** una casa nueva.

Tener... años

Whereas English uses *to be . . . to* tell age (*She is eighteen years old.*), Spanish uses **tener... años**. To inquire about age, the question ¿**Cuántos años...?** (*How many years . . . ?*) is used with **tener**.

—¿**Cuántos años tiene él?**   —*How old is he?*

—**Tiene veintiún años.**   —*He is twenty-one years old.*

1 **¿Quién dice esto?** Based on the family pictures in the **Así es mi familia** vocabulary presentation, who says (**dice**) each sentence?

1. Tenemos dos primos. ☐ Ricardo y Tere ☐ Elena y Juanito ☐ Elena
2. Tengo tres sobrinitos. ☐ Andrés y Julia ☐ Elisa ☐ Tina
3. Mi hijo tiene dos hermanas. ☐ Andrés ☐ José ☐ Antonio
4. Mi suegro tiene dos nietas. ☐ Elisa ☐ Tina ☐ Julia
5. Tenemos cinco nietos. ☐ José y Tina ☐ Noé y Lucía ☐ Noé
6. En este cumpleaños, tengo seis años. ☐ Noé ☐ Ricardo ☐ Juanito

2 La familia de Fernando You are going to complete a family tree (**árbol genealógico**).

Paso 1 Complete the statements with appropriate forms of **tener**.

1. Mi abuelo Miguel _____ una nieta, se llama Esther.
2. Yo _____ el mismo (*same*) nombre que mi papá: Fernando.
3. Mis abuelos _____ dos hijos: Daniel y Fernando.
4. Mi mamá _____ una exsuegra, se llama Teresa.
5. La cuñada de mi padre se llama Rosana. Su esposo y ella _____ dos hijos: Jesús y Jorge.
6. (Yo) _____ una hermana, Esther. Nosotros tenemos una media hermana: Irene.
7. Hugo _____ una hija y dos hijastros, su esposa Cristina _____ un hijo y dos hijas.

Paso 2 Based on the statements in **Paso 1**, complete the family tree. Note that the person speaking is identified (**yo**) in the tree.

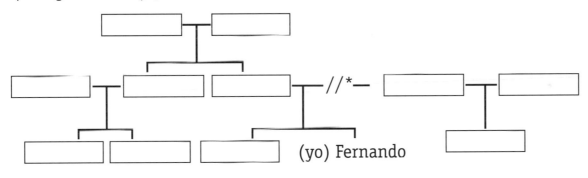

(yo) Fernando

* divorcio

3 Mi árbol genealógico You are going to learn about a classmate's family tree.

Paso 1 Individually, draw your family tree in your notebook, including three generations (grandparents, parents, aunts and uncles, siblings and cousins) and any pets you have. Next to their names, write down their approximate ages and where they are from, if you know.

Paso 2 Create questions using the prompts and the appropriate forms of **tener**. You will use these questions to interview a classmate about his or her family in **Paso 3**. The first one is done for you.

1. años/tú   *¿Cuántos años tienes?*
2. número de hermanos mayores (nombres; años)
3. número de hermanos menores (nombres; años)
4. padres/padrastros (nombres; origen; años)
5. abuelos/as; tíos/as; primos/as (nombres; origen; años)
6. perros/gatos (nombres)

Paso 3 In pairs, take turns finding out about each other's family members using the questions from **Paso 2**. Try to draw your partner's family tree without looking at his/her drawing. Then, write a short report stating what your families have in common and what is different.

> **Modelo**   *Richard tiene un hermano y yo tengo una hermana. Mi hermana tiene veinte años, pero el hermano de Richard tiene dieciocho años. Él no tiene un perro y yo tampoco tengo un perro.*

☐ **I CAN** express possession and tell someone's age.

Nuestros queridos
abuelos

Antes de leer

1. Relaciones familiares Answer these questions.

1. How often do you see and talk to your grandparents?

2. How far do you live from your grandparents' home?

La imagen tradicional de una familia hispana grande con abuelos, tíos, primos y, a veces, otros parientes y amigos cercanos° tiene una base en la realidad. Naturalmente, la diversidad del mundo hispanohablante y la evolución de la sociedad no permiten grandes generalizaciones, pero es posible afirmar° que las relaciones familiares son fundamentales y, con frecuencia, los abuelos tienen un rol central como en muchas otras culturas.

En España, por ejemplo, según la encuesta° SHARE, uno de cada° cuatro abuelos cuida a sus nietos. Los abuelos españoles dedican hasta° siete horas diarias a esa tarea, dos horas más que la media europea. En México, según el INEGI°, el 55% de los niños reciben el cuidado de sus abuelos mientras° sus padres o tutores trabajan. Tan solo el 25% de los niños van a guarderías° o reciben el cuidado de otra persona. En estos contextos, los hijos adultos generalmente forman sus propias° familias cerca de° sus padres o con ellos, en un hogar° multigeneracional.

Los abuelos no solo° contribuyen a la vida familiar en aspectos prácticos, también transmiten las costumbres, tradiciones y valores° de su cultura. Al mismo tiempo°, ocupan un lugar especial y reciben el respeto, afecto y cuidado de toda la familia.

cercano/a *close* **afirmar** *to state* **la encuesta** *survey* **uno/a de cada** *one in every* **hasta** *up to* **INEGI** *Spanish acronym of National Institute of Statistics and Geography* **mientras** *while* **la guardería** *daycare* **propio/a** *own* **cerca de** *near* **el hogar** *home* **no solo** *not only* **el valor** *value* **al mismo tiempo** *at the same time*

Después de leer

2. Identificar Indicate which statement best summarizes the main ideas in the text.

☐ **1.** Grandparents often have a key role in both practical and emotional aspects of family life.

☐ **2.** Grandparents usually live with their adult children and grandchildren and make family decisions.

☐ **3.** Families respect grandparents because they make family meals, organize celebrations, and take care of the children.

☐ **I CAN** identify basic concepts about the role of grandparents in some Hispanic cultures.

3. Comparar y analizar In small groups, discuss these questions.

1. What do the grandparent roles mentioned in the text indicate about cultural overarching values?

2. How are the grandparent roles mentioned in the text similar to or different from those in your own family or larger culture?

3. Can you think of some positive aspects and some potential difficulties of sharing a home with your grandparents?

Resources

vhlcentral

online activities

2. Describe characteristics and features

Descriptive adjectives with *ser*

1. Read and listen to the text about twins Francisco and Matilde. Based on the context, can you guess the possible meanings of the adjectives in boldface that describe them?

2. Then, make three separate lists of the adjectives that refer to Francisco, to Matilde, and to both of them. Pay particular attention to their endings. Which are consistent with what you have learned so far regarding gender and number agreement? What else do you notice?

3. Observe the words **bastante**, **muy**, and **un poco**. What type of meaning do you think they convey? What do you notice about their forms in relation to the adjectives that follow them?

Francisco y Matilde son hermanos mellizos (*twins*) y, claro, son **similares** en muchos aspectos. Los dos son **generosos** y **amables**, y siempre tratan bien (*treat well*) a sus amigos. Y tienen muchos amigos porque son muy **simpáticos** y **divertidos**. También hay diferencias **interesantes**; por ejemplo, Francisco es muy **trabajador**, responsable y **serio** con sus estudios, pero Matilde no es muy **trabajadora**. En realidad, es bastante **perezosa**. Físicamente, son muy **diferentes** también. Francisco es **alto**, **moreno** y **fuerte**, y Matilde es **rubia** y un poco más **baja**.

Nota de lengua

You can use more than one adjective in descriptions. In doing so, note the following.

y (*and*) becomes **e** before words beginning with **i** or **hi**.

Mi prima es bonita **e** inteligente.

o (*or*) becomes **u** before words beginning with **o** or **ho**.

¿Eres pesimista **u** optimista?

Adjectives are words that modify nouns. Descriptive adjectives describe and express characteristics of the nouns they refer to and indicate what the person or thing is like.

aburrido/a	*boring*	amable	*nice, kind*	moreno/a	*dark-skinned, brunette*
activo/a	*active*	bajo/a	*short, low*		
alegre	*cheerful*	divertido/a	*fun, funny*	perezoso/a	*lazy*
alto/a	*tall, high*	fuerte	*strong*	rubio/a	*blonde*
				simpático/a	*likeable, nice*

These pairs of opposite adjectives are often used with the verb **ser** to describe characteristics of people and things.

nuevo/a ≠ viejo/a

joven ≠ mayor

¡Atención!

- The plural of **joven** is **jóvenes**.

- Use **mayor** to describe people; use **viejo/a** for things.

difícil ≠ fácil

pequeño/a ≠ grande

Other opposites are:

bueno/a	*good*	malo/a	*bad*
feo/a	*ugly*	bonito/a; hermoso/a; guapo/a	*pretty; beautiful; handsome*
honesto/a	*honest*	deshonesto/a	*dishonest*
perezoso/a	*lazy*	trabajador(a)	*hard-working*
pobre	*poor*	rico/a	*rich*

> **¡Atención!**
> Note that **guapo/a** is only used to describe people, while **bonito/a** and **hermoso/a** can refer to things or, in the feminine, to girls or women.

As you learned in **Capítulo 1**, adjectives in Spanish agree in gender (feminine/masculine) and number (singular/plural) with the nouns they modify.

▶ Adjectives that end in **-o/-a** have four forms.

Él es honest**o**. Ellos son honest**os**.

Ella es honest**a**. Ellas son honest**as**.

▶ Adjectives ending in **-e** or **-ista**, and most ending in a *consonant* do not have different forms for masculine/feminine. They have only singular and plural forms.

Él/Ella es amabl**e**, ideal**ista** y liber**al**.

Ellos/Ellas son amabl**es**, ideal**istas** y liber**ales**.

▶ Masculine adjectives ending in **-dor** add **-a** to agree with a feminine singular noun.

Él es trabaja**dor**, pero ella no es muy trabaja**dora**.

▶ As for their placement, in contrast to English, Spanish descriptive adjectives usually follow the noun they describe.

Francisco es **un chico responsable**.

▶ Note that **bueno/a** (*good*) and **malo/a** (*bad*) may be placed either before or after a noun. When placed before a masculine singular noun, **bueno** becomes **buen** and **malo** becomes **mal**. The feminine forms do not change regardless of position.

Es un estudiante **bueno/malo**.	OR	Es un **buen/mal** estudiante.
Es una profesora **buena/mala**.	OR	Es una **buena/mala** profesora.

▶ Use adverbs to quantify a quality or feature. Note that adverbs do not have gender or number variation, so the forms do not change.

+ ←————————————————————————————————→ −

muy *very*   **bastante** *quite*   **un poco** *a little*

Francisco es **bastante** serio.   Matilde y Ana son **un poco** serias.

1 Los parientes de Amalia Select the appropriate descriptive phrase to complete each sentence. Some sentences can have more than one correct answer.

1. Mi papá es ____
2. Todos mis abuelos son ____
3. Mi abuela Lucía es ____
4. Mis hermanas son ____

a. divertidas.
b. un poco mayor.
c. muy trabajador.
d. bastante jóvenes.

2 ¿Quién es? You are going to describe people.

Paso 1 Listen as Juanito describes members of his family. Using the form of each adjective as a clue, write the adjectives that match the person or people he is describing. Some adjectives can fit more than one person.

la mamá: _____

el papá: _____

las hermanas: _____

los primos: _____

Paso 2 Describe one of the people in each set using adjectives of your choice.

1. mi mamá, mi abuela o mi tía favorita
2. mi papá, mi abuelo o mi tío favorito
3. un hermano, un primo o un buen amigo
4. una hermana, una prima o una buena amiga

3 Las descripciones You are going to describe and guess the identity of well-known people.

Paso 1 Individually, write the names of well-known people or fictional characters that fit the descriptions. You can quantify your answers with **muy**, **bastante**, and **un poco**.

> **Modelo** Es rubio y divertido.
> *James Corden es rubio y muy divertido.*

1. Es simpática y generosa.
2. Son trabajadores y honestos.
3. Es moreno, serio y rico.
4. Es morena, joven e interesante.
5. Es fuerte y amable.
6. Es grande y un poco perezoso.
7. Es grande y divertido.
8. Son mayores.

Paso 2 In pairs, take turns sharing the names in random order. Your partner will try to guess the corresponding description from **Paso 1**. Did the two of you come up with any of the same people or characters?

> **Modelo** **Estudiante A:** *James Corden*
> **Estudiante B:** *Es rubio y muy divertido.*

Paso 3 Write three descriptive sentences about a well-known person or character, similar to those in **Paso 1**. Then, in small groups, take turns sharing your sentences without mentioning who the person or character is. Your classmates try to guess who you are talking about.

> **Modelo** **Estudiante A:** *Es una mujer muy talentosa, fuerte, trabajadora y ahora es rica.*
> *Tiene esposo y una hija. También tiene una hermana mayor.*
> **Estudiante B:** *¿Es...?*
> **Estudiante A:** *Sí./No.*

4 Amigos en *AmistApp* You are going to discuss potential friendships.

Paso 1 There is a new social networking app focused on friendship (**amistad**), and profiles include no physical descriptions or photos. Who do you think could become good friends? You can match people in pairs or groups, but everyone must have a match.

Andrea	**28 años**	Soy dinámica, optimista y extrovertida. Salgo a correr (*I go out running*) con mi perro o voy al gimnasio todos los días. Busco amigos para practicar deportes al aire libre (*outdoors*) o para formar un club de libros.
Samir	**32 años**	Soy responsable y maduro, pero muy cómico también. Soy divorciado y tengo dos hijas de 8 y 5 años. Cocinar y comer son mis actividades favoritas.
José Luis	**23 años**	Soy nuevo aquí (*here*) y busco un grupo de amigos. La música, mi perro y las caminatas (*hikes*) en la naturaleza son mis pasiones. Soy simpático, divertido y bastante relajado (*relaxed*).
Lidia	**36 años**	Soy tranquila pero muy sociable también. Mi día perfecto: un café, un museo, una cena especial y una película o un concierto. Busco personas para compartir (*share*) días perfectos.
Irene	**25 años**	Por el día estudio un máster de literatura y por la noche actúo (*perform*) en conciertos con mi banda de rock. Soy creativa, liberal, honesta y un poco impaciente.
Fernando	**27 años**	Nuevo trabajo, nueva ciudad (*town*) y nuevos amigos. ¿Aventura en el fin de semana? ¿Noche en un club? ¿Tarde relajada en el centro? Todos son buenos planes para mí. Soy flexible, curioso y abierto a nuevas personas y experiencias.

Paso 2 In pairs, discuss and explain the matches you made. Does your partner agree with your matches?

En mi experiencia

Robert, San Antonio, TX

"I was invited to a neighbor's **quinceañera**—a party celebrating when she turned 15. First, we went to a mass at the local church, where the girl gave thanks to her family. She was wearing a really formal dress, and she had four female attendants in matching dresses (called **damas**) along with four male attendants (**chambelanes**) in suits. After mass, we went to a reception, where the **damas** and **chambelanes** did an elaborate dance. Then, the girl changed from flat shoes into high heels, which they told me is supposed to represent her transition from childhood to adulthood, and then she shared a special dance with her father. It reminded me of a wedding but without the groom!"

In what ways are quinceañeras similar to and different from a Sweet 16 party or a debutante/cotillion ball? What are the underlying values that these events share?

5 Mi perfil personal You are going to write a personal profile.

Paso 1 On a piece of paper, write a description of yourself including traits that describe you both physically and in terms of personality and other relevant details. Feel free to be either truthful or inventive. Write your name on the back and give it to your instructor, who will redistribute the descriptions.

Paso 2 Read the description you receive, but not the name of the student who wrote it. Then, write a personal profile that describes the perfect friend for your classmate. Be imaginative! Print out a copy of your description that you can later give to her/him.

6 Adivinanzas Play a game of riddles (**adivinanzas**). In small groups, one student will assume the role of a well-known celebrity but will not divulge her/his identity. The other students will ask questions to discover who this person is. Use the adjectives you have studied in this chapter and those from **Palabras útiles**. The mystery celebrity may respond only with **Sí** or **No**.

> **Modelo** *¿Eres actor? ¿Eres joven/mayor? ¿Eres cómico/a?*

7 Situaciones Think about a well-known fictional character you like or do not like. It can be a superhero, a character from a cartoon, movie, TV show, or a play. Write his/her name and briefly describe this person and what you like or do not like about him/her. Now imagine you are this well-known person. You have been unlucky in love lately, so you go to a speed-dating event in town. You have three minutes to talk to eligible singles, one at a time. Tell them about yourself, and ask about them. Do not tell them who you are!

Palabras útiles

aventurero/a
adventurous

comprensivo/a
understanding

curioso/a
curious

dinámico/a
lively

entusiasta
enthusiastic

generoso/a
generous

paciente
patient

sensible
sensitive

sensato/a
sensible

sincero/a
sincere

Nota cultural

El español en Estados Unidos

The Spanish spoken in the United States has some features brought about by its contact with English. For instance, many American Spanish speakers adapt English vocabulary: they may say **aplicar** meaning *to apply* (*for a job*), while in Latin America and Spain, the word typically used is **solicitar**. It is also common to alternate the use of English and Spanish while speaking.

José: *You're not going to believe this!* Se me quedó el *wallet* en casa.

Mario: *No way!* ¿Necesitas que te preste dinero?

Contrary to popular belief, such alternation of languages is not random; it follows certain grammatical rules. Some people refer to this kind of language mixing as "Spanglish," while others feel that this term is derogatory.

Resources

vhlcentral

SAM

online activities

☐ **I CAN** describe characteristics and features.

3. Indicate possession

Possessive adjectives and possession with *de*

1. Read and listen to the text about Juanito's vacations and answer the questions.

2. Note the words that precede nouns, such as **mi**, **su**, and **nuestro**. What do they indicate? Do some have feminine or plural endings? What determines their ending, the possessor or what they possess?

3. Find examples of **de**. Does the person/thing that has something precede or follow **de**? What about the position of what they have?

En las vacaciones, **mis** primos, **mis** hermanas y yo pasamos una semana con **nuestros** abuelos maternos en **su** casa de la playa. La casa **de** los abuelos es muy grande y tiene jardín, es muy diferente de **nuestro** apartamento en la ciudad. Allí **mi** primo y yo exploramos, jugamos con el perro **de** los abuelos y hacemos muchas cosas juntos. **Nuestras** vacaciones son siempre geniales. Y tú, ¿dónde pasas **tus** vacaciones?

Possessive adjectives

You have already seen some possessive adjectives: **mis abuelos**, **mi padre**. Possessive adjectives show ownership (**mi perro, mis libros**) or a relationship of belonging with people (**mi mejor amiga**) or things (**mi clase de filosofía**).

Los adjetivos posesivos

Singular	Plural	
mi tío	**mis** tíos	*my*
tu hermana	**tus** hermanas	*your (sing. informal)*
su abuelo	**sus** abuelos	*your (sing. formal), his, her, its*
nuestro/a amigo/a	**nuestros/as** amigos/as	*our*
vuestro/a primo/a	**vuestros/as** primos/as	*your (pl. informal, Spain)*
su abuelo	**sus** abuelos	*your (pl.), their*

> **¡Atención!**
>
> **Tú** (with written accent) = *you*; **tu** (without written accent) = *your*.
> **Tú** tienes **tu** libro, ¿verdad? (*You have your book, right?*)

The choice of pronoun (**mi** vs. **tu**) depends on the possessor. Note that the possessive adjective agrees in number (**mi** vs. **mis**) and sometimes gender (**nuestro** vs. **nuestra**) with the thing possessed or person related (the noun they modify), <u>not</u> with the possessor.

Susana tiene **nuestros libros**.	*Susana has **our books**.*
Mis padres y yo vivimos en **nuestra casa**.	***My parents** and I live in **our house**.*

In the first example, *we* own the books (**nuestr-**) and the object that we possess is masculine and plural (**-os**): **nuestros libros**. In the second example, *we* (**mis padres y yo**) are also the owners (**nuestr-**), but the object that is possessed is feminine singular (**-a**): **nuestra casa**.

Possession with *de*

Whereas English uses 's (or s') + noun to indicate possession, Spanish uses **de** + noun.

Es la casa **de** mi abuela.	*It's my grandmother's house.*
Es la casa **de** mis abuelos.	*It's my grandparents' house.*
Las hijas **de** Carmen son simpáticas.	*Carmen's daughters are nice.*
Las fotos **del** señor Soto son interesantes.	*Mr. Soto's photos are interesting.*

▶ If using **su/sus** creates ambiguity, you may use this structure for clarity.

Es **su carro**.   OR   Es el carro **de él/ella/usted/ellos/ellas/ustedes**.

Es el carro **de Elena**.

▶ To express the equivalent of the English *Whose?*, Spanish uses **¿De quién/quiénes?**

—¿**De quién** es el álbum? ¿**Es de** Susana?	*Whose album is it? Is it Susana's?*
—¿**De quiénes** son los perros?	*Whose dogs are they?*
¿**Son de** Pedro?	*Are they Pedro's?*

1 Tu álbum de fotos You are preparing labels to put in your new family photo album, but the computer ruined your formatting. Select the noun that completes each label.

1. Esta foto es de mis queridos _____   a. carro.
2. Mi mamá y sus _____   b. casa.
3. Esta es nuestra _____   c. abuelos maternos.
4. Y este es nuestro _____   d. gatitas.
5. Aquí está mi hermana con su _____   e. novio.
6. Las princesas (*princesses*) de la casa: nuestras _____   f. hermanas (mis tías).

2 Relaciones familiares Complete what Julia says as she shows you some pictures on her phone by filling the spaces with possessive adjectives.

Este (*This*) es _____ esposo, se llama Andrés. Esta foto es del día de _____ boda. Aquí estamos con _____ padres. _____ hermano y _____ cuñada no están en esta foto, pero... ah sí, están aquí (*here*): _____ hermano Antonio y _____ esposa Elisa. _____ hijos, Ricardo y Tere, son muy buenos amigos de _____ hijos mayores. Pero Clara, la bebé, prefiere a _____ abuelos, porque siempre la miman (*spoil her*).

¿Y _____ familia? ¿Tienes fotos de _____ parientes en _____ teléfono?

3 ¿Cómo es su universidad? In small groups, discuss what you think about these elements of your college. Follow the model.

> **Modelo** las residencias
> **Estudiante A:** *Nuestras residencias son viejas, pero mi cuarto es grande.*
> *¿Y sus cuartos?*
> **Estudiante B:** *Mi cuarto no es grande, es...*
> **Estudiante C:** *Mi cuarto tampoco es grande, pero...*

- el campus: las aulas, las bibliotecas, el gimnasio...
- las residencias: los cuartos (*rooms*), los baños (*bathrooms*)...
- las clases, los profesores, los estudiantes...

☐ **I CAN** indicate possession.

4. Describe location and conditions of people, places, and things

The verb *estar*

Read and listen to the captions of these photos and guess the meaning of the verb **estar** in these contexts. How would you translate it in English?

Normalmente **estamos en la ciudad** de Los Ángeles. Nuestra casa y todos nuestros amigos **están aquí**.

Pero en julio mi familia y yo **estamos en la playa**. Es nuestro **lugar** favorito.

Mis abuelos paternos **están en el campo**. Su casa **está allí**.

Yo **estoy en el trabajo**.

Mi primita Susana **está en el colegio**.

Mi primito Ricardo **está en la escuela**.

Mi hermano mayor **está en las montañas** de Colorado.

You have used **estar** with the expressions **¿Cómo está usted?** and **¿Cómo estás?** When **estar** is used with the preposition **en** (*in, at*), it indicates the location of people, places, or objects. Here are its present tense forms.

Estar (irreg.)		
yo	**estoy**	**Estoy** en la universidad.
tú	**estás**	**¿Estás** en casa?
usted, él/ella	**está**	Acapulco **está** en México.
nosotros/as	**estamos**	**Estamos** en clase.
vosotros/as	**estáis**	**¿Estáis** en el apartamento de Beatriz?
ustedes, ellos/ellas	**están**	Mis amigas **están** en Santa Fe.

Nota de lengua

Note the meaning of **a** and **en**, when referring to place.

a = *to* (destination)	Vamos **a** la playa.	*We are going to the beach.*
en = *in, at* (location)	Estamos **en** la playa.	*We are at the beach.*
	~~Estamos a la playa.~~	

1 **¿Dónde están?** Read the descriptions. Use the words in the list to write full sentences to state where the people are.

> **Modelo** escuela
> Juanito está en clase con su maestra. Tiene seis años.
> *Está en la escuela.*

casa	playa
ciudad	trabajo
montañas	universidad

1. Tenemos varios profesores. Somos adultos. Las clases son difíciles.

_____

2. Trabajamos desde las 9:00 de la mañana hasta las 5:00 de la tarde.

_____

3. Tomo una siesta. Miro la televisión. Hablo por teléfono.

_____

4. Estás de vacaciones. El océano es muy bonito.

_____

5. Estás de vacaciones. Usas tus suéteres y tus esquís.

_____

6. Los González dicen (*say*) que hay mucho tráfico allí.

_____

2 **¿Dónde estoy?** First indicate where you are at the listed times. Then, in small groups, share your information and take notes about what your classmates say. Are your daily activities similar?

> **Modelo** *Generalmente, los lunes a las 8 de la mañana estoy en el gimnasio.*
> *¿Dónde estás tú, Clara? ¿Dónde están ustedes?*

	Yo	Mis compañeros
lunes – 8:00 a. m.		
martes – 9:30 a. m.		
miércoles – 10:45 a. m.		
jueves – 1:30 p. m.		
viernes – 3:00 p. m.		
sábado – 10:00 p. m.		
domingo – 8:00 a. m.		

ASÍ SE FORMA

Describing conditions

Read and listen to the captions of these photos and notice the use of **estar** in these contexts. What type of meaning does the verb convey about these people and things? How would you translate it in English?

Arturo está **aburrido**.

Fernanda está **enojada**.

David está muy **cansado**.

Diana está **contenta** y **bien**. Pero Gregorio está **triste** y **mal**.

Nieves está muy **ocupada**.

Salma está **nerviosa**, **preocupada** y **estresada**.

¡Pobre Juan! Está **mal**. Está en la cama porque está **muy enfermo**.

La computadora portátil está **abierta**. Los libros están **cerrados**.

▶ **Estar** can also be used with descriptive words to indicate the mental, emotional, or physical condition in which the subject is found at a given time.

Estoy cansado/a.	*I'm tired.* (physical)
¿**Estás** aburrido/a?	*Are you bored?* (mental/emotional)
¡Carlos **está** furioso!	*Carlos is furious!* (emotional)

Nota de lengua

Bien and **mal** are adverbs and do not change in gender (masculine/feminine) or number (singular/plural) as adjectives do. **Bien** and **mal** are often used with **estar**. Note the difference between these examples:

Mis padres **están** muy **bien**.
My parents are very well.

Mis padres **son** muy **buenos**.
My parents are very good (people).

1 **Condiciones** Listen to the following descriptions and indicate who they describe from the images in the grammar presentation. Then comment on that person's current state.

> **Modelo** You hear: Está en una reunión muy monótona. No presta atención.
> You write: *Es Arturo. Está aburrido.*

1. _____   4. _____

2. _____   5. _____

3. _____   6. _____

2 **¿Cómo estás?** Choose three of the adjectives you just learned in this section and think of a situation in which you would feel each one. Read your situations to a partner. Your partner will try to guess the appropriate adjective.

> **Modelo** **Estudiante A:** *Estoy así (like this) cuando mis amigos no llaman en el día de mi cumpleaños.*
> **Estudiante B:** *Estás enojado/a.*

3 **Nuestro amigo Javier** In small groups, describe what Javier is like (**ser** + *characteristics*) and/or imagine how he is feeling (**estar** + *condition*) according to the circumstances. Use the adjectives provided and others you think of.

> **Modelo** Javier juega al tenis toda la mañana.
> *No es perezoso, pero está muy cansado.*

cansado	enfermo	inteligente	preocupado
contento	estresado	ocupado	trabajador

1. Saca buenas notas.
2. Va al gimnasio y levanta pesas (*lifts weights*).
3. Hoy está en la clínica.
4. Toma cinco clases, es voluntario y trabaja en el laboratorio por la noche.
5. Tiene dos exámenes mañana.
6. ¡Marlena, su mejor amiga, llega este fin de semana!

4 **¿Quiénes son y cómo están?** Observe these photos and imagine who the people are. Make up names, what they do, what family or friends they have, etc., and describe their personal traits. Then, describe their current state or mood and say why they feel that way.

> **Modelo** *Sandra y Gloria son hermanas. Sandra es amable y simpática. Gloria es divertida y muy inteligente. Ellas están enojadas porque...*

☐ **I CAN** describe location and conditions.

— Los hispanos en Estados Unidos —

Antes de leer

🔗 **1. Conocimiento previo** Complete each sentence.

a. Hay hispanos en grandes ciudades (pero no / y) en zonas rurales.

b. La cultura hispana (es / no es) relevante en partes de nuestra vida diaria.

Estados Unidos es parte del mundo hispano en su pasado y presente. Conoce algunos aspectos destacados de la comunidad hispana en este país.

¿Hispanos o latinos?

En Estados Unidos, muchas personas usan los términos *hispano* y *latino* como sinónimos, pero tienen diferencias. *Latino/a* se refiere a origen en Latinoamérica, pero *hispano/a* se refiere al idioma español e incluye a personas de España. Estas categorías describen el origen geográfico y la identidad étnica y cultural, no la raza°. Muchos hispanos no usan estos términos y se identifican con su país° de origen: argentinos/as, ecuatorianos/as, etc.

❚ El barrio° de La Pequeña Habana, en Miami

Territorios de México y migración

La frase "la frontera nos cruzó"° refleja la historia de la frontera entre Estados Unidos y México. Los territorios de California, Nevada, Utah, Nuevo México, Texas, Arizona, Colorado y partes de Wyoming pertenecen a México hasta 1848, cuando el tratado° de Guadalupe Hidalgo establece una nueva frontera. Las poblaciones de herencia mexicana de este territorio son parte de Estados Unidos pero mantienen aspectos del legado° cultural hispano.

Población hispana actual

Según° el censo de 2020, la población hispana constituye el 18,7% del país y en California está el mayor grupo. Hay comunidades hispanas importantes en muchas ciudades° y zonas rurales. Los hispanos son el grupo más joven y más activo en la fuerza laboral°. Más del 70% de los hispanos habla inglés. Mira el video para aprender más sobre este tema.

Porcentaje de hispanos o latinos por estado: 2020

Porcentaje de la población total

- ■ 25,0 o más
- ■ 15,0 a 24,9
- ■ 10,0 a 14,9
- ■ 5,0 a 9,9
- □ menos de 5,0

❚ Fuente: Oficina del censo de EE. UU; censo de 2020

Influencia cultural

La vida diaria de Estados Unidos integra elementos de las diferentes culturas hispanas. Probablemente comes burritos a veces; compras tortillas, salsa o guacamole en el supermercado; asocias el Cinco de Mayo con México y conoces la música de Bad Bunny u otros artistas hispanos.

Bad Bunny

Hispanos e hispanas prominentes

Cada día la población hispana hace contribuciones muy valiosas en la economía, política, ciencia, cultura y otras áreas de la vida de Estados Unidos. Por ejemplo, Sonia Sotomayor, jueza de la Corte Suprema; Elizabeth Yeampierre, abogada° y activista medioambiental°; Sandra Cisneros y Elizabeth Acevedo, escritoras; Jorge Ramos y David Alarcón, periodistas; y muchos más.

Elizabeth Acevedo, poeta

la **raza** race el **país** country el **barrio** neighborhood la **frontera nos cruzó** the border crossed us el **tratado** treaty el **legado** legacy **según** according to la **ciudad** city la **fuerza laboral** labor force el/la **abogado/a** lawyer **medioambiental** environmental

Después de leer

2. Indicar Indicate the choice that completes the statements accurately.

1. Los términos hispano y latino son (sinónimos/diferentes).
2. Los hispanos son (un grupo étnico / una raza).
3. (Todas / No todas) las personas de origen hispano son migrantes o sus descendientes.
4. Hay presencia hispana en regiones urbanas (pero no / y también) rurales.

3. Interactuar In small groups, discuss these questions.

1. Looking at the map in this section, is there anything you did not expect?
2. What do you know about the Hispanic population of your hometown and/or the town where you live now? Do you know what their country or origin is? Is there a predominant occupation? Are you familiar with any restaurants, stores, or other places that are important to the community?

4. Investig@ en Internet Read the strategy and research online one of the topics presented in this reading or a related topic you are interested in. Prepare a brief written or oral report to share with your class, including images or other media as appropriate.

> **Estrategia digital: Using proofing tools**
>
> If your instructor allows the use of proofing tools to check spelling and grammar, be sure to turn them on and use them as learning tools that provide immediate feedback. As you write, pay attention to the alerts noting potential mistakes. If the program offers corrections and alternatives, make sure they are appropriate for your purposes.

☐ **I CAN** identify key products and practices of Hispanics in the U.S.

Resources
vhlcentral
online activities

DICHO Y HECHO

S Audio: Reading | **Learning Objective:** Identify basic facts in a text about the use of Spanish in the United States.

Lectura

Antes de leer

1. Conocimiento previo Of the more than 60 million Latinos in the United States, some 40 million speak Spanish at home. Look at the most populated Spanish-speaking countries and determine the position that the United States occupies in number of Spanish speakers.

México: 128,9 millones
Colombia: 51 millones
España: 47,4 millones
Argentina: 45,8 millones
Perú: 33,1 millones
Venezuela: 32,9 millones

Estrategia de lectura: Recognizing equivalent word endings

Being able to identify equivalent word endings in Spanish and English will allow you to recognize cognates that can aid in your understanding a text. As you read, write the English equivalents of these examples from the text.

-ión/-ción → *-ion/-tion*
generación = _____

-ncia → *-nce*
presencia = _____

-(d)ad → *-ity*
oportunidad = _____

-mente → *-ly*
normalmente = _____

-ía → *-y*
tecnología = _____

-al → *-al*
especial = _____

A leer

2. Aplicar Read the strategy and answer these questions.

1. Based on your previous knowledge, what type of information would you anticipate in a text about Spanish language in the United States?

2. Read the text and identify the words that have the endings presented in the strategy. Do these words help you understand what the text is about? Give a few examples.

primero/a *first* **llegar** *to arrive* **segundo/a** *second* **nacer** *to be born* **como** *as* **la competencia** *proficiency* **fuera de** *outside* **la edad** *age* **la investigación** *research* **orgulloso/a** *proud*

El español en Estados Unidos

El uso del español entre la población hispana depende de varios factores. El primero° es la generación en Estados Unidos. Generalmente, consideramos primera generación a las personas que llegan° durante o después de la pubertad. La segunda° generación son los hijos de la primera generación y llegan a Estados Unidos antes de los 6 años o nacen° aquí. Los miembros de la segunda generación casi siempre son bilingües: aprenden español en casa con sus padres e inglés cuando van a la escuela. Como° adultos, demuestran más competencia° en inglés que en español porque usan inglés con más personas y en más contextos. Normalmente, los niños de la "tercera generación" aprenden menos español, porque los padres de la segunda generación hablan más inglés en casa.

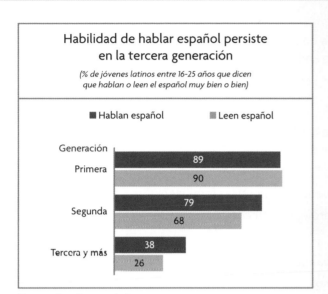

Habilidad de hablar español persiste en la tercera generación

(% de jóvenes latinos entre 16-25 años que dicen que hablan o leen el español muy bien o bien)

■ Hablan español ■ Leen español

Generación	Hablan español	Leen español
Primera	89	90
Segunda	79	68
Tercera y más	38	26

Fuente: Pew Research Center

Estos son otros factores que pueden afectar cuánto español aprenden los niños de la segunda y la tercera generación:

· La **presencia de abuelos**, especialmente si los abuelos viven en la casa con ellos.

· El **número de hispanohablantes** en su comunidad. Cuando son parte de una comunidad hispana, escuchan más español y tienen más oportunidades para usar esta lengua fuera de° la casa.

· Para niños de la segunda generación no nacidos en Estados Unidos, es importante su **edad**° cuando llegan a este país. Un niño que llega a los diez años mantiene un español más fuerte como adulto comparado con un niño que llega a los seis años.

· El **programa educativo** de su escuela. Los niños que asisten a una escuela bilingüe aprenden más español, ¡y su inglés no sufre!

Es cierto que las generaciones nacidas en Estados Unidos hablan menos el español, pero las investigaciones° indican que los hispanos tienen actitudes muy positivas hacia el español y están orgullosos° de ser bilingües. ■

Después de leer

3. Determinar Read the two sentences and determine which one best summarizes the reading.

☐ Los hispanos en Estados Unidos usan el español en casa y usan el inglés en la escuela.

☐ Muchos factores afectan el uso del español entre los hispanos de Estados Unidos.

4. Indicar Indicate whether these people are **primera generación**, **segunda generación**, or **tercera generación** Hispanics, based on the text.

1. Diego was born in Ecuador. He arrived in the United States with his parents when he was seven years old.

2. Lidia was born in the United States. Her parents were also born there, but her grandparents are Mexican.

3. Estrella came to the United States by herself when she was 19.

5. Analizar In small groups, discuss these questions.

1. Do you know anyone whose parents or grandparents speak a language other than English? Has that language been passed down to the next generation(s)? To what extent?

2. In your opinion, how do the factors mentioned in the text affect the extent to which a second or third generation learns their parents' or grandparents' language? Can you think of any other factors that could be relevant?

3. All families in the United States are descendants of immigrants or groups who spoke indigenous languages. What do you know about your family's linguistic history?

Resources

vhlcentral

online activities

☐ **I CAN** identify basic facts in a text about the use of Spanish in the United States.

Video: Galletas Pozuelo: Familia en cualquiera de sus moldes

Antes de ver el video

1 Inferir Consider the title of the video **Familia en cualquiera de sus moldes** (*Family in any of its forms*), the photo, and this introduction. What might you see and hear in the ad?

Hoy en el Día Internacional de las Familias, queremos celebrar a todas las familias que, sin importar su molde, se aman y se cuidan.

2 Aplicar In the first activity of the chapter, you saw some press ads from **Galletas Pozuelo** that belong to the same campaign as this video commercial. First, individually, read the listening strategy. Then, in pairs, answer these questions.

1. ¿Qué mensaje comunica esta campaña comercial? ¿Qué dice sobre (*about*) las familias?
2. ¿Qué tipos de familias posiblemente hay en el video? Recuerda (*remember*): "la pareja" no indica género de sus componentes.

☐ un papá o una mamá y sus hijos/as   ☐ una pareja con (*with*) hijos/as

☐ una pareja sin (*without*) hijos/as   ☐ abuelos y nietos

> **Estrategia de comprensión auditiva: Using background knowledge to identify and interpret**
>
> Most of the times that you listen to a conversation, lecture, watch TV, etc., you already know something about the topics mentioned and the context of the conversation. Consider what you know about a topic before listening, as well as while you are listening, in order to anticipate what might be mentioned so that you can better interpret what you hear.

A ver el video

In this video commercial you will hear a conversation about families between a little boy and his father.

3 Determinar Read these questions. Then watch the video again and answer them.

1. ¿Cómo define el papá a una familia?
2. ¿Qué dice el papá sobre Doña Mari y Don Carlos?
3. ¿Qué dice el niño sobre Adrián y José?
4. ¿A quiénes más mencionan el niño y su papá como una familia?

Duración: 1:00

Fuente: Galletas Pozuelo

Palabras útiles

Como... *As.../Like...*
la galleta *cookie*
juntos/as *together*

Después de ver el video

4 Analizar In small groups, discuss these questions.

1. Is it common to show families in commercials about cookies and breakfast foods? Why? Consider the connection between these as well as the message that is conveyed.
2. How is this commercial similar to or different from cookie and breakfast food commercials you have seen before?
3. What is the message of the commercial? How does it relate to its title? Is it effective, in your opinion?

☐ **I CAN** identify basic ideas in a video commercial from Costa Rica.

Resources

ⓢ vhlcentral   online activities

Proyecto oral: Las personas especiales

You will interview (**entrevistar**) a partner about a special person in his/her life. Then, your partner will interview you. As you prepare, take a few minutes to review the vocabulary and grammar from this chapter and write down key words you would like to include.

¡Atención!

Ask your instructor to share the **Rúbrica de calificación** (*grading rubric*) to understand how your work will be assessed.

Estrategia de comunicación oral: Predicting information

How does the type of information you would expect to hear vary according to the topic of conversation? If your classmate shows you a photo of siblings, for example, you might want to know how old they are, whereas if your classmate shows you a photo of her/his partner, you might instead want to know how long they've been together. Based on the photos you are going to share, what questions do you think you can expect from your classmate?

Paso 1 In pairs, take turns sharing two photos that show the person you would like to talk about. This person can be a relative, your partner, a friend, or someone you admire.

Paso 2 Prepare your questions as an interviewer. Study the photos and make a list of at least eight questions that you would like to ask your partner about the person the interview is about. Organize your list of questions in a logical order to help you stay on track when you record the interview.

> **Modelo** ¿Quién es: un pariente o un amigo?
> ¿Cómo se llama?
> ¿Cuántos años tiene?

Paso 3 Prepare as an interviewee. Write some notes about the person you will talk about and the photos you shared. Try to anticipate your partner's questions.

> **Modelo** Es mi amigo. Se llama Sean. Tiene 19 años.

Paso 4 Interview your partner about his or her special person. The interview should be about two minutes long. As the interviewer, use your list of prepared questions and be sure to listen carefully to your partner's responses. Ask for clarification when needed and follow up with at least two additional questions.

> **Palabras útiles**
>
> Claro. *Right.*
> ¿De verdad? *Really?*
> Entonces,... *So, . . .*
> ¿Me entiendes? *Do you understand?*

Resources

vhlcentral

☐ **I CAN** carry out an interview about a special person.

Proyecto escrito: Retrato de familia

Next semester, your family is going to host a high-school student from a Spanish-speaking country. Write a family portrait (**retrato de familia**): a description of your family and family life for this student. You can write about your own family —whether it is biological or chosen—, or make up an interesting one! As you prepare, take a few minutes to review the vocabulary and grammar from this chapter and write down key words you would like to include.

> ### ¡Atención!
> Ask your instructor to share the **Rúbrica de calificación** (*grading rubric*) to understand how your work will be assessed.

> ### Estrategia de redacción: Using idea maps
> Idea maps are good ways to help you generate ideas and to start organizing your writing. Start by identifying the central topic or idea and placing it in the center of your page. Then, add related ideas in connected clusters. You can map out your ideas further by adding more clusters, indicating relationships between them, etc.
>
>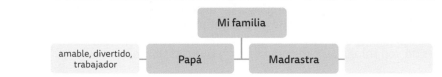

Paso 1 Start your own idea map, in Spanish, with **Mi familia/La familia de...** in the center of the page. Add clusters for all direct relatives. You can also add other important relatives, people you consider to be your family, or a pet. Add details about each person: age, physical and personality features, where they are, activities they do, activities you do with them, etc.

Paso 2 After organizing your ideas, begin writing, following this outline. Keep in mind that your description should be about 150 words long.

First paragraph: Introduce the topic by describing the family in one sentence.
Mi familia ensamblada es... / Tengo una familia ensamblada...

Second paragraph: Describe your relatives in one or more cohesive paragraphs.
Mis padres... Mi papá... Y mi madrastra...También tengo un(a) hermanastro/a...
Y, para mí, es muy importante mi... porque...

Final paragraph: Include a final thought that sums up who your family is and your feelings about them to help the guest student understand your family. You may also include a tradition or an activity that reveals a cultural practice, such as celebrating a particular holiday or milestone.
Por eso, mi familia... Todos los años celebramos... en familia porque es muy importante.

> **Para escribir mejor:** Use these connectors to express a cause-effect relationship between ideas.
>
> | Palabras | Usos |
> |---|---|
> | **por eso** *for that reason, that's why* | *Mi mamá es maestra, **por eso** está muy ocupada.* |
> | **entonces** *so* | *Mis parientes viven cerca, **entonces** vas a conocer a todos ellos.* |

Paso 3 Create a description of about 150 words to a guest student in which you describe your family and some aspects of your family life. Prepare to present your project to the class.

☐ **I CAN** write a description of my family.

Resources
vhlcentral

La familia

el abuelo/la abuela   *grandfather/grandmother*
los abuelos   *grandparents*
el cuñado/la cuñada   *brother-in-law/sister-in-law*
el esposo, el marido/la esposa   *husband/wife*
el hermanastro/la hermanastra   *stepbrother/ stepsister*
el hermano/la hermana   *brother/sister*
el hijo/la hija   *son/daughter*
la madrastra   *stepmother*
la madre/mamá   *mother/mom*
el nieto/la nieta   *grandson/granddaughter*
el padrastro   *stepfather*
el padre/papá   *father/dad*
los padres   *parents*
el/la pariente   *relative*
el primo/la prima   *cousin (male/female)*
el sobrino/la sobrina   *nephew/niece*
el suegro/la suegra   *father-in-law/mother-in-law*
el tío/la tía   *uncle/aunt*

Otras personas

el amigo/la amiga   *friend (male/female)*
el/la bebé   *baby*
el chico/la chica   *boy/girl*
el hombre   *man*
mi mejor amigo/a   *my best friend*
el muchacho/la muchacha   *boy/girl*
la mujer   *woman*
el niño/la niña   *boy/girl*
el novio/la novia   *boyfriend/girlfriend*
mi pareja   *my partner, my significant other*

Las mascotas   *Pets*

el gato   *cat*
el perro   *dog*

Las cosas y los lugares   *Things and places*

el campo   *country, countryside*
el carro   *car*
la ciudad   *city*
el colegio   *school/high school*
la escuela   *school*
la foto   *photo*
la montaña   *mountain*
la playa   *beach*
el trabajo   *work*

Las relaciones personales, las posesiones y la edad

abrazar   *to hug*
amar   *to love*
besar   *to kiss*
cuidar a   *to take care of*
estar (irreg.)   *to be*
llamar   *to call*
tener (irreg.)   *to have*
tener... años   *to be ... years old*
  ¿Cuántos años tienes?   *How old are you?*
visitar   *to visit*

Adjetivos para describir características y condiciones

abierto/a   *open*
(ser) aburrido/a   *to be boring*
(estar) aburrido/a   *to be bored*
activo/a   *active*
alegre   *cheerful*
alto/a   *tall*
amable   *friendly, kind*
bajo/a   *short*
bonito/a   *nice, beautiful*
bueno/a   *good*
cansado/a   *tired*
cerrado/a   *closed*
contento/a   *happy*
deshonesto/a   *dishonest*
diferente   *different*
difícil   *difficult*
divertido/a   *amusing, fun*
divorciado/a   *divorced*
enfermo/a   *sick*
enojado/a   *angry*
estresado/a   *stressed*
fácil   *easy*
feo/a   *ugly*
fuerte   *strong*
generoso/a   *generous*
grande   *big*
guapo/a   *good looking, handsome*
hermoso/a   *beautiful, gorgeous*
interesante   *interesting*
joven   *young*
malo/a   *bad*
mayor   *old/older*

menor   *younger*
moreno/a   *dark-skinned, brunette*
nervioso/a   *nervous*
nuevo/a   *new*
ocupado/a   *busy*
pequeño/a   *small*
perezoso/a   *lazy*
pobre   *poor*
preocupado/a   *worried*
rico/a   *rich*
rubio/a   *blond(e)*
serio/a   *serious*
similar   *similar*
simpático/a   *likeable, nice*
soltero/a   *single*
trabajador(a)   *hardworking*
triste   *sad*
viejo/a   *old*

Adverbios para indicar igualdad y negación

también   *also*
tampoco   *neither*

Adverbios para describir ubicación y condiciones

allí   *there*
aquí   *here*
bastante   *quite*
bien   *well*
mal   *badly*
muy   *very*
un poco   *a bit, somewhat*

Conjunciones para unir ideas

o/u   *or*
pero   *but*
y/e   *and*

Hacer preguntas

¿Cuántos/as?   *How many?*
¿Dónde?   *Where?*
¿Quién(es)?   *Who?*

Capítulo

4

¡A la mesa!

Learning Objectives
In this chapter, you will:

- Participate in conversations about food shopping, meals, and ordering in a restaurant.
- Discuss likes, dislikes, actions, desires, and preferences in the present.
- Identify concepts about street food in the Spanish-speaking world.
- Explore and research Mexico.
- Identify ideas in written and audiovisual materials.
- Present a proposal for a food truck.
- Describe your experience eating on campus.

 **Así se pronuncia** Stress and accentuation rules

VideoEscenas ¿La nueva cocina?

En la cocina Complete the activities.

1. Select all the statements that are true for you.

☐ La cocina (*cooking*) es mi pasión.

☐ No soy bueno/a en la cocina, pero estoy interesado/a en aprender.

☐ Mi talento en la cocina está limitado al microondas (*microwave*).

2. Watch the video once and select the statement that best represents this dish.

Duración: 1:03
Fuente: Tastemade Español

☐ Una torta elegante y sofisticada, para chefs profesionales.

☐ Una torta simple y original, para personas con poco tiempo o poca experiencia en la cocina.

☐ Una torta tradicional, probablemente la receta de la abuela.

3. Watch the video again and write the English term for the following words.

Ingredientes:

azúcar _____   crema (de leche) _____   mantequilla _____

maní _____   miel _____   pochoclo _____

4. In small groups, discuss these questions.
- Look at the words that appear on the screen when the popcorn is added. Why are they shown?
- Although this cake is not a traditional dish, it uses some pre-Hispanic ingredients. Can you identify them?
- What foods from the Spanish-speaking world have you tried?

En el mercado

MERCADO CENTRAL

GARCÍA - FRUTAS, VERDURAS Y LEGUMBRES

¿Cuánto **cuestan**?

el ajo

los frijoles

el maíz

las chuletas (de cerdo)

el arroz

las piñas

el brócoli

el pollo

las bananas/ los plátanos

el bistec (de res)

las lechugas

las cebollas

las manzanas

Necesito camarones.

los guisantes

los tomates

las judías verdes

las zanahorias

las uvas

las papas/ las patatas

las mandarinas

las naranjas

los aguacates

las peras

las fresas

los melocotones/ los duraznos

las sandías

los limones

las cerezas

SUPERMERCADO FUTURO

CARNES

¿Qué **desea**, señora?

el jamón

Voy a **preparar** pollo esta noche.

PESCADOS Y MARISCOS

la salchicha (de pavo)

¿Cuántos quiere **comprar**?

la langosta

los camarones

el salmón

el pescado

Apoyo de vocabulario

el aguacate	*avocado*
el ajo	*garlic*
el bistec	*steak*
los camarones	*shrimp*
la carne	*meat*
la carne de res	*beef*
el cerdo	*pork*
comprar	*to buy*
costar (ue)	*to cost*
desear	*to wish, to desire*
los frijoles	*beans*
los guisantes	*peas*
el jamón	*ham*
las judías verdes	*green beans*
la langosta	*lobster*
las legumbres	*vegetables (in pods), legumes*
los mariscos	*seafood, shellfish*
necesitar	*to need*
el pavo	*turkey*
el pescado	*fish*
vender	*to sell*
las verduras	*vegetables*

¡Atención! Note the vowel change in the present form of *costar* (*cuesta*). Stem-changing verbs are covered later in the chapter. For now, note that the vowel change is indicated in brackets in the vocabulary list.

¿Qué observas? Answer the questions about the images. Find additional questions on the Supersite.

1. En el Mercado Central, ¿hay verduras?, ¿carne?, ¿mariscos?, ¿legumbres?
2. En el Supermercado Futuro, ¿hay frutas?, ¿pescado?, ¿verduras?, ¿carne?
3. **Papas** y **patatas** son variantes regionales. ¿Puedes (*Can you*) identificar más palabras con variación regional?
4. Las chuletas, ¿son fruta, pescado o carne? Los ajos, ¿son fruta, verdura o carne?

¿Y tú? Answer the questions about yourself.

1. En tu comunidad, ¿hay supermercados? ¿Hay mercados tradicionales? ¿Compras en el mercado o en el supermercado frecuentemente?
2. ¿Qué frutas y verduras compras? ¿Compras carne? ¿Hay pescados y mariscos frescos en tu mercado o supermercado local?

1 **¿Vegetariano o no?** Write down the foods that you hear and decide whether a vegetarian person would eat them (**Sí**) or not (**No**).

1. _____ Sí☐ No☐   5. _____ Sí☐ No☐
2. _____ Sí☐ No☐   6. _____ Sí☐ No☐
3. _____ Sí☐ No☐   7. _____ Sí☐ No☐
4. _____ Sí☐ No☐   8. _____ Sí☐ No☐

2 **¿Qué es?** Read these descriptions and identify the foods they are referring to.

1. _____ Fruta ovalada y muy grande, perfecta para un picnic el 4 de Julio.
2. _____ Son frutas de un árbol (*tree*), pequeñas, rojas (*red*), abundantes en junio.
3. _____ La carne de la pata (*leg*) de un cerdo.
4. _____ Esta fruta es el ingrediente esencial del guacamole.
5. _____ Verdura pequeña y blanca (*white*), de sabor (*flavor*) muy fuerte.
6. _____ Crustáceo grande, exquisito. ¡Cuesta mucho!
7. _____ Granos muy pequeños y blancos, esenciales en la comida de Asia.
8. _____ Ave (*bird*) grande. Es típico en la cena del día de Acción de Gracias (*Thanksgiving*).
9. _____ Tipo de pescado con una carne de color rosa (*pink*) y naranja (*orange*).
10. _____ Variación regional de la papa.

En mi experiencia

Emmanuel, Atlanta, GA

"In Spain, my host mother went to the supermarket for most of her shopping, but preferred the local market or **mercado** for perishables. She had loyal relationships with individual vendors—she would buy fruit from only one particular stall, fish from another person, etc. The food was always very fresh, but you had to pay in cash, and you could buy only what you could carry home. During my semester in Spain, I made sure to make time to explore the **mercados** in the new cities I visited. I vividly remember the bustling atmosphere of the Mercado San Miguel in Madrid, the Mercado de la Ribera in Bilbao, and the Mercado Victoria in Córdoba."

Is there a market like this or a farmers' market where you live?
What are the advantages and disadvantages of shopping at one?

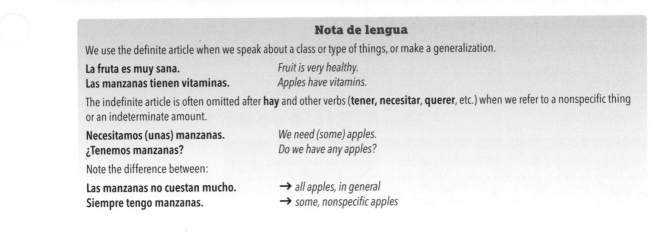

Nota de lengua

We use the definite article when we speak about a class or type of things, or make a generalization.

La fruta es muy sana.   *Fruit is very healthy.*
Las manzanas tienen vitaminas.   *Apples have vitamins.*

The indefinite article is often omitted after **hay** and other verbs (**tener, necesitar, querer**, etc.) when we refer to a nonspecific thing or an indeterminate amount.

Necesitamos (unas) manzanas.   *We need (some) apples.*
¿Tenemos manzanas?   *Do we have any apples?*

Note the difference between:

Las manzanas no cuestan mucho.   → *all apples, in general*
Siempre tengo manzanas.   → *some, nonspecific apples*

3   **Una cena con amigos**   You are going to a potluck dinner and you need to prepare these dishes. In pairs, you are going to make a shopping list for the grocery store.

Paso 1 Each of you chooses to be **Estudiante A** or **B**. Then, individually, write a list of ingredients you need for your dish.

Estudiante A: sopa de verdura y pollo   **Estudiante B:** ensalada de fruta

Paso 2 What do you need to buy? Each of you has a list of the items you have at home. If you can use any in your dish, cross that ingredient off your list from **Paso 1**. Then, discuss with your partner to find out if he/she has any of the other ingredients you need. If so, cross them off your list. Be sure to read the **Nota de lengua** on use of articles before you start.

> **Modelo**   **Estudiante A:** *¿Tienes zanahorias?*
>   **Estudiante B:** *Sí, tengo zanahorias./ No, no tengo zanahorias.*

Estudiante A

Los ingredientes que tienes: cebollas, ajo, arroz, frijoles, aguacate, naranjas y duraznos.

Estudiante B

Los ingredientes que tienes: salchichas, papas, zanahorias, maíz, fresas y un limón.

Paso 3 What ingredients are you still missing? In pairs, write a shopping list for the grocery store.

4   **¿Qué comemos?**   In pairs, take turns asking each other questions about your eating and food shopping preferences. Ask follow-up questions and share your own experience.

Estudiante A

1. ¿Cuál es tu verdura favorita? ¿Qué verdura no comes frecuentemente o nunca?
2. ¿Comes legumbres como frijoles o garbanzos?
3. ¿Hay cocina en tu casa o en tu residencia? ¿Cocinas verduras, carne o pescado? ¿Qué alimentos son esenciales en tu dieta?

Estudiante B

1. ¿Cuál es tu fruta favorita? ¿Qué fruta no comes frecuentemente o nunca?
2. ¿Comes granos con frecuencia, por ejemplo, arroz o maíz?
3. ¿Dónde compras comida? ¿Vas al mercado o al supermercado con frecuencia? ¿Qué es importante para ti cuando compras comida?

Palabras útiles

la comida
food

el costo
cost

fresco/a
fresh

el garbanzo
chickpea

para mí/para ti
for me/for you

la sostenibilidad
sustainability

5 Bases para cocinar You are going to discuss grocery shopping.

Paso 1 Individually, examine the webpage and indicate what type of site it most likely belongs to:

- a food blog
- an online grocery store
- a company's website

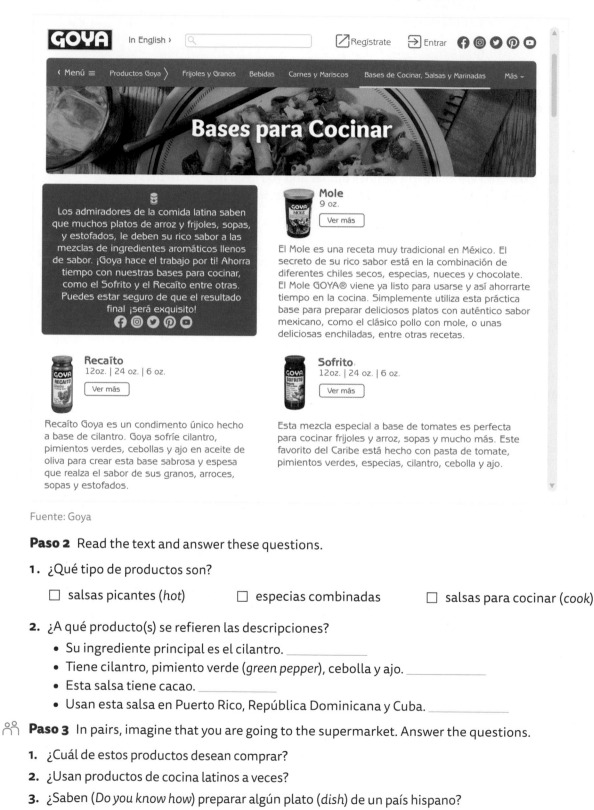

Fuente: Goya

Paso 2 Read the text and answer these questions.

1. ¿Qué tipo de productos son?

☐ salsas picantes (*hot*)   ☐ especias combinadas   ☐ salsas para cocinar (*cook*)

2. ¿A qué producto(s) se refieren las descripciones?

- Su ingrediente principal es el cilantro. _____
- Tiene cilantro, pimiento verde (*green pepper*), cebolla y ajo. _____
- Esta salsa tiene cacao. _____
- Usan esta salsa en Puerto Rico, República Dominicana y Cuba. _____

Paso 3 In pairs, imagine that you are going to the supermarket. Answer the questions.

1. ¿Cuál de estos productos desean comprar?

2. ¿Usan productos de cocina latinos a veces?

3. ¿Saben (*Do you know how*) preparar algún plato (*dish*) de un país hispano?

☐ **I CAN** discuss shopping for food.

Resources

vhlcentral

SAM

online
activities

1. Express likes and dislikes

The verb *gustar*

1. Read and listen to the conversation, focusing on the message, and make educated guesses about what they are saying.

2. Read the text again and focus on the forms **gusta**/**gustan**. Can you identify when each of these two forms is used?

3. Pay attention to the forms **me**, **te**, **nos**, **les**, and **le**. Whom does each refer to? Indicate whether it is Gerardo, Leticia, Verónica, or both Leticia and Verónica.

Leticia: Son las ocho de la noche, ¿dónde cenamos?

Gerardo: La cafetería **me gusta**, pero es tarde y probablemente no tienen muchas opciones.

Leticia: ¿Y un restaurante? ¿**Te gustan** los restaurantes cerca del campus? A mi amiga Verónica y a mí **nos gusta** mucho la taquería Oaxaca.

Gerardo: ¿Sí? ¿Qué tacos **les gustan** a ustedes?

Leticia: Pues, **nos gustan** todos los tacos, pero mis favoritos son los tacos de pescado. A Verónica **le gustan** más los tacos al pastor: tienen carne de cerdo marinada, cebolla, piña y cilantro.

Gerardo: ¡Suena delicioso! ¡Vamos!

Although the verb **gustar** is usually translated as the verb *like*, its structure is similar to that of English verbs *interest*, *please*, *disgust*, etc. in that something (the subject) is pleasant or unpleasant to someone (the indirect object). Therefore, what the person likes or dislikes determines the form of the verb as singular (**gusta**) or plural (**gustan**). The person who likes something (to whom something is pleasing) is expressed with indirect object pronouns (**me**, **te**, **le**, **nos**, **os**, **les**).

¡Atención!

The indirect object pronouns, meaning *to me, to you, to you/him/her, to us, to you, to you/them*, will be studied in detail in **Capítulo 7.**

(A mí) El aguacate me gusta.   *I like avocado.*   (Avocado is pleasing to me.)
S

(A nosotros) Nos gustan las fresas.   *We like strawberries.*   (Strawberries are pleasing to us.)
S

A Mario no le gusta comer fruta.   *Mario does not like eating fruit.*   (Eating fruit is not pleasing to Mario.)
S

Person(s) who like (indirect object)	+	*gusta(n)*	+	thing(s) liked (subject)
me/te/le/nos/os/les		gusta		el helado la fruta comer
		gustan		las uvas las fresas

► Note that the indirect object pronoun always precedes the verb. The subject can be placed before or after.

Me gusta el pescado. = El pescado me gusta.

► If what is liked is an activity, use the singular form **gusta** with the infinitive (**–ar, –er, –ir** form) of the appropriate verb:

Nos **gusta comer**. *We like to eat.*

Les **gusta cenar** en restaurantes y **asistir** a conciertos. *They like to have dinner in restaurants and attend concerts.*

► To clarify the meaning of **le** and **les**, add **a** + person: **a Pedro, a ella, a las niñas, a ellos,** etc.:

Pedro y Ana toman el desayuno juntos. *Pedro and Ana have breakfast together.*
A Pedro le gusta tomar café, pero **a ella** le gusta el té. *Pedro likes to drink coffee, but she likes tea.*

► For emphasis, add **a mí, a ti, a usted, a nosotros,** etc., and to ask follow-up questions, use **¿Y a ti? ¿Y a usted?**, etc.

A mí no me gustan los frijoles, **¿y a ti?** *I don't like beans, do you?*
A él le gustan, ¿verdad? *He likes them, right?*

► To express different degrees of like and dislike, use:

+ ————————————————————————————————— —

(me gusta) **mucho**   **bastante**   **un poco**   (no me gusta) **nada**

1 ¡Me gusta! Listen to each statement and decide which food item is being talked about.

Modelo You hear: Me gusta.   You choose: ☐ los limones   ☑ el ajo

1. ☐ las zanahorias   ☐ el pescado   4. ☐ el bistec   ☐ las naranjas
2. ☐ la lechuga   ☐ las fresas   5. ☐ las peras   ☐ la langosta
3. ☐ las cerezas   ☐ el jamón   6. ☐ el pavo   ☐ las chuletas

2 Y a ti, ¿te gusta? You are going to compare preferences with a partner.

Paso 1 Individually, write sentences stating whether you like these foods.

Modelo las peras
Las peras me gustan mucho/no me gustan para nada/etc.

1. la sopa de verduras   3. beber agua   5. la ensalada de frutas   7. ir al mercado
2. los camarones   4. el ajo   6. comer carne   8. los guisantes

Paso 2 In pairs, compare your likes and dislikes.

Modelo **Estudiante A:** *Las peras me gustan mucho.*
Estudiante B: *A mí me gustan mucho también.* or *A mí no me gustan.*

1. la sopa de verduras   3. beber agua   5. la ensalada de frutas   7. ir al mercado
2. los camarones   4. el ajo   6. comer carne   8. los guisantes

3 ¿A quién le gusta? Indicate to whom each statement refers.

> **Modelo** Los camarones le gustan. ☐ A ellos ☑ A ella

1. Te gustan los guisantes. ☐ A ti ☐ A él
2. El pescado les gusta mucho. ☐ A nosotros ☐ A Carmen y a Ana
3. Nos gusta la piña. ☐ A nosotros ☐ A ellos
4. ¿El ajo no le gusta? ☐ A ti ☐ A usted

4 Una cena con los amigos You want to have your friends over for a Mexican-inspired dinner, so you call your friend Luis to find out what everybody likes. Complete your conversation with appropriate pronouns (**me/te/le/nos/les**) and forms of **gustar**.

Tú: Hola Luis, voy a preparar una cena para los amigos el sábado, y tengo algunas ideas. Por ejemplo, ¿a ti _____ los camarones?

Luis: Sí, a mí los mariscos _____ mucho. Pero a Óscar no _____. Bueno, es que (*the thing is*) tiene alergia.

Tú: Uy, no, no, entonces el ceviche de mariscos no es buena idea. ¿Y a ustedes _____ la sopa de tortilla?

Luis: Sí, a Óscar y a mí _____ mucho.

Tú: Muy bien. Y el pescado, ¿_____?

Luis: Bueno, creo que a Óscar y a Andrea sí _____, pero a mí no _____ mucho. ¿Por qué no preparas pollo en mole? A Óscar y a Andrea _____ muchísimo.

Tú: Y a ti, ¿también _____?

Luis: Sí, sí, especialmente con arroz y frijoles.

Tú: Bueno, a mí no _____ los frijoles mucho, pero no hay problema. También voy a preparar guacamole. Y después, ¿crema de mango?

Luis: ¡Mmm, delicioso! El mango _____ a todos.

ceviche de mariscos

pollo en mole

En mi experiencia

Pauline, Lexington, KY

"Having worked as a waiter in the United States, I quickly noticed some differences when eating out in Argentina. There, a meal at a restaurant with family, friends, and even for business can be more leisurely, with more time between dishes and people lingering and chatting after finishing their food. This time for socializing is called '**sobremesa**', which literally means '*over the table*'. I also noticed that wait staff, while attentive to requests, do not come to the table as often if no one is calling for them. It all seemed more relaxed, really, a bit less about the meal and more about hanging out."

What cultural values could explain the prevalence of longer meals and "sobremesa"? What do you think might explain the differences in the interactions between wait staff and customers, as compared to the United States?

ASÍ SE FORMA

5 **En la universidad** Your class is going to collaborate on a blog entry about your university or college life.

Paso 1 Individually, answer the questions about your university or college life using full sentences.

1. ¿Te gusta la universidad?
2. ¿Te gustan tus clases este semestre?
3. ¿Te gustan los/las profesores/as?
4. ¿Te gusta el campus?
5. ¿Te gusta estudiar en la biblioteca?
6. ¿Te gusta aprender español?

Paso 2 In pairs, take turns asking each other the questions from **Paso 1** and include two original questions. Ask follow-up questions and take notes of what your partner says.

> **Modelo** **Estudiante A:** *¿Te gustan tus clases este semestre?*
> **Estudiante B:** *Sí, me gustan casi todas. Me gustan las clases de español y biología, pero no me gusta mucho la clase de química.*

Paso 3 In pairs, select one aspect you like and one you do not like and write your contribution for the blog entry with a two- or three-line bullet point on each aspect.

6 **Preguntas para tu profesor(a)** Your class is going to interview your instructor and give him/her recommendations.

Paso 1 In pairs, complete the sentences guessing what your instructor likes/does not like to do. Add a new item.

> **Modelo** *No le gusta mucho bailar.*

A nuestro/a profesor(a)...	Detalles (*Details*)
1. _____ leer novelas.	¿De qué tipo? ¿Cuál es su novela favorita?
2. _____ cenar en restaurantes.	¿Qué tipo de comida? ¿Cómo se llama su restaurante favorito?
3. _____ mirar la televisión o series.	¿Qué tipos de programas o series mira? ¿Qué programa no le gusta?
4. _____ asistir a conciertos.	¿Qué tipo de música? ¿Qué cantantes o grupos musicales son sus favoritos?
5. _____ usar redes sociales (*social networks*).	¿Con mucha frecuencia? ¿Qué redes sociales? ¿Solamente lee o comparte publicaciones (*posts*) también?
6. _____.	¿_____?

Paso 2 As a class, take turns asking your instructor whether she/he likes to do those things, and follow up with the questions in the section **Detalles** or others of your own. Be sure to note her/his answers. How well do you know your instructor? Did you guess correctly?

> **Modelo** *¿Le gusta leer novelas? ¿De qué tipo?*

Paso 3 In small groups, and based on what you now know about your instructor, write some recommendations for him/her: novels to read, restaurants (and even specific dishes) to try, etc.

7 **Qué nos gusta** You are going to discuss personal preferences.

Paso 1 Individually, combine elements to create full sentences indicating what you and other people like or do not like. You can also add other relevant details, like how much (**mucho, un poco**), when (**todos los días, a veces**), where (**en casa, en la playa**), and with whom (**con mis amigos**).

> **Modelo** *A mis amigos les gusta ver series en casa los fines de semana.*

¿A quién?	Gustar	¿Qué?
yo	**(no) gusta**	caminar, hacer ejercicio, hacer yoga
mi mejor amigo/a	**(no) gustan**	los libros, la música, las películas (*movies*)
mi compañero/a de cuarto/casa		ver la televisión/series, escuchar *podcasts*
mi padre/madre/abuelo...		ir a un museo/un café/un parque
mi perro/gato		pasar tiempo con..., hablar con...
los estudiantes de esta universidad (nosotros)		navegar en Internet, leer blogs
		ir a fiestas, usar redes sociales
mis amigos		la pizza de la cafetería, la comida italiana
		el café, el té, el chocolate caliente

Paso 2 In pairs, take turns reading some of your statements to your partner and listening to his/her ideas. As each of you expresses preferences, make sure to ask follow-up questions, make comments, and express reactions.

> **Modelo** **Estudiante A:** *A mis amigos les gusta ver series. Por ejemplo, les gusta la serie [...], pero a mí no me gusta mucho la televisión.*
> **Estudiante B:** *A mí me gustan las series también. Ahora me gusta mucho la serie...*

Nota cultural

Diversidad gastronómica y lingüística

Arepas, pupusas, empanadas... You will probably find some version of corn or flour dough with savory stuffing in many areas of the Hispanic world. However, while they share some gastronomic elements and traditions, there is also a wide range of ingredients and ways of preparing food, as well as regional variation in food names. Some examples are:

maíz, elote, choclo, sara
banana, plátano, guineo
frijoles, habichuelas, porotos, alubias

There are also cases where the same word may refer to different things depending on the place. For instance, a **tortilla** is a flat disc made of corn or wheat flour in Mexico, but it's a potato omelet in Spain.

tortillas mexicanas

tortilla española

Resources

vhlcentral

SAM

online activities

☐ **I CAN** express likes and dislikes.

La comida callejera en
América Latina

Antes de leer

1. Conocimiento previo Answer these questions.

1. Can you name street food dishes from Latin America?

2. What kinds of street food do you eat in the United States?

P robablemente oíste hablar de los tacos mexicanos, una comida callejera° exportada a todo el mundo. Pero ¿sabes que hay una gran variedad de platillos callejeros en muchos países de América Latina? En México, podemos encontrar muchas comidas deliciosas en la calle, en camiones°, carritos o puestos ambulantes°. Las memelas de Oaxaca son tortillas gruesas° con salsa, queso y carne. Y los tlacoyos de la Ciudad de México son de masa° de maíz con frijoles adentro°. Por todo México podemos encontrar tamales, quesadillas, agua fresca y ¡hasta chapulines° fritos!

En El Salvador, las pupusas son el plato estrella de la comida callejera. Son pequeñas y gorditas y van rellenas de carne, salsa, frijoles o queso. En Chile tienen el "completo", que es similar al *hot dog* y puede incluir tomate, aguacate o mayonesa. Y en Bolivia podemos encontrar las salteñas, que son empanadas de carne o pollo.

La comida callejera es popular no solo porque es deliciosa y variada, sino también porque es barata° y fácil de encontrar. Es comida rápida, pero nutritiva°. Ocho de cada diez habitantes de América Latina viven en ciudades, así que esta comida la comen todos los días muchas personas. La comida callejera le gusta a gente rica y pobre, y todos pueden disfrutar de estos platillos de cocina local con sabor auténtico.

la comida callejera *street food* **el camión** *truck* **el puesto ambulante** *food cart* **grueso/a** *thick* **la masa** *dough* **adentro** *inside* **el chapulín** *grasshopper* **barato/a** *inexpensive* **nutritivo/a** *nutritious*

▌Mujeres preparan pupusas en El Salvador.

Después de leer

2. Indicar Based on the text, indicate whether these statements are true (**C**) or false (**F**).

1. You can find street food in many countries throughout Latin America. .... **C F**

2. **Tlacoyos** and **pupusas** have the same ingredients............................... **C F**

3. A vegan person can't eat Chilean **completos**........................... **C F**

4. You can find street food in only one area of each city.............................. **C F**

☐ **I CAN** identify concepts about street food in the Spanish-speaking world.

3. Comparar y analizar In pairs, discuss these questions.

1. How do you think street food varies across different regions and/or communities in the United States?

2. Are there any food trucks in your area that offer dishes from Spanish-speaking countries?

Resources

vhlcentral

online activities

Las comidas y las bebidas

El desayuno

Apoyo de vocabulario

el aceite	*oil*
la aceituna	*olive*
la mermelada	*jam*
el refresco	*soft drink*

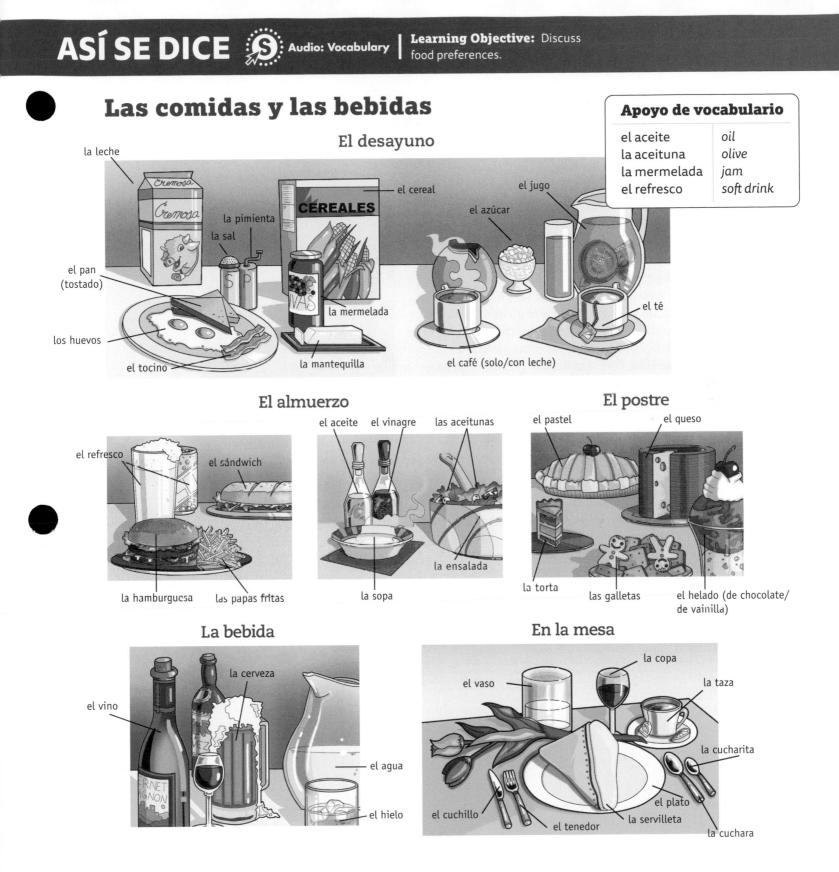

la leche

el cereal

el jugo

el azúcar

la pimienta

la sal

el pan (tostado)

la mermelada

el té

los huevos

el tocino

la mantequilla

el café (solo/con leche)

El almuerzo

el refresco

el sándwich

el aceite   el vinagre   las aceitunas

la hamburguesa   las papas fritas

la sopa

la ensalada

El postre

el pastel   el queso

la torta   las galletas   el helado (de chocolate/ de vainilla)

La bebida

la cerveza

el vino

el agua

el hielo

En la mesa

la copa

el vaso

la taza

la cucharita

el cuchillo   el tenedor   la servilleta   el plato   la cuchara

¿Qué observas? En el pan tostado, ¿es habitual poner (*put*) mantequilla? ¿Tocino? ¿Sal y pimienta? ¿Mermelada? ¿Y en los huevos? ¿Tomas la sopa con tenedor, cuchillo o cuchara?

¿Y tú? ¿Tomas desayuno todos los días? Si (*if*) desayunas, ¿qué comes y bebes en el desayuno? ¿Qué comes o tomas con más frecuencia para el almuerzo: ensalada, sopa, sándwich o hamburguesa?

Ⓢ Audio: Vocabulary

¿Cuál es tu preferencia?

Imagine that you are studying abroad and staying with a family. Shortly after your arrival, your host mother (a great cook) asks about your eating preferences. As you read and listen, focus on the message, trying to approximate the meaning of unknown words through context.

Puedes tomar tres **comidas** en casa con nosotros: tomamos el **desayuno** a las ocho de la mañana, el **almuerzo** a las dos de la tarde y la **cena** a las ocho de la noche. En la mañana, ¿prefieres **tomar** una bebida **fría**, como jugo, o una bebida **caliente**, como café o té? ¿Te gusta el jugo de naranja o de piña? ¿Tomas el café **con** azúcar o **sin** azúcar? Y, ¿cómo te gustan los huevos, **fritos** o **revueltos**? Hoy, para el almuerzo, voy a preparar sopa, ensalada y pollo con papas fritas. ¿Prefieres el **pollo a la parrilla**, **frito** o **al horno**? ¿Comes **mucha** o **poca** carne? ¿Cuál es tu **postre** favorito? ¿Te gusta el pastel de tres leches? Como ves, ¡me gusta **cocinar**!

Apoyo de vocabulario

a la parrilla	grilled	frito/a	fried
al horno	baked, roasted	revuelto/a	scrambled
la bebida	drink, beverage	mucho/a/os/as	much, a lot, many
cocinar	to cook	poco/a/os/as	little (quantity), few
la comida	food, meal	el postre	dessert
con/sin	with/without		

Nota de lengua

Mucho and **poco** do not change in gender and number when they modify verbs because they function as adverbs.

Comemos **mucho/poco**.   *We eat a lot/little.*

As adjectives (when they modify nouns), **mucho** and **poco** do change in gender and number to agree with the noun.

Comemos **muchas** verduras y **poca** carne.

Spanish uses the preposition **de** (*of*) to join two nouns for the purpose of description.

helado **de** fresa   *strawberry ice cream*

jugo **de** naranja   *orange juice*

1 **El menú** You work at a café and the chef is telling you the dishes available for the day. Write each item under the appropriate menu category. If an item can go in more than one category, add it to both.

Desayuno	Almuerzo	Cena	Postres

2 **¿Qué es?** In pairs, imagine you both work at a café and it is time to set the tables for dinner, but you have forgotten the names of some objects. Select three items you still need and describe what they are for so your partner can identify them.

> **Modelo** **Estudiante A:** *Es para (for) beber agua, jugo o leche.*
> **Estudiante B:** *Es un vaso.*

3 **Asociaciones** You will identify associated words.

Paso 1 Individually, select three words from the vocabulary presentation. Then, for each of those words, write a list of ideas that you associate with it (see **Palabras útiles** box.)

> **Modelo** *el té: caliente, desayuno, mi mamá, bebida, azúcar*

Palabras útiles

cortar *to cut*
limpiar *to clean*
poner *to put*

Paso 2 Read your lists of associated words to your partner, who will try to identify the original words.

> **Modelo** **Estudiante A:** *Mi lista es: caliente, desayuno, mi mamá, bebida, azúcar.*
> **Estudiante B:** *¿Es tu palabra "té"?*

4 **Tu comida ideal** You are going to discuss eating habits.

Paso 1 What would make an ideal day for you in terms of food? Include everything that you would like for each meal (beverages, sides, desserts, etc.) and, if relevant, how it would be cooked (grilled, fried, etc.).

Desayuno	
Almuerzo	
Merienda	
Cena	

Paso 2 In small groups, compare your ideal meals. What can you tell about the eating habits and preferences of your peers? Are they similar to yours?

> **Modelo** *Mi desayuno perfecto son dos huevos fritos, tostadas con mantequilla...*

5 **¿Qué comes?** In pairs and taking turns, one of you reads the situation you are in to your partner, who listens and suggests what you could eat and drink.

Estudiante A

1. Después del gimnasio estoy muy cansado/a y necesito energía.
2. Voy tarde a clase, pero necesito desayunar un poco.
3. Estoy en la cafetería de la universidad.
4. ¡Gané (*I won*) la lotería! Vamos a comer (*Let's eat*) tu comida preferida en tu restaurante favorito.

Estudiante B

1. Son las 11 de la noche, estoy en mi cuarto/casa.
2. Estoy enfermo/a.
3. Esta noche hago una cena especial para una persona especial.
4. Necesito almorzar pero tengo solamente (*only*) 5 dólares.

Resources

vhlcentral

SAM

online activities

☐ **I CAN** discuss food preferences.

2. Discuss actions, desires, and preferences

Stem-changing verbs in the present

1. Read and listen to the conversation, focusing on the message.
2. Then, look at the verb forms and compare with the corresponding infinitives: **almorzar**, **pensar**, **poder**, **preferir**, and **querer**. Can you see any patterns in these forms?

> Pedro y Vicente **quieren** preparar un almuerzo para sus amigos.
>
> **Pedro:** Vicente, ¿a qué hora **almorzamos**?
>
> **Vicente:** Pues... yo normalmente **almuerzo** a las doce, ¿qué **piensas**? ¿Es muy temprano?
>
> **Pedro:** No, está bien. **Prefiero** empezar (*start*) temprano, así **podemos** pasar más tiempo juntos.
>
> **Vicente:** Y, ¿qué **puedo** preparar? No cocino muy bien, pero **quiero** contribuir con algo.
>
> **Pedro:** ¿**Puedes** comprar las bebidas y el postre?

Stem-changing verbs have the same endings as regular **-ar**, **-er**, and **-ir** verbs but there is a change in the stem vowel in all forms except **nosotros** and **vosotros**. There are three stem-changing patterns, as shown below. Note that any time a stem-changing verb is presented, the stem change is noted in the entry in parentheses.

¡Atención!

The stem is the part of the verb that remains after the **-ar**, **-er**, or **-ir** ending is removed.

---

e → ie querer *to want, to love*: qu**ie**ro, qu**ie**res, qu**ie**re, queremos, queréis, qu**ie**ren

querer (ie)	*to want, to love*	No **quiero** comer ahora.
preferir (ie)	*to prefer*	**Prefiero** comer más tarde.
entender (ie)	*to understand*	¿**Entienden** el problema?
pensar (ie)	*to think*	¿**Piensas** que hay un problema?

---

o → ue dormir *to sleep*: d**ue**rmo, d**ue**rmes, d**ue**rme, dormimos, dormís, d**ue**rmen

dormir (ue)	*to sleep*	¿**Duermes** bien?
almorzar (ue)	*to have lunch*	¿A qué hora **almuerzas**?
poder (ue)	*to be able, can*	¿**Puedes** cenar a las siete?
volver (ue)	*to return, to go back*	¿A qué hora **vuelves**?

---

e → i pedir *to ask for*: p**i**do, p**i**des, p**i**de, pedimos, pedís, p**i**den

pedir (i)	*to ask for, to request, to order*	Ella siempre **pide** pizza.
servir (i)	*to serve*	¿**Sirven** langosta aquí?

▶ **Pensar en** + something/someone means *to think about something/someone.*

—¿**En** qué **piensas**?   —*What are you thinking about?*

—**Pienso en** la cena.   —*I'm thinking about dinner.*

▶ When expressing or seeking an opinion use the structure **pensar que**.

—¿**Piensas que** es muy temprano?   —*Do you think (that) it's very early?*

—No, **pienso que** está bien.   —*No, I think (that) it's fine.*

▶ Note the difference between **preguntar** (*to ask a question*) and **pedir** (*to ask for something*).

Yuri siempre **pregunta** muchas cosas.   *Yuri always asks about a lot of things.*

Yuri siempre **pide** muchas cosas.   *Yuri always asks for a lot things.*

1 Esteban come en la universidad You will complete ideas in a narration.

Paso 1 Read Esteban's thoughts on eating while in college and complete his description with appropriate forms of the verbs in the list. Use each verb once.

almorzar (ue)	entender (ie)	pensar (ie)	preferir (ie)	servir (i)
dormir (ue)	pedir (i)	poder (ue)	querer (ie)	volver (ue)

Sí, es cierto. Es difícil tener una dieta sana (*healthy*) en la universidad. Algunos estudiantes toman cereal o yogur con fruta por la mañana, pero yo _____ un desayuno fuerte, como huevos y tocino, para enfrentar (*take on*) el día. Cuando salgo de clase _____ poco: pizza o un sándwich. Entonces, _____ a mi cuarto y _____ un poco. Antes de hacer la tarea, tomo un café para estar alerta. No estudio bien sin (*without*) tomar café: _____ que necesito la cafeína. Para cenar, hay verduras y ensaladas en la cafetería, pero casi todos los días ellos _____ también hamburguesas o pollo frito, mis comidas favoritas. _____ que hay opciones más sanas, pero cuando estoy cansado o estresado _____ comer estas delicias, y no _____ decir "no".

Paso 2 Listen to the statements about Esteban and indicate whether they are true (**C**) or false (**F**).

1. C F   **2.** C F   **3.** C F   **4.** C F   **5.** C F   **6.** C F

2 Chefs de cafetería You are creative foodies who are developing a guide to cafeteria food hacks to share with your peers. In pairs, come up with at least one idea for each category. Then, share with the class and vote on the best hacks.

un desayuno nutritivo y delicioso   una bebida personalizada   una cena especial

un almuerzo rápido (*fast*) y sabroso (*tasty*)   un postre original   un bocado (*snack*)

> **Modelo** *Si* (If) *quieres un desayuno nutritivo y delicioso, puedes combinar...*

Palabras útiles						
el condimento	los frutos secos	el maní	el pepino	el pimiento	la soja	el yogur
condiment	*nuts*	*peanut*	*cucumber*	*pepper*	*soy*	*yogurt*

3 Sondeo de hábitos alimentarios You are going to share your results from a survey.

Paso 1 Individually, answer the survey about yourself.

CENTRO DE VIDA UNIVERSITARIA

Sondeo de hábitos alimentarios

1. ¿Desayunas? (Si la respuesta es "no", ¿por qué?) ¿Dónde? ¿Qué desayunas?
2. ¿Dónde almuerzas? Describe dos almuerzos típicos para ti. Incluye la bebida.
3. ¿Dónde prefieres cenar durante la semana? Describe dos cenas típicas para ti. Incluye la bebida.
4. ¿Qué piensas de las cafeterías universitarias? Explica tu elección.
   a. excelentes **b.** buenas **c.** mediocres **d.** malas **e.** terribles
5. ¿Qué restaurante del campus o local prefieres para una comida rápida? ¿Y para una cena especial?
6. ¿Puedes cocinar en tu residencia/apartamento? ¿Con qué frecuencia cocinas? ¿Qué cocinas?
7. ¿Qué factores influyen más en tus hábitos alimentarios? Califica de 1 (muy importante) a 5 (no es importante).
   ___ el costo ___ la salud (*health*) ___ la sostenibilidad ___ la conveniencia ___ el sabor (*taste*)
8. ¿Qué sugerencias tienes para la universidad en relación con la comida en el campus?

Paso 2 In small groups, share your answers and take notes on the group's answers as well. Be ready to report back to the class.

Palabras útiles

aumentar de peso *to gain weight*
la dieta *diet*
enfermo/a *ill, sick*
sano/a *healthy*
tener alergia a *to be allergic to*
vegetariano/a *vegetarian*

4 Situaciones Some college students have trouble adjusting to choosing their own meals and, thus, make poor food choices. In pairs, one of you is the school nutritionist, and the other is a student who is experiencing health issues but resists changes in his/her eating habits. Follow this outline:

- Greet and introduce yourselves.
- The nutritionist asks questions, listens to the student's answers, and takes notes. Then, he/she offers suggestions for a healthy diet (keeping in mind the realities of your context).
- The student answers the nutritionist's questions and listens to his/her suggestions, but has dietary restrictions (vegetarian, food allergy, etc.) and/or resists change.

☐ **I CAN** discuss actions, desires, and preferences in the present.

Resources
vhlcentral
SAM
online activities

ASÍ SE DICE

S Audio: Vocabulary | **Learning Objective:** Order food in a restaurant.

En el restaurante

Read and listen to the conversation between Elena and the waiter at a local café.

Mesero: Buenas tardes, señorita. ¿Desea (*to wish*) usted ver **el menú**?

Elena: No, no es necesario. **Me gustaría** comer un sándwich de jamón y queso, y también una ensalada. ¿Las ensaladas son grandes? **¡Tengo hambre!**

Mesero: Sí, las ensaladas son bastante (*quite*) grandes. Y para tomar, ¿qué desea?

Elena: Una limonada grande, por favor. **Tengo mucha sed.**

Mesero: A la orden (*at your service*), señorita.

(Después de unos minutos).

Mesero: ¿Desea usted algo **más**?

Elena: Sí, **todavía** tengo hambre y sed. **Otro** sándwich y **otra** limonada, por favor, pero con **menos** hielo. Y una porción de torta...

Mesero: ¡Vaya, qué apetito! Con mucho gusto, señorita.

Elena: Y **la cuenta**, por favor.

Apoyo de vocabulario

la cuenta	*check, bill*	otro/a	*another*
más/menos	*more/less, fewer*	tener hambre	*to be hungry*
Me gustaría	*I would like (polite)*	tener sed	*to be thirsty*
el/la mesero/a	*waiter/waitress*	todavía	*still, yet*

Nota de lengua

In Spanish, the verb **tener** has many uses. In **Capítulo 3** you learned the expression **tener... años** (to be . . . years old). **Tener hambre** and **tener sed** follow the same pattern.

¡Tengo mucha hambre!
I am very hungry.

Also note that **otro/a** does not use the indefinite article **un/una**.

Me gustaría ~~una~~ otra limonada, por favor.
I would like another lemonade, please.

1 **Un nuevo restaurante** You and your friend are eating at a new restaurant. Match your statements and your friend's responses.

1. Todavía tengo hambre. _____
2. Me gustaría comer flan (*custard*). _____
3. Tengo sed. _____
4. Quiero pedir la cuenta. _____
5. El vaso está sucio (*dirty*). _____
6. ¡Qué buena es esta ensalada! _____

a. Debes pedir otro.
b. Ahí está el mesero.
c. Vamos a (*Let's*) ordenar otra más.
d. No hay postres en el menú.
e. ¿Quieres comer más?
f. ¿Por qué no pides un vaso de agua?

2 **¡Queremos comer!** In small groups, role-play a scene at a restaurant: one student is the wait staff and the others are the customers. Come up with an interesting situation and work together on a dialogue, trying to use words and expressions you just learned. Be ready to act it out for the class. Consider these possible scenarios and be creative!

• Los/Las clientes/as son vegetarianos/as, pero casi todos los platos tienen carne.
• Los/Las clientes/as tienen muchos requisitos especiales en su orden.
• Hay problemas con la comida (está fría, es diferente de la descripción, etc.).

Palabras útiles

el acompañamiento
side dish

la entrada
starter

muy salado/a, muy picante
very salty, very spicy

el plato principal
main dish

3 **¿Qué comemos?** In small groups, you will improvise a conversation between a group of friends and a server in a local Mexican restaurant.

Paso 1 Each customer would like soup or salad, a main dish, a dessert, and a drink. You have 30 dollars each, but are happy to share at least part of your meal. Consider the options and note your questions for the server. The server also prepares a choice of two meal specials, writing a brief description and price for each. You may do some research online to create your selections or use this menu.

El Rincón
Almuerzo

Sopas

Consomé de pollo	4.50
(pollo, arroz, cilantro, cebolla y aguacate)	
Sopa de tortilla	4.50
(tortilla de maíz, tomate, chipotle°, queso y aguacate)	
Sopa de frijol	4
Sopa del día (pregunte a su mesero/a)	4

Ensaladas

	Mediana	Grande
El Rincón	9	15.50
(lechuga, pollo, tortilla frita, jícama° y piña asada)		
De toronja	7.50	13
(lechuga, toronja°, aguacate y cebollitas)		

Enchiladas (de pollo o queso, con guarnición° de frijoles)

Rojas, verdes o chipotle	14
De mole° poblano	15.50
(con salsa de chiles y chocolate)	
Suizas	14
(con espinacas y salsa de crema agria)	

El Rincón
Almuerzo

Especialidades El Rincón

Carne de res en salsa de tomate	19.50
Cerdo en salsa verde	18.50
(con tomatillos°, chiles güeros° y papas)	
Pollo en mole	19
Pescado a la veracruzana	22
(con tomate, aceitunas y alcaparras°)	
Chile relleno con queso	17

Jugos

Jugos naturales	4.50
(Naranja, toronja o guanábana°)	
Refrescos	3
(Coca-Cola, Fanta, Jarritos)	
Agua mineral	1.75

Postres

Flan	7.50
Arroz con leche	6
Churros	6

---

el chipotle *smoke-dried chili* **la jícama** *jicama (a crispy, sweet edible root)* **la toronja** *grapefruit* **la guarnición** *side dish*
el mole *Mexican sauce made with chili peppers, chocolate, and a variety of other ingredients; garnish* **el tomatillo** *green tomato*
el chile güero *banana pepper* **la alcaparra** *caper* **la guanábana** *soursop (a tropical fruit)*

Paso 2 Refer to these guidelines to role-play the conversation. And remember to address the server and the customers as **usted**.

Estudiante A: Mesero/a	**Estudiantes B y C: Clientes/as**
1. Greet the customers and introduce yourself.	1. Greet the server.
2. Describe the specials and their prices.	2. Ask follow-up questions about the menu and the specials.
3. Answer any questions the customers have about the menu items. Then, ask each customer if he/she would like to order a beverage and take the drinks order.	3. Order a drink from the menu, keeping your limited budget in mind.
4. Give them a moment to talk amongst themselves and make their decisions while you get the drinks.	4. While the server gets the drinks, discuss options and budget with your friend(s).
5. Come back to the table and take the food order, including dessert.	5. When the server brings your drinks, place your order for the entire meal.

Palabras útiles

¿Qué recomienda?
What do you recommend?

Le/Les recomiendo...
I recommend you (sing./pl.)...

compartir
to share

delicioso/a
delicious

¿Listos/as para pedir?
Are you ready to order?

Ya vuelvo.
I'll be right back.

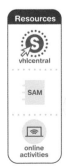

☐ **I CAN** order food in a restaurant.

3. Express large quantities, prices, and dates

Numbers 100 and higher

Recall the numbers you learned in **Capítulo 1**. Then read and listen to these numbers. Which vary in their endings and how?

ochocientos noventa y uno...

cien	100	ochocientos/as	800
ciento uno/a	101	novecientos/as	900
doscientos/as	200	mil	1,000
trescientos/as	300	dos mil	2,000
cuatrocientos/as	400	cien mil	100,000
quinientos/as	500	doscientos/as mil	200,000
seiscientos/as	600	un millón (**de** + noun)	1,000,000
setecientos/as	700	dos millones (**de** + noun)	2,000,000

▶ **Cien** is used before a noun or as the number 100 when counting. **Ciento** is used with numbers 101 to 199.

Sólo tengo **cien** pesos.   La torta cuesta **ciento un** pesos.

▶ In Spanish, there is no **y** between hundreds and a smaller number, although *and* is often used in English.

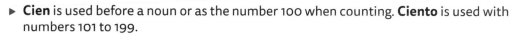

205 (*two hundred and five*)   =   **doscientos cinco**
~~doscientos y cinco~~

▶ When the numbers 200–900 modify a noun, they agree in gender.

trescient**os** alumnos y quinient**as** alumnas

▶ Years above 1000 are not broken into two-digit groups as they are in English.

1971 (*nineteen seventy one*)   =   **mil novecientos setenta y uno**
~~diecinueve setenta y uno~~

▶ Traditionally, Spanish and other romance languages use a dot (.) to mark thousands, and a comma (,) to mark decimals. Most Spanish speakers in the U.S. follow the English convention of marking thousands with a comma and decimals with a dot (or "point," or "period"). Usage varies in Spanish-speaking countries, but it is increasingly becoming commonplace to use the comma for thousands and the dot for decimals.

Las Américas   **Europa**

$121,250.50 $121.250,50

▶ Note the false cognates:

mil millones = *one billion* = 1,000,000,000

un billón = *one trillion* = 1,000,000,000,000

> **¡Atención!**
> When **millón/millones** is immediately followed by a noun, the word **de** must be used. **un millón de pesos, dos millones de euros**; but **un millón doscientos mil quetzales**.

1 **Datos sobre México** Listen to the following numbers and write them down as numerals.

1. _____ la población aproximada de México (en 2020)
2. _____ la frontera entre Estados Unidos y México, en millas (*miles*)
3. _____ el año en que empezó la guerra de independencia de México
4. _____ el número aproximado de hablantes de la lengua indígena náhuatl
5. _____ el número de especies de reptiles que hay en México
6. _____ el año de nacimiento (*birth*) del volcán Paricutín, el más joven del mundo (*world*)

2 **¿En qué año?** Here is a list of some well-known restaurants. Listen to each one and indicate the year that it opened.

Nombre del restaurante	Año
La Diligencia, un antiguo hostal (*old guesthouse*) de Tarragona, España	
Maido, restaurante especializado en cocina nikkei, en Lima, Perú	
Hostería de Santo Domingo, primer restaurante de la Ciudad de México	
Venta de Aires, famoso por sus platos tradicionales, en Toledo, España	
Paladar La Guarida, famoso restaurante familiar, La Habana, Cuba	
Parrilla Don Julio, su especialidad son las carnes de alta calidad, Buenos Aires, Argentina	
Casa Botín, ¡el restaurante más antiguo del mundo![1], en Madrid, España	

Paladar La Guarida, La Habana, Cuba

¿Cuál es el restaurante más antiguo (*oldest*) de esta lista? ¿Sabes (*do you know*) cuál es el restaurante más antiguo de tu ciudad?

3 **¿Cuándo?** In pairs, determine in what year the following events took place, then write out the year in words. Follow the model.

> **Modelo** **Estudiante A lee:** el nacimiento oficial de Internet
> **Estudiante B dice:** *1983* *mil novecientos ochenta y tres*

1. ____ el primer viaje de turismo al espacio   **a.** 1989 _____
2. ____ los Juegos Olímpicos en Londres (*London*)   **b.** 1945 _____
3. ____ el final de la Segunda Guerra Mundial   **c.** 2001 _____
4. ____ la caída del Muro (*wall*) de Berlín   **d.** 2012 _____
5. ____ la independencia de Estados Unidos   **e.** 1776 _____

---
[1] According to *Guinness World Records*.

4 Vamos a cambiar dólares In pairs, imagine one of you is a teller (**cajero/a**) at a money exchange booth and the other is a client. Listen to the amount of dollars your client wants to exchange (**cambiar**) and tell her/him how much money that is in the corresponding currency. Use the exchange rates in the chart below. Follow the model and take turns as the **cajero/a** and **cliente/a**.

País	1 dólar de EE. UU. son	
Bolivia	7	bolivianos
Colombia	4,000	pesos colombianos
Costa Rica	645	colones
Guatemala	8	quetzales
Honduras	25	lempiras
Perú	4	soles

Modelo **Cliente/a:** *Buenos días, quiero cambiar doscientos dólares a quetzales, por favor.*
Cajero/a: *Aquí tiene, mil seiscientos quetzales.*

Estudiante A

Eres el/la cliente/a, vas a visitar estos países. Cambia los dólares indicados y anota el dinero local recibido.

Guatemala	425 dólares	Son _____ quetzales.
Honduras	350 dólares	Son _____ lempiras.
Costa Rica	600 dólares	Son _____ colones.

Estudiante B

Eres el/la cliente/a, vas a visitar estos países. Cambia los dólares indicados y anota el dinero local recibido.

Colombia	425 dólares	Son _____ pesos colombianos.
Perú	600 dólares	Son _____ soles.
Bolivia	725 dólares	Son _____ bolivianos.

5 El precio justo Today you are playing *The Price is Right!* In small groups, guess the price of each of the following items and write it down. A secretary will list your answers on the board to compare them with the correct price (previously determined by your teacher). The group that comes closest to the correct price for the most items, without going over, wins. Remember: In this activity, the teacher is always right!

1. una cena para dos en un restaurante elegante de Miami
2. un apartamento de dos cuartos en el centro de Buenos Aires
3. un televisor de 50 pulgadas (*inches*)
4. la computadora portátil Mac más ligera (*light*) (con opciones básicas)
5. tres noches en un hotel de cinco estrellas (*stars*) en Santo Domingo, República Dominicana
6. la matrícula de un año en la Universidad Nacional de San Marcos, Lima, Perú
7. un carro eléctrico

☐ **I CAN** express large quantities, prices, and dates.

Resources

vhlcentral

SAM

online activities

4. Ask for specific information

 VideoEscenas

Interrogative words

Read and listen to these questions, and observe how some interrogative words have different endings. What do they express?

> ¿Cómo están las papas hoy?

¿Qué quiere usted? **¿Qué** frutas tienen hoy?	**¿Qué?**	What?
¿Cómo están las fresas hoy?	**¿Cómo?**	How?
¿Cuándo llegan las piñas?	**¿Cuándo?**	When?
¿Por qué no hay cerezas?	**¿Por qué?**	Why?
¿Quién es el último (*last in line*)?	**¿Quién/Quiénes?**	Who?
¿De quién es este café? **¿De quiénes** son estos cafés?	**¿De quién/quiénes?**	Whose?
Hay manzanas y peras, **¿cuáles** prefieres?	**¿Cuál/Cuáles?**	Which (one/ones)?
¿Cuánto es en total?	**¿Cuánto?/¿Cuánta?**	How much?
¿Cuántos tomates y **cuántas** peras quiere?	**¿Cuántos/Cuántas?**	How many?
¿Dónde están los ajos?	**¿Dónde?**	Where?
¿Adónde va?	**¿Adónde?**	(To) where?
¿De dónde es esta fruta? ¿Es local?	**¿De dónde?**	From where?

Note the difference between **¿qué?** and **¿cuál?**:

▶ **¿Qué** + noun? When followed by a noun, use **qué.**

   ¿Qué postre deseas?   *What (Which) dessert do you want?*

▶ **¿Qué/Cuál + ser?** When followed by the verb **ser**, use **qué** to ask for a definition or explanation; use **cuál** to ask for specific data or a piece of information.

   ¿Qué es una dirección?   *What is an address?*

An appropriate answer to the question above, with **qué**, would be: *It is the information about where a place is located or where somebody lives.*

   ¿Cuál es tu dirección?   *What is your address?*

An appropriate answer to the question above, with **cuál**, would be: *It is 34 Longwood Avenue.*

▶ **¿Qué/Cuál** + verb? When followed by a verb other than **ser**, use **qué** to ask about a general choice; use **cuál** to ask about a choice among given options.

   ¿Qué quieres comprar?   *What do you want to buy?*

   ¿Cuál quieres, el rojo o el azul?   *Which one do you want, the red one or the blue one?*

Note that all the interrogative words above have written accents. When they appear without it, they often introduce a clause (a secondary thought, with its own verb) rather than ask a question.

que	that, which, who	Siempre voy al mercado **que** está en la plaza.
cuando	when	**Cuando** tengo hambre, voy a la cafetería.
porque	because	Quiero una pizza grande **porque** tengo mucha hambre.

1 **¿Qué palabra interrogativa?** Imagine that one classmate interviewed another for a class assignment. Match the questions with the appropriate answers.

1. ¿Cómo estás?
2. ¿A qué hora es tu primera clase?
3. ¿Dónde prefieres estudiar?
4. ¿Cuándo vas a dormir?
5. ¿Cuál es tu clase favorita?
6. ¿Qué clases tienes?
7. ¿Cuánto cuestan tus libros?
8. ¿A quién pides ayuda con los problemas?
9. ¿Cuántas horas estudias cada día?
10. ¿Cómo es la comida en la cafetería?
11. ¿Qué haces después de las clases?

a. _____ Tres o cuatro.
b. _____ Voy al gimnasio o a la biblioteca.
c. _____ Quinientos dólares más o menos.
d. _____ Muy bien, gracias.
e. _____ Español, historia y biología.
f. _____ A las 9 de la mañana.
g. _____ Buena... a mí me gusta.
h. _____ Normalmente, a medianoche.
i. _____ ¡Español, claro!
j. _____ A mi consejero/a (advisor).
k. _____ En mi cuarto.

2 **¿Qué o cuál?** Select the correct interrogative word, keeping in mind the given answers.

1. —¿(Qué / Cuál) es tu dirección de correo electrónico? —Es mar2@mail.com.
2. —¿(Qué / Cuál) es una manzana? —Es una fruta.
3. —¿(Qué / Cuál) estudias? —Estudio economía y finanzas.
4. —¿(Qué / Cuál) postre desea usted? —Quisiera un helado.
5. —¿(Qué / Cuál) prefiere, el helado de fresa o el de vainilla? —El de fresa.

3 **Vamos a ser honestos** In pairs, imagine that you have been friends for a while, but have not always been honest with each other. Finally you decide to come clean. Take turns telling each other about your secrets and ask for the truth. Add one more secret of your own.

Modelo **Estudiante A:** *La verdad (truth) es que tus raviolis no son mi plato favorito.*
Estudiante B: *¿No? ¿Cuál es tu plato favorito?*
Estudiante A: *Los tamales.*

Estudiante A

1. No me llamo...
2. No tengo... años.
3. No estudio...
4. Mi cantante (singer) favorito/a no es...
5. ...

Estudiante B

1. No soy de...
2. No vivo en una residencia estudiantil.
3. Después de las clases no voy a...
4. Mi película favorita no es...
5. ...

☐ **I CAN** ask for specific information.

México

Antes de leer

🔗 **1. Conocimiento previo** Indicate which statements you think are true about Mexico.

☐ Mexico has a strong Latin American economy.

☐ It's a southern country in North America.

☐ Mexico has one of the smallest populations of indigenous people in Latin America.

☐ Canada is the main economic ally of Mexico.

Ubicado en Norteamérica, al sur de Estados Unidos, México es el tercer país más grande de América Latina. Es un país muy rico por su geografía, sus recursos, su economía, sus tradiciones y su gente. Conoce algunos aspectos destacados de este país.

La Ciudad de México

La Ciudad de México, fundada en 1525, está situada sobre° la antigua capital azteca de Tenochtitlán. Esta ciudad tenía° aproximadamente 200 años como la capital de la civilización azteca cuando llegaron los españoles. Tenochtitlán fue una de las ciudades más grandes de su época en todo el mundo°, con más de 200.000 personas. Tenía un sistema sofisticado de calles, canales y puentes. Mira el video para aprender más sobre esta ciudad hoy día.

▌Ruinas de Tenochtitlán en la Ciudad de México

▌Huasca de Ocampo, primer pueblo mágico de México

Pueblos° mágicos de México

En México hay más de 130 pueblos mágicos en la actualidad. Se llaman "mágicos" porque conservan su arquitectura original, sus tradiciones y su herencia histórica, cultural y natural. La designación de pueblo mágico la realiza° la Secretaría de Turismo desde el 2001, y no es una tarea fácil. Entre otros requisitos°, un pueblo mágico debe tener al menos 20.000 residentes; debe estar a no más de 200 kilómetros de un destino turístico importante; y debe distinguirse por su cocina tradicional, su producción artesanal°, sus símbolos y leyendas.

La riqueza° lingüística

México tiene una de las poblaciones° indígenas más numerosas de Latinoamérica. Desde hace cientos de años, han existido culturas muy diversas como la rarámuri, la zapoteca, la maya y la azteca. Cada cultura tiene un idioma diferente. Hoy, todavía° existen unas 68 de estas lenguas en el territorio mexicano. Palabras como **chocolate**, **aguacate** y **chile** derivan de lenguas indígenas.

Economía

México es un importante exportador de materia prima°, productos manufacturados y agropecuarios°. Es la economía hispana más fuerte del mundo. Estados Unidos es su principal socio comercial y recibe alrededor del 75 % de sus exportaciones. México exporta principalmente productos metálicos, automotrices, maquinaria, aparatos electrónicos, pescado y frutas como el aguacate.

Cine

Después de una gran crisis, el cine mexicano vive un gran auge° en la actuación y la dirección que le dan un reconocimiento internacional. Entre los actores y las actrices, Salma Hayek, Gael García Bernal y Diego Luna son algunos de los más famosos. También hay muchos/as directores/as, como Alfonso Cuarón (*Roma*), Tatiana Huezo (*Noche de fuego*), Alejandro G. Iñárritu (*El renacido*), Natalia Almada (*Todo lo demás*) y Guillermo del Toro (*El callejón de las almas perdidas*).

⎮ Tatiana Huezo, directora y cinematógrafa mexicana

Después de leer

2. Indicar Indicate whether these statements are true (**C**) or false (**F**), based on the text.

1. Mexico is the third largest country in Latin America. ....**C F**

2. The Mexican movie industry is in crisis. ....**C F**

3. Indigenous languages in Mexico are on the brink of extinction. ....**C F**

4. One of Mexico's main exports is cars. ....**C F**

5. The designation of **pueblos mágicos** has existed since precolonial times. ....**C F**

6. Mexican indigenous languages have contributed some words to Spanish. ....**C F**

3. Interactuar In small groups, discuss these questions.

1. What products in your country or culture do you associate with the Mexican culture? What words has your language borrowed from other cultures?

2. Why are **pueblos mágicos** important in the Mexican culture? What places in your country are equivalent to **pueblos mágicos**?

3. Have you ever watched a movie directed by or starring any of the people mentioned in the text? What other prominent Mexicans do you know? What are they known for?

4. Investig@ en Internet Read the strategy and research online one of the topics presented in the reading or a different topic you are interested in. Prepare a brief written or oral report to share with your class, including images or other media as appropriate.

🔍 Estrategia digital: Using extensions

When researching topics online, you may come across words, expressions, or phrases you are unfamiliar with. Web browsers have many free incredible extensions that can help you enhance your comprehension of texts. Extensions/add-ons/plugins appear at the top of a browser usually to the right of the omnibar. These icons when clicked help you interact and engage with websites.

sobre *on top of* tener *to have* el mundo *world* el pueblo *town*
realizar *to carry out* el requisito *requirement* artesanal *handicraft*
la riqueza *richness* la población *population* todavía *still*
la materia prima *raw material* agropecuario/a *agricultural* el auge *boom*

☐ **I CAN** identify one or two products and/or practices from Mexico.

Lectura

Antes de leer

◎ **1. Tu experiencia** Answer these questions.

1. What is your favorite food?

2. Do you have a favorite dish or recipe that includes that food?

> **Estrategia de lectura: Using text format and visuals**
> Becoming familiar with the topic and main ideas of the text will greatly help you interpret it correctly when you read it in detail. Recognizing a particular text format and paying attention to any visuals and their captions can give you a good sense of what the text is about.

A leer

◎ **2. Aplicar** Read the strategy and answer these questions.

1. Look at the image. What type of food is it, a main dish or a dessert? What ingredients do you think you need to make it?

2. Read the title of the blog post. Then pay attention to the text's format and visuals. Answer these questions:
   • What is this text about?
   • What two types of text are present?
   • What textual and visual cues helped you identify them?

3. Read the text, focusing on the main ideas. Try to identify cognates, guess the meaning of unknown words based on the context, and ignore others you do not understand.

el dios *god* **el mundo** *world* **la salud** *health* **dulce** *sweet* **amargo/a** *bitter*
en la actualidad *currently* **la mitad** *half* **disfrutar** *to enjoy* **ayudar** *to help*
puro/a *semi-sweet* **derretido/a** *melted* **el queso crema** *cream cheese*
el azúcar en polvo *confectioner's sugar* **las chispas** *sprinkles*

¿Qué quiero cocinar? Sobre mí   Recetas

Chocolate
comida de dioses°

Si es usted como yo, le gusta el chocolate. En sus múltiples variantes, el cacao es el protagonista de desayunos, meriendas, postres y celebraciones en gran parte del mundo°. Y, al contrario de la opinión general, tiene muchas propiedades beneficiosas para la salud°.

Aunque hoy en día el chocolate es dulce°, el término original náhuatl "chocolātl" significa agua amarga°. Su consumo en Centroamérica data del 1500 A.C., cuando los olmecas tomaban una bebida de cacao fermentado. Los mayas, y más tarde los aztecas, mezclaban cacao molido con agua, harina de maíz, vainilla y chile en un néctar reservado para ofrendas a los dioses. El fruto del *Theobroma cacao* ("comida de dioses"), preparado en una bebida caliente con azúcar, conquistó a la aristocracia europea del siglo XVII. Poco a poco el chocolate original evolucionó a productos que consumimos ahora y su magia llega ya a todas las clases sociales.

En la actualidad°, la mayoría de los casi 5 millones de toneladas de cacao producidas cada año provienen de Costa de Marfil y Ghana. En el continente americano, solamente Brasil y Ecuador tienen una producción importante de cacao. Pero ¿quién come todo este chocolate? Los europeos consumen la mitad°, especialmente suizos, alemanes y belgas, con 8 a 9 kilos anuales per cápita, mientras que los estadounidenses consumen unos 4,4 kilos.

Sin duda el chocolate tiene un papel fundamental en nuestra cultura. Simboliza el placer, el amor, la festividad, y así está presente en casi todas las celebraciones. Además ahora su sabor no es la única razón para disfrutarlo°: varias investigaciones recientes demuestran que el chocolate no es un factor importante en la obesidad y además ayuda° a prevenir problemas cardiovasculares, disminuye el colesterol malo, y estimula la serotonina, con un efecto positivo en nuestro estado mental.

Receta de trufas de chocolate

Ingredientes:

- 500 gramos (18 onzas) de chocolate puro°, derretido°
- 1 paquete (8 onzas) de queso crema°
- 350 gramos (12 onzas) de azúcar en polvo°
- 1½ cucharadita de vainilla
- Cacao en polvo o chispas° de chocolate
- Moldes de papel para trufas

Elaboración:

1.

En un bol grande, batir el queso crema.

2.

Añadir el azúcar en polvo gradualmente, batiendo para incorporar.

3.

Añadir el chocolate derretido y la vainilla, mezclando bien.

4.

Refrigerar la mezcla por una hora.

5.

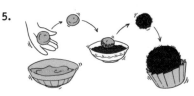

Formar bolitas con la mezcla, pasar por cacao en polvo o chispas de chocolate y poner en los moldes de papel.

Después de leer

3. Indicar Indicate if the following statements are true (**cierto**) or false (**falso**), according to the text. If they are false, correct them.

a. Muchas personas piensan que el cacao es muy sano.

b. En Centroamérica, el consumo de cacao tiene más de 3.000 años.

c. Los mayas y los aztecas ofrecían (*offered*) bebidas de cacao a sus dioses.

d. En la Europa del siglo XVII, la aristocracia europea comía (*ate*) chocolate con azúcar.

e. Un alemán come aproximadamente la mitad de chocolate que (*than*) un estadounidense.

f. El chocolate no causa obesidad.

4. Ordenar The steps to make truffles got mixed up. Number them in the correct order.

_1_ Batir el queso.

___ Enfriar.

___ Dar forma a las trufas.

___ Cubrir (*Cover*) las trufas.

___ Mezclar el cacao y la vainilla con el queso azucarado.

___ Incorporar el azúcar.

5. Describir In small groups, tell your classmates what you can and like to cook, what the ingredients are and try to explain how to make it.

Palabras útiles	
asar *to roast*	hervir *to boil*
cortar *to cut*	hornear *to bake*
freír *to fry*	pelar *to peel*

Resources

vhlcentral

online activities

☐ **I CAN** identify ideas in a text about chocolate.

Video: Plátanos ecológicos

Antes de ver el video

1 En tu experiencia Answer the questions.

1. What fruits do you like best? Do you know where they were originally cultivated?
2. When you buy fruit and vegetables, do you pay attention to where and how they were grown? How important is that information to you?

> **Estrategia de comprensión auditiva: Silent viewing**
>
> Visual information can help us greatly when watching a video; we can learn about the context, events, and people involved, and use this information to better comprehend what we hear. To get the most out of that visual information, watch the video without any sound first. This will allow you to focus on what you see and to anticipate and interpret what is being said. This exercise will also help you train yourself to pay attention to all those visual cues when watching Spanish-language series or movies.

A ver el video

You are going to watch a news clip on organic banana production in the Dominican Republic.

2 Aplicar Read the strategy. Then, view the video without sound and pay attention to the places, people and things you see. Finally, in small groups, share all the details you remember.

3 Indicar Before you watch the video again, look at the words in the **Palabras útiles** box. Watch and listen to the video and say whether the following statements are true (**cierto**) or false (**falso**). Rewrite the false statements to make them correct.

Duración: 2:17
Fuente: Deutsche Welle

1. En la República Dominicana se cultivan pocas bananas orgánicas.
2. La República Dominicana exporta muchos plátanos a Europa y a Estados Unidos.
3. Zaura quiere conectar a las personas de la ciudad con los productos del campo.
4. La fruta orgánica cuesta más en Terra Verde.

4 Completar Complete the following sentences with any information you might remember. Then, watch the video again to check and complete your answers.

1. Los plátanos van a las islas Canarias en el siglo _____ y más tarde llegan a _____.
2. Zaura trabaja con _____ productores de verduras y frutas _____.
3. Terra Verde promueve y _____ productos orgánicos dentro de la República Dominicana.
4. Ahora más dominicanos quieren saber (*know*) _____ viene su comida.

Después de ver el video

5 Analizar Zaura Muñiz explains that organic produce is more expensive, so the demand often starts with wealthier people and then extends to others. In small groups, discuss the accessibility and affordability of organic and local produce in the area where you live, and whether that is changing.

> **Palabras útiles**
>
> la agricultura
> *farming*
>
> el cambio
> *change*
>
> concientizar
> *to raise awareness*
>
> cultivar
> *to grow*
>
> dispararse
> *to skyrocket*
>
> el poder adquisitivo
> *purchasing power*
>
> promover
> *to promote*
>
> venir
> *to come*

☐ **I CAN** identify ideas in a video from the Dominican Republic about organic bananas.

Resources

vhlcentral | online activities

Proyecto oral: El camión restaurante

Your town is hosting a food truck competition. The first prize is funding for a new food truck on your campus or in your small town. In small groups, you will develop and present your plan for a food truck that you believe will be a great success for that market. As you prepare, take a few minutes to review the vocabulary and grammar from this chapter and write down key words you would like to include.

¡Atención!

Ask your instructor to share the **Rúbrica de calificación** (*grading rubric*) to understand how your work will be assessed.

Estrategia de comunicación oral: Using nonverbal communication

Your facial expressions, body language, and general attitude all help convey your message and establish a relationship with the people with whom you speak. Think about your objectives when presenting this project and how nonverbal communication can support them, such as expressing solidarity and eliciting agreement with your ideas or conveying professionalism and confidence in your presentation.

Paso 1 With your group, discuss and jot down your ideas for the food truck.

- **Concepto** Escriban una introducción de su empresa (*business*) y qué tipo de comida va a servir. Pueden incluir preguntas y datos interesantes para atraer la atención de los clientes.
- **Nombre del restaurante y ubicación** ¿Cómo se llama su camión? ¿Dónde está el camión?

> **Modelo** *¿Qué vas a comer esta noche? ¿Quieres descansar de la comida de la cafetería? ¿Te gusta la comida rica, sustentable y a un precio justo? Bienvenidos a EcoTaco. EcoTaco es el camión restaurante perfecto para nuestro campus. ¿Por qué? Porque tiene un menú... Puedes encontrar (find) nuestro camión... Los lunes estamos cerca de (near) la librería.*

Paso 2 Create your menu. Each food item should include a name, brief description, price, and an image. Explain which ones you like. You could include:

- cinco platos principales variados
- cinco platos pequeños
- tres bebidas
- dos postres

Paso 3 Present the proposal for your food truck based on **Pasos 1** and **2**. Assign one part of the presentation to each member of the group, so all get to participate. It should be about three minutes long. Include:

- a catchy introduction to your concept and an overview of the food style. Explain why you chose it. Remember, questions are a good way of grabbing the audience's attention. Also, use your body language to convey professionalism and confidence.
- visual support that includes description of each menu item with prices and images.

Palabras útiles

el acompañamiento
side dish

el aperitivo
appetizer

la comida a domicilio
food delivery

la comida para llevar
take-out meal

el plato principal
main dish

el precio
price

☐ **I CAN** present a proposal for a food truck.

Proyecto escrito: Comer en la universidad

As a student, you have a lot of opinions about the food options in your university and/or where you live. You will choose an audience and describe your experiences about eating there. As you prepare, take a few minutes to review the vocabulary and grammar from this chapter and write down key words you would like to include.

> **¡Atención!**
>
> Ask your instructor to share the **Rúbrica de calificación** (*grading rubric*) to understand how your work will be assessed.

> **Estrategia de redacción: Considering audience and type of text**
>
> The audience (whom you are writing for) and the type of text, such as a letter, an e-mail, or an essay, greatly determine the content, form, and type of language you should use. If you are writing an e-mail about your first weeks in college to your freshman advisor, the content, form, and level of formality will be different from what you would write about the same topic in a social media post.

Paso 1 Decide on an audience for your text and consider ideas about what type of information and what style are appropriate for a text about your eating experiences on campus or where you live.

a. an e-mail to a close relative who sometimes sends you money for school

b. a report requested by the Director of Dining Services to assess student satisfaction with campus dining

For each type of text, consider:

- **Audience and purpose** What would be your goal in each case? What would you be trying to convey and for what purpose? What do you hope to achieve with this piece of writing?
- **Content** What type of information would be relevant and appropriate in each case? Are there any ideas or details that may be appropriate for one of the options but not the other?
- **Writing format** How are the two types of writing different in the content and format of the text?
- **Tone and style** What level of formality would be appropriate in each text? What vocabulary choices are suitable in each case? Would you use **tú** or **usted**?

Paso 2 Select one of the options described in **Paso 1** and start planning your writing.
- Develop an idea map with clusters of ideas, supporting details, and examples. Then, select the most relevant ideas, considering your audience and type of text.
- Consider how to organize your ideas in paragraphs and what details to include in each paragraph. The text should follow a logical sequence and ideas should be connected.
- Review the writing strategies and connectors in previous chapters as you plan your writing.

> **Para escribir mejor:** Always try to express your ideas using the language that you already know. However, when you look up a word, pay attention to the word category (noun, verb, adjective, etc.). Using the example "I can fly to New York," look up the words *can* and *fly* in a reputable online dictionary, using the "English to Spanish" section, and write what you find.
>
> Can you identify any potential issues? What is the correct translation of "I can fly to New York"?

Paso 3 Write a text of approximately 150-200 words with the format and audience you have selected describing your experiences eating on campus. Be prepared to share your project with the class.

☐ **I CAN** describe my experience eating on campus.

Resources

vhlcentral

Audio: Vocabulary Tools

Las comidas del día *Meals*

el almuerzo *lunch*
la cena *dinner*
el desayuno *breakfast*

Las legumbres y las verduras
Legumes and vegetables

el brócoli *broccoli*
la cebolla *onion*
los frijoles *beans*
los guisantes *peas*
las judías verdes *green beans*
la lechuga *lettuce*
el maíz *corn*
la papa/la patata *potato*
las papas fritas *French fries*
el tomate *tomato*
la zanahoria *carrot*

Las frutas *Fruits*

el aguacate *avocado*
la banana/el plátano *banana*
la cereza *cherry*
la fresa *strawberry*
el limón *lemon*
la mandarina *mandarin, tangerine*
la manzana *apple*
el melocotón/el durazno *peach*
la naranja *orange*
la pera *pear*
la piña *pineapple*
la sandía *watermelon*
la uva *grape*

Las carnes, los pescados y los mariscos *Meat, fish, and seafood*

el bistec *steak*
el camarón *shrimp*
la carne de res *beef*
el cerdo *pork*
la chuleta (de cerdo) *pork chop*
la hamburguesa *hamburger*
el jamón *ham*
la langosta *lobster*
el pavo *turkey*
el pescado *fish*
el pollo *chicken*
la salchicha *sausage*
el salmón *salmon*
el tocino *bacon*

Las bebidas *Beverages*

el agua *water*
el café *coffee*
la cerveza *beer*
el jugo *juice*
la leche *milk*
el refresco *soda drink*
el té *tea*
el vino *wine*

Los postres *Desserts*

la galleta *cookie*
el helado *ice cream*
  de chocolate *chocolate*
  de vainilla *vanilla*
el pastel *pie, pastry*
la torta *cake*

Otras comidas y condimentos
Other foods and condiments

el aceite *oil*
la aceituna *olive*
el ajo *garlic*
el arroz *rice*
el azúcar *sugar*
el cereal *cereal*
la ensalada *salad*
el hielo *ice*
el huevo *egg*
los huevos revueltos/fritos *scrambled/ fried eggs*
la mantequilla *butter*
la mermelada *jam*
el pan *bread*
el pan tostado *toast*
la pimienta *pepper*
el queso *cheese*
la sal *salt*
el sándwich/el bocadillo *sandwich*
la sopa *soup*
el vinagre *vinegar*

En el restaurante *At the restaurant*

la cuenta *check, bill*
el menú *menú*
el/la mesero/a *waiter/waitress*
el restaurante *restaurant*

En la mesa *At the table*

la copa *goblet*
la cuchara *spoon*
la cucharita *teaspoon*
el cuchillo *knife*
el plato *plate*
la servilleta *napkin*
la taza *cup*
el tenedor *fork*
el vaso *glass*

Las acciones, los deseos y las preferencias

almorzar (ue) *to have lunch*
cocinar *to cook*
comprar *to buy*
costar (ue) *to cost*
desear *to wish, to desire*
dormir (ue) *to sleep*
entender (ie) *to understand*
gustar *to like*
  me gustaría *I would like*
necesitar *to need*
pedir (i) *to ask for, to order*
pensar (ie) *to think*
poder (ue) *to be able, can*
preferir (ie) *to prefer*
preparar *to prepare*
querer (ie) *to want, to love*
servir (i) *to serve*
tener (irreg.) hambre *to be hungry*
tener sed *to be thirsty*
tomar *to take, to drink*
vender *to sell*
volver (ue) *to return, to go back*

Los adverbios y las expresiones enfáticas

See pages 106 and 117.

Los adjetivos, las expresiones adjetivales y las preposiciones

See page 112.

Los números del 100 en adelante

See page 119.

Las palabras interrogativas y las conjunciones

See page 122.

131

Capítulo 5

Nuestro tiempo libre

Learning Objectives
In this chapter, you will:

- Participate in conversations about leisure activities and the weather.
- Describe people, places, and things.
- Identify aspects about social life in the Spanish-speaking world.
- Explore and research Cuba and the Dominican Republic.
- Identify ideas in written and oral texts.
- Make plans for a day off with friends.
- Create a page for your school's portal on leisure time resources at your university.

Así se pronuncia Sounds of **z**, **s**, **c**, **qu**
VideoEscenas Un fin de semana en Sevilla

Las actividades divertidas Responde a las preguntas.

1. Indica las tres actividades que haces con más frecuencia en tu tiempo libre (*free time*).

☐ escuchar música

☐ leer por interés personal

☐ hacer ejercicio o deporte

☐ usar Internet o redes sociales

☐ ver la televisión o series

☐ pasar tiempo con familia y amigos

☐ otra actividad: _____

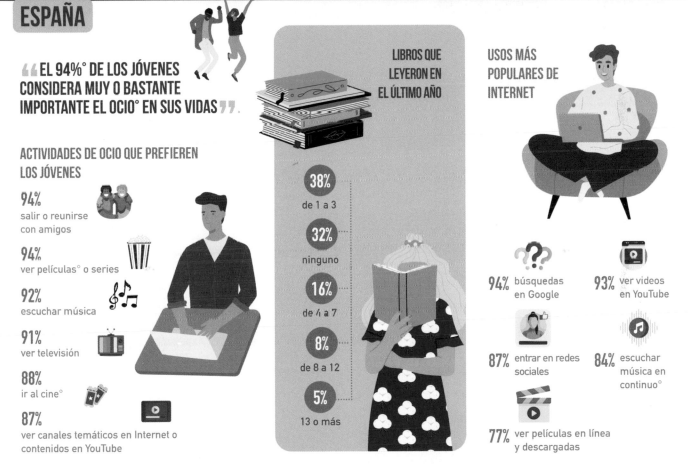

LOS JÓVENES Y EL OCIO

ESPAÑA

EL 94%° DE LOS JÓVENES CONSIDERA MUY O BASTANTE IMPORTANTE EL OCIO° EN SUS VIDAS

ACTIVIDADES DE OCIO QUE PREFIEREN LOS JÓVENES

94% salir o reunirse con amigos

94% ver películas° o series

92% escuchar música

91% ver televisión

88% ir al cine°

87% ver canales temáticos en Internet o contenidos en YouTube

LIBROS QUE LEYERON EN EL ÚLTIMO AÑO

38% de 1 a 3

32% ninguno

16% de 4 a 7

8% de 8 a 12

5% 13 o más

USOS MÁS POPULARES DE INTERNET

94% búsquedas en Google

93% ver videos en YouTube

87% entrar en redes sociales

84% escuchar música en continuo°

77% ver películas en línea y descargadas

Fuente de datos: Observatorio de la Juventud en Iberoamérica

% (por ciento) *per cent* **el ocio** *leisure* **la película** *movie* **el cine** *movie theater* **en continuo** *streaming*

2. Observa la infografía e indica si las oraciones son ciertas (**C**) o falsas (**F**).

1. A muchos jóvenes les gusta ver películas. .... **C F**

2. Casi todos los jóvenes leen trece libros en un año. .... **C F**

3. Muy pocos hacen búsquedas en Google. .... **C F**

4. Los jóvenes piensan que las actividades de ocio son importantes. .... **C F**

3. En grupos pequeños comenten los datos de la infografía.

- ¿Qué es interesante? ¿Qué es sorprendente? ¿Cómo son ustedes similares y diferentes?
- La infografía indica que el ocio es muy importante para los jóvenes españoles. ¿Y para ustedes?

Nuestro tiempo libre

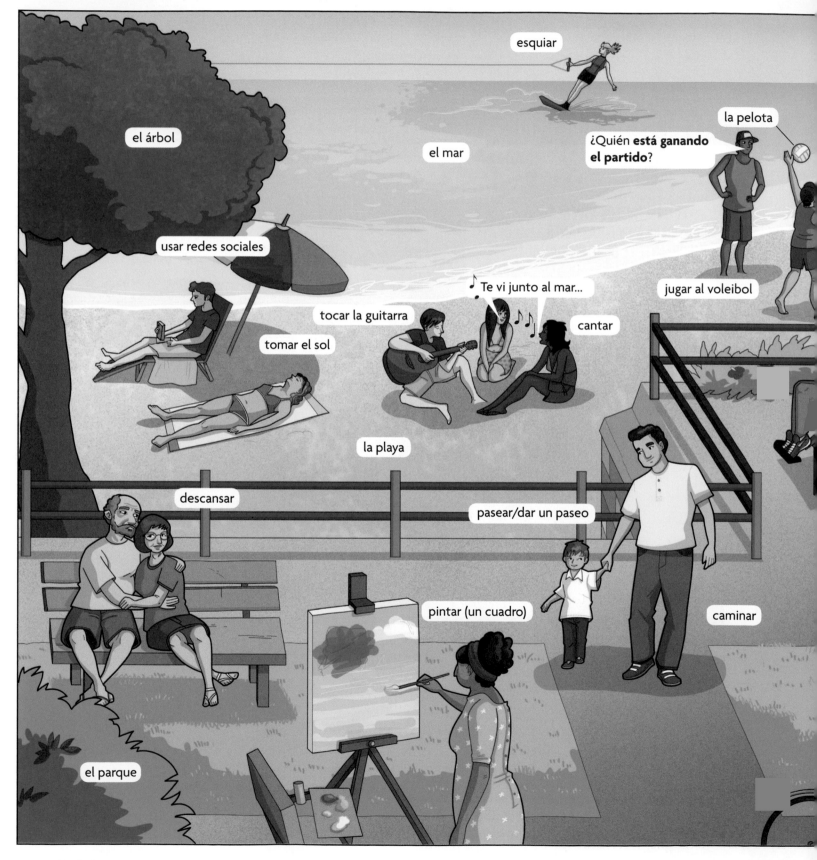

nadar

¡Yo nunca **pierdo**!

practicar (un deporte)

hacer ejercicio

las flores

levantar pesas

correr

montar en bicicleta

Apoyo de vocabulario

caminar	to walk
cantar	to sing
dar un paseo	to take a walk, to take a stroll
descansar	to rest
ganar	to win
jugar (ue)	to play
al básquetbol/baloncesto	basketball
al béisbol	baseball
al fútbol	soccer
al fútbol americano	football
al tenis	tennis
hacer ejercicio	to exercise
deporte	to play sports
el mar	sea
el partido	game, match
perder (ie)	to lose
practicar (un deporte)	to practice (a sport)
tocar (un instrumento)	to play (an instrument)
tomar el sol	to sunbathe
usar redes sociales	to use social media

¡Atención!

Remember that the letters in parentheses following a verb—for example, **jugar (ue)**, **perder (ie)**—indicate a stem change in the present tense.

¿Qué observas? Contesta las preguntas sobre la imagen.

1. ¿Cuántas personas hay en el mar? ¿Quién esquía en el mar: la mujer o el hombre? Y, ¿qué hace la otra persona?

2. Hay un grupo de amigos en la playa. ¿Qué hace el chico?, ¿toma el sol?, ¿juega?, ¿toca la guitarra? Y sus amigas, ¿tocan un instrumento?, ¿cantan?

¿Y tú? Contesta las preguntas sobre ti mismo/a.

1. ¿Haces ejercicio o deporte en tu tiempo libre? ¿Prefieres correr, montar en bicicleta o nadar?

2. ¿Hay espacios con árboles y flores en tu campus o ciudad (town)?

3. ¿Te gusta pasar tiempo libre en un parque o en la naturaleza?

1 ¿Cómo pasas tu tiempo libre? Vas a compartir las actividades que haces.

Paso 1 Individualmente, indica cuál o cuáles de estas descripciones asocias con las actividades de la lista: **dinámica**, **sedentaria**, **relajante**, **creativa**. Después, añade (*add*) al menos una actividad más de tiempo libre que asocias con cada característica.

caminar	descansar	jugar al voleibol	pintar un cuadro
cantar	esquiar	levantar pesas	tocar un instrumento
correr	hacer ejercicio	montar en bicicleta	tomar el sol
dar un paseo	jugar al baloncesto	nadar	usar redes sociales

Paso 2 Escribe oraciones (*sentences*) indicando actividades que (*that*) haces con frecuencia, actividades que haces a veces y actividades que no haces nunca. Añade detalles relevantes.

> **Modelo** *Casi todos los días corro en el gimnasio o en el parque.*

Paso 3 En grupos pequeños, comparen y comenten sus respuestas para los **Pasos 1** y **2**. Considerando sus actividades de tiempo libre, ¿quién es activo/a, tranquilo/a o creativo/a?

Nota cultural

El ritmo hispano

Music and dancing are a central part of Dominican culture. **Merengue** and **bachata** were born in the Dominican Republic, but they are very popular in all of Latin America. Cuban **son** is also a widespread musical genre that is danced in many countries. And Colombian **cumbia** has fans in countries like Mexico, Chile, and Argentina. Nowadays, **reggaeton**, originally from Puerto Rico, is also danced in most of the Americas and Spain.

2 ¿Qué me recomiendas? Vas a dar y compartir sugerencias.

Paso 1 En parejas, Estudiante A explica su situación a Estudiante B. Este/a escucha y ofrece una sugerencia que Estudiante A escribe. Túrnense (*take turns*).

> **Modelo** **Estudiante A lee:** *Me gustan las actividades rápidas (fast).*
> **Estudiante B sugiere (suggests):** *Te recomiendo jugar al baloncesto y correr.*

Estudiante A

1. Quiero expresarme artísticamente.
2. Quiero practicar un deporte con otra persona.
3. Quiero estar al aire libre (*outdoors*), pero no puedo correr.
4. Me gusta mucho el agua.

Estudiante B

1. Quiero estar más fuerte.
2. Quiero reducir mi estrés.
3. Quiero hacer actividades con mi perro.
4. Soy muy competitivo/a.

Paso 2 En grupos pequeños, comparte (*share*) las sugerencias de tu compañero/a. Después explica: ¿estás de acuerdo (*do you agree*) con sus sugerencias? ¿Tiene el grupo otras sugerencias?

3 **¿Qué te gusta hacer?** Quieres hacer más actividades en tu tiempo libre pero no tienes muchos/as amigos/as con intereses similares. ¿Hay algunos/as (*some*) en tu clase de español?

Paso 1 Individualmente, escribe una lista con tres actividades que haces o que son interesantes para ti. Puedes incluir:

- tipos de ejercicio o deportes
- actividades creativas y culturales
- actividades sociales

> ### Palabras útiles
>
> hacer fotografía/artesanías   *to do photography/crafts*
> hacer trabajo voluntario   *to do volunteer work*
> jugar (a las cartas/al ajedrez)   *to play (cards/chess)*
> practicar yoga/pilates   *to practice yoga/pilates*
> ver películas/videos   *to watch movies/videos*

Paso 2 En grupos pequeños, conversen sobre sus actividades y pregunten a sus compañeros/as sobre los detalles.

> **Modelo** **Estudiante A:** *¿Qué te gusta hacer en tu tiempo libre?*
> **Estudiante B:** *Me gusta correr.*
> **Estudiante C:** *¿Dónde corres: en el gimnasio o afuera (outdoors)?/*
> *¿Corres todos los días?/¿Corres por la mañana o por*
> *la noche?, etc.*

Paso 3 Escojan (*Choose*) una actividad para hacer juntos/as (*together*). Decidan qué día, a qué hora y dónde.

Nota cultural

El dominó

Dominoes is a favorite pastime in the Caribbean. Both in the Dominican Republic and in Cuba, one hears a constant "click" of the **fichas** (individual tiles) on a table. Although it may seem like a simple game, Caribbean **dominó** is full of suspense, energy, and strategy, as well as often being played for money. Partners know each other's style and hand signals and which **fichas** have not yet been played.

Otras actividades y deportes

Isabela y Elisa hablan sobre sus actividades de ocio (leisure).

Cuando tengo tiempo libre durante el día, casi siempre miro mi teléfono porque **me encantan** las redes sociales. Por la noche, normalmente **veo la tele** antes de dormir porque no me gusta leer. Los fines de semana **limpio** en mi casa y cocino con mi mejor amiga o **vamos de compras**. Me gusta mucho el básquetbol. Ahora no juego en un **equipo** pero a veces **juego videojuegos** de básquetbol y veo en la tele los partidos de mi equipo favorito, los Spurs de San Antonio. Los sábados por la noche mis amigos y yo casi siempre vamos a un club porque **nos encanta** la música y **bailar**.

—Isabela

No tengo mucho tiempo libre, pero cuando no tengo tarea, me gusta estar activa. Los **deportes me encantan**. Juego en un **equipo** de fútbol y también juego al tenis a veces, pero casi nunca veo partidos en la televisión. Muchos fines de semana mis amigos y yo visitamos lugares diferentes para pasar el día. Casi siempre **viajamos** en mi carro porque **me encanta manejar**. Durante el viaje escuchamos música y cantamos, es muy divertido. Otros fines de semana vamos a **fiestas** y **bailamos**. También me gusta **ir de compras**, pero mis amigos compran más en Internet y no quiero ir sola. Cuando quiero relajarme, **solo** necesito una **serie** en la tele o un buen libro.

—Elisa

Apoyo de vocabulario

bailar	*to dance*	manejar	*to drive*
encantar	*to love*	la serie	*(TV) series*
el equipo	*team*	solo	*only*
la fiesta	*party*	ver la televisión	*to watch TV*
ir de compras	*to go shopping*	viajar	*to travel*
limpiar	*to clean*	el videojuego	*videogame*

Nota de lengua

Note that sentences with **encantar** have a similar structure to those that use **gustar**.

| Me **gusta** bailar. | → | Me **encanta** bailar. |
| Me **gustan** los deportes. | → | Me **encantan** los deportes. |

1 **Isabela y Elisa** Vas a identificar quién hace varias actividades.

Paso 1 Individualmente, escucha estas oraciones (*statements*) y decide si se refieren a Isabela, a Elisa o a las dos (*both*).

	Isabela	Elisa		Isabela	Elisa		Isabela	Elisa		Isabela	Elisa
1.	☐	☐	**3.**	☐	☐	**5.**	☐	☐	**7.**	☐	☐
2.	☐	☐	**4.**	☐	☐	**6.**	☐	☐	**8.**	☐	☐

Paso 2 En grupos pequeños, respondan a estas preguntas (*answer these questions*): ¿Tienen Isabela y Elisa muchos intereses y hábitos en común? Isabela y Elisa van a pasar un fin de semana juntas. ¿Pueden hacer un plan para ellas?

2 **¿Compañeros/as de cuarto?** En parejas, hablen sobre sus costumbres y actividades, con detalles como dónde, cuándo y con qué frecuencia hacen cada una (*each one*). Después decidan si (*whether*) ustedes son compatibles como compañeros/as de cuarto (*roommates*) o no.

> **Modelo** **Estudiante A:** *Nunca veo la televisión.*
> **Estudiante B:** *Yo sí, pero no todos los días. Solo veo deportes los sábados y domingos.*
>
> **Estudiante A:** *Cristina y yo (no) somos compatibles como compañeras de cuarto/ apartamento porque...*

1. tocar un instrumento/cantar
2. caminar/montar en bicicleta/manejar para ir a clase o ir de compras
3. hacer reuniones (*get-togethers*) o fiestas para escuchar música y bailar
4. hacer ejercicio
5. ir de compras
6. limpiar mi cuarto/apartamento
7. escuchar música rock/pop/country en mi cuarto
8. jugar videojuegos

3 **Mis actividades favoritas** En grupos, van a hablar sobre sus actividades favoritas y sobre cuál quieren probar (*want to try*).

Paso 1 Individualmente, escribe una lista de tus actividades favoritas. Añade (*add*) detalles como cuándo haces estas actividades, dónde o con quién.

Paso 2 En grupos pequeños, compartan sus listas. Escucha a tus compañeros/as y pide detalles de las actividades más interesantes para ti. Toma notas.

Paso 3 Escribe sobre (*Write about*) una actividad de las listas de tus compañeros/as que te parece interesante (*seems interesting to you*) o quieres probar (*you want to try*).

> **Modelo** *Quiero tocar la guitarra, como (like) Roberto, porque... / Roberto toca la guitarra. Es interesante porque...*

Resources

vhlcentral

SAM

online activities

☐ **I CAN** describe hobbies, pastimes, and activities.

Los colores

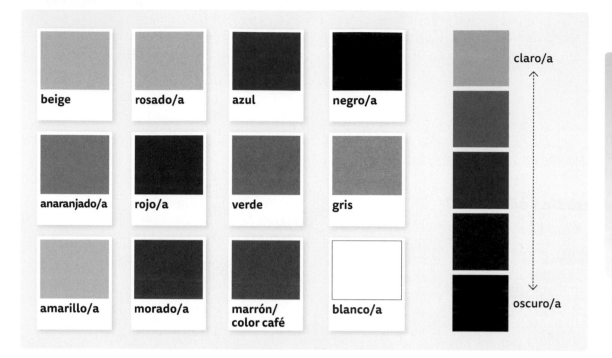

beige | rosado/a | azul | negro/a
anaranjado/a | rojo/a | verde | gris
amarillo/a | morado/a | marrón/ color café | blanco/a

claro/a

oscuro/a

¿Qué observas? ¿Es el negro un color claro? ¿Qué colores combinas para hacer el anaranjado? ¿Y para hacer el morado? ¿Para hacer el verde? ¿Para hacer el rosado?

¿Y tú? ¿Cuál es tu color favorito en general? ¿Qué color usas más para tu ropa (*clothing*)? ¿Hay un color que no te gusta o no usas? ¿Por qué?

1 La psicología de los colores Vas a compartir tu opinión sobre los colores.

Paso 1 Los psicólogos afirman que los colores evocan diferentes sentimientos. Individualmente, indica qué color, en tu opinión, está asociado con cada (*each*) descripción.

amor, pasión y peligro (*danger*)

naturaleza y optimismo

elegancia y lujo, misterio y muerte (*death*)

tranquilidad, inteligencia y seguridad

seriedad y equilibrio, también tristeza

luz (*light*) y abundancia, también envidia

energía positiva, juventud (*youth*)

sensibilidad (*sensitivity*), amabilidad

creatividad e imaginación

comodidad, seguridad y protección

inocencia, pureza y paz (*peace*)

tranquilidad y calidez (*warmth*)

Paso 2 En parejas, comparen sus respuestas del **Paso 1**. ¿Están de acuerdo? (*Do you agree?*)

2 Alimentos coloridos En parejas, y en cinco minutos, escriban el mayor (*largest*) número posible de alimentos (*food items*) o bebidas de cada color. ¿Qué pareja tiene más?

3 **¿Cuáles son tus colores?** Vas a escuchar y luego conversar sobre los colores de los equipos deportivos (*sports teams*).

Paso 1 Individualmente, escucha las descripciones de las camisetas (*jerseys*) de cinco equipos populares de fútbol y béisbol. Empareja (*Match*) el nombre del equipo con la foto correspondiente.

1. Boca Juniors _____
2. Águilas Cibaeñas _____
3. River Plate _____
4. Club América _____
5. Leones de Ponce _____

Palabras útiles

la camiseta
jersey/t-shirt

el pantalón (corto)
pants (shorts)

la raya
horizontal/vertical/
diagonal
stripe

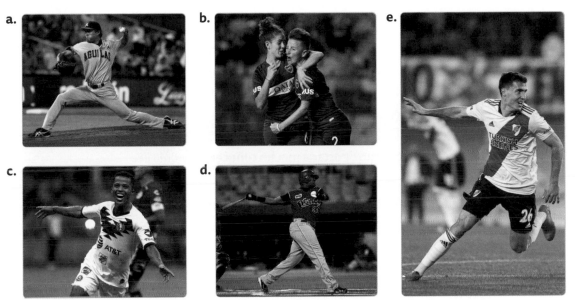

a.

b.

e.

c.

d.

Paso 2 En grupos pequeños, describan los colores de un equipo deportivo popular. Después van a leer su descripción a la clase y sus compañeros/as tienen que adivinar (*have to guess*) el equipo.

> **Modelo** *Su camiseta es... Juegan al baloncesto/béisbol...*

En mi experiencia

Lena, Urbana, IL

In Spain, the colors of a sports team are a key part of its identity. Sports journalists often refer to a team by its colors, literally or through metaphors, so "**el equipo blanco**" or "**los merengues**" refers to Real Madrid, while Atlético de Madrid is "**el equipo rojiblanco**" or "**los colchoneros**" because of their red and white striped jersey; apparently mattresses (**colchones**) used to have red and white striped covers. Many people are loyal to their local team, and rivalries can be really intense!

Do you identify with a sports team? If so, why that team? What are its colors?

Resources

vhlcentral

SAM

online
activities

☐ **I CAN** discuss colors.

1. Discuss activities in the present

Some *yo*-irregular verbs

Saber and *conocer*

Read and listen to this text and observe the use of the verbs **saber** and **conocer**. What meaning do they convey? Can you identify the contexts where each one is used? Do you notice any forms that do not fit other verb patterns you know?

> **Magali:** ¿**Conoces** Brooklyn? ¿**Sabes** que allí viven muchos hispanos de Puerto Rico y la República Dominicana?
>
> **Ángel:** Sí, ya lo **sé**. ¿Y tú **sabes** dónde viven muchos hispanos de descendencia cubana? En Florida, especialmente en Miami.
>
> **Magali:** Claro (*Of course*). ¿**Sabes** quién vive en Miami? Mi prima Mirta, una chica muy bonita, que **sabe** bailar muy bien.
>
> **Ángel:** Pues no **conozco** a tu prima, pero ¡me gustaría mucho **conocer**la (*I would like to meet her*)!

Both **saber** and **conocer** mean *to know*, but have different uses. First, observe their forms.

saber		conocer	
sé	sabemos	**conozco**	conocemos
sabes	sabéis	conoces	conocéis
sabe	saben	conoce	conocen

▶ **Saber** describes the kind of knowledge that one learns, such as *facts* or *a piece of information* or *a skill one develops*. Notice that when **saber** means *to know how to*, it is followed by an infinitive.

Sé dónde vive Mirta.　　　　　Ella **sabe** bailar muy bien.

▶ **Conocer** means *to know in the sense of being acquainted or familiar with persons, places, or things*. It also means *to meet for the first time*. Observe that when **conocer** means *to know a person*, it is followed by **a personal**.

Conozco a Magali. Ella **conoce** bien la ciudad de Miami.

Quiero **conocer a** su prima Mirta.

¿**Conoces** los tipos de bailes de Cuba? Yo **conozco** el danzón y el mambo.

▶ Notice the difference between these two sentences:

Sé quién es el profesor Velasco.　　*I know who Professor Velasco is.*
Conozco al profesor Velasco.　　　*I know Professor Velasco.*

▶ Note the difference in use between **saber** (*to have the know-how, ability to do something*), and **poder** (*to be able to do something*) when talking about activities.

No **sé** bailar salsa.　　　　　*I can't (I don't know how to) dance salsa.*

No **puedo** bailar salsa aquí.　　　*I am not able to dance salsa here (because there is not enough space, etc.).*

1 Tu experiencia
Vas a comentar sobre tus conocimientos del mundo hispano.

Paso 1 Individualmente, indica qué afirmaciones son ciertas para ti y luego escribe la información indicada.

1. Sé escribir los nombres de cinco deportes en español.
2. Conozco a tres personas de países hispanohablantes.
3. Sé el nombre de cinco capitales de países en Latinoamérica.
4. Conozco un restaurante de comida hispana en esta ciudad.
5. Sé cocinar un plato específico muy bien.
6. Conozco una serie o película en español.

Paso 2 En grupos pequeños, comparen sus respuestas y compartan (*share*) su información. ¿Quién sabe o tiene experiencias personales con el mundo (*world*) hispano?

2 ¿Saber o conocer?
Escoge (*Choose*) la opción correcta.

San Juan, Puerto Rico

1. (Conozco/Sé) a Carmen, pero no (conozco/sé) qué estudia.
2. ¿Es cierto que todos los cubanos (conocen/saben) jugar al dominó?
3. Nuestro abuelo (conoce/sabe) mucho de historia.
4. ¿(Conoces/Sabes) de quién es esta pelota?
5. Iván (conoce/sabe) los nombres de todos los jugadores profesionales de béisbol.
6. ¿(Conoces/Sabes) cuál es la capital de Puerto Rico? Es San Juan; mi padre la (conoce/sabe) bien porque vivía (*he used to live*) allí.

3 ¿Qué sabemos hacer?
Primero, añade (*add*) una actividad más en la lista. Después averigua (*find out*) quién sabe hacer estas cosas. Cuando un(a) compañero/a dice "sí", anota (*jot down*) su nombre y pregunta más sobre esta actividad. Después vas a compartir (*share*) esta información con la clase.

> **Modelo** **Estudiante A:** *¿Sabes esquiar?*
> **Estudiante B:** *Sí, sé esquiar.*
> **Estudiante A:** *¿Con qué frecuencia esquías? ¿Dónde esquías?*

	Nombre	Detalles (*Details*)
1. esquiar		
2. jugar a un deporte o juego (*game*)		
3. cocinar		
4. tocar un instrumento musical		
5. hablar otro idioma		
6. _____		

Palabras útiles

Idiomas: italiano, japonés, ruso

Instrumentos musicales: el clarinete, el piano, el saxofón, la trompeta, el violín

Juegos: ajedrez (*chess*), póker

4 **¿Saber o conocer?** Celia pregunta a Antonio sobre un restaurante cubano que está cerca de su casa. Completa su conversación con las formas correctas de **saber** o **conocer**. Usa el contexto.

Celia: Antonio, ¿_____ cómo se llama el restaurante cubano de tu calle?

Antonio: Sí, claro que lo _____; se llama Café Oriental. Además, lo _____ muy bien. Comemos allí frecuentemente porque mis padres _____ a los dueños (*owners*).

Celia: Y ¿_____ qué platos típicos sirven?

Antonio: Sirven un ajiaco buenísimo.

Celia: ¿Ajiaco? No lo _____. ¿Qué es?

Antonio: Bueno, es una sopa de carne y verdura, pero no _____ todos los ingredientes.

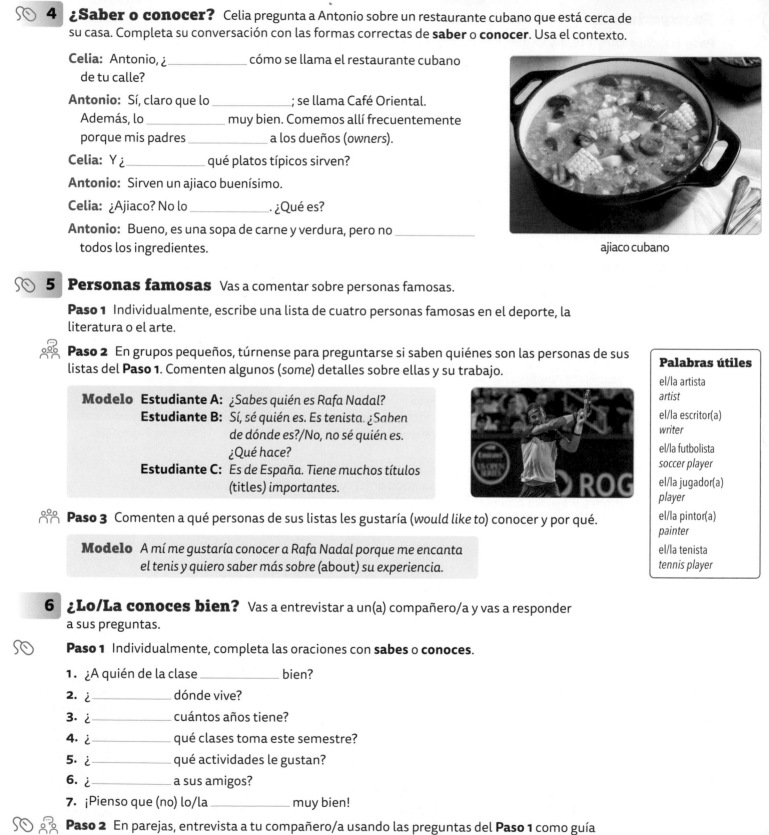

ajiaco cubano

5 **Personas famosas** Vas a comentar sobre personas famosas.

Paso 1 Individualmente, escribe una lista de cuatro personas famosas en el deporte, la literatura o el arte.

Paso 2 En grupos pequeños, túrnense para preguntarse si saben quiénes son las personas de sus listas del **Paso 1**. Comenten algunos (*some*) detalles sobre ellas y su trabajo.

> **Modelo** **Estudiante A:** *¿Sabes quién es Rafa Nadal?*
> **Estudiante B:** *Sí, sé quién es. Es tenista. ¿Saben de dónde es?/No, no sé quién es. ¿Qué hace?*
> **Estudiante C:** *Es de España. Tiene muchos títulos (titles) importantes.*

Palabras útiles

el/la artista
artist

el/la escritor(a)
writer

el/la futbolista
soccer player

el/la jugador(a)
player

el/la pintor(a)
painter

el/la tenista
tennis player

Paso 3 Comenten a qué personas de sus listas les gustaría (*would like to*) conocer y por qué.

> **Modelo** *A mí me gustaría conocer a Rafa Nadal porque me encanta el tenis y quiero saber más sobre (about) su experiencia.*

6 **¿Lo/La conoces bien?** Vas a entrevistar a un(a) compañero/a y vas a responder a sus preguntas.

Paso 1 Individualmente, completa las oraciones con **sabes** o **conoces**.

1. ¿A quién de la clase _____ bien?
2. ¿_____ dónde vive?
3. ¿_____ cuántos años tiene?
4. ¿_____ qué clases toma este semestre?
5. ¿_____ qué actividades le gustan?
6. ¿_____ a sus amigos?
7. ¡Pienso que (no) lo/la _____ muy bien!

Paso 2 En parejas, entrevista a tu compañero/a usando las preguntas del **Paso 1** como guía (*as a guide*). Después el/la otro/a estudiante hace las preguntas.

Additional *yo*-irregular verbs

Read and listen to the text and answer: Can you deduce the meanings of the verbs that indicate activities? Then, notice the forms; do they follow the regular verb patterns? Do you know other verbs that have similar forms?

Elena describe sus actividades típicas de fin de semana.

¿Cómo es un sábado típico para mí? Bueno, **salgo** de casa para correr a las ocho de la mañana. A veces, mi amiga Sara **viene** también. Cuando llueve (*When it rains*), **hago** ejercicio en casa. Después, si (*if*) no **tengo** tarea, **oigo** un poco de música o **pongo** la televisión y **veo** las noticias. Por la tarde, **doy** un paseo con mis amigos o ellos **vienen** a mi apartamento. Entonces **vemos** una película (*movie*), o **ponemos** música y jugamos a *Monopolio* o a las cartas (*cards*). Siempre **traen** algo para beber o para comer. No necesitamos mucho para pasar una tarde divertida.

¡Atención!
Note that **salir** is followed by **de** when the subject is leaving a stated place. **Salgo de** casa vs. **Salgo** con mis amigos.

You have already learned some verbs with an irregular **yo** form: **salir** and **hacer** (**Capítulo 2**) as well as a verb with an irregular **yo** form in addition to stem changes: **tener** (**Capítulo 3**.) Review those verbs and observe the verbs that follow:

dar *to give*	poner *to put, to turn on* *(TV, music...)*	traer *to bring*	ver *to see,* *to watch*	decir *to say,* *to tell*	oír *to hear,* *to listen to*	venir *to come*
doy	**pongo**	**traigo**	**veo**	**digo**	**oigo**	**vengo**
das	pones	traes	ves	**dices**	**oyes**	**vienes**
da	pone	trae	ve	**dice**	**oye**	**viene**
damos	ponemos	traemos	vemos	decimos	oímos	venimos
dais	ponéis	traéis	veis	decís	oís	venís
dan	ponen	traen	ven	**dicen**	**oyen**	**vienen**

▶ There is usually a difference in meaning between these pairs of verbs:

| **oír** | *to hear* | No **oigo** nada. |
| **escuchar** | *to listen* | **Escuchamos** al profesor con atención. |

| **ver** | *to see* | **Veo** una pelota en la playa. |
| **mirar** | *to watch, to look at* | Juan **mira** el partido de béisbol. |

But many Spanish speakers use **oír** to mean *to listen to* with music or the radio, and **ver** to mean *to watch* with TV or a movie.

Me gusta **oír** música cuando hago ejercicio.   Por las noches **veo** la tele o una película.

▶ Note the contrast of the verbs **venir** and **ir**. The verb **venir** implies a movement ending where the speaker is or will be. When the end point is a place different than where the speaker is, **ir** is used instead.

Hay una fiesta esta noche. ¿Quieres **venir**?   →   *Implies that the speaker is/will be there.*

Hay una fiesta esta noche. ¿Quieres **ir**?   →   *Does not imply that the speaker is or will go there.*

¡Atención!
• Think of the following verbs as the "**yo-go** verbs"– verbs whose **yo** forms end in **-go**: salir, hacer, traer, poner, oír, tener, venir, and decir.

• The verb **traer** can imply an end point where the speaker is or will be. ¿Vienes a mi fiesta? Si quieres, puedes **traer** una bebida.

ASÍ SE FORMA

1 ¿Qué hace tu profesor(a)? Vas a descubrir quién conoce bien a tu profesor(a).

Paso 1 Lee las afirmaciones que hace tu profesor(a) y decide si son ciertas (**C**) o falsas (**F**).

1. Salgo de mi casa a las seis de la mañana. .... **C F**
2. Oigo las noticias (*news*) en el carro. .... **C F**
3. Traigo comida a la clase de español. .... **C F**
4. Digo "Buenos días" cuando entro a la clase. .... **C F**
5. Doy mucha tarea de español los viernes. .... **C F**
6. Tengo dos gatos. .... **C F**

Paso 2 Ahora pregunta a tu profesor(a) si hace estas cosas. ¿Quién en la clase conoce al profesor/a la profesora bien?

2 ¿Qué hace Elena? Este es un día típico para Elena. Decide el orden de las ilustraciones, escribiendo los números del 1 al 8. Después, imagina cómo Elena describe sus actividades usando estos verbos. Puedes usar algunos verbos más de una vez (*more than once*).

> decir   hacer   llegar   oír   ver   salir de

1. *Oigo el despertador.*

3 ¿Qué haces tú? En parejas, entrevista a tu compañero/a sobre su día típico.

Modelo **Estudiante A:** ¿A qué hora oyes el despertador por las mañanas?
Estudiante B: Por las mañanas, oigo el despertador a las siete y media.
¿A qué hora oyes tú el despertador?

4 ¿Lo hago o no? Vas a adivinar qué actividades hacen tus compañeros/as.

Paso 1 Individualmente, crea seis oraciones sobre actividades que tú haces, usando estos verbos. Tres oraciones deben ser ciertas y tres deben ser falsas.

poner   ver   oír   hacer   decir   dar

Paso 2 En grupos pequeños, lee cada oración a tus compañeros/as, quienes tienen que adivinar (*guess*) si son ciertas o falsas.

5 ¿Qué hacemos los sábados? En grupos pequeños, van a conversar sobre sus actividades de los sábados.

Paso 1 Individualmente, en tres minutos escribe una lista de todas las cosas que haces los sábados.

Modelo Los sábados tomo el desayuno tarde,
llamo a mis padres, salgo...

Paso 2 En grupos pequeños, comparen su lista con las listas de sus compañeros/as. Escribe una nueva lista de las cosas que muchos o todos tienen en común, usando la forma de **nosotros**.

Modelo Los sábados nosotros tomamos
el desayuno tarde...

6 Situaciones En grupos pequeños, van a representar esta situación: Ustedes son compañeros/as de cuarto (*roommates*), pero tienen un estilo de vida completamente diferente y ¡ya no pueden tolerarlo más! Tienen que encontrar (*find*) una solución. Sigan este esquema (*outline*).

Estudiante A: Eres tranquilo/a (*calm*) y te gusta un ambiente de calma para estudiar. Siempre ordenas tus cosas y limpias el cuarto. Prefieres ir a la cama temprano porque tienes clase a las nueve de la mañana.

Estudiante B: Para ti, no es importante el orden (sabes dónde están todas tus cosas) y, en tu opinión, limpiar el cuarto dos o tres veces en el semestre es suficiente. Te gusta escuchar música cuando estudias en el cuarto, por las tardes.

Estudiante C: Tienes clases en la tarde y después estudias en la biblioteca. Normalmente llegas al cuarto a las nueve o diez de la noche y te relajas (*you relax*) hablando por teléfono con tus amigos/as o mirando series cómicas. ¿Limpiar? ¿Por qué? Nunca estás en el cuarto.

Resources

vhlcentral

SAM

online activities

☐ **I CAN** discuss what I know and am familiar with, and other activities in the present.

Lugares de encuentro en la
República Dominicana

Antes de leer

1. En Estados Unidos Responde a estas preguntas.

1. En Estados Unidos, ¿en qué lugares públicos pasa tiempo la gente (*people*)? ¿Qué actividades son frecuentes en estos lugares?

2. ¿Crees que hay una cultura musical rica en Estados Unidos?

La vida social es muy importante en la República Dominicana. Un buen lugar° para ver a los amigos son las plazas de sus pueblos y ciudades. Allí la gente° habla, juega al dominó, escucha música y baila. Pero hay otros lugares de encuentro° distintivos de la cultura dominicana, como los colmados. Con las puertas abiertas a la calle, estas pequeñas tiendas y centros sociales de la comunidad reciben a sus vecinos° con música, bebidas o un partido de béisbol en el televisor. Así, comprar arroz o aceite es también una oportunidad para comentar las noticias, escuchar música y hasta° bailar. Por las noches, los colmados prenden° las luces y ponen música bien fuerte en sus altoparlantes°.

Otro lugar donde puedes escuchar música y conversar con gente del barrio son los *car wash*. No, allí no son solo para lavar° el carro. En Santo Domingo a veces tienen bandas que tocan música en directo°. Los dominicanos tienen una cultura musical rica, y bailar merengue, bachata o reguetón no está reservado para el fin de semana o una ocasión especial. Para conocer realmente° la República Dominicana, debemos salir a sus calles y buscar una placita o un colmado. Allí, podemos observar la vida local al ritmo de su variada música.

el lugar *place* **la gente** *people* **el lugar de encuentro** *meeting place* **el/la vecino/a** *neighbor* **hasta** *even* **prender** *to turn on* **el altoparlante** *speaker* **lavar** *to wash* **en directo** *live* **realmente** *really*

Una mujer baila fuera de un colmado en la República Dominicana.

Después de leer

2. Identificar Indica dónde puedes hacer cada actividad en la Republica Dominicana, según el texto: **en la plaza**, **en el colmado** o **en el** *car wash*. Escribe todas las opciones apropiadas.

1. escuchar música
2. bailar bachata
3. comprar comida
4. hablar con amigos y vecinos
5. lavar el carro

☐ **I CAN** identify aspects about social life in the Spanish-speaking world.

3. Comparar y analizar En parejas, comenten estas preguntas.

1. ¿Cómo es similar o diferente la descripción del texto sobre la República Dominicana y tu comunidad? ¿Hay tiendas (*stores*), canchas deportivas (*sports courts*) u otros lugares donde la gente puede socializar?

2. ¿Cuáles son algunas cosas positivas de una cultura social viva como la de la República Dominicana?

Resources

vhlcentral

online activities

Preferencias, obligaciones e intenciones

🔊

Esteban: Esta noche voy con mis amigos a la discoteca. Y tú, ¿tienes planes para esta noche? ¿Qué **piensas hacer**?

Alfonso: Tengo un examen de química mañana, **tengo que estudiar** mucho.

Esteban: ¡Qué aburrido! ¿No quieres salir? ¿No **tienes ganas de venir** con nosotros a la discoteca?

Alfonso: No puedo, **debo estudiar** química. Además, ¡a mí no me gusta bailar!

¿Qué piensas hacer?

Tengo que estudiar mucho.

Note the meaning of these expressions in the chart below. What other verbs and expressions do you already know that you can add to the table?

Preferencia, deseo (*desire*)	Obligación	Intención, planes
tener ganas de + infinitivo	**tener que** + infinitivo	**pensar** + infinitivo
preferir	**deber** + infinitivo	
querer/desear		

Nota de lengua

The expression *to need to* is often used to express obligation in English, but in Spanish, **necesitar** is used less often with this meaning. The preferred forms to express obligation are **tener que** or **deber**.

Tengo que/Debo estudiar esta noche.   *I need to* study tonight.

---

 1 Esta semana Completa las oraciones sobre tus obligaciones y preferencias para esta semana. Después compara tus respuestas con un(a) compañero/a. ¿Tienen obligaciones y preferencias similares?

> **Modelo** ¡Tengo hambre! Tengo ganas de *comer pizza en Gino's.*

1. Después de la clase de español pienso ——————————.

2. Esta tarde tengo que —————————— pero tengo ganas de ——————————.

3. Esta noche tengo ganas de ——————————.

4. Este fin de semana no tengo ganas de ——————————. Prefiero ——————————.

5. En general, esta semana debo ——————————.

2 **¿Cómo reaccionan?** Indica la reacción probable para cada situación.

> **Modelo** **Tu papá/mamá/pariente dice:** "Vamos de vacaciones a Nueva York".
> **Tú respondes:** *¡Genial! Quiero ir a Nueva York, pienso visitar muchos museos./*
> *No tengo ganas de ir a Nueva York, prefiero ir a...*

1. Tu compañero/a de cuarto/casa dice: "Esta noche vienen mis amigos para ver una película de terror". Tú dices: _____.

2. Preguntas a tu mejor amigo/a: "¿Vamos de compras el sábado?". Tu mejor amigo/a dice: _____.

3. El profesor de tu materia más difícil dice a la clase: "Mañana hay examen sorpresa (*pop quiz*)". Tus compañeros y tú dicen: _____.

4. Tu mamá/papá/pariente dice: "Quiero ir a visitarte este fin de semana". Tú dices: _____.

5. Tus amigos dicen: "Vamos a correr todos los días a las siete de la tarde". Tú dices: _____.

3 **Un plan de acción** En grupos pequeños, van a crear un plan de acción y lo van a compartir con la clase.

Paso 1 La vida universitaria es muy exigente (*demanding*), pero también es necesario hacer ejercicio físico y descansar. En grupos pequeños, escriban sugerencias para estas situaciones frecuentes usando los verbos y expresiones de la lista. Piensen también en otra situación común para el número 5.

> **Modelo** Estamos muy preocupados porque tenemos examen mañana.
> *Tenemos que estudiar mucho esta noche; no debemos ver la tele...*

> tener que... deber... tener ganas de...
> preferir... querer... pensar...

1. Tenemos muchas tareas y proyectos esta semana.
2. Estamos muy ocupados con la vida social de la universidad.
3. Estamos cansados y estresados.
4. ¡Tenemos una semana de vacaciones!
5. _____

Paso 2 Compartan sus sugerencias con la clase. Juntos (*Together*) escriban un plan de acción para el resto del curso.

4 **Situaciones** En parejas, van a representar esta situación: Tu compañero/a de la clase de español y tú no se conocen muy bien y quieren ser amables. Sigan este esquema (*outline*).

Estudiante A: Tu compañero/a de la clase de español es muy simpático/a, y te invita a una fiesta con sus amigos, pero sus amigos no te gustan mucho y no tienes ganas de ir con ellos. Inventa una excusa.

Estudiante B: Vas a una fiesta con tus amigos. Invitas a tu compañero/a de la clase de español, pero es tímido/a y piensas que no quiere ir porque tiene vergüenza (*is embarrassed*). Insiste.

> **Palabras útiles**
> ¿Sabes?
> *You know...?*
> ¡Vamos!
> *Come on!*
> (Verás), es que...
> *(You see/Well), the thing is...*

Resources

vhlcentral

SAM

online activities

☐ **I CAN** express preferences, obligations, and intentions.

2. Discuss plans for the future

Ir + *a* + infinitive

Read and listen to the conversation, and make an educated guess about the verb structures in boldface. What type of meaning do they express? What is the time frame they refer to? Can you describe how they are formed?

Enrique: ¿Qué **vas a hacer** esta noche? ¿Tienes planes?

Carmen: Sí, **voy a salir** con una amiga. **Vamos a ver** la nueva película de Pedro Almodóvar. Y tú, ¿**vas a estudiar** para tu examen?

Enrique: Pues... creo que **voy a ir** al cine contigo y con tu amiga.

To talk about plans and actions yet to occur, use **ir + a +** *infinitive*.

ir + a + infinitivo				
singular forms		**plural forms**	
yo	**voy**	nosotros/as	**vamos**
tú	**vas**	vosotros/as	**vais**
usted, él/ella	**va**	ustedes, ellos/as	**van**

Vas a dar un paseo por la playa.	*You are going to take a stroll on the beach.*
Van a jugar al béisbol con sus amigas.	*They are going to play baseball with their friends.*

The following expressions are useful to talk about the future.

el mes/año/verano que viene	*next month/year/summer*
este mes/año/verano	*this month/year/summer*
el próximo mes/año/verano	*next month/year/summer*

▶ Note the difference between **ir a** + *infinitive* and **ir a** + *location*.

Vamos a hacer ejercicio.	*We are going to exercise.*
Vamos al gimnasio.	*We are going to the gym.*

1 **¿Qué voy a hacer?** Lee las oraciones y describe las circunstancias cuando dices esto.

> **Modelo** "Voy a dormir".
> *Son las dos de la mañana. Tengo sueño (I'm sleepy). No tengo ganas de estudiar más.*

1. "Voy a correr en el parque".
2. "Voy a llamar a mi mamá".
3. "Voy a comer un sándwich".
4. "Voy a ver la tele".

5. "Voy a tomar un vaso de agua".
6. "Voy a descansar".
7. "Voy a ir a la biblioteca".
8. "Voy a estudiar".

2 **¿Qué vamos a hacer?** Primero, describe tus acciones en las siguientes situaciones. Después, habla con un(a) compañero/a y escribe sus respuestas. ¿Son sus planes similares o diferentes?

> **Modelo** El día está bonito.
> **Estudiante A:** ¿Qué vas a hacer?
> **Estudiante B:** Voy a dar un paseo.

> **Palabras útiles**
>
> | buscar | invitar | pagar | el trabajo | viajar |
> | to look for | to invite | to pay | job | to travel |

	Yo	Mi compañero/a
1. ¡Tengo un billete de lotería premiado (*a winning lottery ticket*)!	Voy a...	Va a...
2. Mis padres vienen este fin de semana, pero va a llover.		
3. Tenemos un mes de vacaciones en enero.		
4. Necesito dinero.		

3 **Nuestros planes** Vas a conversar con tus compañeros/as sobre tus planes.

Paso 1 Individualmente, describe tus planes para los tiempos y situaciones indicados, incluyendo algunos detalles, por ejemplo, dónde, con quién, etc.

> **Modelo** esta tarde
> *Esta tarde voy a ir al gimnasio...*

1. esta noche
2. mañana a las tres de la tarde
3. este fin de semana
4. en las próximas vacaciones
5. el próximo semestre o curso académico

Paso 2 En grupos pequeños, túrnense para compartir sus planes del **Paso 1** y hacerse preguntas.

> **Modelo** **Estudiante A:** *Esta tarde voy a ir al gimnasio.*
> **Estudiante B:** *¿Con quién vas a ir?*
> **Estudiante A:** *Con mi amiga Estela...*

☐ **I CAN** discuss plans for the future.

¿Qué tiempo hace?

Es el 22 de abril, es **primavera**. **Hace buen tiempo**. Ahora **hace fresco** y **está un poco nublado**. Esta tarde va a **estar soleado**.

Es el 16 de julio, es **verano**. **Hace sol** y **hace mucho calor**. Cuando **tengo mucho calor**, voy a la playa.

Es el 8 de noviembre, es **otoño**. **Hace mal tiempo**, **está nublado** (hay muchas **nubes**) y **llueve**. Esta tarde va a **hacer viento** y puede haber **tormentas**.

Es el 2 de enero, es **invierno**. Hace mucho **frío** y **está nevando**. **Tengo frío**, pero me encanta **la nieve**.

El tiempo

▶ To ask what the weather is like, say, **¿Qué tiempo hace?** (*What is the weather like?*)

▶ To describe the weather, use these expressions:

hace	(muy) buen/ mal tiempo	*the weather is (very) good/bad*
	sol	*it's sunny*
	fresco	*it's cool*
	(mucho) calor/frío	*it's (very) hot/cold*
	(mucho) viento	*it's (very) windy*

hay [nubes *there are clouds*
      tormenta *there's a storm*

llueve *it rains* → llover (ue)
nieva *it snows* → nevar (ie)

está (muy) nublado *it's (very) cloudy*
está (muy) soleado *it's (very) sunny*
está lloviendo *it's raining*
está nevando *it's snowing*

Las personas

▶ To describe a person feeling warm or cold:

tener calor/frío   *to feel hot/cold*

▶ Observe these different expressions.

hace frío/calor	*it's cold/hot (the weather)*
tengo frío/calor	*I'm cold/hot (the way I feel)*
está frío/caliente	*it's cold/hot (the way something feels to the touch)*

▶ Note that **el tiempo** can either refer to time (in general) or the weather. Context will help you interpret it correctly. Remember that **la hora** is used when referring to specific times of day.

—¿Qué hora es? Tengo clase a las 5:00.

—Sí. ¿Qué tiempo hace? ¿Necesito un suéter?

—Son las 4:00. ¿Tienes tiempo para tomar café?

—Sí, hace fresco.

ASÍ SE DICE

Nota cultural

Grados Fahrenheit vs. grados centígrados

Most Spanish-speaking countries measure air temperature in degrees Celsius (**centígrados**) rather than in degrees Fahrenheit. Here is the formula for converting from one to the other.

To convert from °F to °C: ___ °C = (___ °F − 32) ÷ 1.8

To convert from °C to °F: ___ °F = 1.8 × (___ °C) + 32

---

1 **El informe del tiempo** Vas a crear un informe del tiempo para tu comunidad.

Paso 1 Escucha estos informes del tiempo (*weather reports*) de una estación de radio hispana de Nueva York. Identifica los iconos que representan cada descripción.

Paso 2 Vas a hablar del tiempo en la radio en español de tu comunidad. Describe el clima de un día típico para estos meses en tu región. Como (*Since*) muchos hispanohablantes usan grados centígrados (*Celsius*), expresa la temperatura en grados Fahrenheit y centígrados. Usa la fórmula: (___ F° − 32) ÷ 1,8 = ___ C°.

Mes	Tiempo
enero	
abril	
julio	
octubre	

2 Por el mundo hispano

Vas a comentar y a investigar sobre el clima en el mundo hispano.

Paso 1 En parejas, túrnense para seleccionar una fotografía, describir el tiempo que hace en ese lugar e identificar la estación del año. La otra persona debe identificar el lugar.

> **Modelo** **Estudiante A:** *Hace frío y hay mucha nieve. Es invierno.*
> **Estudiante B:** *Es el Parque Nacional Los Glaciares, Argentina.*

Parque Nacional
Los Glaciares, Argentina

Huracán Irma,
Fort Lauderdale

Playa Manzanillo,
Costa Rica

Estación de esquí, Chile

Maestrazgo, España

Cañón Monticello,
Nuevo México

¡Atención!

The seasons of the year are reversed in the northern and southern hemispheres; for example, when it is winter in Argentina, it is summer in the United States and Canada.

Paso 2 Individualmente, investiga en Internet uno de los lugares del **Paso 1**, y compara por escrito su clima y el clima de tu región en las diferentes estaciones del año.

3 El clima y las estaciones

Vas a responder a un mensaje de una estudiante dominicana.

Paso 1 Una estudiante universitaria de la República Dominicana piensa venir a Estados Unidos por un semestre, y quiere saber un poco más sobre el tiempo de algunas ciudades y las actividades que puede hacer allí en diferentes estaciones. Lee su mensaje en un foro universitario y habla sobre las preguntas con un(a) compañero/a de clase.

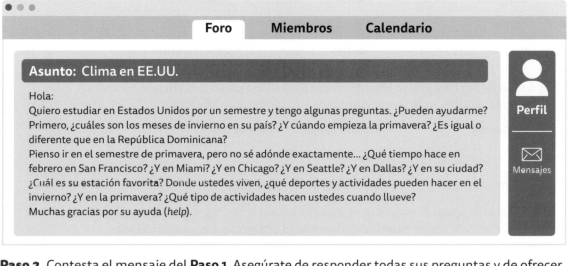

Foro   **Miembros**   **Calendario**

Asunto: Clima en EE.UU.

Perfil

Hola:
Quiero estudiar en Estados Unidos por un semestre y tengo algunas preguntas. ¿Pueden ayudarme? Primero, ¿cuáles son los meses de invierno en su país? ¿Y cúando empieza la primavera? ¿Es igual o diferente que en la República Dominicana?
Pienso ir en el semestre de primavera, pero no sé adónde exactamente... ¿Qué tiempo hace en febrero en San Francisco? ¿Y en Miami? ¿Y en Chicago? ¿Y en Seattle? ¿Y en Dallas? ¿Y en su ciudad? ¿Cuál es su estación favorita? Donde ustedes viven, ¿qué deportes y actividades pueden hacer en el invierno? ¿Y en la primavera? ¿Qué tipo de actividades hacen ustedes cuando llueve?
Muchas gracias por su ayuda (*help*).

Mensajes

Paso 2 Contesta el mensaje del **Paso 1**. Asegúrate de responder todas sus preguntas y de ofrecer una recomendación sobre qué ciudad crees que ella debe escoger y por qué.

☐ **I CAN** describe the weather and the seasons.

Resources

vhlcentral

SAM

online
activities

3. Discuss actions in progress

The present progressive

Read and listen to the conversation focusing on the message and make educated guesses about the meaning of the verb forms in boldface. What do they convey about the action or event? How is each verb constructed to convey the intended meaning?

Madre: ¿Sabes que son las dos de la mañana? ¿Qué **estás haciendo** en tu computadora tan tarde (*so late*)?

Hija: Pues... estoy trabajando en una presentación para la clase de historia.

Madre: ¿Sí? ¿Y qué **están haciendo** esos soldados (*soldiers*) en la pantalla? **¡Estás jugando** un videojuego!

Hija: Sí, pero así **estoy aprendiendo** sobre la guerra...

Spanish uses the present progressive to indicate and emphasize that an action is in progress. It is formed with conjugated **estar +** present participle (**-ando/-iendo**).

estar (*to be*)		+	*present participle*
yo	estoy		
tú	estás		estudi**ando**
usted, él/ella	está		
nosotros/as	estamos		com**iendo**
vosotros/as	estáis		escrib**iendo**
ustedes, ellos/as	están		

Note how the present participle is formed.

	stem	+	ending	=	present participle
–ar verbs	**estudi**ar		**–ando**		estudiando
–er verbs	**com**er		**–iendo**		comiendo
–ir verbs	**escrib**ir		**–iendo**		escribiendo

▸ All **–ir** verbs with a stem change also have stem changes in the present participle. In some verbs the change is the same as in the present tense; in others it is different.

   pedir (i, i)   p**i**d**iendo**   dormir (ue, u)   d**u**rm**iendo**

▸ A few other present participle forms are *irregular*.

   leer (irreg.)   **leyendo**   oír (irreg.)   **oyendo**

The present progressive in Spanish emphasizes that the action is in progress at the moment. It is generally not used to talk about habitual and repeated actions, nor is it used to talk about the future.

Silencio, por favor, **estoy estudiando**.   *Quiet, please, **I'm studying**.*

PERO

Cenamos/Vamos a cenar en una hora.   ***We are having dinner** in an hour.*

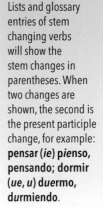

¡Atención!

Lists and glossary entries of stem changing verbs will show the stem changes in parentheses. When two changes are shown, the second is the present participle change, for example: **pensar (*ie*) p*i*enso, pensando; dormir (*ue, u*) d*u*ermo, d*u*rmiendo.**

▶ Note that there are important differences between Spanish and English regarding the use of the present participle. Remember, for instance, that we use the infinitive and not the present participle with **gustar**. (*See* **Capítulo 4**.)

No me gusta **correr** en el parque.   *I don't like running in the park.*

1 **¿Qué están haciendo?** Vas a conversar sobre las actividades de estas personas.

Paso 1 Individualmente, escucha las oraciones y escribe el número de cada una en la imagen correspondiente.

Sergio
_____

Cecilia
_____

Diana y Toño
_____

Lorena
_____

Beto
_____

Félix
_____

Nidia
_____

Paso 2 En parejas, escriban dos actividades adicionales que cada persona está haciendo simultáneamente. Después, compartan sus ideas con la clase.

> **Modelo** *Sergio está estudiando.*
> *Está leyendo un libro de química.*

Playa de Varadero, Cuba

2 **Probablemente** Trabajen en parejas. Primero, escribe dos cosas que probablemente estás haciendo en cada situación o lugar. Después, escribe dos cosas que, en tu opinión, tu compañero/a probablemente está haciendo. ¿Qué tienen en común?

> **Modelo** en un concierto de salsa
> **Estudiante A:** *En un concierto de salsa, ¿estás bailando y cantando?*
> **Estudiante B:** *Sí, probablemente estoy bailando, pero no estoy cantando. Estoy escuchando.*

en el gimnasio   en la Playa de Varadero   en un restaurante cubano   en tu cuarto

☐ **I CAN** discuss actions in progress.

4. Describe people, places, and things

Ser and *estar*

Review the different uses of the verbs **ser** and **estar** that we have covered so far.

Use *ser*	Use *estar*
• to identify *who* or *what* the subject is (relationship, profession, etc.): Ese hombre **es mi tío** favorito. Álex **es jugador** de baloncesto. • to indicate *origin* (where the subject is from) and *nationality*: **Es de Puerto Rico. Es puertorriqueño.** • To express *day, date, season*: **Es lunes. Es el 8 de julio. Es verano.** • To tell *time*: **Son las nueve de la mañana.** • To indicate *possession*: Esa raqueta **es de Susana**.	• to indicate *the physical location of a person, thing,* or *place*: El equipo de fútbol **está en el estadio.** • to indicate *an action in progress* (present progressive): **estar + -ando/-iendo** **Está jugando** al tenis.
***Ser* + adjectives**	***Estar* + adjectives**
• to indicate *what the subject is like*—inherent or essential traits or qualities. Contrast these examples with the ones on the right: **Es alto, simpático y muy fuerte.** Oscar **es nervioso**. La nieve **es fría**. Mi perro **es pequeño**. Therefore, **ser** is the only option with adjectives that can only express inherent qualities: Santiago **es inteligente y trabajador**. ~~Santiago está inteligente y trabajador.~~	• to indicate *physical or emotional state, condition,* or *non inherent traits*—often a change from the usual: Ahora **está un poco enfermo**. **Oscar está nervioso**, tiene un examen. Esta sopa **está fría**. Mi perro **está pequeño** porque todavía es un cachorro (*puppy*). **Estar** is the only option with adjectives that can only express states: Santiago **está triste y cansado** (*tired*). ~~Santiago es triste y cansado.~~
• Some adjectives express different meanings when used with **ser** and **estar**: **ser aburrido** *to be boring* Esa clase **es aburrida**. *That class is boring.* **ser agotador** *to be tiring* Correr **es agotador.** *Running is tiring.*	• Some adjectives express different meanings when used with **ser** and **estar**: **estar aburrido** *to be bored* Siempre **estoy aburrido** en esa clase. *I am always bored in that class.* **estar agotado** to be tired Hoy, **estoy muy agotado**. *Today, I am very tired.*

▶ We use **ser** with the adjectives **bueno/malo** to describe something or someone, and **estar** with the adverbs **bien/mal** to indicate how something or someone is.

Ana es buena/mala.   *Ana is good/bad.*

Ana está bien/mal.   *Ana is (doing) well/badly.*

1 **¿Quieres salir con él?** Completa esta conversación con formas de **ser** o **estar**.

Nuria: ¿Cómo se llama tu amigo?

Oscar: Roberto. _____ de la Ciudad de Nueva York.

Nuria: ¿_____ estudiante?

Oscar: Sí, de esta (*this*) universidad. Y también _____ atleta. Le gusta jugar al tenis y al básquetbol, montar en bicicleta, levantar pesas...

Nuria: Pues, ¿cómo _____? Descríbemelo.

Oscar: _____ bueno, muy amable. ¿Quieres conocerlo?

Nuria: Sí, ¡por supuesto (*of course*)! ¿Dónde _____ ahora?

Oscar: Creo que _____ en el laboratorio de biología. Seguro que _____ trabajando ahora porque _____ asistente del profesor.

Nuria: No importa. ¡Vamos al laboratorio!

2 **En este momento** En parejas, piensen en una persona muy conocida (*well-known*). Primero, describan cómo es y después describan las actividades que él o ella probablemente está haciendo en este momento. Luego, van a leer sus ideas a sus compañeros, que van a intentar identificar a la persona famosa.

> **Modelo** *Es una cantante muy famosa. Es... Ahora está leyendo las noticias y tomando café. Probablemente está hablando con su asistente...*

3 **Sugerencias** Escribe sobre (*about*) tres o cuatro personas que conoces bien. Describe cómo son **normalmente** y describe una situación o estado temporal diferente (**a veces, ahora...**).En parejas, tomen turnos: un(a) estudiante lee su descripción y el/la otro/a ofrece una sugerencia (*suggestion*). Deben estar preparados/as para reportar a la clase si están de acuerdo (*if you agree*) con las sugerencias de su compañero/a o no y por qué.

> **Modelo** **Estudiante A:** *Mi hermano normalmente es muy enérgico, pero ahora está cansado porque está en el equipo de fútbol y practica todos los días.*
> **Estudiante B:** *Debe/Tiene que descansar los domingos.*

Palabras útiles
callado/a *quiet*
enojado/a *angry*
grosero/a *rude*
impaciente *impatient*

En mi experiencia

Julia, Hartford, CT

"I like to exercise, so while studying in Santo Domingo, Dominican Republic, I would go jogging around my neighborhood. I did not see other joggers and my 'house mom' explained that locals usually prefer to exercise in a gym or at the park. She recommended Mirador del Sur Park or the Malecón at the waterfront. Not only did I meet other joggers there, but both are beautiful places to go for a run."

Where do people go jogging in your hometown? What might be some reasons why it is not considered appropriate to run on city streets?

☐ **I CAN** describe people, places, and things.

Cuba y la República Dominicana

Antes de leer

✎ **1. Conocimiento previo** Indica qué oraciones piensas que son correctas.

☐ En Cuba y la República Dominicana existe una fusión de culturas.

☐ La salsa nació (*was born*) en Cuba.

☐ El béisbol es el deporte más popular de la República Dominicana.

Por cientos de años, los taínos habitaron las islas donde ahora están Cuba y la República Dominicana. Con la llegada° de los colonizadores españoles y esclavos africanos en el siglo XVI, empezó la mezcla° de estas culturas, hoy muy presente en las tradiciones, música, baile, comida y prácticas religiosas de las islas. Conoce algunos aspectos destacados de estos países.

La Habana Vieja

La Habana Vieja es la zona más antigua de La Habana y está en el centro de la ciudad. La influencia europea es notable en sus variados estilos arquitectónicos: el *art nouveau*, el *art déco*, el barroco colonial y el neoclásico. En la actualidad, la Habana Vieja es una zona muy turística y hay un gran trabajo de restauración de iglesias°, fortalezas y otros edificios° históricos. Las obras de arte, presentaciones artísticas, librerías°, museos, artesanías y comida tradicional e internacional ofrecen una interesante combinación entre lo nuevo y lo histórico.

❚ La Habana Vieja es Patrimonio° Cultural de la Humanidad desde 1982.

❚ David Ortiz jugó° 20 años en las grandes ligas.

El béisbol en la República Dominicana

El béisbol llegó a Cuba de Estados Unidos en el siglo XIX y se extendió a otras partes del Caribe hispano. Hoy en día este es el deporte de mayor afición en la República Dominicana. Tres beisbolistas dominicanos con gran éxito° y popularidad en la liga de Estados Unidos son Juan Soto, Fernando Tatis Jr. y José Ramírez. El exbeisbolista David Ortiz, llamado afectuosamente Big Papi, es una de las figuras más estimadas por los aficionados de este deporte.

Santería en Cuba

La fusión de culturas en Cuba es evidente en la santería, una combinación del catolicismo y la religión yoruba de los africanos que llegaron a Cuba en el siglo XVI. En la tradición yoruba hay *orishas* (espíritus) que la santería integra con los santos católicos. Otras tradiciones yorubas que permanecen son los tambores°, las danzas rituales y el uso de ropa tradicional blanca con collares y brazaletes de colores.

❙ La mayoría de los cubanos son católicos y muchos de ellos practican la santería.

La política en Cuba

Con la Revolución de 1958, la alianza ideológica, financiera y material entre La Habana y la Unión Soviética (URSS) causa la ruptura del control político, económico y social de Estados Unidos sobre Cuba. En 1991, Cuba pierde a la URSS como aliada, pero el modelo socialista de Fidel Castro sobrevive. Desde entonces°, Cuba tiene relaciones comerciales con otros países del mundo y el turismo es esencial en su economía. Tras° una larga historia de tensión y confrontación, hay intentos° de restablecer las relaciones diplomáticas formales entre Estados Unidos y Cuba.

La economía de la República Dominicana

Turistas de Norteamérica, Rusia, Europa y América Latina visitan la República Dominicana todos los años. La agricultura es también una fuente importante de recursos con cultivos como la caña de azúcar, el arroz, el cacao y el café. Mira el video para aprender más sobre su economía.

Después de leer

2. Indicar Indica si estas afirmaciones son ciertas (**C**) o falsas (**F**), según el texto.

1. En Cuba y la República Dominicana prevalecen (*prevail*) las tradiciones europeas. ....**C F**

2. Los primeros habitantes de estas islas fueron (*were*) los taínos..............................**C F**

3. La santería se refiere al culto de los santos católicos. ....**C F**

4. La Habana es la ciudad más antigua de Cuba. ..**C F**

5. El béisbol es un pasatiempo importante en la República Dominicana. ....**C F**

3. Interactuar En grupos pequeños, comenten estas preguntas.

1. ¿Qué tradiciones, comidas o música de tu comunidad o país fusionan elementos de más de una cultura? Describe algunos (*some*) ejemplos y explica qué elementos son de cada cultura.

2. ¿Conoces a los jugadores de béisbol mencionados en la lectura? ¿En qué equipos jugaron? ¿Qué otros jugadores hispanos de béisbol conoces?

4. Investig@ en Internet Lee la estrategia e investiga en línea uno de los temas presentados en la lectura o un tema diferente que te interese. Prepara un breve informe escrito u oral para compartirlo con tu clase, incluyendo imágenes u otros recursos según corresponda.

> 🔍 **Estrategia digital: Researching authors and sources**
>
> When researching topics online, you may come across articles that may be "fake news". In recent years, fake news stories have proliferated via social media, in part because they are so easily and quickly shared online. To avoid falling into the trap, read widely and with a critical eye; research the author; evaluate the provision of context for statistics; think about what is missing or not being honestly represented. If you are unsure of the validity of the source, don't share it with others. You can also use watchdog and fact-checking sites to validate the information.

la llegada *arrival* la mezcla *mix* la iglesia *church* el edificio *building*
la librería *bookstore* el Patrimonio *Heritage* jugar *to play* el éxito *success*
el tambor *drum* desde entonces *since then* tras *after* el intento *attempt*

☐ **I CAN** identify key products and practices from Cuba and the Dominican Republic.

Resources
vhlcentral
online activities

DICHO Y HECHO

S Audio: Reading | **Learning Objective:** Recognize facts in a text about knitting in the Spanish-speaking world.

Lectura

Antes de leer

1. Conocimiento previo Contesta las preguntas.

1. ¿Tienes una afición artística o manual como pintar o tejer (*knitting*)? Si no, ¿quieres tener una?

2. ¿Qué beneficios pueden tener este tipo de actividades? ¿Qué retos (*challenges*) pueden tener?

Estrategia de lectura: Identifying the main idea

As readings become more difficult, it's important to keep your focus on the main idea of each paragraph rather than trying to decipher every detail. Often, the main idea is expressed in the first sentence, but sometimes it is embedded deeper in the paragraph. Until you become a proficient reader, pause after each paragraph and jot down what you understand as its main idea. Then, read through your notes in sequence to get a sense of the article's overall message.

A leer

2. Aplicar Lee la estrategia y contesta las preguntas.

1. Lee el título y mira la imagen para anticipar posibles ideas del texto.

2. Lee el texto una vez enfocándote en el mensaje general y la(s) idea(s) principal(es).

3. Lee el texto de nuevo (*again*). Esta vez (*This time*) toma nota de la idea principal de cada párrafo para ayudarte (*help you*) a confirmar la idea principal del texto.

la **mano** *hand* **exitoso/a** *successful* **compartir** *to share*
el **regalo** *gift* la **materia prima** *raw material* **además** *in addition*
la **salud** *health* **convertirse en** *to become* **varón** *male*
el **taller** *workshop* **romper con** *to break down*

Tejer: más que ocio

Hacer cerámica, construir una mesa con tus propias manos°, convertir tus viejos *jeans* en algo diferente. El interés por las actividades manuales está aumentando vertiginosamente entre los jóvenes, y una de las actividades más populares heredadas de nuestras abuelas es tejer. Aunque este es un movimiento internacional, los tejedores hispanos son un motor de innovación. Por ejemplo, la compañía *startup* española We are Knitters es una de las primeras y más exitosas°, con un amplio mercado internacional de clientes jóvenes e *influencers* que comparten° sus creaciones en las redes sociales.

We are Knitters, Instagram

Sobre mí   Mis proyectos   Contacto

Tejer es atractivo por razones múltiples: es accesible, portable y el resultado de tu trabajo puede ser un suéter o un accesorio para ti o para hacer un regalo° especial. Pero no son estos los únicos beneficios de tejer. El proceso de transformar una materia prima° en un objeto para usar, regalar o donar resulta en satisfacción personal y autoestima. También favorece el desarrollo de la imaginación y la creatividad, cualidades útiles para otros aspectos del trabajo y la vida cotidiana. Además°, investigaciones recientes demuestran que tejer tiene importantes beneficios para la salud° física y mental porque favorece la capacidad de concentración, y disminuye la ansiedad y el estrés.

Hombres Tejedores, Chile

En Chile, tejer se ha convertido también en° un instrumento para la transformación social de algunas personas. La organización Hombres Tejedores de Chile refleja el extraordinario aumento de tejedores varones° y, al mismo tiempo, desafía estereotipos de género. En sus talleres° y eventos, ellos invitan a la reflexión sobre roles de género mientras promueven su afición: "Romper con° estereotipos nos transforma en una sociedad más inclusiva y tolerante". ∎

Después de leer

3. Identificar Vas a identificar las ideas principales del texto y a conversar sobre ellas.

Paso 1 Individualmente, identifica la oración que expresa mejor la idea principal del texto. Luego busca ejemplos en el texto que apoyen (*support*) tu elección (*choice*).

☐ Tejer es una actividad ideal para abuelas y personas jóvenes hispanas.

☐ Tejer es una actividad tradicional que les interesa a las generaciones jóvenes.

Paso 2 En parejas, comparen sus notas sobre las ideas principales del texto. ¿Son similares? Si no, trabajen juntos para determinar el punto o los puntos principales del artículo.

4. Categorizar El texto menciona una serie de beneficios de tejer. Escribe una lista de estos beneficios y organízalos en estas categorías:

aptitudes cognitivas

relaciones sociales

salud física

salud mental

5. Analizar En parejas, comenten estas preguntas.

1. ¿Cuáles de los aspectos que menciona el texto respecto a tejer son más interesantes para ti?

2. ¿Qué actividades de tu rutina tienen efectos positivos similares a tejer?

3. Piensa en los beneficios de tejer que el texto menciona. ¿Considerarías (*Would you consider*) aprender a tejer o buscar otra actividad similar?

4. ¿Crees que hay estereotipos relacionados con (*related to*) algunos pasatiempos como tejer? ¿Qué piensas de la organización Hombres Tejedores?

Resources

vhlcentral

online activities

☐ **I CAN** recognize facts in a text about knitting in the Spanish-speaking world.

Video: El poder de las olas

Antes de ver el video

1 Conocimiento previo En grupos pequeños, contesten estas preguntas.

1. ¿Practicas deporte? ¿Qué función tiene para ti: divertirte (*have fun*), cuidar de tu salud (*health*), conectar con amigos/as o una función diferente?

2. ¿Te gustan los deportes acuáticos? ¿Cuál(es) practicas o quieres practicar? ¿Por qué?

> **Estrategia de comprensión auditiva: Listening for the main idea**
>
> When you listen to Spanish, you might want to understand everything. However, the main goal when you watch a video should be getting the gist or main ideas. As you have learned in previous chapters, anticipating ideas, concentrating on the words you know or recognize and ignoring those that you don't will help you focus on the essence of what is being said.

A ver el video

En este video, vas a escuchar uno de los aspectos positivos del impulso del surf en Perú.

2 Aplicar Primero (*First*), lee la estrategia y la lista de **Palabras útiles** que son parte del video. Después ve el video una vez y escribe, en tus palabras, la idea principal. Puedes empezar así (*like this*):

En Perú hay programas, como el de Analí Gómez, para _____.

El objetivo de estos programas es _____.

Duración: 02:43
Fuente: DW Español

3 Completar Antes de ver el video otra vez, lee estas afirmaciones. Después, ve el video una vez más e indica las opciones que expresan la información correcta.

1. La surfista Analí Gómez inició (*started*) un proyecto para _____ de bajos recursos.
   a. enseñar surf a jóvenes   **b.** practicar surf con jóvenes   **c.** donar tablas de surf a jóvenes

2. Analí invitó a jóvenes que estaban (*who were*) _____.
   a. comprando en el mercado   **b.** en la calle   **c.** en la playa

3. El programa de Analí y otros programas promueven (*promote*) el desarrollo _____.
   a. profesional   **b.** social   **c.** de campeones deportivos

4. Los jóvenes del programa ahora _____.
   a. practican en su tiempo libre   **b.** practican, pero no compiten   **c.** practican y compiten

Después de ver el video

4 Analizar En grupos pequeños, comenten las preguntas.

1. ¿Hay programas de tiempo libre para jóvenes de bajos recursos en su comunidad? ¿Qué tipos de actividades hacen?

2. Imaginen que van a organizar un programa para jóvenes en su comunidad. ¿Qué actividad(es) van a seleccionar? ¿Dónde pueden hacerlo? ¿Qué recursos necesitan?

□ **I CAN** identify ideas in a video about surfing in Peru.

Palabras útiles

el apoyo
support

ayudar
to help

buscar
to look for

el/la chibolo/a
kid (Peruvian slang)

el desarrollo
development

disfrutar
to enjoy

la gente
people

quise
I wanted

los recursos
resources

sentir (sintieron)
to feel (they felt)

la tabla
surfboard

Resources

vhlcentral | online activities

Proyecto oral: Un día sin clases

Mañana es un día festivo en tu universidad. Con un grupo de compañeros/as, vas a hacer planes para pasar el día juntos/as (*together*) y hacer actividades variadas para satisfacer las preferencias de todos/as en el grupo. Para prepararte, toma unos minutos para revisar el vocabulario y la gramática de este capítulo y escribe las palabras clave que te gustaría (*you would like*) incluir.

¡Atención!

Ask your instructor to share the **Rúbrica de calificación** (*grading rubric*) to understand how your work will be assessed.

Estrategia de comunicación oral: Being prepared to compromise

When working with others, it is natural that people bring up different ideas and, thus, disagreements may arise. Being prepared to compromise and finding common ground can be helpful tools to move the conversation forward. As you exchange ideas with your peers, these expressions will help you communicate flexibility and openness to other people's ideas: **No hay problema. En lugar de (hacer…), yo puedo…, ¿Es mejor si…?**

Paso 1 Individualmente, anota (*jot down*) algunas ideas preliminares. Usa las preguntas de la lista como guía y piensa en diferentes opciones.

- ¿Qué actividades o tipos de actividades tienes ganas de hacer?
- ¿Qué actividades o tipos de actividades no quieres hacer?
- ¿Qué otros factores son importantes para ti? Por ejemplo, horario, costo, clima, etc.

> **Modelo** *Tengo ganas de nadar, esquiar o dar un paseo. No quiero hacer actividades…*

Paso 2 En grupos pequeños, compartan sus ideas a sus compañeros/as y piensen juntos/as en otras opciones. Recuerden usar las expresiones que expresan compromiso si el grupo tiene gustos diferentes. Consideren:

- Hacer planes para al menos tres actividades y dos comidas juntos. Recuerden que pueden usar **ir a + Infinitivo** para expresar planes futuros.
- Todos los miembros del grupo deben tener la oportunidad de hacer algo que les gusta.
- Pueden planear actividades para hacer en casa, en su comunidad o en otro lugar.

Palabras útiles

Bueno, no estoy seguro/a.
Well, I'm not sure.

Sí, pero…
Sure, but…

La verdad es que…
The truth is…

¿Y si…?
What if…?

> **Modelo** **Estudiante A:** *Tengo ganas de nadar. ¿Y ustedes?*
> **Estudiante B:** *Bueno, no estoy segura. Tengo ganas de ver árboles y flores.*
> **Estudiante C:** *¿Y si mañana vamos a dar un paseo a la reserva natural Cypress Creek?*
> **Estudiante A:** *Sí, me gusta la idea. ¿Pero qué vamos a hacer si llueve?*

Paso 3 Individualmente, presenta el plan que organizaste con tus compañeros/as para todo el día. Tu presentación debe durar tres minutos aproximadamente. Puedes usar imágenes. Incluye:

- horario y lugar de sus actividades.
- detalles prácticos: transporte, costo, cosas que necesitan tener o comprar, etc.
- comidas: qué piensan comer, dónde.

> **Modelo** *Nuestro grupo va a dar un paseo en la reserva natural Cypress Creek a las nueve de la mañana. Si llueve, vamos a ver una película en la casa de Jessie. Luego, para almorzar, tenemos ganas de ir a Ruby's. Su menú es variado y cada uno quiere comer algo diferente…*

☐ **I CAN** make plans for a day off with friends.

Resources

vhlcentral

Proyecto escrito: Tiempo libre en la universidad

Vas a escribir una página en el portal de información de tu universidad para futuros estudiantes. Esta página debe presentar las actividades recreativas y culturales de la universidad y, si es relevante, algunas locales también. Para prepararte, toma unos minutos para revisar el vocabulario y la gramática de este capítulo y escribe las palabras clave que te gustaría (*you would like*) incluir.

> **Estrategia de redacción: Defining the scope**
>
> After generating and organizing your ideas, you must decide on the scope of your composition. You may choose to write a general information page, using the main categories you identified, focus on a specific category (e.g., sports), or even come up with an original approach (e.g., leisure activities for the winter time). The combination of type of text (informational page), audience (prospective students), and topic will guide the selection of ideas and details to support and illustrate them.

Paso 1 Antes de escribir:

- Considera la audiencia y el propósito del texto (estrategia del **Capítulo 4**).
- Genera y organiza ideas (estrategias de los **Capítulos 2** y **3**) en diferentes categorías (ej. deportes) y subcategorías (ej. deportes organizados/no organizados, en grupo/individuales, etc.).

Paso 2 Define el alcance (*scope*) de tu página: ¿Va a ser una página general o más específica? ¿Qué ideas del **Paso 1** son relevantes, informativas e interesantes? ¿Quieres añadir otras ideas o detalles?

- Incluye una breve introducción para generar interés.
- Escribe de tres a cinco secciones diferentes. Elabora cada sección con detalles, ejemplos o información práctica.
- Quieres atraer a los estudiantes, por eso debes usar adjetivos positivos y un tono animado. Puedes también usar **ir a** + **infinitivo** para describir actividades de forma más vívida (*lively*).
- Considera incluir algunas fotos ilustrativas con pies de foto (*captions*) sencillos.

> **Para escribir mejor:** Considera dónde puede ser apropiado dar ejemplos o explicar lo que quieres decir. Estos conectores te serán útiles:
>
> | Palabras | Usos |
> |---|---|
> | **por ejemplo** *for example, for instance* | Hay muchos parques para pasear o descansar. **Por ejemplo**, el Parque Lincoln está cerca del campus y es muy tranquilo. |
> | **como** *as, such as* | Hay importantes eventos culturales durante el otoño, **como** el Festival de Cine Latinoamericano. |

Paso 3 Escribe una página informativa de 150 palabras aproximadamente con la información de los **Pasos 1** y **2**. Prepárate para presentar tu proyecto a la clase.

□ **I CAN** create an online page on leisure time resources at my university.

Resources

vhlcentral

REPASO DE VOCABULARIO

S Audio: Vocabulary Tools

El tiempo libre y los deportes
Leisure time and sports

el básquetbol/el baloncesto *basketball*
el béisbol *baseball*
el ejercicio *exercise*
el equipo *team*
la fiesta *party*
el fútbol *soccer*
el fútbol americano *football*
el partido *game, match*
la pelota *ball*
la red social *social network*
la serie *(TV) series*
el tenis *tennis*
el videojuego *videogame*
el voleibol *volleyball*

En la playa y el parque *At the beach*
and the park

el árbol *tree*
la flor *flower*
el mar *sea*

Las acciones y los estados

bailar *to dance*
caminar *to walk*
cantar *to sing*
conocer (irreg.) *to meet, to know*
correr *to run*
dar (irreg.) *to give*
dar un paseo *to take a walk, to take a stroll*
deber + infinitivo *should + verb*
decir (irreg.) *to say*
descansar *to rest*
encantar *to delight*
esquiar *to ski*
ganar *to win*
hacer (irreg.) ejercicio *to exercise*
hacer deporte *to play sports*
ir (irreg.) de compras *to go shopping*
jugar (ue) *to play*
    jugar al... *to play a sport/game*
levantar pesas *to lift weights*
limpiar *to clean*
manejar *to drive*
me encanta(n) *I really like it (them)*
montar en bicicleta *to ride a bicycle*
nadar *to swim*

oír (irreg.) *to hear*
pasear *to take a walk, to take a stroll*
pensar (ie) + infinitivo *to think about doing something*
perder (ie) *to lose*
pintar *to paint*
poner (irreg.) *to put*
practicar (un deporte) *to practice (a sport)*
saber (irreg.) *to know*
tener (irreg.) calor/frío *to be hot/cold*
tener ganas de + infinitivo *to feel like + infinitive*
tener que + infinitivo *to have to + infinitive*
tocar (un instrumento musical) *to play (an instrument)*
tomar el sol *to sunbathe*
traer (irreg.) *to bring*
usar (redes sociales) *to use (social media)*
venir (irreg.) *to come*
ver (irreg.) *to see*
ver la tele(visión) *to watch TV*
viajar *to travel*

Las estaciones *The seasons*

el invierno *winter*
el otoño *fall*
la primavera *spring*
el verano *summer*

El tiempo *The weather*

Está (un poco/muy) nublado/soleado.
    It's (a little/very) cloudy/sunny
Hace buen/mal tiempo. *The weather is nice/bad.*
Hace (mucho) calor. *It's (very) hot.*
Hace fresco. *It's cool.*
Hace (mucho) frío. *It's (very) cold.*
Hace sol. *It's sunny.*
Hace (mucho) viento. *It's (very) windy.*
llover (ue) *to rain*
Llueve./Está lloviendo. *It's raining.*
la lluvia *rain*
nevar (ie) *to snow*
Nieva./Está nevando. *It's snowing.*
la nieve *snow*
la nube *cloud*
¿Qué tiempo hace? *What's the weather like?*
la tormenta *storm*

Adjetivos para describir los colores

amarillo/a *yellow*
anaranjado/a *orange*
azul *blue*
beige *beige*
blanco/a *white*
claro/a *light*
color café *brown*
gris *gray*
marrón *brown*
morado/a *purple*
negro/a *black*
oscuro/a *dark*
rojo/a *red*
rosado/a *pink*
verde *green*

Adverbios y expresiones para hablar del futuro

este mes/año/verano *this month/year/summer*
el mes/año/verano que viene *next month/year/summer*
el próximo mes/año/verano *next month/year/summer*
solo *only*

Capítulo

6

La vida diaria

Learning Objectives
In this chapter, you will:

- Participate in exchanges to describe daily routines and job-related issues.
- Discuss daily activities.
- Discuss actions and events in the past.
- Identify concepts about the custom of drinking **mate**.
- Explore and research Spain.
- Identify ideas in written and spoken texts.
- Interview a potential roommate.
- Create a personal and professional profile, generating ideas while planning.

Así se pronuncia Differentiating stress: preterit vs. present
VideoEscenas La rosa sevillana

Tu momento favorito del día Contesta las preguntas.

1. Vas a ver un video donde jóvenes de México hablan de su momento favorito del día. Primero, imagina qué actividades posiblemente mencionan.

☐ ir a trabajar   ☐ limpiar la casa

☐ estudiar   ☐ ver la tele

☐ irse a dormir   ☐ escuchar música

☐ comer   ☐ hacer ejercicio (*exercise*)

2. Lee las opiniones de algunas personas del video. Después, mira el video e indica el número de la persona que corresponde a cada comentario.

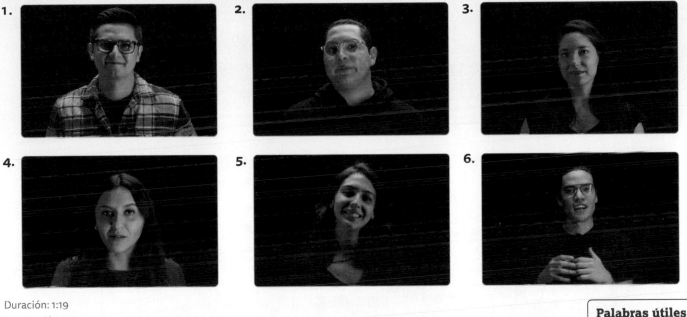

Duración: 1:19
Fuente: Al 100

Palabras útiles

acostarse
to go to bed

bajar
to go down

la bici(cleta)
bycicle

la chela
beer (Mex.)

echarse
to lie down

entre semana
on weekdays

la luz
light

_____ **a.** Después de desayunar, tomar mi café [...] viendo un capítulo de mi serie.

_____ **b.** En las noches escuchando música y trabajando, editando, leyendo algo.

_____ **c.** Echarte a ver la tele con una chela fría.

_____ **d.** En la mañana cuando voy en bici a hacer yoga.

_____ **e.** Cuando te vas a acostar y sabes que ya no tienes nada que hacer.

_____ **f.** Despertar.

3. En grupos pequeños, contesten estas preguntas.

1. ¿Cuál es tu momento favorito del día?

2. ¿Hay una actividad específica que asocias con tu momento favorito? ¿Cuál es?

La vida diaria

Por la mañana

levantarse

Celia

Maribel

despertarse (ie)

sonar (ue)

el (reloj) despertador

la cama

vestirse (i, i)

Tomás

Álex

ponerse (los **zapatos**, la **ropa**, etc.) (irreg.)

Irene

el cepillo

lavarse (la **cara**, las **manos**, etc.)

Mónica

Belén

Ana

Sonia

el secador de pelo

las tijeras

el peine

maquillarse

peinarse

secarse (el pelo)

cortarse (el **pelo**, las **uñas**, etc.)

el jabón (líquido)

cepillarse (el pelo)

el papel higiénico

el maquillaje

Rosa

ir al baño

Teresa

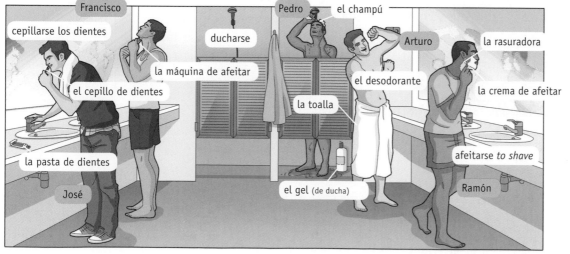

Francisco

cepillarse los dientes

ducharse

Pedro

el champú

Arturo

la rasuradora

la máquina de afeitar

el cepillo de dientes

el desodorante

la crema de afeitar

la toalla

la pasta de dientes

el gel (de ducha)

afeitarse *to shave*

José

Ramón

Alicia

"**Tengo sueño,** voy a **acostarme.** ¡Buenas noches!"

Por la noche

Pepe

Daniel

dormirse (ue)

relajarse

Carlos   Óscar

Marina

pasarlo bien(/mal)

divertirse (ie, i)

Cristina

Nadia

bañarse

Apoyo de vocabulario

acostarse (ue)	to go to bed
despertarse (ie)	to wake up
divertirse (ie, i)	to have a good time
dormirse (ue, u)	to fall asleep, to go to sleep
lavarse (la cara, las manos)	to wash (one's face, hands)
levantarse	to get up, to arise
pasarlo bien/mal	to have a good/bad time
ponerse (irreg.) (los zapatos, la ropa, etc.)	to put on (one's shoes, clothes, etc.)
quitarse (la ropa, etc.)	to take off (one's clothes, etc.)
secarse (el pelo, las manos, etc.)	to dry (one's hair, hands, etc.)
sonar (ue)	to ring, to sound
tener (irreg.) sueño	to be sleepy
vestirse (i, i)	to get dressed

¿Qué observas? Contesta las preguntas sobre las imágenes. Encuentra más preguntas en el Supersite.

1. Por la mañana, el despertador suena en la habitación de Maribel y Celia. ¿Quién se levanta antes: Maribel o Celia? ¿Quién se despierta más tarde?

2. Álex y Tomás, ¿se visten o se desvisten? ¿Quién se pone la ropa? ¿Quién se pone los zapatos?

3. Carlos, Óscar y Marina, ¿lo pasan bien o mal?

¿Y tú? Contesta las preguntas sobre ti mismo/a.

1. ¿Necesitas despertador? ¿Te despiertas fácilmente?

2. ¿Cómo es tu rutina similar o diferente a las rutinas de estas personas?

3. ¿Cómo te relajas al final del día? ¿Sales a divertirte con tus amigos durante la semana o solamente los fines de semana?

Nota de lengua

The definite article (not a possessive) is normally used to refer to parts of the body or articles of clothing.

Voy a cepillarme **los** [~~mis~~] dientes.

¿No te pones **el** [~~to~~] suéter?

1 La rutina diaria Vas a describir qué haces todos los días.

Paso 1 Organiza estas actividades en orden cronológico, según (*according to*) tu rutina diaria personal. Numéralas (*Number them*) del 1 al 16.

_____ acostarse	_____ estudiar
_____ bañarse/ducharse	_____ ir a clase
_____ cenar	_____ levantarse
_____ cepillarse los dientes	_____ peinarse
_____ desayunar	_____ quitarse la ropa
_____ despertarse	_____ relajarse
_____ divertirse/pasarlo bien	_____ ver la tele
_____ dormirse	_____ vestirse/ponerse la ropa

Paso 2 En parejas, comparen sus listas del **Paso 1**. ¿Son sus rutinas similares o diferentes?

2 ¿Qué actividades? ¿Qué actividades asocias con estos objetos? Intenta (*try to*) pensar en el mayor (*largest*) número posible.

> **Modelo** el reloj despertador
> *despertarse, levantarse, sonar...*

1. la ropa	**7.** el maquillaje
2. el champú	**8.** el jabón
3. el pelo	**9.** el desodorante
4. las tijeras	**10.** la cama
5. el peine	**11.** la toalla
6. la pasta de dientes	**12.** el cepillo

3 ¡Identifica! En parejas, Estudiante A lee las descripciones 1–5 y Estudiante B escucha e intenta identificar las actividades o cosas descritas. Después, Estudiante B lee las descripciones 6-10 y Estudiante A identifica.

Estudiante A

1. Un líquido para lavarse en la ducha.
2. Un objeto para cepillarse los dientes. Pones la pasta de dientes en él.
3. Una máquina para despertarse por la mañana. Suena muy alto (*very loud*).
4. Quitarse pelo con una rasuradora o con una máquina.
5. Después de la ducha o después de lavarse. Lo haces con una toalla.

Estudiante B

6. Un objeto para cortarse el pelo o las uñas, para cortar papel, etc.
7. Un producto para lavarse la cara, las manos.
8. Ir a la cama para dormir.
9. Color que una persona usa en la cara (*face*).
10. Un producto para lavarse el pelo.

4 **Dentalvit Micro-Cristal** Vas a conversar sobre los productos de higiene personal.

Paso 1 Mira el anuncio (*ad*) y, antes de leerlo, contesta estas preguntas.

1. ¿Qué está anunciando?

2. Escribe una lista de ideas y palabras que posiblemente vas a encontrar en el anuncio.

Paso 2 Lee el anuncio y contesta las preguntas.

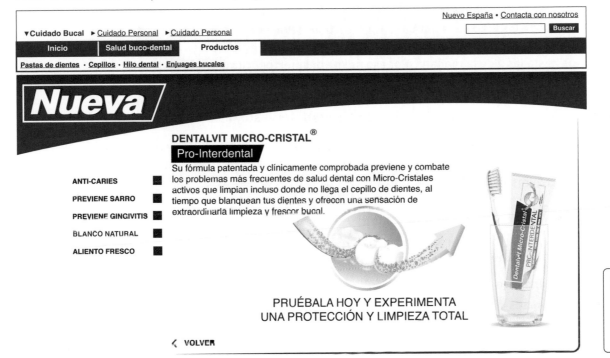

Palabras útiles

el aliento *breath*

la caries *cavity*

el sarro *tartar*

1. ¿Qué problemas de salud dental combate Dentalvit Micro-Cristal? ¿Qué otros beneficios ofrece?

2. ¿En qué se diferencia Dentalvit de otras pastas de dientes?

3. ¿Cuáles de las ideas y palabras que anticipaste están en el texto?

Paso 3 En grupos pequeños, comenten sus preferencias respecto a los productos de higiene personal.

1. ¿Qué marca (*brand*) de pasta de dientes usas?

2. Respecto a productos de higiene personal, ¿tienes marcas preferidas? ¿Hay marcas que no te gustan para nada (*at all*)?

3. ¿Qué factor es más importante cuando compras estos productos? ¿El precio? ¿El olor (*scent*) o el sabor (*taste*)? ¿La sostenibilidad? ¿Prefieres los productos clásicos o los nuevos?

Nota de lengua

Many name brands in Hispanic countries are the same as in the United States, but with a Spanish pronunciation. How do you think Spanish-speakers pronounce these brands?

Colgate   Palmolive   Vicks VapoRub   Avon   Oral-B

☐ **I CAN** describe daily routines.

1. Discuss daily activities

Reflexive structures

🔗 Read and listen to the text, focusing on the structures of the verbs that describe daily routines, in boldface. What can you observe about the position of the pronouns **me**, **se**, and **nos**? When are **me**, **se**, and **nos** placed before the verb? When are they attached to it?

🔊 Tengo una clase a las 8:30 de la mañana y por eso debo **levantarme** temprano, pero mi compañero de cuarto **se acuesta** muy tarde todos los días y muchos días no **nos dormimos** hasta las 2 de la mañana. Por eso no **me despierto** fácilmente: la alarma de mi celular suena a las 7, pero casi nunca **me levanto** hasta media hora más tarde. Aunque en general prefiero **ducharme** por la mañana, este semestre **me ducho** por la noche, así por la mañana solo tengo que **lavarme** la cara, **vestirme** y estoy listo para salir. Y tú, ¿te despiertas fácilmente?

Reflexive verbs combine with reflexive pronouns to indicate that the person is doing the action to herself/himself. Observe the contrast:

Teo **lava** su coche.　　　vs.　　　Teo **se lava**.

Teo washes his car.　　　　　　　*Teo washes himself.*

Note that some verbs have a reflexive form but not a reflexive meaning.

Nunca **me duermo** en clase.　　　*I never fall asleep in class.*

Mis amigos y yo **nos divertimos**.　　*My friends and I have fun.*

When using reflexive verbs, consider these aspects:

1. Which reflexive pronoun should you choose? The reflexive pronoun and the subject of the verb refer to the same person, so they agree with each other.

vestirse			
yo	**me** vist**o**	nosotros/as	**nos** vest**imos**
tú	**te** vist**es**	vosotros/as	**os** vest**ís**
usted, él/ella	**se** vist**e**	ustedes, ellos/as	**se** vist**en**

2. Where should you place the reflexive pronoun? This depends on the sentence structure:

▶ Immediately before a conjugated verb (a verb with a **yo**, **tú**, etc. form).

Me despierto a las seis.　　　*I wake up at six.*

No **nos** acostamos tarde.　　　*We don't go to bed late.*

▶ In structures with an infinitive (e.g., **tener que** + infinitive; **ir a** + infinitive) or present progressive (**estar** + present participle), the pronoun can be placed either before the conjugated verb (a) or attached to the infinitive or present participle (b).

(a) **Me** tengo que levantar temprano.
(b) Tengo que levantar**me** temprano. ⎤ *I have to get up early.*

(a) Marina **se** está divirtiendo.
(b) Marina está divirtiéndo**se**. ⎤ *Marina is having a good time.*

▶ Note that when the reflexive pronoun is attached to a present participle, we need to add a written accent on the vowel that carries the emphasis.

Marina esta divirtiéndose.

Estoy bañándome.

1 **La rutina de Adriana y Celeste** Observa la rutina matutina de Adriana y Celeste. Después, escucha las descripciones y escribe cada número y descripción bajo la ilustración correspondiente.

Adriana

9:30

Celeste

7:00

1. Se levanta temprano.

---

2 **¿Y cuál es tu rutina diaria?** Vas a conversar sobre las actividades que haces todos los días.

Paso 1 Lee estas preguntas sobre actividades diarias. Indica si las oraciones son ciertas (**sí**) o falsas (**no**) para ti.

	Tú		Tu compañero/a	
Por las mañanas...	**Sí**	**No**	**Sí**	**No**
¿te despiertas con un despertador?	☐	☐	☐	☐
¿te levantas antes de las 8 de la mañana?	☐	☐	☐	☐
¿te duchas en 5 minutos o menos (*less*)?	☐	☐	☐	☐
¿te cepillas los dientes antes de desayunar?	☐	☐	☐	☐

	Tú		Tu compañero/a	
Por las noches...	**Sí**	**No**	**Sí**	**No**
¿te diviertes con tus amigos?	☐	☐	☐	☐
¿te duermes cuando ves la televisión?	☐	☐	☐	☐
¿te bañas para relajarte?	☐	☐	☐	☐
¿te acuestas después de las 12 de la noche?	☐	☐	☐	☐

Paso 2 En parejas, entrevista (*interview*) a tu compañero/a con las preguntas del **Paso 1**. Pide (*ask for*) y ofrece más detalles. Toma nota de las respuestas de tu compañero/a.

> **Modelo** **Estudiante A:** *Por las mañanas, ¿te despiertas con un despertador?*
> **Estudiante B:** *No, no necesito un despertador porque mi compañero de cuarto siempre pone la televisión.*

3 **Algunas costumbres** Indica qué haces en estos momentos del día. Puedes seleccionar entre las opciones o escribir una actividad diferente. Después, en grupos, comenten sus respuestas.

1. A veces me levanto temprano para (hacer ejercicio/ir a trabajar/meditar/...).
2. Después de despertarme, (hago la cama/miro mi teléfono/leo las noticias/...).
3. Para ir a clase me pongo (ropa formal/ropa informal/ropa deportiva/...).
4. Cuando estudio, (me concentro bien/miro mi teléfono/navego en Internet/...).
5. Para relajarme, (veo la tele/hablo con amigos/practico una afición (*hobby*)/...).
6. Cuando me acuesto, (leo/miro la tele/miro mi teléfono/...).

4 **¿Estereotipo o realidad?** Vas a compartir ideas de los estereotipos que hay sobre los estudiantes universitarios.

Paso 1 Completa estas oraciones con información que refleja estereotipos sobre los estudiantes universitarios.

> **Modelo** ... generalmente nos levantamos *tarde*.

El estereotipo es que...

1. ... casi siempre comemos _____.

2. ... bebemos _____ frecuentemente.

3. ... nos ponemos _____ frecuentemente.

4. ... nos divertimos _____.

5. ... nos acostamos _____.

6. ... somos _____.

Paso 2 En grupos pequeños, compartan (*share*) sus respuestas y respondan estas preguntas.

1. ¿Cómo se comparan estos estereotipos con la realidad? ¿Hay alguno (*any*) con una base en la realidad?

2. ¿Pueden pensar en otros estereotipos que existen sobre los estudiantes universitarios en general o sobre estudiantes de una carrera (*major*) en particular?

3. ¿Existen estereotipos sobre tu universidad?

Nota cultural

La siesta

La siesta, the practice of taking a nap after lunch, is not very common nowadays. In Spain, for instance, traditional work schedules included a long break in the middle of the day when many offices and stores closed, allowing people to have lunch and rest at home during the hottest hours of the day, returning to work in the afternoon. Today, split schedules are in decline, especially in larger cities.

ASÍ SE FORMA

5 **Los/Las profesores/as** Vas a conversar con tu profesor(a) sobre su rutina.

Paso 1 Piensa en el profesorado (*faculty*). Escoge la opción que, en tu opinión, describe mejor a muchos/as de ellos/as. Escribe dos afirmaciones más.

1. Se levantan
   - ☐ antes de las 7 de la mañana.
   - ☐ entre las 7 y las 8 de la mañana.
   - ☐ después de las 8 de la mañana.

2. Se afeitan o se maquillan
   - ☐ todos los días.
   - ☐ con frecuencia.
   - ☐ a veces.

3. Se visten de manera
   - ☐ informal.
   - ☐ formal.
   - ☐ muy formal.

4. Van a la universidad
   - ☐ a pie (*by foot*).
   - ☐ en coche.
   - ☐ en autobús/tren.

5. Se divierten en clase
   - ☐ siempre.
   - ☐ con frecuencia.
   - ☐ a veces.

6. Se acuestan
   - ☐ antes de las 12 de la medianoche.
   - ☐ entre las 12 y la 1 de la mañana.
   - ☐ después de la 1 de la mañana.

Paso 2 En parejas, comparen sus respuestas y pregunten a su profesor(a) sobre sus actividades.

> **Modelo** *¿A qué hora se levanta usted?*

6 **Hábitos diarios** Muchos estudiantes universitarios se sienten (*feel*) cansados y se enferman (*get sick*) con frecuencia. El Centro de Salud (*health*) de tu universidad quiere investigar la causa de este problema y tú vas a colaborar en este estudio.

Paso 1 Responde a las preguntas 1 a 7. Después, anota otros datos relevantes sobre tu estilo de vida, por ejemplo, ejercicio físico, hábitos alimenticios (*eating habits*), etc.

Estudio:
Hábitos de vida
Centro de Salud

1. ¿Tienes sueño ahora?   ☐ sí   ☐ un poco   ☐ no
2. ¿A qué hora te levantas los días de clase? _____
3. ¿A qué hora te acuestas normalmente? _____
4. ¿Te duermes cuando estudias o ves la televisión?   ☐ siempre ☐ a veces ☐ nunca
5. ¿Necesitas un reloj despertador para despertarte?   ☐ siempre ☐ a veces ☐ nunca
6. ¿Cuántas tazas de café o té tomas cada día? _____
7. ¿Desayunas antes de ir a clase?   ☐ siempre ☐ a veces ☐ nunca

Otra información:
_____
_____
_____

Paso 2 En grupos, compartan sus respuestas y tomen notas. Según (*Based on*) sus respuestas y lo que saben sobre otros estudiantes, ¿pueden hacer alguna generalización sobre los hábitos de vida de los estudiantes universitarios? ¿Cuáles son las consecuencias de estos hábitos?

> **Modelo** *Muchos estudiantes se acuestan tarde y tienen sueño en clase. Por eso, ...*

7 **Consejos** Tu compañero/a y tú quieren dar consejos (*advice*) a otros estudiantes para tener un estilo de vida más saludable (*healthy*). Por eso quieren ser voluntarios en la campaña (*campaign*) del Centro de Salud. Como parte de su entrenamiento (*training*), van a participar en algunas dramatizaciones (*role-plays*).

Paso 1 Tomen turnos para indicar qué tipo de problema tienen y escuchen los consejos de su compañero/a.

> **Modelo** **Estudiante A:** *Siempre tengo sueño.*
> **Estudiante B:** *Debes acostarte más temprano/tomar una siesta.*

Estudiante A

1. Nunca me despierto con el despertador y llego tarde a clase.
2. Siempre estoy cansado/a.
3. Estoy estresado/a porque estudio, trabajo y hago actividades extracurriculares todos los días.

Estudiante B

1. Me canso mucho (*I get very tired*) cuando camino a mis clases.
2. No puedo dormirme cuando me acuesto.
3. Me duermo en la clase de Contabilidad.

Paso 2 Ustedes quieren colaborar en la creación del folleto (*brochure*) del Departamento de Salud. Piensen y escriban juntos (*together*) los tres consejos más importantes que tienen para los estudiantes universitarios.

Palabras útiles

estar estresado/a
to be stressed

el estrés
stress

por eso
that's why

preocuparse
to be worried

sentirse (ie, i)
to feel (physically, emotionally)

tomar una siesta
to take a nap

En mi experiencia

Cliff, San Francisco, CA

"I noticed a more easy-going pace in Spain. Whenever I met people out, there seemed to be a 15-minute window for people to arrive, even more if going to someone's place or a party. I realized I had to relax my expectations and specific plans for how my day was going to proceed and enjoy the fact that I did not have to worry about being a bit late either."

In general, in your social circles, how punctual do people tend to be? What might be some of the underlying values in a culture that has a more flexible concept of an acceptable time to arrive to a social gathering?

Resources

vhlcentral

SAM

online activities

☐ **I CAN** discuss daily activities.

El mate

Antes de leer

1. En Estados Unidos Responde a estas preguntas.

1. ¿Hay alguna (*any*) bebida o comida en tu cultura que es considerada un ritual diario? ¿Cuál? ¿Por qué?

2. ¿Te gusta a ti tomar esa bebida o comer esa comida? ¿Por qué?

Son las siete de la mañana y hace un poco de frío en la ciudad de Buenos Aires. ¡Nada mejor que un buen mate para despertarse y comenzar° el día! En los países del Cono Sur, el mate es como un ritual. El mate es un tipo de yerba° que tiene un sabor similar al té verde. Tomar mate es una costumbre ancestral heredada° de los pueblos originarios de Paraguay, Uruguay, Argentina y el sur de Brasil, y se mantiene hasta el presente. El mate se puede tomar con azúcar, leche, otras hierbas, naranja o limón. En general se toma° caliente pero en algunas regiones donde hace calor también es común tomarlo frío con cubitos de hielo. Tradicionalmente, el mate se toma con una bombilla° de metal y una calabaza° o un recipiente de madera° o de metal.

Hay personas que llevan su equipo de mate y lo toman durante todo el día, mientras estudian, trabajan, practican alguna actividad o simplemente hacen mandados°. Por eso, es común escuchar que el mate es un amigo que te acompaña°. El mate también representa los valores de la amistad y la hospitalidad porque es una bebida para compartir° con otras personas. La pregunta "¿Tomamos unos mates?" significa más que beber esta infusión. Puede ser el comienzo° de una buena conversación, una forma de conectar con otra persona, ver a viejos amigos y pasarlo bien.

comenzar *to start* **la yerba** *herbal infusion* **heredado/a** *inherited*
tomarse *to be taken* **la bombilla** *straw* **la calabaza** *gourd* **la madera** *wood*
hacer mandados *to run errands* **acompañar** *to go with someone*
compartir *to share* **el comienzo** *start*

❙ Recipiente con yerba mate

Después de leer

2. ¿Cierto o falso? Indica si las oraciones son ciertas (**C**) o falsas (**F**) según el texto.

1. Muchas personas no toman el mate solo (*on its own*). ....**C F**

2. Es frecuente tomar mate con las comidas (*meals*). ....**C F**

3. La gente dice que el mate es como un amigo porque siempre está presente. ....**C F**

3. Comparar y analizar En parejas, comenten estas preguntas.

1. ¿Qué "rituales" tienen como parte de sus rutinas del día o de la semana? ¿Tienen algunos rituales que comparten con amigos/as?

2. ¿Qué beneficios puede tener compartir la comida y la bebida con otras personas?

Resources

vhlcentral

online activities

☐ **I CAN** identify concepts about the custom of drinking **mate.**

2. Discuss daily activities

Reciprocal constructions

As you read and listen to the text, note that the verb structures, in boldface, look like reflexives, but they have a different meaning. Can you figure out what they mean in this context? Consider who does the action and who the object of that action in each case is.

> Este semestre estoy estudiando en España y tengo muchos amigos aquí. **Nos vemos** todos los días porque tenemos casi todas las mismas (*the same*) clases y si no, **nos mandamos** mensajes de texto y **nos encontramos** (*we meet*) más tarde. Aquí los compañeros de clase estudian juntos, **se prestan** (*lend*) notas de clase, **se ayudan** con la tarea y ¡lo pasan bien juntos también!

English uses the phrases *each other* and *one another* to express reciprocal actions: *They love each other/one another.* Spanish uses the pronouns **nos** and **se**, accompanied by the corresponding verb forms, to express reciprocal or mutual actions.

Mi amiga Sara y yo **nos llamamos** mucho.	*My friend Sara and I call each other a lot.*
Los compañeros de clase **se prestan** las notas.	*Classmates lend each other their class notes.*

1 **¿Reflexivo o recíproco?** Lee cada oración e indica si es una construcción reflexiva o recíproca.

1. Nos bañamos.
2. Nos escribimos mensajes.
3. Nos miramos en el espejo.
4. Nos vemos los sábados.
5. Nos dormimos muy tarde.
6. Nos despertamos todas las noches.

2 **Situaciones recíprocas** Indica con quién en tu familia o grupo social tienes, o no tienes, estas situaciones y elabora con algunos detalles.

> **Modelo** entenderse: *Mi hermano y yo no nos entendemos a veces. Tenemos opiniones diferentes en muchas cosas.*

1. entenderse
2. verse
3. abrazarse
4. escucharse
5. decirse la verdad
6. hacerse bromas (*jokes*)

3 **Tu mejor amigo/amiga y tú** Primero, contesta las preguntas sobre tu mejor amigo/a y tú. Luego, comparte tus respuestas con un(a) compañero/a.

1. ¿Se llaman por teléfono? ¿Se mandan mensajes en redes sociales (*social media*) o mensajes de texto?
2. ¿Se ven frecuentemente?
3. ¿Se cuentan (*tell*) sus problemas? ¿Se cuentan secretos?
4. ¿Se ayudan con los estudios?
5. ¿Se hacen reír (*make each other laugh*)?
6. ¿Se enojan (*get upset*) a veces también?

□ **I CAN** discuss daily activities.

Nota de lengua

As you can observe, reciprocal structures are formed like reflexive structures, although reciprocals are always plural. Because there is a shared form, there are some ambiguous cases.

Ana y yo **nos maquillamos** para ocasiones especiales. *Ana and I put on makeup for special occasions.*

OR

Ana and I do each other's makeup for special occasions.

Sometimes the meaning of the verb or context will determine how to interpret these structures.

Ana y yo **nos acostamos** temprano. *Ana and I go to bed early.*

Resources

vhlcentral

SAM

online activities

El trabajo y las profesiones

El señor Vega es **abogado**. Hoy defiende un caso en el tribunal (*court*).

La señora Ríos es una **mujer de negocios** con mucho talento.

El **doctor** López es **médico**. Es cirujano de tórax.

El señor Rojas es **enfermero.** Trabaja en el hospital.

La señora Ruiz es **programadora de computadoras**.

El señor Gómez es **contador**. Trabaja para una **compañía** multinacional.

El señor Cortés es **maestro** de segundo grado.

La señora Casona es **ama de casa**. ¡Es un trabajo muy exigente (*demanding*)!

Carmen es **asistente administrativa** y **recepcionista**.

Federico es **dependiente** en una tienda de ropa.

Ismael es **mesero** en un restaurante y Charo es **cajera**.

Julián es **periodista**. Escribe para el periódico (*newspaper*) de la universidad.

El **trabajo** es una de las actividades más importantes de nuestra vida. Muchos adultos tienen un trabajo **a tiempo completo** y trabajan todo el día, pero otros, por ejemplo muchos estudiantes, tienen trabajos **a tiempo parcial** y trabajan menos horas. No todos los trabajos compensan igual. Por ejemplo, las personas de negocios generalmente **ganan** más **dinero**, pero el personal administrativo (*administrative staff*) normalmente gana menos. Algunas personas prefieren trabajar para una **compañía** grande, como una multinacional; otras personas prefieren **empresas** pequeñas o familiares. Hay personas que trabajan en una oficina, otras en una escuela o en una universidad, en una **tienda** o en un centro comercial, o por toda la ciudad, como los **policías** y las **mujeres policía**. Otros son **empleados/as** de una **fábrica**, de un restaurante o de un supermercado. ¿Qué tipo de trabajo prefieres tú?

Apoyo de vocabulario

a tiempo completo/ parcial	full-time/ part-time	el/la empleado/a	employee
el amo/ama de casa	homemaker	la empresa	business, company
el/la cajero/a	cashier	la fábrica	factory
la compañía	company	ganar	to earn, to make (money)
el/la contador(a)	accountant	el/la médico/a	doctor
el/la dependiente/a	salesclerk	el/la periodista	journalist
el dinero	money	el policía/la mujer policía	police officer
		la tienda	store, shop

▶ Note that **el médico/la médica** and **el doctor/la doctora** are synonyms. Also, note that **la policía** means the police force, the institution. Therefore, to refer to a female who works as a policewoman, we say **la mujer policía**.

▶ When stating a person's profession without further qualifiers or description, the indefinite article **un/una** is not used. When an adjective is added, the indefinite article is used.

Mi madre es **abogada**.   BUT   Mi madre es **una abogada** excelente.

1 **¿Sí o no?** Escucha los enunciados y decide si son lógicos (**sí**) o ilógicos (**no**).

1. Sí☐ No☐   3. Sí☐ No☐   5. Sí☐ No☐

2. Sí☐ No☐   4. Sí☐ No☐   6. Sí☐ No☐

2 **¿Quién es?** Vas a conversar sobre algunas ocupaciones.

Paso 1 Individualmente, lee las descripciones e identifica cada profesión.

1. Cuida a (*looks after*) sus pacientes día y noche: toma su temperatura, observa su estado, administra medicinas, etc.

2. Revisa las finanzas de su empresa o cliente, calcula los impuestos (*taxes*), etc.

3. Dependiendo de dónde trabaja, puede vender ropa, zapatos, libros, etc.

4. Recibe a las visitas y contesta el teléfono. Generalmente, también hace otras tareas administrativas.

5. Pasa casi todo el día en un aula. Tiene que leer muchas tareas.

6. Diagnostica y pone tratamiento a sus pacientes. A veces está de guardia y tiene que estar disponible durante el fin de semana o por la noche.

7. Toma la orden de los clientes y sirve comida en un restaurante.

8. Informa sobre las noticias y hace entrevistas.

Paso 2 En grupos pequeños, escojan tres o cuatro de las ocupaciones del **Paso 1**. ¿Qué saben sobre ellas? Aquí tienen algunas preguntas para empezar:
- ¿Qué aspectos positivos y negativos tienen estas profesiones?
- ¿Qué cualidades personales o conocimientos son necesarios para desempeñar (*carry out*) esta profesión con éxito (*successfully*)?
- ¿Tienes experiencia personal o conoces a alguien con esta profesión? ¿Cuál es tu experiencia o la experiencia de esa persona?

3 **La vida profesional** Vas a describir una profesión.

Paso 1 Individualmente, elige (*choose*) una de las profesiones que se presentan en esta sección y escribe un párrafo corto sobre un día en la vida de una persona con esa profesión.

> **Modelo** *Cada mañana esta persona se levanta a las...*

Paso 2 En grupos pequeños, compartan sus descripciones y adivinen (*guess*) a qué profesión se refiere cada descripción.

4 **Situaciones** En parejas, van a representar esta situación: Uno/a de ustedes es consejero/a de orientación profesional y el/la otro/a es él/ella mismo/a (*himself/herself*), buscando consejos sobre su futura carrera (*career*). Sigan este esquema.

Palabras útiles

agotador(a)
tiring, draining

la creatividad
creativity

emocionante
exciting

exigente
demanding

la flexibilidad
flexibility

liviano/a
light, easy

peligroso/a
dangerous

prestigioso/a
prestigious

la responsabilidad
responsibility

Consejero/a:

1. Vas a entrevistar a un(a) estudiante. Debes hacerle las preguntas del cuestionario y dos preguntas más (escríbelas abajo). Escucha y toma notas.

2. Escucha las respuestas de tu compañero/a, sugiere (*suggest*) una profesión apropiada para él/ella y explícale por qué es una buena opción para él/ella.

Estudiante:

1. Escucha las preguntas del/de la consejero/a de orientación profesional y responde honestamente y con muchos detalles.

2. Escucha las sugerencias del/de la consejero/a de orientación profesional. Dile si estás o no de acuerdo con su sugerencia, y explica por qué.

Cuestionario de orientación...   +   – ⊡ ✕

← → C http://   ☆ •••

Cuestionario de orientación profesional   Nombre: _____

1. ¿Tienes experiencia laboral (*work experience*)?
   (Si respondes "No", salta (*skip*) al número 5).
   _____

2. ¿En qué trabajo(s) tienes experiencia?
   _____

3. ¿Qué aspectos de esos trabajos te gustan?
   _____

4. ¿Qué aspectos no te gustan?
   _____

5. ¿Qué estudias?
   _____

6. ¿Cuáles son tus clases favoritas?
   _____

7. ¿Dónde prefieres trabajar? En una compañía grande/pequeña, la ciudad...
   _____

8. ¿Es importante para ti ganar mucho dinero?
   _____

9. ¿...?
   _____

10. ¿...?
    _____

Resources

vhlcentral

SAM

online
activities

☐ **I CAN** describe job-related issues.

3. Discuss actions in the past

The preterit of regular verbs and *ser/ir*

1. Read and listen to the text, focusing on the message. Read again and observe the verbs in boldface.
2. Can you connect different subjects (**yo**, **tú**, **él/ella**, **ellos/as**) and verb forms?
3. What do you notice about these forms' stress patterns?
4. Do you see any forms that are only distinguished from others you know by their stress?

Sandra: Ayer **te levantaste** temprano, ¿no?

Violeta: Sí, **me levanté** a las siete, **me vestí** rápidamente, **tomé** café y **fui** a mi entrevista de trabajo.

Sandra: ¿Tu entrevista **fue** esta mañana? Y, ¿qué tal?

Violeta: **Llegué** tarde. Ayer no **leí** bien la dirección y **fui** al lugar equivocado.

Sandra: ¡Ay, no! Entonces, ¿qué **pasó** (*what happened*)?

Violeta: **Llamé** por teléfono y **expliqué** la situación. **Fueron** muy amables, ¡me **ofrecieron** otra entrevista hoy!

The preterit tense is used to talk about actions or states viewed as completed in the past.

Ayer...	Yesterday...
Me levanté a las siete, **me vestí** y **tomé** café.	*I got up at seven, got dressed, and had coffee.*
Llegué tarde a la entrevista.	*I arrived late to the interview.*
¡Me **ofrecieron** otra entrevista!	*They offered me another interview!*

Preterit form of regular verbs

	estudiar	**volver** (*to return*)	**salir** (*to leave*)
yo	estudi**é**	volv**í**	sal**í**
tú	estudi**aste**	volv**iste**	sal**iste**
usted, él/ella	estudi**ó**	volv**ió**	sal**ió**
nosotros/as	estudi**amos**	volv**imos**	sal**imos**
vosotros/as	estudi**asteis**	volv**isteis**	sal**isteis**
ustedes, ellos/as	estudi**aron**	volv**ieron**	sal**ieron**

▶ Note that **–er/–ir** preterit verb endings are identical.

▶ In the preterit tense, **–ar** and **–er** verbs never undergo stem changes. (See **volver** in chart.)

¡Atención!

- The **nosotros** forms of **-ar** and **-ir** verbs in the preterit are the same as their respective present-tense forms.
- You will learn about preterit forms of **-ir** stem-changing verbs in **Capítulo 7**.

ASÍ SE FORMA

Other preterit forms

▶ Verbs ending in **–gar**, **–car**, and **–zar** have spelling changes in the preterit in order to maintain their pronunciation in the **yo** form.

- gar	g → gu	jugar, llegar	**jugué**, jugaste, jugó, …
- car	c → qu	tocar, buscar	**toqué**, tocaste, tocó, …
- zar	z → c	abrazar, almorzar	**abracé**, abrazaste, abrazó, …

▶ In the verbs **leer** and **oír** there are also changes in the third person forms: **-ió → yó**; **-ieron → -yeron**. Notice the written stress in all the forms except third person plural.

leer	leí, leíste, **leyó**, leímos, leísteis, **leyeron**
oír	oí, oíste, **oyó**, oímos, oísteis, **oyeron**

▶ There are some verbs with irregular preterit forms. **Ser** and **ir** have identical irregular preterit forms; the context clarifies which verb is used.

ser/ir	**fui, fuiste, fue, fuimos, fuisteis, fueron**	
(ir)	**Fueron** a la playa ayer.	*They went to the beach yesterday.*
(ser)	**Fue** un día extraordinario.	*It was an extraordinary day.*

Here are some time expressions that set a specific time in the past, or the beginning or end of such a past time, and are commonly used with the preterit.

ayer	*yesterday*		primero	*first*
anteayer	*the day before yesterday*		después	*afterwards*
anoche	*last night*		entonces	*then*
la semana pasada	*last week*		luego	*then, later*
el mes pasado	*last month*		ya	*already*
el año pasado	*last year*			

1 **¿Antes o ahora?** Escucha estas afirmaciones e indica si se refieren al presente o al pasado. En algunos casos pueden ser ambos (*both*).

1. Pasado   Presente   4. Pasado   Presente   7. Pasado   Presente
2. Pasado   Presente   5. Pasado   Presente   8. Pasado   Presente
3. Pasado   Presente   6. Pasado   Presente   9. Pasado   Presente

2 **¿Cómo te fue ayer?** Vas a comparar tus experiencias de ayer con las de tus compañeros/as.

Paso 1 Lee las oraciones y, si son ciertas para ti, escribe **Sí**. Si no, reescríbelas (*rewrite them*), haciéndolas (*making them*) ciertas para ti.

1. _____ Me levanté temprano.
2. _____ Fui al gimnasio.
3. _____ Desayuné en la cafetería de la universidad.
4. _____ Llegué temprano a mis clases.
5. _____ Mis amigos/as y yo comimos juntos/as.
6. _____ Estudié en la biblioteca.
7. _____ Mi amigo/a y yo fuimos a cenar a un restaurante.
8. _____ Me acosté a las 11 de la noche.

Paso 2 Describe en un párrafo tu día de ayer usando las oraciones relevantes del **Paso 1** y añadiendo otros detalles. Usa por lo menos (*at least*) tres de las expresiones de tiempo de la presentación de gramática. Luego, en grupos pequeños, comparen sus descripciones.

3 La profesora Rodríguez Escucha las afirmaciones sobre la profesora Rodríguez e indica si se refieren a sus actividades habituales o actividades específicas de la semana pasada.

	Siempre	La semana pasada		Siempre	La semana pasada
1.	☐	☐	6.	☐	☐
2.	☐	☐	7.	☐	☐
3.	☐	☐	8.	☐	☐
4.	☐	☐	9.	☐	☐
5.	☐	☐	10.	☐	☐

> **Palabras útiles**
> ayudar *to help*
> enseñar *to teach*

4 ¿Y tu profesor o profesora? Escribe un párrafo indicando varias actividades que tu profesor(a) hace habitualmente. Después imagina que ayer fue un día extraordinario para él/ella, usa tu imaginación y describe sus actividades por escrito.

5 El último año Vas a descubrir qué hicieron tus compañeros/as en el último año.

Paso 1 Individualmente, completa estas preguntas para tus compañeros de clase sobre si tuvieron (*had*) estas experiencias en el último año.

> **Modelo** comprar un coche nuevo *¿Compraste un coche nuevo?*

	El año pasado	¿Quién?
1. viajar a un lugar interesante	¿_____? ¿Adónde?	
2. ver una película excelente	¿_____? ¿Cuál?	
3. hablar con alguien famoso o importante	¿_____? ¿Quién?	
4. probar (*to try*) una comida nueva	¿_____? ¿Cuál?	
5. ir a un lugar peligroso (*dangerous place*)	¿_____? ¿Adónde?	
6. leer un libro inolvidable	¿_____? ¿Cuál?	
7. estudiar o aprender algo nuevo	¿_____? ¿Qué?	
8. ¿?	¿_____?	

Paso 2 En grupos pequeños, lee tus preguntas a tus compañeros. Cuando un(a) compañero/a responda "*Sí*", escribe su nombre, pide más detalles sobre esa experiencia y anótalos también.

Paso 3 En grupos pequeños, comenten lo que descubrieron. ¿Quién tuvo un año muy interesante?

ASÍ SE FORMA

6 **Un día en la vida de un(a) profesional** Vas a identificar profesiones.

Paso 1 Individualmente, escoge una ocupación e imagina que ayer fue un día de trabajo típico para una persona en esta profesión. Describe las actividades de esa persona, sin (*without*) mencionar la profesión. Usa expresiones de tiempo para indicar el progreso temporal e incluye otros detalles.

> **Modelo** *Primero, oyó el despertador de su teléfono a las...*

Paso 2 En grupos pequeños, túrnense para leer sus textos. Los/Las compañeros/as identifican la profesión correspondiente para cada narración.

7 **Un día normal** Lee el mensaje que Natalia le envió a su hermana ayer y completa las oraciones con la forma apropiada de cada verbo.

De:	Natalia <natamarq@uni.edu>
Fecha:	15 de marzo
Para:	Beatriz <bealabella@uni.edu>
Asunto:	Esta semana

¡Hola, hermanita! ¿Cómo estás? ¿Y papá y mamá? Anteayer y ayer (ser) _____ días bastante ordinarios. Ayer, por ejemplo, primero (levantarse) _____ temprano y (correr) _____ tres millas. Luego, a eso de las siete de la mañana, (bañarse) _____, (desayunar) _____ con mi amiga Ana, y después Ana y yo (asistir) _____ a nuestra clase. Luego, Ana (ir) _____ a otra clase. Entonces, yo (almorzar) _____ y (ir) _____ al Centro Estudiantil para encontrarme con mis amigos Octavio y Rubén para estudiar. Los tres (ir) _____ juntos (*together*) a la biblioteca. Allí (estudiar) _____ y (mandar) _____ unos correos electrónicos. Mis amigos también (leer) _____ algunas revistas (*magazines*) de deportes. Después, yo (regresar) _____ al restaurante de la uni para cenar y (volver) _____ a mi cuarto. Como siempre, (escuchar) _____ un poco de música y (acostarse) _____. Ya sabes que me encanta dormir, pero también me gusta correr temprano... Ahora tengo que ir a clase. Un beso, hermanita.

8 **Un fin de semana interesante** Vas a adivinar quién escribió una historia.

Paso 1 Escribe un párrafo con muchos detalles sobre lo que hiciste el sábado pasado. No escribas tu nombre en el papel.

Paso 2 Cuando toda la clase termina, el/la profesor(a) distribuye todas las historias. Lee la historia que recibas y adivina quién la escribió.

☐ **I CAN** discuss actions in the past.

Resources

vhlcentral

SAM

online activities

4. Identify people or things and express what or to whom

 **VideoEscenas**

Direct object pronouns

🔗 **1.** Read and listen to the text, focusing on understanding the message. Read again, observing the words **te**, **me**, **lo**, and **la**.

2. Who or what does each word refer to? Why do you think they are used?

3. Where are they placed in relation to the verb of the sentence? Hint: you have studied other pronouns that follow the same placement rules.

🔊

> **Luis:** ¿**Te** llamó Carlos?
>
> **Rodrigo:** Sí, **me** llamó ayer. Dice que olvidó (*forgot*) aquí su libro de alemán, pero yo no **lo** vi.
>
> **Luis:** Ah, sí, **lo** encontré en el pasillo (*corridor*) y **lo** llevé a mi cuarto.
>
> **Rodrigo:** Ah, muy bien. ¿Y tienes mi tableta?
>
> **Luis:** Sí, **la** puedo llevar a tu cuarto ahora.
>
> **Rodrigo:** Gracias, necesito usar**la** esta tarde.

A direct object is the person or thing that receives the action of the verb. It often answers the question *what?* or *who/whom?* about the verb. Observe the direct objects:

Compré **el carro**.	*I bought the car. (What did I buy? → the car)*
Vi **a Laura**.	*I saw Laura. (Whom did I see? → Laura)*

We use direct object pronouns to replace a direct object when it has been previously mentioned, to avoid repetition. Observe the use of the direct object pronoun **lo**, replacing **el carro**.

— Compré <u>el carro</u>.

— ¿Sí? ¿Finalmente **lo** compraste? ¿**Lo** puedo ver? ¿Dónde **lo** tienes?

¡Atención!

Remember that, when the direct object is a *person*, it requires the **a personal** (see **Nota de lengua** on page 75 of **Capítulo 3**, and observe examples in this section.)

Pronombres de objeto directo

me	Carlos no **me** llamó.	*Carlos did not call **me**.*
te	¿**Te** llamó Carlos?	*Did Carlos call **you**?*
lo	No **lo** conozco. (a Juan/a usted, *m.*) No **lo** tengo. (el libro)	*I don't know **him/you** (m.).* *I don't have **it** (m.).*
la	Juan **la** conoce. (a Lola/a usted, *f.*) Juan **la** come. (la fruta)	*Juan knows **her/you** (f.).* *Juan eats **it** (f.).*
nos	Laurie **nos** visitó anoche.	*Laurie visited **us** last night.*
os	¿Quién **os** visitó?	*Who visited **you** (pl.)?*
los	Voy a llamar**los**. (a ellos/a ustedes, *m.*) Voy a preparar**los**. (los cafés)	*I am going to call **them/you** (m.).* *I am going to prepare **them** (m.).*
las	Pedro **las** admira. (a ellas/a ustedes, *f.*) Pedro **las** va a preparar. (las bebidas)	*Pedro admires **them/you** (f.).* *Pedro is going to prepare **them** (f.).*

▶ Direct object pronouns must agree with the nouns they replace.

—¿Compraste **la pasta de dientes**?   —Sí, **la** compré esta mañana.

—Ayer conocí **a los nuevos empleados**.   —Yo también **los** conocí.

▶ Direct object pronouns are placed immediately before a conjugated verb (a verb with a **yo**, **tú**, etc. form). If the verb is negative, **no** must be placed before the pronoun.

Lo compré pero **no lo** tengo ahora.

▶ In structures with an infinitive (e.g., **tener que** + *inf.*; **ir a** + *inf.*) or present participle (e.g., **estar** + *part.*), the pronoun can be placed before the conjugated verb (a), or, alternatively, attached to the infinitive or present participle (b).

a. **La** voy a invitar.	OR	**b.** Voy a invitar**la**.	*I am going to invite **her**.*
a. **La** estoy llamando.	OR	**b.** Estoy llamándo**la**.	*I am calling **her**.*

▶ In other instances, you must attach the pronoun to the infinitive or the **–ando/–iendo** form.

Voy al laboratorio para ver**lo**.

Aprendo los verbos practicándo**los**.

▶ Note that the pronoun *it* can only be translated as **lo/la** when *it* functions as a direct object. The English *it* subject pronoun is usually omitted in Spanish.

	I ate it. → **Lo comí.**	*We didn't write it.* → **No lo escribimos.**
BUT	*It is expensive.* → **Es caro.**	*It opens at 8 A.M.* → **Abre a las 8 de la mañana.**

1 **De compras** Estás en la farmacia para comprar algunas cosas que necesitan tú y tu compañera de cuarto. Eres un poco despistado/a (*absent-minded*) así que tu compañera te llama para asegurarse (*make sure*) de que no olvidas nada. Escucha y elige la respuesta correcta.

1.	☐ Sí, lo voy a comprar.	☐ Sí, la voy a comprar.	☐ Sí, los voy a comprar.	☐ Sí, las voy a comprar.
2.	☐ Sí, lo tengo.	☐ Sí, la tengo.	☐ Sí, los tengo.	☐ Sí, las tengo.
3.	☐ Sí, lo busqué.	☐ Sí, la busqué.	☐ Sí, los busqué.	☐ Sí, las busqué.
4.	☐ No, no lo tengo.	☐ No, no la tengo.	☐ No, no los tengo.	☐ No, no las tengo.
5.	☐ No, no lo tengo.	☐ No, no la tengo.	☐ No, no los tengo.	☐ No, no las tengo.
6.	☐ No, no lo puedo comprar.	☐ No, no los puedo comprar.	☐ No, no la puedo comprar.	☐ No, no las puedo comprar.

2 **La telenovela** En parejas, van a hacer una prueba (*audition*) para los papeles de Aurora y Anselmo, personajes de la telenovela cursi (*cheesy*) *Un día de la vida*. Primero, completen el diálogo con los objetos directos **me**, **te** o **lo**. Después, léanlo muy dramáticamente. ¡Realmente quieren obtener los papeles!

Anselmo: Mi amor, estás muy triste. ¿Qué pasa?... _____ amas, ¿verdad?

Aurora: _____ amo con todo mi corazón, pero tengo que ser muy franca. También adoro a Rafael y sé que él _____ adora a mí.

Anselmo: Pero yo también _____ adoro. Eres el amor de mi vida. _____ necesitas, ¿verdad?

Aurora: Claro que _____ necesito, pero no puedo imaginar mi vida sin Rafael. También _____ necesito a él. _____ extraño (*miss*) mucho.

Anselmo: Mi cielo, tú sabes muy bien que no va a volver, y tú sabes que yo estoy aquí y que _____ quiero.

Aurora: (*Ella solloza* [*sobs*]). Pero él es único. Yo no ___ _____ quiero a ti como _____ quiero a él.

Anselmo: (*También solloza*). Tengo que reconocer (*admit*) que también _____ quiero. Yo también _____ extraño.

Aurora: Nunca vamos a encontrar otro perro como él.

3 **Cosas para vender** Imagina que necesitas dinero y quieres vender algunas cosas (*things*) que ya no usas.

Paso 1 Haz una lista con dos de estos objetos que vas a vender. Piensa en una cosa más que tienes y quieres vender. Para cada objeto, decide en qué condición está (**nuevo, casi nuevo, usado, muy usado**) y escribe el precio que quieres. ¡Tus compañeros no deben verlo!

dos sillas	una consola de videojuegos	un teléfono celular
un libro de psicología	una impresora/un escáner a color	un sofá
un televisor grande	una computadora portátil	unos platos y vasos

Modelo 1. un libro de psicología, casi nuevo: $39

Paso 2 Piensa en dos cosas de la lista del **Paso 1** que quieres comprar. Escribe el precio que puedes pagar para cada cosa. Puedes gastar (*spend*) más si encuentras (*if you find*) algo especial.

Paso 3 Habla con tus compañeros/as para vender tus cosas y comprar las cosas que necesitas. No olvides vender el objeto que añadiste (*you added*) a la lista: intenta hacerlo interesante para los/las compradores/as. Escribe qué vendes, qué compras y por cuánto dinero.

Modelo **Estudiante A:** *Tengo una pelota de baloncesto para vender. Está casi nueva.*
Estudiante B: *¿Cuánto cuesta?*
Estudiante A: *La vendo por diecinueve dólares. ¿Quieres comprarla?*
Estudiante B: *Sí, la compro./ Es un poco cara (expensive). ¿La vendes por...?*

Resources

vhlcentral

SAM

online activities

☐ **I CAN** identify people or things and express what or to whom.

España

Antes de leer

✎ **1. Conocimiento previo** Indica qué oraciones piensas que son correctas sobre España.

☐ Toledo es la capital de España.

☐ En España hay volcanes activos.

☐ El Museo del Prado está en Madrid.

☐ Las Fallas de Valencia es una celebración con toros (*bulls*).

España ocupa la mayor parte de la península Ibérica y también las islas Baleares, las islas Canarias y las ciudades de la costa africana Ceuta y Melilla. Un recorrido por sus ciudades y pueblos revela su patrimonio° histórico, caracterizado por la confluencia de civilizaciones. Conoce algunos aspectos destacados de este país.

Cultura y lengua

España fue hogar° de muchos pueblos, como celtas, íberos, romanos, judíos° y árabes que llegaron desde el norte de África. Su herencia° está viva en las costumbres, las celebraciones, la arquitectura y los idiomas. Sí, en España no solo° se habla español: euskera, catalán y gallego son lenguas cooficiales en algunas regiones. Mira el video para aprender más sobre la riqueza cultural y lingüística de España.

| Toledo fue declarada Patrimonio Cultural de la Humanidad por la UNESCO en 1986.

| Esta celebración atrae a miles de turistas por año.

Las Fallas de Valencia

Entre el 15 y el 19 de marzo en Valencia hay petardos° y música en conmemoración a San José, el patrón de los carpinteros. En sus orígenes, los carpinteros quemaban° restos de madera° para celebrar la llegada de la primavera. Hoy en día queman unas 800 enormes esculturas de papel maché llamadas fallas.

Toledo, fusión de culturas

Situada sobre una colina° rodeada° por el río Tajo, Toledo fue capital del Imperio Español del 1519 al 1561. Dentro de sus murallas°, coexistieron las comunidades cristiana, judía y musulmana. Las mezquitas con arcos de herradura°, las sinagogas sefardíes y una impresionante catedral gótica son ejemplos del legado arquitectónico y cultural de cada cultura.

Geografía de las islas Canarias

Las islas Canarias tienen su origen en erupciones volcánicas hace más de veinte millones de años. Sus tierras° fértiles y clima° subtropical permiten cultivos como las bananas y el café, entre otros. El volcán Cumbre Vieja estuvo en erupción por 86 días en el año 2021.

❙ Volcán Cumbre Vieja

Museos impresionantes

En el Museo del Prado de Madrid, el Museo Guggenheim de Bilbao y muchos otros encontramos las obras artísticas y arquitectónicas más espectaculares de España. El Museo del Prado es uno de los más visitados del mundo y cuenta con una gran presencia en redes sociales como Twitter y TikTok. Según el propio museo, este cuenta con más de 3,7 millones de seguidores en redes sociales.

❙ Interior del Museo del Prado de Madrid

el patrimonio *heritage* el hogar *home* el/la judío/a *Jewish person*
la herencia *heritage* no solo *not only* el petardo *firecracker* quemar *to burn*
el resto de madera *scrap wood* la colina *hill* rodeado/a *surrounded*
la muralla *wall* el arco de herradura *horseshoe arch* la tierra *soil*
el clima *weather*

Después de leer

2. Indicar Indica si estas afirmaciones son ciertas (**C**) o falsas (**F**), según el texto.

1. Las islas Canarias son tierras formadas por volcanes. .... **C F**

2. Diferentes culturas lucharon (*fought*) en Toledo... **C F**

3. Las Fallas de Valencia marcan el final (*end*) del invierno. .... **C F**

4. El Museo del Prado tiene gran cantidad de visitantes internacionales. .... **C F**

5. El español es el único idioma oficial de España. ... **C F**

3. Interactuar En grupos pequeños, contesten las preguntas.

1. En la creación de las fallas, las comunidades ponen mucho tiempo y dinero. ¿Qué piensan sobre crear algo (*something*) para quemarlo después? ¿Por qué? ¿Hay una celebración comparable en sus culturas?

2. Todos los eventos y lugares de la lectura atraen a miles de turistas anualmente. ¿Cuál les interesa más a ustedes? ¿Por qué? ¿Cuáles son los eventos y lugares más turísticos de su país? Comparen uno de ellos con uno de los eventos o lugares de España.

4. Investig@ en Internet Lee la estrategia e investiga en línea uno de los temas presentados en la lectura o un tema diferente que te interese. Prepara un breve informe escrito u oral para compartirlo con tu clase, incluyendo imágenes u otros recursos según corresponda.

🔍 **Estrategia digital: Researching the author**

When researching topics online, it is essential to check the author's credentials, including his/her website, any autobiographical material, interviews, and speeches. Always think about these questions: What is the author's education and experience? Does the author reference any research to support his/her point? Use article databases or enter the name in quotes on a Web search engine.

Resources

vhlcentral

online activities

☐ **I CAN** identify key products and practices from Spain.

Lectura

Antes de leer

1. Conocimiento previo Responde las preguntas.

1. El título del texto menciona vivir en España. ¿Qué ideas asocias con la vida en este país? Piensa en costumbres, hábitos, tradiciones, etc. Escribe dos o tres ideas.

2. Busca en Internet sobre la beca (*scholarship*) Erasmus. ¿En qué consiste?

Madrid, España

Estrategia de lectura: Activating background knowledge

You can get an idea of the topic and main ideas in a text by looking at the title, headings, and visuals, and by skimming over it. Now think about what you know about the topic before you start to read. Applying that knowledge, you'll be better able to interpret the text. Keep in mind the ideas that you came up with in **Antes de leer**, question 1, as well as anything else you may have learned about Spain as you read the selection that follows.

A leer

2. Aplicar Lee la estrategia y contesta las preguntas.

1. Mira el título, las imágenes y el formato del texto. ¿Qué tipo de texto piensas que es? ¿Qué ideas crees que se incluyen en el texto?

2. Lee el texto una vez enfocándote en el mensaje general y las ideas principales.

los toros *bullfighting* **la juerga** *partying* **extranjero/a** *foreign*
la gente *people* **parecido/a** *similar* **la revista** *magazine*
el folleto *brochure* **lo pasé genial** *I had a great time*
la caña *draft beer*

Actualidad / Entrevistas

Vivir a la española

El cliché relaciona a España con los toros°, el flamenco, la juerga° y el sol. Cierto o no, entrevistamos a dos jóvenes extranjeros° que viven aquí y les preguntamos sobre su vida en nuestro país.

Alberta Arvalli, 25 años, Padua (Italia)

Lleva cinco meses en Madrid, pero antes vivió un año en Sevilla porque ganó la beca Erasmus.

¿Por qué decidiste volver a España?
Porque, bueno, España me encanta por la manera que tienen los españoles de vivir y Madrid es una ciudad preciosa que ya conocía y, nada, porque encontré al final trabajo aquí.

¿Crees que hay diferencia entre la gente° española y la gente italiana?
Yo creo que la gente del sur de España es más parecida° a la gente del sur de Italia. La gente del norte de España, más parecida a la del norte de Italia. La cultura es un poco diferente, pero la gente es muy similar.

Has mencionado la cultura española, ¿qué piensas de ella?
A mí me encanta. A mí me encanta leer y creo que hay muchos libros, mucha literatura española que la gente tiene que leer porque España tiene una cultura muy amplia.

Phillip Stark,
28 años, Toledo (Ohio)

Llegó a Bilbao hace seis años y desde entonces vive en España. Empezó trabajando como profesor de inglés y hoy en día dirige una revista°, tiene un negocio en Internet y realiza documentales.

¿Por qué decidiste venir a España?
Pues... yo había visto un folleto° para estudiar español en el extranjero y me parecía muy interesante Bilbao. Entonces, fui a Bilbao y lo pasé genial°, y me dije "yo me quedo aquí para siempre".

¿Para ti qué es lo mejor que tiene España?
A ver... lo mejor que tiene España... es una cultura muy tranquila, gente tranquila, las cosas van un poco más lentas. Me gusta la comida, me gusta Madrid porque es como vivir en Nueva York pero sin tanta locura.

Y ahora que vives en Madrid, ¿para ti cómo es un día ideal en esta ciudad?
¿En Madrid? Pues un día ideal es irme a un bar de viejos, hablar con el camarero un poquito, tomarme una cañita° y una tapa y ya está, no me hace falta más. ■

Texto: Elena Giménez/De la revista *Punto y coma* (*Habla con eñe*)

Después de leer

∽ **3. Decidir** Observa el formato de este texto y decide cuál es la descripción correcta.

☐ Es un informe sobre los hábitos de los españoles.

☐ Son entrevistas (*interviews*) sobre la vida en España.

∽ **4. Comprobar** ¿Menciona el texto algunas ideas que tú y tus compañeros tenían sobre la vida en España antes de leerlo? ¿Cuáles?

∽ **5. Identificar** Identifica la opción que expresa mejor cada opinión de los entrevistados.

1. Los españoles son _____ los italianos.
   a. parecidos a   b. diferentes de   c. más lentos que

2. La literatura española es muy _____.
   a. famosa   b. excesiva   c. extensa

3. Madrid es una ciudad similar a Nueva York porque _____.
   a. es tranquila   b. es muy extensa
   c. ofrece una variedad de eventos culturales

∽ **6. Indicar** Indica a quién se refiere cada afirmación (**Alberta**, **Phillip** o **los dos**) y busca la parte del texto que comunica la idea.

1. Su primera visita a España fue para estudiar.

2. Vive en Madrid.

3. Decidió regresar (*return*) a España.

4. Valora la cultura de la vida diaria.

5. Valora la cultura formal.

∽ **7. Elaborar** En parejas, comenten estas preguntas.

1. ¿Qué aspectos de la vida en España que mencionan Alberta y Phillip son más atractivos o interesantes para ustedes? ¿Y cuáles son menos interesantes?

2. Alberta y Phillip comparan algunos aspectos de España con sus lugares de origen. ¿Hay algunos elementos en el texto que ustedes pueden comparar con su ciudad, país o cultura?

3. Imaginen que son periodistas y van a entrevistar a Alberta y Phillip. ¿Qué otras preguntas tienen para ellos?

Resources

vhlcentral

online activities

☐ **I CAN** identify ideas in a text about Spain, while activating background knowledge.

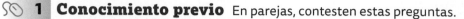
Video: Un día en la vida de un fotógrafo

Antes de ver el video

1 Conocimiento previo En parejas, contesten estas preguntas.

1. ¿Trabajas o trabajaste a tiempo completo en el pasado? ¿Cómo es o cómo fue tu rutina entonces?

2. Imagina la rutina de un fotógrafo. ¿Qué actividades forman parte de su rutina y cuándo las hace?

> **Estrategia de comprensión auditiva: Taking notes**
>
> When listening to instructions, a lecture, or whenever you need to recall specific information, it is useful to take notes. It is key to keep in mind your purpose so that you can focus on taking notes that are relevant. For example, are you interested in the general idea or in specific details?

A ver el video

En este video vas a seguir al fotógrafo Iván García en un día típico de trabajo.

2 Aplicar Primero, lee la estrategia. Luego, mira el video y toma notas de las actividades de Iván. Puedes incluir también algunos detalles, como la hora en que hace cada cosa.

3 Categorizar Mira el video una o dos veces más y toma notas sobre estas dos categorías. Nota que Iván menciona información relevante en diferentes momentos del video.

Duración: 04:05
Fuente: Sentido Alterno

Aspectos positivos de su trabajo	Aspectos negativos de su trabajo

Palabras útiles

arreglarse
to get ready

el/la cliente
client

disfrutar de
to enjoy

editar
to edit

entre semana
during the week

el evento
event

la incertidumbre
uncertainty

perder (ie)
to lose

tener prisa
to be in a rush

la ventaja
advantage

Después de ver el video

4 Analizar En grupos pequeños, comenten las preguntas.

1. ¿Cómo es la rutina de Iván similar o diferente a tu rutina?

2. ¿Qué aspectos de la rutina de Iván te gustarían para ti? ¿Qué aspectos de tu rutina prefieres conservar?

☐ **I CAN** identify ideas in a video from Mexico about a day in the life of a photographer.

Resources

ⓢ vhlcentral | 🛜 online activities

Proyecto oral: ¿Somos compatibles?

Estás buscando un(a) compañero/a de cuarto para compartir un apartamento de dos cuartos y un baño. Has tenido (*You have had*) malas experiencias antes y esta vez (*this time*) quieres asegurarte de encontrar a la persona correcta. Vas a entrevistar a un(a) compañero/a para determinar si son compatibles para vivir juntos/as o no. Para prepararte, toma unos minutos para revisar el vocabulario y la gramática de este capítulo y escribe las palabras clave que te gustaría (*you would like*) incluir.

Estrategia de comunicación oral: Establishing timeframe and sequence

Arranging your description of daily events in a logical order will make your message easier for your listener to understand. Organize the events into morning events (**Por la mañana...**), and afternoon events (**Por la tarde...**), and within each timeframe, use expressions such as the following to mark sequence.

Primero... *First...*	**Después...** *Afterwards...*
Luego... *Then...; Later...*	**Finalmente...** *Finally..., Lastly...*

Paso 1 Piensa en los aspectos que son importantes para compartir un apartamento en armonía y sin problemas. Anota ideas sobre los temas de la lista para compartir sobre ti (*about yourself*) y usa las expresiones de la estrategia para hablar del tiempo.

- la rutina diaria
- las actividades de tiempo libre, especialmente las actividades en casa
- el tipo de música y de programas de televisión favoritos
- las preferencias respecto al estudio y las comidas
- la personalidad y las características personales

> **Modelo** *Me levanto: lunes y jueves, 6:30; martes y viernes, 8–9; sábados... Primero, me ducho por la mañana temprano. Luego, desayuno en la cocina; a veces llamo a mi madre por teléfono.*

Paso 2 Usa la información del **Paso 1** para preparar una lista de preguntas para hacer a tu posible compañero/a de cuarto: ¿Qué aspectos de su rutina diaria, estilo de vida y personalidad quieres conocer? Luego repasa las expresiones de **Palabras útiles** para usarlas en tu conversación en el próximo paso.

> **Modelo** *¿A qué hora te levantas? ¿Desayunas por las mañanas? ¿Lo haces en casa o de camino a las clases? ¿Te gusta limpiar? ¿Qué te gusta hacer los fines de semana? ¿Los pasas en casa o te gusta salir?*

Paso 3 Entrevista a tu compañero/a y determina si son compatibles para vivir juntos/as o no. La entrevista debe durar de dos a tres minutos. Comparte la información del **Paso 1** acerca de ti y haz las preguntas del **Paso 2** sobre los aspectos de su vida. Al final, deben tomar una decisión sobre si son compatibles o no para vivir juntos/as.

> **Modelo** **Estudiante A:** *Hola. Mira, primero vamos a hablar de nuestras rutinas, ¿de acuerdo? Yo me levanto a las seis y media de la mañana de lunes a jueves. ¿Y tú?*
>
> **Estudiante B:** *Yo también me levanto a las seis y media los lunes y miércoles. ¿Te duchas por las mañanas?*
>
> **Estudiante A:** *Sí, pero si tú quieres ducharte por la mañana los lunes y miércoles, yo puedo ducharme por la noche.*

Palabras útiles

Use these Spanish phrases to gather more information from your partners:

To clarify:
¿Qué quieres decir?
What do you mean?

Pero ¿dijiste/dices que…?
But, did you say/are you saying that…?

To confirm:
Entonces, dices/ dijiste que…
So, you are saying/you said that…

To question:
¿Es verdad que…?
Is it true/do you really…?

Resources
vhlcentral

□ **I CAN** interview a potential roommate.

Proyecto escrito: Un perfil personal y profesional

Una revista (*magazine*) universitaria está realizando una serie titulada *Un día en la vida de...* sobre personas prominentes en su área de trabajo. Vas a escribir un perfil sobre una persona que admiras o te parece interesante. Para prepararte, toma unos minutos para revisar el vocabulario y la gramática de este capítulo y escribe las palabras clave que te gustaría (*you would like*) incluir.

> **¡Atención!**
> Ask your instructor to share the **Rúbrica de calificación** (*grading rubric*) to understand how your work will be assessed.

> **Estrategia de redacción: Generating details**
> Whether in the planning stage or as you write, consider whether your ideas might benefit from the addition of further details. These can provide relevant explanations, illustrate topics, and add interest to the text. For example, if you are writing about a writer, you may wish to add some details about a particular work, his/her writing style, or awards he/she may have won.

Paso 1 Selecciona al/a la protagonista de tu texto. Puede ser una persona de la política, la ciencia, el mundo de los negocios, los deportes, el arte y la cultura, etc. Otra opción es escribir sobre una persona prominente en tu universidad o comunidad.

Paso 2 Genera y organiza ideas, considerando diferentes aspectos sobre esta persona, su trabajo y su rutina profesional. Puedes investigar en Internet e imaginar detalles. En este caso el tema está definido por el título de la serie. Selecciona ideas relevantes para este contexto.
- Incluye una breve introducción sobre esta persona y su profesión.
- Escribe de tres a cinco secciones diferentes. Elabora cada sección con descripciones, detalles o ejemplos.
- Considera incluir algunas fotos ilustrativas con pies de foto (*captions*) sencillos.

> **Para escribir mejor:** Usa estas palabras de secuencia para dar estructura a tu texto y guiar a tus lectores.
>
> | | |
> |---|---|
> | **primero** *first* | **finalmente** *finally* |
> | **segundo** *second* | **por último** *lastly* |
> | **después** *next/then* | **además** *in addition* |

Paso 3 Escribe un texto de 200 palabras aproximadamente. Prepárate para presentar tu proyecto a la clase.

Resources

vhlcentral

☐ **I CAN** create a personal and professional profile.

La rutina diaria   *Daily routine*

la cama   *bed*
el cepillo (de dientes)   *(tooth) brush*
el champú   *shampoo*
la crema de afeitar   *shaving cream*
el desodorante   *deodorant*
el gel (de ducha)   *(shower) gel*
el jabón (líquido)   *(liquid) soap*
el maquillaje   *makeup*
la máquina de afeitar   *electric shaver*
el papel higiénico   *toilet paper*
la pasta de dientes   *toothpaste*
el peine   *comb*
el pelo   *hair*
la rasuradora   *razor*
el (reloj) despertador   *alarm clock*
la ropa   *clothes*
el secador de pelo   *hair dryer*
las tijeras   *scissors*
la toalla   *towel*
los zapatos   *shoes*

El trabajo   *Work*

a tiempo completo/parcial   *full-time/part-time*
la compañía   *company*
el dinero   *money*
la empresa   *business, company*
la fábrica   *factory*
la tienda   *store, shop*
    de ropa   *clothing store*

Las personas y las profesiones

el/la abogado/a   *lawyer*
el/la amo/a de casa   *homemaker*
el/la asistente administrativo/a   *secretary*
el/la cajero/a   *cashier*
el/la contador(a)   *accountant*
el/la dependiente/a   *salesclerk*
el/la doctor(a)   *doctor*
el/la empleado/a   *employee*
el/la enfermero/a   *nurse*
el hombre/la mujer de negocios   *businessperson*
el/la maestro/a   *teacher*
el/la médico/a   *doctor*
el/la mesero/a   *server*
el/la periodista   *journalist*
el policía/la mujer policía   *police officer*
el/la programador(a) de computadoras   *computer programmer*
el/la recepcionista   *receptionist*

Las acciones de la rutina diaria

acostarse (ue)   *to go to bed*
afeitarse   *to shave*
ayudarse   *to help each other*
bañarse   *to take a bath*
cepillarse los dientes/el pelo   *to brush one's teeth/hair*
cortarse el pelo/las uñas   *to cut one's hair/nails*
despertarse (ie)   *to wake up*
divertirse (ie, i)   *to have fun*
dormirse (ue, u)   *to go to sleep/fall asleep*
ducharse   *to take a shower*
encontrarse (ue)   *to meet*
ganar   *to earn, to make (money)*
ir (irreg.) al baño   *to use the toilet*
lavarse (la cara, las manos, etc.)   *to wash (one's face, hands, etc.)*
levantarse   *to get up*
maquillarse   *to put on makeup*
pasarlo bien/mal   *to have a good/bad time*
peinarse   *to comb one's hair*
ponerse (irreg.) (los zapatos/la ropa, etc.)   *to put on (one's shoes/clothes, etc.)*
prestar (prestarse)   *to lend (to lend each other)*
quitarse (la ropa)   *to take off (one's clothes)*
relajarse   *to relax*
secarse   *to dry (oneself)*
tener (irreg.) sueño   *to be sleepy*
trabajar para...   *to work for*
sonar (ue)   *to ring, to sound*
vestirse (i, i)   *to get dressed*

Adverbios y expresiones adverbiales

anoche   *last night*
anteayer   *the day before yesterday*
el (año/mes/verano, etc.) pasado   *last (year/month/summer)*
ayer   *yesterday*
después   *afterwards*
entonces   *then*
luego   *then, later*
primero   *first*
la semana pasada   *last week*
ya   *already*

Capítulo

7

Por la ciudad

Learning Objectives
In this chapter, you will:

- Participate in exchanges to describe places and activities in the city.
- Discuss actions and events in the past and express for whom something is done.
- Analyze city life in the Spanish-speaking world.
- Explore and research Argentina and Chile.
- Identify and interpret ideas in written and spoken texts.
- Present a personal tour of your town.
- Write a comparison between two neighborhoods.

Así se pronuncia Sounds of **g**, **j**

VideoEscenas Y ¿luego fueron al cine?

Las diferentes caras de Madrid Responde a las preguntas sobre las diferentes caras (*sides*) de Madrid.

1. Observa las fotografías. Indica qué descripción corresponde a cada fotografía. Después, escribe tres adjetivos más para describir cada lugar.

____ distrito financiero _____

____ barrio (*neighborhood*) pobre _____

____ barrio de moda (*trendy*) _____

____ barrio acomodado (*wealthy*) _____

____ distrito comercial _____

1. Castellana Norte

2. Calle Preciados

3. La Latina

4. Entrevías

5. Barrio Salamanca

2. Contesta las preguntas para cada fotografía. Luego, en grupos pequeños, compartan sus respuestas.

1. ¿Quiénes crees que viven o trabajan aquí (*here*)? ¿Cómo puede ser un día de su rutina?

2. Imagina qué tipo de tiendas, bares, restaurantes y transporte público como taxi, autobús y metro hay en cada barrio. ¿Crees que puede haber diferencias? ¿Por qué?

3. En grupos pequeños, comenten si (*whether*) hay contrastes similares en su ciudad o una ciudad que conocen bien.

Por la ciudad

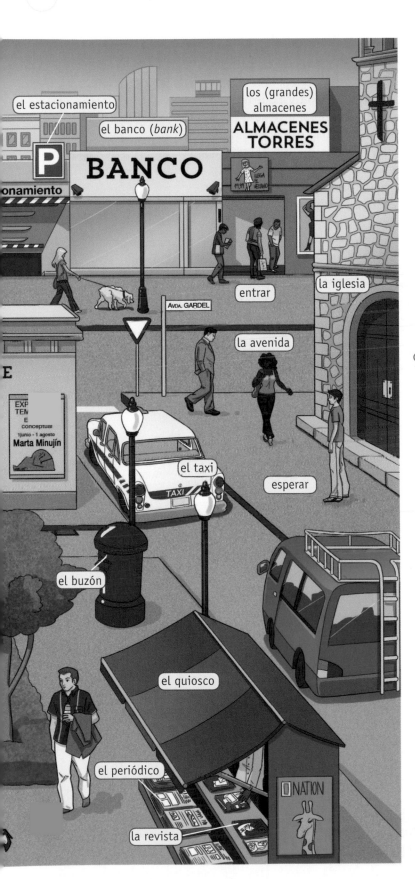

el estacionamiento

el banco (*bank*)

el estacionamiento

BANCO

los (grandes) almacenes

ALMACENES TORRES

la iglesia

entrar

AVDA. GARDEL

la avenida

EXP TEM E conceptual

1 junio - 1 agosto

Marta Minujín

el taxi

TAXI

esperar

el buzón

el quiosco

NATION

el periódico

la revista

Apoyo de vocabulario

el banco	*bank; bench*
el centro comercial	*shopping center, mall*
el edificio	*building*
entrar (en/a)	*to enter, to go in*
esperar	*to wait for*
la gente	*people*
los (grandes) almacenes/ la tienda por departamentos	*department store*
hacer cola/hacer fila	*to get/stand/wait in line*
la parada (de autobús, metro)	*(bus, subway) stop*
la película	*film, movie*
la plaza	*plaza, town square*
el rascacielos	*skyscraper*

¡Atención!

Entrar a is more common in Latin America, while **entrar en** is more common in Spain.

¿Qué observas? Contesta las preguntas sobre la imagen.

1. ¿En qué avenida están el banco y los almacenes Torres? ¿Cuántas personas van a entrar en los almacenes?

2. ¿Qué puedes comprar en la pastelería? ¿Y en la pizzería? ¿Puedes comprar algo para comer en el quiosco? ¿En la joyería? ¿En la iglesia? ¿En el centro comercial?

3. ¿Dónde te sientas en la plaza: en un banco o en un buzón? ¿Dónde tomas el autobús: en la parada o en el estacionamiento?

4. ¿Cuál es un edificio: el rascacielos o el buzón?

¿Y tú? Contesta las preguntas sobre ti mismo/a.

1. ¿Qué lugares de esta ciudad hay también en tu ciudad? ¿Hay algo en esta ciudad que no es común en una ciudad de Estados Unidos? ¿Qué avenidas, calles, plazas y parques son tus favoritos en tu ciudad?

2. Vas a pasar una tarde en esta ciudad. ¿Qué vas a hacer? ¿A qué lugares y tiendas quieres ir?

3. ¿Cuándo fuiste al cine por última vez (*last time*)? ¿Qué película viste? ¿Te gustó?

En el centro de la ciudad

Lee y escucha el mensaje.

¡Hola, Alberto! Mañana me visitas, ¿verdad? Te voy a **explicar** mi plan. Vamos a **pasar** el día en el centro porque allí encontramos los lugares más interesantes de la ciudad. Primero, tenemos que saber a qué hora **abren** las tiendas y los museos en la mañana, y a qué hora **cierran** en la tarde. También queremos **preguntar** dónde podemos comprar **entradas** para una **obra de teatro**, y a qué hora **empieza** la representación. Por la mañana, queremos ir de compras a las tiendas pequeñas y también al centro comercial. Después, podemos visitar un museo, tomar algo y luego pasar la tarde en un parque o dar un paseo en un jardín botánico o el zoológico. El **mejor** restaurante también está en el centro y quiero **invitar** a mi amigo a cenar allí. Si la obra de teatro **termina** tarde, podemos regresar a casa tomando el metro o un taxi.

La avenida Corrientes en Buenos Aires, Argentina, es famosa por sus teatros.

Apoyo de vocabulario

empezar (ie)	*to start, to begin*	pasar (tiempo)	*to spend (time)*
la entrada	*entrance; ticket*	preguntar	*to ask (a question)*
el/la mejor	*the best*	terminar	*to finish, to end*
la obra de teatro	*play (theater)*		

▶ Note that **invitar** requires the preposition **a** to indicate what the invitation is for.

Me invitó **a** cenar.   Invité a Rosana **a** un café.

1 **En mi ciudad** Indica si la comunidad donde vives tiene estos lugares. Para cada lugar que sí tiene, escribe el nombre de uno específico.

1. una plaza ☐ _____
2. un café ☐ _____
3. una zapatería ☐ _____
4. una estatua ☐ _____
5. un rascacielos ☐ _____

6. una avenida ☐ _____
7. un quiosco ☐ _____
8. un centro comercial ☐ _____
9. un cine ☐ _____
10. una parada de metro ☐ _____

2 **¿Dónde?** Vas a compartir sugerencias de lugares para hacer algunas actividades.

🔊 **Paso 1** Escucha varias actividades que vas a hacer. ¿Dónde haces cada actividad?

> **Modelo** Oyes: Quieres comprar una pizza.
> Escribes: *Voy a la pizzería.*

1. _____
2. _____
3. _____
4. _____
5. _____
6. _____
7. _____
8. _____

👥 **Paso 2** Escribe otras actividades que quieres hacer. Después, en parejas, túrnense para leer sus oraciones y sugerir a su compañero/a adónde ir en su comunidad.

> **Modelo** **Estudiante A:** *Quiero comprar unos zapatos.*
> **Estudiante B:** *Puedes ir a una zapatería, a un centro comercial o a los grandes almacenes, como Macy's.*

3 **¿Qué pueden hacer?** En parejas, Estudiante A explica una serie de problemas a Estudiante B, que ofrece sugerencias, y viceversa. Añadan (*Add*) un problema nuevo a su lista. Pueden hablar de la ciudad donde viven ahora o una ciudad grande que conocen. Investiguen en Internet si es necesario.

Estudiante A

1. Mi amigo y yo queremos comer pizza pero nuestro restaurante favorito está lejos y hace mucho frío.

2. Quiero comprar un periódico o una revista, pero no conozco ningún quiosco en esta ciudad.

3. Jesús va a la joyería para comprarle un regalo a su novia, pero las computadoras de la tienda no funcionan y por eso no puede usar su tarjeta de débito.

4. Mis amigos quieren ir a una obra de teatro y después a un bar cerca del teatro, pero no saben dónde y no tienen carro.

5. _____

Estudiante B

1. Necesito enviar este paquete, pero no recuerdo si hay una oficina de correos cerca.

2. Quiero comprar regalos para toda mi familia, pero hace mucho frío para pasar tiempo en la calle.

3. Mis padres van a visitarme y quiero invitarlos a cenar en un restaurante bueno pero no caro.

4. También quieren ver un museo interesante y edificios bonitos o históricos.

5. _____

---

4 **En la ciudad** Vas a comentar la frecuencia con que visitas algunos lugares.

Paso 1 Indica con qué frecuencia vas a estos lugares.

	Yo			Mi compañero/a		
	Mucho	**A veces**	**Nunca**	**Mucho**	**A veces**	**Nunca**
1. ir a grandes almacenes o al centro comercial						
2. ver una obra de teatro						
3. tomar el autobús o el metro						
4. ver una exposición en un museo						
5. ir al cine						
6. pasar el día en la ciudad con amigos						

Paso 2 En parejas, pregunta a tu compañero/a con qué frecuencia va a estos lugares. Anota sus respuestas.

Modelo **Estudiante A:** ¿*Vas mucho al cine?*
Estudiante B: *No, casi nunca voy al cine. Generalmente veo películas en Netflix, ¿y tú?*

Resources

vhlcentral

SAM

online activities

☐ **I CAN** discuss places and things in a city.

1. Connect words and ideas

Prepositions

Prepositions of location and other useful prepositions

Read and listen to this text. Observe the use of the prepositions in boldface, using the illustration in the vocabulary section **Por la ciudad** for reference. Can you guess their meanings? What types of words follow them?

> **Flavia:** ¿Sabes dónde está el cine Luppi? ¿Está **cerca de** la plaza Gardel?
>
> **Mirta:** Sí, está en la avenida Gardel, **entre** el restaurante Mar del Plata y el centro comercial. ¿Vas en carro? Hay un estacionamiento **debajo del** centro comercial.
>
> **Flavia:** No, voy a ir en metro **en vez de** carro, la estación de metro no está **lejos del** cine.

Prepositions are words that express a relationship between nouns (or pronouns) and other words in a sentence. You have already learned some prepositions such as: **a** (*to, at*), **en** (*in, on, at*), **de** (*from, of, about*), **con** (*with*), and **sin** (*without*). Below are some additional prepositions to describe location and movement through a place. Use the image in **Así se dice: Por la ciudad** for reference.

Preposiciones de lugar		
cerca de **lejos de**	*near* *far from*	Los almacenes Torres están **cerca de** la plaza Gardel. Los rascacielos están **lejos de** la plaza Gardel.
dentro de **fuera de**	*inside* *outside*	Hay botas y zapatos **dentro de** la zapatería. Hay dos mesas **fuera del** restaurante Mar del Plata.
debajo de **encima de**	*beneath, under* *on top of, above*	La estación de metro está **debajo de** la plaza. No hay platos **encima de** las mesas del restaurante.
detrás de **delante de**	*behind* *in front of*	Una chica camina **detrás de** su perro. El perro camina **delante de** la chica.
enfrente de, **frente a**	*in front of,* *opposite*	Hay gente haciendo cola **enfrente del** cine. Los bailarines están **frente al** quiosco.
al lado de	*beside, next to*	El Museo de Arte está **al lado de** la joyería.
sobre, en	*on*	Hay periódicos **sobre** el estante (*shelf*) del quiosco. El banco está **en** la avenida Gardel.
entre	*between, among*	La joyería está **entre** la zapatería y el museo.
por	*by, through,* *alongside, around*	El autobús pasa **por** la plaza Gardel. Hay mucha gente paseando **por** la ciudad hoy.

Otras preposiciones útiles		
antes de **después de**	*before* *after*	Quiero leer el menú **antes de** pedir la comida. Podemos tomar un café **después de** comer.
en vez de	*instead of*	Yo quiero té **en vez de** café.
para	*for (recipient, purpose)*	Tengo un libro **para** Alberto. Tengo un libro **para** la clase de historia.
para + *infinitive*	*in order to (do something)*	Necesito dinero **para tomar** un taxi.
al + *infinitive*	*upon (doing something)*	Tienes que levantar la mano **al pedir** un taxi.

¡Importante! In Spanish, a verb following a preposition is always in the infinitive (**–ar, –er, –ir**) form. In contrast, English uses the *–ing* form.

Antes de ir al teatro, vamos a cenar.   *Before going to the theater, we're going*
~~Antes de yendo al teatro...~~   *to have dinner.*

Pronouns with prepositions

The pronouns that follow prepositions (**pronombres preposicionales**) are the same as subject pronouns except for **yo** and **tú**, which become **mí** and **ti**.

—¿Es este cuadro para **mí** o para él?   —*Is this painting for me or for him?*
—Es para **ti**.   —*It's for you.*

Pronombres preposicionales

para **mí**	para **nosotros/as**
para **ti**	para **vosotros/as**
para **usted /él/ella**	para **ustedes/ellos/ellas**

¡Atención!

Remember that with verbs like **gustar**, **a** + *prepositional pronoun* is sometimes used for emphasis or clarification.

A él no **le** gustó la película.
He *didn't like* the movie.

A mí tampoco **me** gustó.
I *didn't like it, either.*

The combination of **con** + **mí** or **ti** becomes **conmigo** (*with me*) or **contigo** (*with you*), respectively.

—¿Quieres ir **conmigo**?   —*Do you want to go with me?*
—¡Sí! Voy **contigo**.   —*Yes! I'll go with you.*

With the preposition **entre**, the pronouns are **yo** and **tú**.

Tu amiga puede sentarse **entre tú** y **yo**.   *Your friend can sit between you and I.*

ASÍ SE FORMA

1 ¿Cierto o falso? Vas a compartir oraciones ciertas y falsas.

Paso 1 Tu amigo/a dice que conoce la ciudad de la presentación de **Así se dice 1: Por la ciudad** perfectamente, pero en realidad está un poco confundido/a. Lee sus comentarios, decide si son **ciertos** o **falsos** y, si son falsos, corrígelos (*correct them*).

> **Modelo**   La pizzería está al lado de la joyería.
> ***No, la pizzería está al lado de la pastelería.***

1. El buzón está detrás del quiosco ¿verdad?
2. Y el Bar de Jorge está entre la oficina de correos y el restaurante.
3. El autobús pasa por la calle 3, ¿no?
4. Creo que el Museo de Arte está cerca de los almacenes Torres.
5. El cine está delante de la zapatería y la joyería.
6. En la plaza Gardel, hay personas bailando enfrente del quiosco, ¿verdad?
7. Todas las mesas del Mar del Plata están dentro del restaurante, ¿verdad?
8. No hay ningún rascacielos cerca de la plaza Gardel, ¿verdad?
9. Y hay una plaza enfrente de la iglesia, ¿no?
10. Hay una estatua muy bonita delante del cine, ¿verdad?

Paso 2 Escribe dos oraciones ciertas y dos falsas similares a las del **Paso 1**, pero en referencia a tu campus o ciudad. Después, en parejas, lee tus oraciones a tu compañero/a, que debe confirmar si son correctas y corregir el error si son falsas.

2 ¿Qué o quién es? Vas a identificar a una persona o una cosa.

Paso 1 Escoge cuatro objetos o personas que ves en la clase y escribe oraciones describiendo dónde están.

> **Modelo**   *Esta persona/cosa está entre la puerta y Sara.*
> *Está detrás de Tom y al lado de...*

Paso 2 En parejas, lee tus oraciones a tu compañero/a. Él/Ella va a intentar (*try*) identificar a la persona o cosa a la que te refieres.

3 Lugares interesantes Un(a) estudiante de Chile viene a estudiar en tu universidad. ¿Qué lugares interesantes o importantes del campus o de tu ciudad puedes recomendarle?

Paso 1 Escribe una lista de cinco lugares interesantes o importantes en tu opinión. Indica dónde están en relación con otros lugares familiares, por qué son interesantes/importantes y por qué los recomiendas.

> **Modelo**   *La Biblioteca de Ciencias está entre la cafetería y la Facultad de Química.*
> *Es interesante porque.../La recomiendo para estudiar porque...*

Paso 2 En grupos pequeños, compartan y comparen sus listas. ¿Hay algún lugar que todos consideran interesante o importante?

Nota de lengua

Spanish speakers use the following question tags to seek agreement: After an affirmative statement, use either **¿verdad?** or **¿no?** After a negative statement, use **¿verdad?**

Tienes tiempo, ¿verdad/no?
No tienes tiempo, ¿verdad?

4 **Tus hábitos** Vas a compartir tus hábitos y preferencias.

Paso 1 Completa estas oraciones pensando en tus hábitos y preferencias.

> **Modelo** Casi siempre *voy a la biblioteca* para *hacer la tarea.*

1. Casi siempre voy a _____ para comer.
2. No me gusta _____ sin _____.
3. Me gusta _____ antes de _____.
4. A veces yo _____ en vez de estudiar.
5. Nunca, nunca _____ después de _____.

Paso 2 En grupos pequeños, comparte esta información con tus compañeros/as y pregunta si ellos/as también lo hacen.

> **Modelo** **Estudiante A:** *Casi siempre voy a la biblioteca para hacer la tarea.*
> **Estudiante B:** *Yo no voy a la biblioteca para hacer la tarea, pero voy a veces para estudiar.*
> **Estudiante C:** *Yo siempre voy a mi cuarto para hacer la tarea y estudiar.*

En mi experiencia

"I am from a relatively small town. When I lived in Mendoza, the fourth largest city in Argentina, I noticed the city was so lively. It has nice areas with boutique shops, restaurants, and other small shops. People-watching is very popular whether you are sitting at an outdoor cafe, a plaza, or a kiosk."

What advantages and disadvantages would there be to living in a city like the one described here?

5 **Una noche romántica** Completa la conversación con los pronombres apropiados. Después, en parejas, comparen sus respuestas e inventen el final.

Violeta habla por teléfono con su novio Miguel.

Miguel: Violeta, ¿quieres salir con_____ esta noche? Tengo muchas ganas de verte.

Violeta: Sí, mi amor. Voy con_____ a donde quieras.

Miguel: Vamos a ir a un bello lugar y... ¡tengo una sorpresa maravillosa para _____!

Violeta: ¿Para _____? ¡Eres un ángel, Miguel! A _____ me encantan las sorpresas. Yo también tengo una sorpresa para _____.

Miguel: ¿Ah, sí? ¿Cuál es?

Violeta: Pues, mi hermanito menor viene con _____ esta noche.

Miguel: ¿Con _____? ¿No pueden quedarse (*stay*) tus padres con _____?

Violeta: Miguelito, sé (*be*) flexible. ¿No quieres hacerlo por _____?

Miguel: Bueno, está bien.

Violeta: ¡Gracias, mi amor! Por cierto, ¿qué sorpresa tienes para _____?

Miguel: _____

_____

☐ **I CAN** connect words and ideas.

Las ciudades de
América Latina

Antes de leer

1. En Estados Unidos Contesta las preguntas.

1. ¿Qué ciudades grandes de Estados Unidos conoces?
2. ¿Cuál es la ciudad más grande de tu estado o región?

País	Ciudad #1	Ciudad #2
México	CDMX: 22.000.000	Monterrey: 5.350.000
Argentina	Buenos Aires: 15.400.000	Córdoba: 1.850.000
Estados Unidos	Nueva York: 20.150.000	Los Ángeles: 13.200.000

Fuente: Organización de las Naciones Unidas

América Latina es la región más urbanizada del mundo en desarrollo°. En América Latina el 80% de la población vive en ciudades, mientras que en Asia, por ejemplo, solo es el 50%. Según° el doctor en Economía David Castells-Quintana, muchos países latinoamericanos presentan un mismo patrón: el crecimiento° de una o dos ciudades principales, generalmente la ciudad capital.

En general, este crecimiento es positivo para la región porque está relacionado con el progreso económico, el acceso a muy buenas universidades y a más oportunidades laborales y de vivienda°.

Sin embargo, estas zonas urbanas también presentan desafíos° como el tráfico, la contaminación y el lento° desarrollo de la infraestructura adecuada, como el transporte público y los hospitales. Por eso, algunas de estas ciudades están implementando programas para facilitar la inclusión y la movilidad. Por ejemplo, la Tarjeta Incluyente de la CDMX da acceso gratuito o con descuento al transporte público a las personas con habilidades diferentes. También hay un sistema de más de 170 kilómetros de ciclovías° por donde las personas van en bicicleta a sus escuelas o trabajos. Y desde 2007, los domingos en la mañana varias avenidas importantes se cierran° al tráfico de autos y se transforman en un paseo para personas en bicicleta, patines o triciclos.

en desarrollo *developing* **según** *according to* **el crecimiento** *growth* **la vivienda** *housing* **el desafío** *challenge* **lento/a** *slow* **la ciclovía** *bicycle lane* **cerrar** *to close*

❚La CDMX es la ciudad más grande del mundo hispano.

Después de leer

2. Identificar Indica cuáles de estas ideas están en el texto.

☐ 1. La mayoría de los latinoamericanos vive en zonas urbanas.

☐ 2. Las ciudades de América Latina no están desarrollando infraestructuras.

☐ 3. Hay universidades de muy alto nivel en las grandes ciudades de Latinoamérica.

☐ 4. El transporte en la CDMX es limitado.

☐ **I CAN** compare city growth within the Spanish-speaking world.

3. Comparar y analizar En parejas, comenten estas preguntas.

1. Mira la tabla y comenta las diferencias en el tamaño de la ciudad más grande con la segunda ciudad de cada país. ¿Qué diferencias y similitudes encuentras?

2. En las ciudades que conoces, ¿sus habitantes tienen buenos servicios (acceso a escuelas, hospitales, tiendas, parques) en general o depende de la zona donde viven? ¿Qué zonas tienen mejores servicios públicos y cuáles necesitan más?

Resources

vhlcentral

online activities

2. Identify people and things

Demonstrative adjectives and pronouns

Read and listen to this text. Observe the use of **esta**, **este**, **ese**, **aquella**, **eso**, and **aquel**. What type of information do these words convey about the nouns they precede? Can you guess their meanings? What determines the endings?

Banco de la Nación Argentina

Casa Rosada

Estatua del General Manuel Belgrano

Pirámide de Mayo

Estamos aquí

Esta es la Plaza de Mayo, una de las más importantes de Buenos Aires. **Este** monumento de aquí, en el centro de la plaza, es la Pirámide de Mayo, y **ese** edificio de techo (*roof*) verde es el Banco de la Nación Argentina. **Aquella** es la estatua del general Manuel Belgrano. **Eso** que tiene en la mano (*hand*) es una bandera (*flag*) argentina. Y **aquel** palacio detrás de la estatua es la Casa de Gobierno, pero todos la llaman la Casa Rosada.

Demonstratives point out the location of nouns (such as objects and people) with respect to the speaker, whether in terms of space or time. Like other adjectives and pronouns, they agree in gender and number with the noun they refer to.

this; these close to speaker		that; those at a short distance		that; those (over there) at a great distance	
este bar	**esta** calle	**ese** bar	**esa** calle	**aquel** bar	**aquella** calle
estos bares	**estas** calles	**esos** bares	**esas** calles	**aquellos** bares	**aquellas** calles

Me gusta **este** parque pero no me gusta **esa** fuente.   *I like this park but I don't like that fountain.*

Aquellos edificios son bonitos también.   *Those buildings (over there) are nice too.*

ASÍ SE FORMA

Demonstratives can function as adjectives, preceding a noun, or pronouns, replacing a noun that has already been mentioned and is clear from the context.

Compramos en **esta** tienda y en **aquella**.
(adjective)   (pronoun)

We shop in this store and in that one.

—¿Te gustan **estos** zapatos?
(adjective)

—Do you like these shoes?

—No. Prefiero **esos**.
(pronoun)

—No. I prefer those.

The demonstratives **esto** (*this*) and **eso** (*that*) are neutral in gender (neither masculine nor feminine) because they refer to an idea, situation or statement, or to an object that has not yet been identified.

¿Qué es **esto**?

What is this?

¿No quiere tomar el autobús?
 ¡**Eso** es ridículo!

He doesn't want to take the bus?
 That's ridiculous!

1 **¿Dónde está?** Estás paseando por la ciudad con una amiga. Escucha las oraciones que dice y decide si los lugares que menciona están cerca, un poco lejos o muy lejos. ¡Presta atención al adjetivo demostrativo que menciona tu amiga!

| **Modelo** | Me gusta este parque. | ☑ Está cerca. |
| | Vamos a comer en aquella pizzería. | ☑ Está muy lejos. |

1. ☐ Está cerca.   ☐ Está un poco lejos.   ☐ Está muy lejos.
2. ☐ Está cerca.   ☐ Está un poco lejos.   ☐ Está muy lejos.
3. ☐ Está cerca.   ☐ Está un poco lejos.   ☐ Está muy lejos.
4. ☐ Está cerca.   ☐ Está un poco lejos.   ☐ Está muy lejos.
5. ☐ Está cerca.   ☐ Está un poco lejos.   ☐ Está muy lejos.

2 **Soy guía turístico/a** Vas a identificar lugares en una ciudad.

Paso 1 Eres guía voluntario/a en tu ciudad y vas a mostrar algunos lugares a un grupo de visitantes. Usa demostrativos para identificar los lugares indicados. Después, piensa en tu ciudad o una ciudad que conoces e identifica un lugar que corresponde a la descripción.

| **Modelo** | Hay un edificio. Es histórico. (*at a short distance*) |
| | *Ese edificio es histórico. Es la casa de Mark Twain.* |

1. Hay una estatua. Representa algo importante para esta ciudad. (*at a short distance*)
2. Hay un edificio. Es el más interesante de la ciudad. (*at a great distance*)
3. Hay un teatro. Fue el primero (*the first*) de la ciudad. (*close to speaker*)
4. Hay un parque. Es muy popular para correr y montar en bicicleta. (*at a short distance*)
5. Hay un centro comercial. Tiene muchas tiendas, restaurantes y un cine. (*at a great distance*)
6. Hay una calle. Es la más turística de la ciudad. (*close to speaker*)
7. Hay un restaurante. Es el mejor (*the best*) de la ciudad, en mi opinión. (*at a short distance*)

Paso 2 En parejas, comparen sus respuestas. ¿Identificaron los mismos lugares? ¿Qué otros lugares en su ciudad son importantes o interesantes?

3 ¿Cuál es? Indica a qué se refiere cada oración. Puedes usar algunas opciones más de una vez (*more than once*).

a. el teatro **b.** los restaurantes **c.** la plaza **d.** las tiendas

1. Ese nos gusta a mis amigos y a mí.

2. A esas no voy nunca.

3. ¿Conoces aquel?

4. favorita.

5. Aquellos son más populares.

6. A veces nos vemos en esa.

7. Este es muy elegante.

8. Aquellas están muy lejos.

4 En la pastelería En parejas, están en la pastelería Río de la Plata, donde venden especialidades de Argentina. Uno/a de ustedes es cliente/a y hace preguntas sobre los productos y sus precios. El/La otro/a es dependiente/a y contesta consultando la lista de productos y precios. **¡Atención!** Los productos de abajo (*below*) están cerca del/de la cliente/a. Los productos de arriba (*above*) están cerca del/de la dependiente/a.

Modelo **Cliente/a:** ¿Qué es esto, al lado de la torta de chocolate?
Dependiente/a: Eso es el pastel de limón.
Cliente/a: ¿Cuánto cuesta?
Dependiente/a: Seis dólares con setenta y cinco centavos por porción.
Al final, el/la cliente/a decide qué va a comprar y se completa la transacción.
Cliente/a: Voy a comprar ese/esa... y...
Dependiente/a: Muy bien, son... dólares.

Río de la Plata

galletas de chocolate – $16 la docena
de azúcar – $14 la docena
pastel de manzana – $7,50 la porción
de limón – $6,75 la porción
torta de chocolate – $36
de fresa – $42

pan de semillas – $4,50
de aceitunas – $6,25
empanada de carne – $3,80
vegetariana – $3,25
medialuna de jamón y queso – $4,25
de chocolate – $3,75

Palabras útiles

empanada *turnover*
medialuna *croissant*

☐ **I CAN** identify people and things.

3. Discuss actions in the past

The preterit of stem-changing verbs and the verb *hacer*

Read and listen to the conversation and observe the verb forms of **pedir**, **preferir**, **servir**, and **hacer**. What type of verbs are they? Do you notice any differences from the regular patterns? Do these differences take place in all the forms?

🔊 | **Mesero:** ¿Quién **pidió** los espaguetis?

Esteban: Los **pedí** yo.

Mesero: Entonces usted **prefirió** el sandwich, ¿verdad?

Alfonso: Sí, gracias... pero aún no me **sirvió** la ensalada.

Mesero: ¿Ensalada? Disculpe, voy a ver si el cocinero ya la **hizo**.

¿Quién pidió los espaguetis?

In **Capítulo 6**, you learned that stem-changing verbs in **–ar** and **–er** have regular forms in the preterit. However, **–ir** verbs with a stem change in the present tense also change in the preterit. This stem change only occurs in third person forms (**él/ella/usted** and **ustedes/ellas/ellos**). The change is the same change that takes place in the present participle, so all preterit stem changes are either **o → u** or **e → i**.

dormir (ue, u)		pedir (i, i)		preferir (ie, i)	
dormí	dormimos	pedí	pedimos	preferí	preferimos
dormiste	dormisteis	pediste	pedisteis	preferiste	preferisteis
d**u**rmió	d**u**rmieron	p**i**dió	p**i**dieron	pref**i**rió	pref**i**rieron

Here are more examples of stem-changing **–ir** verbs in their preterit forms.

o → ue; u	morir (ue, u)	*to die*	La autora chilena Gabriela Mistral **murió** en 1957.
e → ie; i	divertirse (ie, i)	*to have a good time*	¿Se **divirtieron** en el restaurante anoche?
e → i; i	pedir (i, i)	*to ask for, to request*	Tina **pidió** una paella de mariscos.
	servir (i, i)	*to serve*	¿Qué más **sirvieron**?
	repetir (i, i)	*to repeat*	El mesero **repitió** la lista de postres.
	vestirse (i, i)	*to get dressed*	Más tarde se **vistieron** y fueron a un baile.

In **Capítulo 6** you learned the preterit of two high frequency irregular verbs (**ser/ir.**) Here you have the preterit of **hacer**. Note that the stem (**hic–**) is constant and that **c → z** before **o** to maintain the pronunciation. Also observe the special preterit endings **–e** and **–o**.

> **hacer:** **hic**e, **hic**iste, **hiz**o, **hic**imos, **hic**isteis, **hic**ieron

—¿Qué **hiciste** anoche? —*What did you do last night?*

—Fui al gimnasio e **hice** ejercicio. —*I went to the gym and worked out.*

1 Las actividades de Alicia ¿Qué hizo Alicia ayer? Indica qué actividades se corresponden.

1. ___ Por la tarde, hizo su tarea de francés.
2. ___ Luego buscó un periódico.
3. ___ A las siete, cenó con sus amigas en un restaurante.
4. ___ El mesero les sirvió tres postres diferentes.
5. ___ Después de cenar, estudió casi toda la noche.

a. Las chicas prefirieron la torta.
b. Todas pidieron pasta o ensalada.
c. No durmió mucho.
d. Leyó las noticias (*news*) de política.
e. Repitió las palabras del vocabulario.

2 El día de Jaime Primero, indica el orden cronológico de las actividades de Jaime. Luego, escribe lo que hizo usando el pretérito.

> **Modelo** *Se levantó a las siete de la mañana. Luego,...*

___ ir al trabajo
___ ducharse
___ desayunar en un café
___ salir con sus amigos
_1_ levantarse a las siete
___ vestirse

___ pedir café con leche y una medialuna
___ acostarse a medianoche
___ dormirse
___ cenar en casa
___ divertirse mucho
___ regresar a casa después del trabajo

3 ¿Todos los sábados o el sábado pasado? Escucha a Javier e indica si se refiere a los sábados en general (verbo en presente) o al sábado pasado (verbo en pretérito).

1. ☐ los sábados   ☐ el sábado pasado
2. ☐ los sábados   ☐ el sábado pasado
3. ☐ los sábados   ☐ el sábado pasado
4. ☐ los sábados   ☐ el sábado pasado
5. ☐ los sábados   ☐ el sábado pasado
6. ☐ los sábados   ☐ el sábado pasado

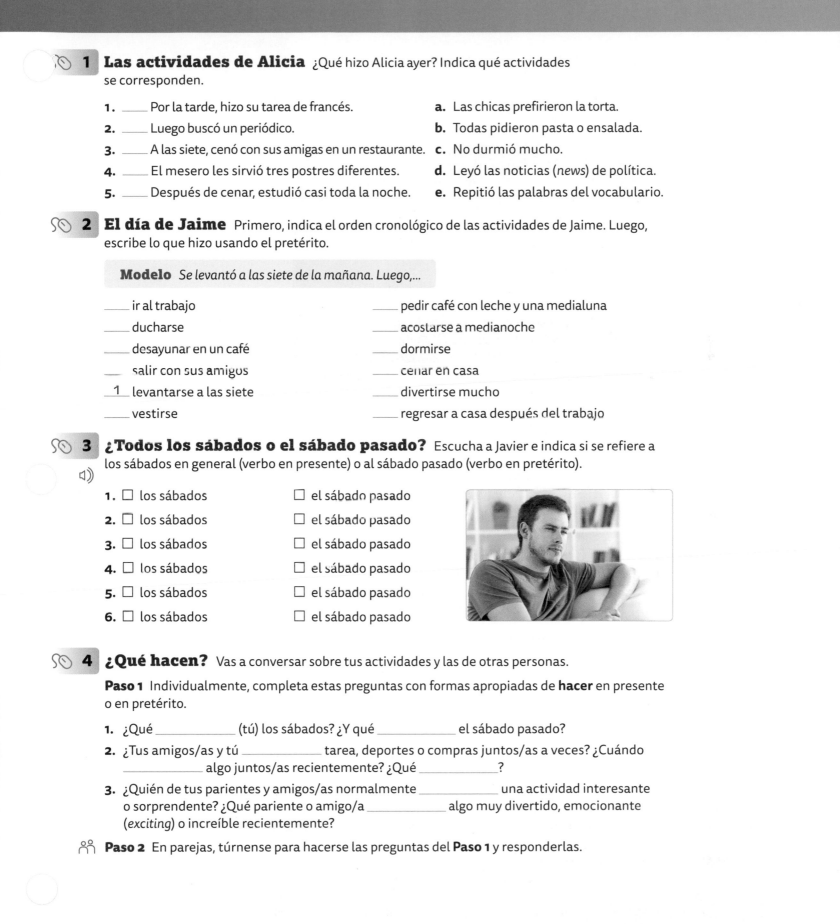

4 ¿Qué hacen? Vas a conversar sobre tus actividades y las de otras personas.

Paso 1 Individualmente, completa estas preguntas con formas apropiadas de **hacer** en presente o en pretérito.

1. ¿Qué _____ (tú) los sábados? ¿Y qué _____ el sábado pasado?

2. ¿Tus amigos/as y tú _____ tarea, deportes o compras juntos/as a veces? ¿Cuándo _____ algo juntos/as recientemente? ¿Qué _____?

3. ¿Quién de tus parientes y amigos/as normalmente _____ una actividad interesante o sorprendente? ¿Qué pariente o amigo/a _____ algo muy divertido, emocionante (*exciting*) o increíble recientemente?

Paso 2 En parejas, túrnense para hacerse las preguntas del **Paso 1** y responderlas.

5 **El sábado pasado** Lee la descripción que hace Javier de sus sábados. Con base en esto, ¿qué hizo Javier el sábado pasado? Cambia los verbos al pretérito como en el modelo.

> **Modelo** *¿Qué **hice** el sábado pasado? Pues...*

¿Qué **hago** los sábados? Pues **duermo** hasta tarde, no **me levanto** hasta las nueve. Después **me visto** y **desayuno** en casa. A las diez **juego** al tenis con mi hermano o con un amigo. Luego **almuerzo** con mi familia y por la tarde **hacemos** una visita a mis abuelos. **Vamos** a la hora de merendar, y la abuela **hace** café y chocolate caliente y **sirve** galletas. Más tarde mis padres **hacen** las compras para la semana, pero yo **prefiero** salir con mis amigos. **Cenamos** en un restaurante y **vamos** al cine. **Nos divertimos** mucho y **volvemos** a casa tarde. **Llego** tan cansado... que los domingos no **hago** ¡nada!

6 **Y tú, ¿qué hiciste?** Vas a entrevistar a tu compañero/a sobre lo que hizo ayer.

Paso 1 Individualmente, indica qué actividades hiciste ayer.

	Yo	Mi compañero/a
por la mañana temprano		
a media mañana (*midmorning*)		
al mediodía (*noon*)		
por la tarde		
por la noche		

Paso 2 En parejas, pregunta a tu compañero/a sobre las actividades que hizo el sábado pasado. Anota sus respuestas y haz preguntas también sobre los detalles: ¿Dónde? ¿Con quién? ¿Qué? (¿Qué película viste? ¿Qué comiste?). Túrnense. ¿Quién tuvo el día más interesante/activo/relajado?

> **Modelo** **Estudiante A:** *¿Qué hiciste ayer por la mañana temprano?*
> **Estudiante B:** *Bueno, me levanté a las ocho de la mañana, me duché y tomé el desayuno.*
> **Estudiante A:** *¿Sí? ¿Qué tomaste? (¿Dónde? ¿Fuiste con alguien?...)*

Nota de lengua

¿Sí?/¿De verdad?
These expressions look for confirmation (similar to *Really?*).

No me digas.
This expresses disbelief/surprise and encouragement to continue (as in *No way!*).

Yo también/tampoco.
This expresses agreement (equivalent to *Me too/neither.*).

7 Una ciudad interesante En parejas, entrevista (*interview*) a tu compañero/a sobre una visita pasada a una gran ciudad. Lee los temas para hacer preguntas y piensa en dos más. En tu entrevista, pide detalles y comenta las respuestas de tu compañero/a.

> **Modelo** **Estudiante A:** *¿Cuál fue tu visita favorita a una gran ciudad?*
> **Estudiante B:** *Fui a Nueva York el año pasado.*
> **Estudiante A:** *¿Fuiste al cine? (¿Con quién? ¿Qué película viste?...)*

Estudiante A

1. ir al cine, al teatro o a un concierto
2. comprar comida en la calle
3. ir de compras a un centro comercial, los grandes almacenes, etc.
4. otras actividades

Estudiante B

1. ir a un museo o lugar interesante
2. comer en un restaurante excelente
3. tomar el transporte público
4. otras actividades

8 ¿Qué te pasó? En grupos pequeños, van a inventar la historia de algo increíble que pasó ayer. Túrnense para añadir (*add*) una oración de la historia usando uno de estos verbos. Uno/a de ustedes toma nota para compartir con la clase después.

abrazar	despertarse	ganar	leer	pedir	tocar
buscar	divertirse	ir	llegar	ponerse	ver

Nota cultural

Los mapuches de Chile

The Mapuche, or "people of the earth," are the most numerous indigenous group in Chile and the only one to have successfully resisted attacks from both the Incas and the Spaniards. After Chile gained its independence from Spain in 1818, a long, armed conflict between the government and the Mapuche led to a significant reduction in the Mapuche territory. As a result, many Mapuches moved to urban areas. However, in central and southern Chile, the Mapuches still maintain a strong cultural identity. Their ancestral beliefs are traditionally passed on by women in Mapundungun, the Mapuche language.

Resources

vhlcentral

SAM

online activities

☐ **I CAN** discuss actions in the past.

ASÍ SE DICE

Audio: Vocabulary | **Learning Objective:** Discuss post office and financial transactions.

Transacciones de correo y finanzas

El correo y los envíos

Lee y escucha la narración.

Aunque actualmente nos comunicamos con mensajes de texto, e-mail y redes sociales, el **correo** tradicional todavía tiene una importante función. Yo voy a la oficina de correos para mandar y **recoger paquetes**, y para enviar **cartas** importantes. Además, también me gusta mucho enviar **tarjetas** de cumpleaños y **recibir**las de mis amigos. Y siempre estoy atenta cuando pasa el **cartero** para ver si hay una sorpresa en mi buzón.

 Ayer envié una carta a mi amiga. Escribí su **dirección** en el **sobre** y fui a la **oficina de correos**. Allí compré **unos sellos** porque normalmente no los tengo en casa.

 También recibo paquetes porque hago compras en Internet. Si no estoy en casa, mi **repartidor** deja el paquete en la puerta.

Apoyo de vocabulario

el/la cartero/a	*mail carrier*	recibir	*to receive*	el/la repartidor(a)	*delivery person*
contestar	*to answer*	recoger	*to pick up*	el sobre	*envelope*

1 **Combinaciones** Escribe combinaciones lógicas usando al menos un verbo y un sustantivo.

> **Modelo** *enviar la carta, escribir la dirección en el sobre...*

carta	dirección	paquete	repartidor(a)	sobre
cartero/a	escribir	recibir	sello	tarjeta

2 **La historia de una carta** Imagina y escribe la historia de una carta, de principio a fin (*from beginning to end*) con muchos detalles. Inventa un final emocionante, sorprendente o divertido.

> **Modelo** *El año pasado una carta cambió mi vida. Por eso quiero contar su historia. Primero, escribí la carta con mucho trabajo y atención. Después...*

3 **Y tú, ¿cómo te comunicas?** Vas a participar en un debate.

 Paso 1 Formen grupos. Cada grupo asume una posición: defensores del correo tradicional, o del correo electrónico, o de los mensajes de texto y las redes sociales como medios de comunicación. Escriban juntos/as una lista de razones para justificar su preferencia. Consideren también qué desventajas pueden mencionar sobre los otros métodos.

 Paso 2 Formen nuevos grupos, con un(a) "defensor(a)" de cada herramienta (*tool*) de comunicación y debatan el tema.

Las finanzas personales y los bancos

Lee y escucha la descripción.

Para tener independencia financiera, tienes que ganar dinero, pero también es importante saber **gestionar**lo. Naturalmente, el primer paso es controlar cuánto dinero ganas y cuánto dinero **gastas**. Es buena idea no gastar todo tu dinero y **ahorrar** un poco todos los meses, pero a veces es necesario pedir un **préstamo** al banco para asistir a la universidad, comprar un carro o una casa. Muchas personas **depositan** parte de su dinero en una **cuenta** de ahorros o **invierten** en el mercado de valores (*stock market*) porque normalmente pueden obtener mayores beneficios (*returns*).

Si viajas al extranjero (*abroad*), debes recordar que el sistema de bancos no es igual en todos los países. Por ejemplo, los bancos abren y cierran a horas diferentes y, a veces, sus horarios también varían de verano a invierno. Aunque (*Although*) en muchos países **pagamos** con **tarjetas** habitualmente, en otros países es mucho más frecuente pagar **en efectivo**. Por eso es importante llevar diferentes formas de dinero: un poco de efectivo en la **moneda** local, una **tarjeta de débito** y una o más **tarjetas de crédito**. También debes averiguar (*find out*) si los bancos locales tienen aplicaciones móviles, si es fácil **encontrar cajeros automáticos** para **retirar** efectivo con tu tarjeta en el país que visitas, qué **cobran** los bancos por **cambiar** o retirar dinero y qué debes hacer si **pierdes** tu tarjeta.

Apoyo de vocabulario

el cajero automático	*ATM*	invertir (ie, i)	*to invest*
cambiar	*to change, to exchange*	la moneda	*currency, money, coin*
cobrar	*to charge*	pagar	*to pay (for)*
el efectivo	*cash*	perder (ie)	*to lose*
encontrar (ue)	*to find*	el préstamo	*loan*
las finanzas	*finance*	retirar	*to withdraw*
gestionar	*to manage*		

Nota de lengua

Note the difference between the use of **gastar** (dinero/energía) vs. **pasar** (tiempo).

Gastamos mucho **dinero** en libros.   *We spend a lot of money on books.*
Jorge **pasa** bastante **tiempo** estudiando.   *Jorge spends a lot of time studying.*

Nota cultural

Pablo Neruda

Pablo Neruda (1904–1973) was Chilean, but spent a good part of his adult life in various countries in Asia and Europe. Neruda is among the most distinguished Latin American poets of the twentieth century. His prolific writing, considered exceptional, earned him the Nobel Prize for Literature in 1971. He died with eight books still unpublished. A movie called *Il postino* was made about Neruda's life.

Il postino

1 Finanzas personales Vas a comparar hábitos financieros.

Paso 1 Completa esta encuesta (*survey*) sobre tus hábitos financieros. Si prefieres no compartir información personal, imagina respuestas frecuentes de estudiantes universitarios.

Los estudiantes y el dinero

1. Indique qué cuentas bancarias o productos financieros tiene:
   - ☐ cuenta corriente
   - ☐ cuenta de ahorros
   - ☐ tarjeta de crédito
   - ☐ tarjeta de débito
   - ☐ cuenta de inversión
   - ☐ préstamo de estudios
   - ☐ hipoteca (*mortgage*)

2. Tiene cuentas bancarias o de inversión en:
   - ☐ un banco físico
   - ☐ un banco en Internet
   - ☐ los dos

3. Si tiene cuentas en un banco físico, generalmente hace sus transacciones:
   - ☐ en persona en la oficina
   - ☐ electrónicamente
   - ☐ en un cajero

4. Casi siempre pago…
   - ☐ con efectivo
   - ☐ con una aplicación
   - ☐ con tarjeta de débito
   - ☐ con tarjeta de crédito

5. Intento ahorrar…
   - ☐ un 10% de mis ingresos
   - ☐ un 25% de mis ingresos
   - ☐ No ahorro.

6. Cuando tengo monedas…
   - ☐ las uso
   - ☐ no las quiero
   - ☐ las ahorro y luego las llevo al banco

7. Reviso mis gastos…
   - ☐ cada semana
   - ☐ cada mes
   - ☐ nunca

8. Organizo mis finanzas...
   - ☐ con lápiz y papel
   - ☐ con un programa de software
   - ☐ con una aplicación/un sitio web

9. Mis tarjetas de crédito…
   - ☐ tienen un saldo (*balance*) pequeño
   - ☐ tienen un saldo grande
   - ☐ ¿Qué tarjetas de crédito?

10. Invierto…
    - ☐ en la bolsa (*stock market*)
    - ☐ No invierto.
    - ☐ en productos seguros (*safe*)

11. Comprendo la gestión de finanzas personales...
    - ☐ muy bien
    - ☐ no muy bien

    y...
    - ☐ me interesa
    - ☐ no me interesa

Paso 2 En parejas, comparen sus respuestas y decidan si sus hábitos son similares o diferentes. Elaboren los detalles y añadan (*add*) otra información relevante.

> **Modelo** *Casi siempre uso una tarjeta de débito para pagar en las tiendas. Cuando salgo con mis amigos, uno de nosotros paga y los otros transfieren dinero con una aplicación.*

Paso 3 En grupos pequeños, escriban una pequeña *Guía de consejos financieros para estudiantes*.

2 **Una visita al banco** En grupos pequeños, tienen cinco minutos para describir las imágenes. Mencionen qué pasó antes, qué está pasando ahora y qué va a pasar. Escriban también los diálogos entre los empleados del banco y los clientes. ¡Usen su imaginación! ¿Qué grupo puede escribir las descripciones más completas y originales?

> **Modelo** *La Sra. Marín ganó la lotería la semana pasada y hoy está en el banco...*

3 **Situaciones** En parejas, van a representar esta situación: Estás en el aeropuerto y decides tomar un taxi con una persona que no conoces, y compartir el precio del viaje para llegar al centro. Cuando llegas a tu destino, ¡descubres que no tienes tu billetera (*wallet*)! ¿Qué dices? ¿Cómo reacciona la otra persona? Intenten llegar a una solución. Las expresiones útiles de la lista les pueden ayudar. Sigan este esquema.

Estudiante A: No tienes dinero para pagar el taxi. Debes pedir disculpas y proponer alternativas a la persona con la que compartes el viaje hasta encontrar una solución.

Estudiante B: Tu compañero/a de taxi dice que no tiene dinero. Estás enojado/a y, por supuesto (*of course*), no quieres pagarlo todo tú. Defiende tu postura hasta llegar a una solución justa.

Expresiones útiles

¡No puede ser!
That can't be!

¡Lo siento muchísimo!
I'm really sorry!

¿Y si...?
What if. . . ?

(No) Me parece bien. /
Me parece mal.
*I (don't) think that's
okay. / That's not okay.*

Nota cultural

¿Hablas "lunfardo"?

So many Italians settled in the city of Buenos Aires, Argentina in the 19th and 20th centuries that many Italian words made their way into the Spanish of the region. This local dialect is called *lunfardo*, and it was common in the lyrics of tango music. Some *lunfardo* words are popularly used in nearby Chile and Paraguay as well. A few have even been recognized by the Spanish Royal Academy of Language.

See if you can match the *lunfardo* words below to their meanings.

_____ fiaca   **a.** to work (from Italian *lavorare*, "to work")

_____ laburar   **b.** laziness, or lazy person (from the Italian *fiacca*, "laziness, sluggishness")

_____ manyar   **c.** to eat (from the Italian *mangiare*, "to eat")

Bailando tango en La Boca, un barrio (*neighborhood*) con mucha influencia italiana.

☐ **I CAN** discuss post office and financial transactions.

4. Express to whom or for whom something is done

Indirect object pronouns

Read and listen to the text, focusing on understanding the message, and make educated guesses about the meaning of the words **me**, **te**, **les**, and **le**.

1. To whom or what does each word refer to in the text?

2. In **Capítulo 6**, you learned about direct object pronouns. How are those similar or different to the pronouns in this text?

3. In **Capítulo 4**, you learned about **gustar**. What did you learn then that is relevant here?

Fede y Virginia hablan del fin de semana:

Fede: Juan **me** dijo que fueron juntos a ver una obra de teatro. ¿**Te** gustó?

Virginia: Sí, **me** gustó mucho. De hecho, **les** voy a comprar entradas a mis padres para verla. Es su aniversario y quiero hacer**les** un regalo (*gift*) especial.

Fede: ¿Qué hicieron después? Juan me contó que **le** enseñaste un barrio muy interesante.

Virginia: Sí, fuimos al casco viejo. A mí **me** encanta esa parte de la ciudad y **le** conté a Juan un poco de su historia. Si **te** interesa, podemos ir juntos un día.

> ### ¡Atención!
> Review direct object pronouns in **Capítulo 6**. Remember to ask the questions *Who(m)?* or *What?* to identify the direct object.

In **Capítulo 6** you learned that the direct object indicates who or what directly receives the action of the verb.

Vi **a Virginia** ayer. **La** vi en el teatro.   Juan compró **las entradas**. **Las** compró ayer.

In contrast, an indirect object identifies the person *to whom* or *for whom* something is done. Thus, this person receives the action of the verb *indirectly*.

Voy a comprar entradas de teatro **a mis padres**.   *I am going to buy theater tickets for my parents.*
Quiero hacer**les** un regalo.   *I want to give them a gift.*

Le conté **a Juan** la historia del barrio.   *I told Juan the history of the neighborhood.*
Le expliqué unos detalles interesantes.   *I explained to him some interesting details.*

Indirect object nouns are generally introduced by **a**.

Voy a dar una sorpresa **a mis padres**.
      (OD)   *(OI)*

Pronombres de objeto indirecto

You already know the indirect object pronouns: they are the forms used with the verb **gustar** to indicate *to whom* something is pleasing.

A Carlos **le** gustó mucho la plaza. *Carlos liked the plaza very much.*
  (OI)   (S)

Los pronombres de objeto indirecto

me	*me (to/for me)*	José **me** explicó la situación.
te	*you*	¿Lucía **te** envió una carta?
le	*you (formal)* *him* *her*	Ramón quiere dar**le** un libro a usted. Yo quiero dar**le** un libro a Ramón. Quiero dar**le** un libro a María también.
nos	*us*	Nuestros amigos **nos** explican la gramática a veces.
os	*you*	¿Quién **os** pidió dInero?
les	*you/them*	¿El banco **les** manda cartas a ustedes?

Position of indirect object pronouns

The indirect object pronoun, like the direct object pronoun and reflexive pronoun, is placed immediately before a conjugated verb, but may be attached to an infinitive (**-ar**, **-er**, **-ir** forms) or a present participle (**-ando**, **-iendo** forms).

Me dijeron que esa película es muy buena.   *They told me that that movie is really good.*

¿Vas a comprar**me** esa revista? ⌉
 ¿**Me** vas a comprar esa revista? ⌋   *Are you going to buy me that magazine?*

Estoy dándo**le** mi tarjeta de crédito. ⌉
 Le estoy dando mi tarjeta de crédito. ⌋   *I'm giving her/him my credit card.*

▶ *Redundancy.* Even though it may sound redundant, third-person indirect object pronouns (**le/les**) are generally used in conjunction with the indirect object noun.

Les escribí **a mis primos**.   *I wrote to my cousins.*

También **le** escribí **a Mónica**.   *I wrote to Mónica, too.*

▶ **Le** and **les** are clarified with the preposition **a** + *pronoun* when it is not clear from context who they refer to.

Le escribí **a Mónica** anoche.   *I wrote to Mónica last night.*

It is also common to use the forms **a mí, a ti, a usted, a él, a ella, a nosotros/as, a vosotros/as, a ustedes, a ellos/as** with the indirect object pronoun for emphasis.

Sancho **me** mandó el paquete **a mí**.   *Sancho sent the package to me.*
                                     (not to someone else)

Dar and other verbs that frequently require indirect object pronouns

The verb **dar** (*to give*) is almost always used with indirect objects. Review its present tense conjugation and study the preterit.

dar			
Presente		**Pretérito**	
doy	damos	di	dimos
das	dais	diste	disteis
da	dan	dio	dieron

▶ Some verbs that frequently have indirect objects are **decir**, **enviar**, **escribir**, **mandar**, and **pedir**, as one generally tells, sends, or asks for something (OD) **to someone** (OI).

Here are some new verbs that frequently have indirect objects:

ayudar	*to help*		preguntar	*to ask*
contar (ue)	*to tell, to narrate (a story or incident)*		prestar	*to lend*
enseñar	*to teach, to show*		regalar	*to give (as a gift)*
explicar	*to explain*			

Vamos a dar**le a Juan** una entrada para el concierto.

We are going to give Juan a ticket for the concert.

¡Atención!

Ayudar and **enseñar** both take a complement with **a** to indicate what someone helps with or teaches how to do. For instance: *Javier me ayudó a preparar la cena y me enseñó a hacer empanadas.*

1 **¿Qué hice o qué voy a hacer?** Indica qué declaración corresponde a cada actividad. Lee las oraciones relacionadas.

_____ **1.** Mis abuelos siempre quieren saber lo que estoy haciendo en la universidad.

_____ **2.** Es el cumpleaños de mi madre.

_____ **3.** Mi amiga Natalia no tiene medio de transporte y necesita ir al centro.

_____ **4.** Quiero ir al restaurante argentino esta noche. Tú sabes dónde está, ¿verdad?

_____ **5.** Mi hermana quería saber lo que pasó anoche.

_____ **6.** ¿No entendiste los pronombres?

a. Voy a prestarle mi carro.

b. ¿Puedes darme la dirección?

c. Le conté toda la historia (*story*).

d. Te voy a explicar cómo funcionan.

e. Voy a escribirles una carta.

f. Le mandé un regalo (*gift*).

2 Sondeo: Cuestiones personales Casi todos tenemos buenas relaciones con nuestros padres, hermanos, mejores amigos, etc., pero ¿hasta qué punto?

Paso 1 Indica tus respuestas a las preguntas.

	padre	madre	hermanos/as	mejor amigo/a	pareja	otros
¿A quién...						
... le pides consejo?						
... le cuentas todo?						
... le prestas tus apuntes de clase?						
... le prestas cosas?						
¿Quién...						
... te pide consejo?						
... te cuenta todo?						
... te presta sus apuntes de clase?						
... te presta cosas?						

Paso 2 En grupos pequeños, hablen sobre sus respuestas del **Paso 1** y conversen sobre las posibles diferencias personales.

> **Modelo** *Yo les pido consejo a mi madre y a mi padre porque...*
> *pero no les pido consejo a mis hermanos porque...*

3 La tarjeta perdida Completa las oraciones. Usa los pronombres **la** (directo) o **me**, **le** (indirectos) según la situación.

Ayer Manuel ____ pidió un favor a su novia Linda. ____ dio su tarjeta del cajero automático y ____ dijo: "¿Puedes ir al cajero esta tarde y sacar ____ $100?". Cuando Linda llegó al cajero y buscó la tarjeta, ¡no ____ pudo encontrar! ____ buscó en su mochila y en los bolsillos (*pockets*). ¿Quizá ____ dejó en su cuarto? Llamó a su compañera y ____ preguntó: "¿Hay una tarjeta en mi escritorio?". Su compañera ____ respondió que no. Pero luego, dijo: "¡____ encontré! Está al lado de la puerta!". Cuando Linda ____ llevó el dinero a Manuel, no ____ contó nada de la tarjeta perdida.

4 Cosas especiales Vas a compartir algunas experiencias.

Paso 1 Escribe oraciones sobre tus experiencias siguiendo el modelo.

> **Modelo** regalar: *Mis padres me regalaron algo (something) fantástico o*
> *Yo le regalé a mi mejor amiga algo divertido.*

1. regalar   2. enseñar   3. decir   4. enviar   5. ayudar

Paso 2 Comparte tus oraciones con un(a) compañero/a y responde sus preguntas. Escucha también a tu compañero/a y pide más detalles.

☐ **I CAN** express to whom or for whom something is done.

Argentina y Chile

Antes de leer

1. Conocimiento previo Identifica las afirmaciones correctas sobre Argentina y Chile.

☐ Argentina y Chile están cerca del Polo Sur (*South*).

☐ Es verano en julio y agosto.

☐ Comparten una frontera pequeña.

☐ Tienen glaciares.

Separados por una frontera natural, la cordillera° de los Andes, Chile y Argentina son los países más australes° de Sudamérica. Por su configuración geográfica, tienen similitudes y contrastes naturales y culturales. Conoce algunos aspectos destacados de estos países.

Economía de Chile

Chile es el mayor productor mundial de cobre°, litio y yodo° y de productos agrícolas como avena, maíz, duraznos, uvas y ajos. Chile es uno de los socios° comerciales más fuertes de Estados Unidos en Latinoamérica. Estos dos países tienen un Tratado de Libre Comercio° desde 2004 que le facilita a Chile importar combustible°, maquinaria eléctrica y vehículos. El cobre, el salmón y la fruta son los principales productos que Chile exporta a Estados Unidos.

❙ Chile es uno de los mayores exportadores de vino a Estados Unidos.

❙ Turistas visitan el glaciar Perito Moreno.

Glaciar Perito Moreno

El glaciar Perito Moreno está ubicado en la provincia de Santa Cruz, al sur de Argentina. Esta impresionante masa de hielo rodeada de bosques y montañas tiene una superficie de unos 257 km² y está en crecimiento° continuo. El avance del glaciar provoca el desprendimiento° de bloques de hielo a diario, generando una vista y sonidos estridentes únicos. En 1981 fue declarado Patrimonio de la Humanidad por la UNESCO.

El desierto de Atacama

Con sus 3.000 km², el desierto de Atacama es el tercero más grande del mundo. Está situado al norte de Chile. Es la zona no polar más árida del planeta, con 15 milímetros de lluvia por año. Lejos de ser un lugar sin vida, tiene la energía acogedora° de su cultura originaria, sus oasis, lagos salados y la fauna de los Andes.

❘ La fauna en Atacama es muy variada.

El tango

El movimiento elegante y apasionado del tango muestra la mezcla cultural —africana, indígena, caribeña y europea— de los barrios humildes° de Buenos Aires durante la primera década del siglo XIX. Posteriormente, el tango se extendió a las zonas más ricas de la ciudad y, hacia el siglo XX, se convirtió en una sensación internacional. Sus letras° hablan de la vida urbana y los desengaños° amorosos. En el 2009, la UNESCO lo declaró Patrimonio Cultural Inmaterial. Mira el video para aprender más sobre el tango.

Argentina, cuna° de grandes deportistas

Para los argentinos, el deporte es un elemento de socialización con un pasado y un presente brillantes en muchas disciplinas. De los clubes de barrio han salido grandes deportistas con fama mundial. En la historia del deporte argentino van a ser recordados talentos como Carlos Tevez y Lionel Messi en el fútbol, Emanuel Ginóbili y Facundo Campazzo en el básquetbol, Gabriela Sabatini y Juan Martín del Potro en el tenis, y Delfina Pignatiello en la natación.

la cordillera *mountain range* austral *southern* el cobre *copper* el yodo *iodine*
el/la socio/a *partner* el Tratado de Libre Comercio *Free Trade Agreement*
el combustible *fuel* el crecimiento *growth* el desprendimiento *fall*
acogedor(a) *friendly* humilde *modest* la letra *lyrics* el desengaño
disappointment la cuna *cradle*

Después de leer

🔗 **2. Completar** Completa cada oración con la opción correcta.

1. El tango llegó a las clases (bajas / altas) de Buenos Aires, pero su origen está en las clases (bajas / altas).

2. El glaciar Perito Moreno está (desapareciendo/ creciendo).

3. Gabriela Sabatini fue jugadora de (fútbol / tenis).

4. Chile (compra / vende) fruta a Estados Unidos y (compra / vende) carros.

5. El desierto de Atacama está (lleno de [*full of*] / lejos de la) vida.

🔗 **3. Interactuar** En grupos pequeños, hablen sobre estas preguntas.

1. ¿Qué información de la lectura te parece más interesante? Explica por qué.

2. ¿Qué te gusta bailar? ¿Sabes dónde se originó este baile?

3. ¿Te fijas de dónde vienen los cereales, las frutas o los vegetales que consumes? ¿Prefieres consumir productos locales o importados? ¿Has visto (*Have you seen*) frutas y verduras de Chile en tu supermercado?

🔗 **4. Investig@ en Internet** Lee la estrategia e investiga otros lugares naturales o culturales importantes de Chile y Argentina. Luego, prepara un blog turístico para compartir con tu clase. Incluye imágenes u otros recursos según corresponda. Recuerda mencionar la ubicación del lugar, su importancia, actividades para realizar y por qué lo elegiste.

🔍 **Estrategia digital: Comparing sources**

When researching topics online, once you have checked the author and sources, it is very important to compare the information found in these sources. This will allow you to get a more comprehensive point of view and to identify conflicting or consistent information. Start by writing down new ideas from these sources. Put a check mark next to the ideas that occur in all of them. Take notes of any contradictory information. Finally, make inferences and draw conclusions about the topic you are researching.

Resources

vhlcentral

online activities

☐ **I CAN** identify one or two products and/or practices from Argentina and Chile.

Lectura

Antes de leer

1. Conocimiento previo Contesta las preguntas.

1. En tu ciudad (o una ciudad que conoces), ¿hay un barrio de moda (*trendy neighborhood*)? ¿Dónde está y cómo es ese barrio? ¿Qué tipos de tiendas, servicios y lugares de ocio como cafés o restaurantes hay? ¿Quién vive allí?

2. Mira el título y las fotos. ¿De qué ciudad y barrio específico habla este texto? ¿Puedes anticipar algunas posibles ideas que puede mencionar el texto?

Estrategia de lectura: Marking unfamiliar words

In general, you should try to read a text focusing on what you understand rather than what you do not. However, there might be unfamiliar words that seem key to the message. As you read through a text for the first time, mark these words (highlight them, make a list, etc.). It is important to only mark those that affect your general understanding. Then, as you read each paragraph more closely a second time, decide which of the words marked still seem essential to unlocking its meaning and look them up.

A leer

2. Aplicar Lee la estrategia y sigue los pasos.

Paso 1 Lee el texto y marca las palabras que te impiden entender las ideas principales. Es importante hacer esta lectura sin parar para analizar cada oración ni para buscar palabras en el diccionario.

Paso 2 Lee el texto otra vez con más detenimiento (*more closely*). Decide qué palabras desconocidas del **Paso 1** son esenciales para la comprensión general del texto. ¿Puedes deducir su significado aproximado por el contexto? Después, busca las palabras en el diccionario.

Paso 3 Reflexiona sobre cómo aprender el significado de esas palabras nuevas te ayudó a comprender mejor las ideas principales del texto.

Desaparece El Barrio: Gentrificación en East Harlem

El barrio neoyorquino de East Harlem, también llamado Spanish Harlem o El Barrio, tiene ahora un nuevo nombre, SpaHa. Esta abreviación, típica para los barrios de moda como SoHo o Nolita, refleja cambios recientes en su historia física y humana. La gentrificación está desplazando a la población tradicional y cambiando radicalmente el ambiente y la personalidad de este centro histórico de la comunidad latina en Nueva York.

Si vives en una gran ciudad, quizá esta situación te parece familiar. En numerosas ciudades de Estados Unidos y del mundo, muchos jóvenes profesionales quieren vivir cerca de su lugar de trabajo y de la vida cultural de la ciudad. Pero no pueden pagar los altos precios del centro y van a vivir a zonas cercanas con fácil acceso y alquileres más baratos. En un primer momento, cuando estos nuevos residentes de clase media-alta llegan a un barrio humilde, puede haber algunos cambios positivos. El comercio local aumenta su actividad y aparecen nuevas opciones como tiendas y restaurantes. Además, los gobiernos locales mejoran algunos servicios públicos, como la iluminación, el transporte público y la seguridad. Sin embargo, estas mejoras muchas veces anuncian un futuro pesimista para los residentes tradicionales del barrio.

"El nuevo SpaHa no es para nosotros".

Melissa Medina, residente de East Harlem, explica en la revista digital *Mano* que la llegada de supermercados orgánicos, populares cadenas de cafés y restaurantes de moda no beneficia a los residentes del barrio porque son demasiado caros para ellos. Al mismo tiempo, los precios de alquiler de locales comerciales y viviendas aumentan en proporciones que los vecinos no pueden costear. Un gran número de edificios residenciales y comerciales, y hasta los templos religiosos y otros centros de la vida de la comunidad, se venden, derriban o reforman para reaparecer como oficinas, *boutiques* y residencias de lujo. En un círculo vicioso, muchos residentes habituales son desplazados y, entonces, los restaurantes y negocios familiares pierden su clientela y deben cerrar.

En Harlem estos cambios están resultando en una inevitable transformación demográfica y cultural del barrio. El censo de 2020 muestra que la población blanca ha aumentado significativamente en detrimento de la población hispana y afroamericana. Pero los nuevos vecinos son residentes de corto y medio plazo, sin intención de integrarse en la comunidad. Así, cuando los residentes tradicionales son desplazados, desaparece el entramado social y la comunidad se desintegra. Melissa Medina resume el sentimiento de muchos: "El nuevo SpaHa no es para nosotros". ■

Después de leer

3. Indicar Indica si estas oraciones son ciertas o falsas, según el texto.

1. La gentrificación mantiene las tradiciones de cada barrio. ....C F

2. Los jóvenes que trabajan pueden vivir fácilmente en el centro de la ciudad. ....C F

3. El gobierno invierte en mejorar las condiciones de vida en las zonas gentrificadas. ....C F

4. Los nuevos residentes piensan quedarse solo por un tiempo limitado. ....C F

5. Los residentes tradicionales están contentos y quieren quedarse en el barrio. ....C F

4. Determinar Determina qué información completa estas ideas que menciona el texto. Usa tus propias palabras.

1. El nombre SpaHa representa _____
_____.

2. Los nuevos residentes se mudan a este barrio porque _____
_____.

3. Los residentes tradicionales del barrio se van porque _____
_____.

4. El proceso de gentrificación está cambiando el barrio en varios aspectos: _____
_____.

5. Analizar En grupos pequeños, comenten estas preguntas.

1. ¿Cuáles son los posibles aspectos positivos y negativos de los cambios que menciona el texto?

2. En tu opinión, ¿es la gentrificación una evolución natural, un progreso? ¿O es un problema de justicia social?

3. ¿Qué posibles soluciones o alternativas puede haber en estas situaciones?

Resources

vhlcentral

online activities

☐ **I CAN** recognize facts in a text about gentrification in East Harlem.

Video: Muros con historia

Antes de ver el video

1 Conocimiento previo En grupos pequeños, contesten estas preguntas.

1. ¿Qué arte público (estatuas, fuentes, etc.) hay en tu ciudad? ¿Dónde están?

2. ¿Hay ejemplos de arte urbano (grafiti, murales) en tu comunidad o ciudad? ¿En qué lugares o edificios están?

2 Inferir Observa la imagen y describe en detalle qué ves. La obra se llama *La mujer sin fronteras*. Considera el título para imaginar quién es la mujer y qué hace.

> **Estrategia de comprensión auditiva: Using playback tools to aid comprehension**
> When you watch a video, you can play it several times. After a first viewing to focus on the main ideas, you can watch again pausing or replaying specific segments to take notes and listen for details. After using these tools, watch the video one last time without pausing.

A ver el video

En este video los artistas uruguayos de Colectivo Licuado hablan sobre su historia y su trabajo en murales urbanos.

Duración: 4:30
Fuente: Lira Arte Público

3 Seleccionar Mira el video una vez y selecciona la opción que expresa la idea principal del video.

☐ Los artistas de Colectivo Licuado pintan murales para hacer las ciudades más bellas y tener buenas relaciones con la gente de su barrio.

☐ Los artistas de Colectivo Licuado pintan murales para expresar su identidad y su perspectiva sobre temas sociales como la representación de la mujer.

☐ Los artistas de Colectivo Licuado pintan murales para hablar de la música, la fotografía y el feminismo en lugares donde hay mucha gente.

4 Aplicar Primero, lee la estrategia. Luego, mira el video otra vez y describe estos temas. Puedes hacer pausas para tomar notas y escuchar varias veces. Luego, en parejas, compartan y comparen sus descripciones.

1. El primer mural de Camilo y Florencia juntos

2. El trabajo de Camilo y Florencia como (*as*) equipo

3. Temas y objetivos del trabajo de Colectivo Licuado

Después de ver el video

5 Analizar En grupos pequeños, comenten las preguntas.

1. Florencia menciona la tradición de murales en América Latina como medio para representar identidad y hablar de temas sociales. ¿Es esto cierto también para el arte urbano en Estados Unidos?

2. Encuentra otras obras de Colectivo Licuado en Internet y selecciona una. Compártela con tu grupo y explica por qué te gusta.

☐ **I CAN** identify ideas in a video about urban artists from Uruguay.

¡Atención!

In this video you are going to hear the words **tipo** and **como** used as filler words meaning *like*. These are regional variants from Uruguay and parts of Argentina, mainly Buenos Aires.

Es **como** una oportunidad de poder agregar **tipo** al legado feminista.
It's like an opportunity to be able to contribute like to the feminist legacy.

Palabras útiles

el barrio
neighborhood

creer
to believe

dibujar
to draw

el equipo
team

el legado
legacy

más allá
beyond

mezclar
to mix

el muro
wall

el papel protagónico
leading, main role

Resources

vhlcentral   online activities

Proyecto oral: Un paseo por mi ciudad

Vas a describir los lugares favoritos del lugar donde vives. Puedes hablar de tu ciudad natal (*hometown*), o de la ciudad, el pueblo o el barrio donde vives ahora. Para prepararte, toma unos minutos para revisar el vocabulario y la gramática de este capítulo y escribe las palabras clave que te gustaría incluir.

¡Atención!

Ask your instructor to share the **Rúbrica de calificación** (*grading rubric*) to understand how your work will be assessed.

Estrategia de comunicación oral: Using oral markers

When making an oral presentation, give cues to your listener that indicate the function or purpose of what you are going to say.

To identify:	**Este/a es...**
To describe:	**Es un edificio/parque...**
To explain:	**Es importante para mí/para la ciudad porque... // Voy/Fui a...**
To illustrate:	**Por ejemplo,...**
To connect:	**Por eso.../Entonces...**

Paso 1 Planea una ruta. Usa las preguntas de la lista como guía y piensa en diferentes opciones.

- **¿De qué ciudad vas a hablar?** Puede ser tu ciudad o pueblo natal o la ciudad, el pueblo o el barrio donde vives ahora.
- **¿Qué lugares vas a incluir en tu ruta?** Selecciona cuatro o cinco lugares favoritos o relevantes para ti. Por ejemplo, espacios públicos como parques o playas, edificios interesantes, lugares para visitar como museos, y otros lugares importantes en tu vida.
- **¿Qué información vas a incluir?** Para cada lugar, anota (*jot down*) detalles relevantes en un mapa de ideas.
  - ▷ descripción del lugar
  - ▷ dónde está y cómo ir
  - ▷ por qué te gusta o es importante para ti
  - ▷ alguna anécdota sobre qué hiciste o qué pasó allí en cada lugar
  - ▷ otros detalles

Paso 2 Prepara materiales visuales para apoyar (*support*) tu presentación oral. Puede ser un póster o un mapa personalizado digital con Google My Maps u otra aplicación similar. Para cada (*each*) destino, incluye una descripción corta y fotos o videos breves, personales o de Internet.

Paso 3 Practica la presentación varias veces y recuerda que el objetivo no es leer la presentación, sino (*but*) explicar con tus propias palabras y usar los elementos visuales de apoyo. Usa al menos (*at least*) tres expresiones de la estrategia para indicar de qué vas a hablar.

Paso 4 Presenta el tour de tus lugares favoritos. La presentación debe durar de dos a tres minutos. Incluye la información del **Paso 1** y los materiales visuales del **Paso 2** para mostrar cada lugar.

> **Modelo** *Hola. Hoy vamos a dar un paseo por Saint Augustine, Florida. Este es el Castillo de San Marcos. Es un fuerte militar del siglo diecisiete. Está en...*

Resources

vhlcentral

☐ **I CAN** present a personal tour of my town.

Proyecto escrito: Dos caras de mi ciudad

Vas a crear una comparación de dos barrios de tu ciudad o de una ciudad que conoces. Debes presentar las características de cada uno e identificar qué los hace diferentes y similares. Para prepararte, toma unos minutos para revisar el vocabulario y la gramática de este capítulo y escribe las palabras clave que te gustaría incluir.

> **Estrategia de redacción: Using outlines**
>
> An outline helps you determine the best order to present and develop your ideas. What order is best depends on the type of writing you are doing—a comparison, for example, often uses descriptions to identify similarities and differences. What would be a good order for a comparative text? Here are two possible organizing outlines.
>
> - By location, describing specific characteristics and needs of each neighborhood.
> - By category, describing what makes both neighborhoods similar and what makes them different.
>
> Your outline can function as a main structure to fill in with descriptions, examples, and details.

Paso 1 Antes de escribir:
- Selecciona dos barrios de tu ciudad o de una ciudad que conoces.
- Considera la audiencia y el tipo de texto (estrategia del **Capítulo 4**, p. 130).
- Genera y organiza ideas con la información que aprendiste sobre la ciudad en este capítulo. También busca detalles adicionales en Internet. Aquí tienes algunas categorías:
  - ▷ calles, plazas y espacios públicos, edificios y monumentos
  - ▷ cultura y deportes: museos, teatros, eventos deportivos, etc.
  - ▷ restaurantes y cafés
  - ▷ compras
  - ▷ necesidades: transporte público, seguridad, hospitales, etc.

Paso 2 Decide cómo vas a organizar tu comparación y escribe un esquema (*outline*) para determinar tu enfoque (*approach*) y secciones principales.
- Incluye una breve introducción para generar interés.
- Escribe una sección para cada barrio. Incluye detalles y ejemplos.
- Considera incluir algunas fotos ilustrativas con pies de foto (*captions*) sencillos.
- Completa tu texto con una conclusión donde compares en resumen (*summary*) los dos barrios.

Para escribir mejor: Estas formas de enfatizar adjetivos te pueden ayudar:	
muy + adjetivo	muy bello/a
adjetivo + **ísimo/a**	bellísimo/a
extremadamente + adjetivo	extremadamente bello/a

Aquí tienes otras palabras útiles.
lujoso/a *luxurious* **moderno/a** *modern* **modesto/a** *modest* **tradicional** *traditional*

Paso 3 Escribe una comparación de 200 palabras aproximadamente con la información de los pasos anteriores. Prepárate para presentar tu comparación a la clase.

☐ **I CAN** write a comparison between two neighborhoods.

Resources

vhlcentral

En el banco   *In the bank*

el cajero automático   *ATM machine*
la cuenta   *account*
el efectivo   *cash*
las finanzas   *finance*
la moneda   *currency, money, coin*
el préstamo   *loan*
la tarjeta de crédito/débito   *credit/debit card*

En la ciudad   *In the city*

el autobús   *bus*
la avenida   *avenue*
el banco   *bank; bench*
el bar   *bar*
el café   *café, coffee shop*
la calle   *street*
el centro comercial   *shopping center, mall*
el cine   *movie theater, cinema*
el edificio   *building*
la entrada   *entrance; ticket*
el estacionamiento   *parking*
la estatua   *statue*
la gente   *people*
los (grandes) almacenes/la tienda por departamentos   *department store*
la iglesia   *church*
la joyería   *jewelry store*
el metro   *metro, subway*
el museo   *museum*
la obra de teatro   *play (theater)*
la parada de autobús   *bus stop*
la pastelería   *pastry shop, bakery*
la película   *film, movie*
el periódico   *newspaper*
la pizzería   *pizzeria*
la plaza   *plaza, town square*
el quiosco   *kiosk, newsstand*
el rascacielos   *skyscraper*
el restaurante   *restaurant*
la revista   *magazine*
el taxi   *taxi*
el teatro   *theater*
la zapatería   *shoe store*

En la oficina de correos   *In the post office*

el buzón   *mailbox*
la carta   *letter*
el/la cartero/a   *mail carrier*
la dirección   *address*
el sello   *stamp*
el paquete   *package*
el/la repartidor/a   *delivery person*
el sobre   *envelope*
la tarjeta   *card, postcard*

Verbos y expresiones verbales

abrir   *to open*
ahorrar   *to save*
ayudar   *to help*
cambiar   *to change, to exchange*
cerrar (ie)   *to close*
cobrar   *to cash; to charge*
contar (ue)   *to tell, to narrate (a story or incident)*
depositar   *to deposit*
empezar (ie)   *to start*
encontrar (ue)   *to find*
enseñar   *to teach*
entrar (en/a)   *to enter, to go in*
esperar   *to wait (for)*
explicar   *to explain*
gastar   *to spend (money)*
gestionar   *to manage*
hacer cola/fila   *to be in line*
invertir (ie, i)   *to invest*
invitar   *to invite*
morir (ue, u)   *to die*
pagar   *to pay (for)*
pasar   *to pass, to go by; to spend (time)*
perder (ie)   *to lose*
preguntar   *to ask*
prestar   *to lend*
recibir   *to receive*
recoger   *to pick up*
regalar   *to give (as a gift)*
repetir (i, i)   *to repeat*
retirar   *to withdraw (money)*
terminar   *to finish*

Adjetivo

el/la mejor   *the best*

Preposiciones

al + infinitivo   *upon + doing something*
al lado de   *beside, next to*
antes de   *before*
cerca de   *near, close to*
debajo de   *beneath, under*
delante de   *in front of*
dentro de   *inside*
después de   *after*
detrás de   *behind*
en   *in, on, at*
encima de   *on top of, above*
enfrente de   *in front of, opposite*
entre   *between, among*
en vez de   *instead of*
frente a   *in front of, opposite*
fuera de   *outside*
lejos de   *far from*
para   *for (recipient, purpose)*
para + infinitivo   *in order to + do something*
por   *by, through, alongside, around*
sobre   *on*

Los demostrativos

See page 211.

Los adverbios

See page 211.

De compras

Learning Objectives
In this chapter, you will:

- Participate in conversations about clothing and shopping habits.
- Discuss possession and actions in the past.
- Identify concepts about a market in Uruguay.
- Explore and research Peru, Ecuador, and Bolivia.
- Identify main ideas in written and audiovisual materials.
- Present the concept for a clothing brand.
- Write a personal essay.

Así se pronuncia Diphthongs

VideoEscenas ¿Qué le compro?

⊚ **Camper *ReCrafted*** Completa las actividades.

1. Contesta las preguntas.
- ¿Compras productos usados o reacondicionados (*refurbished*)? ¿Qué tipo de productos: ropa, aparatos electrónicos, cosas para la casa? ¿Dónde los compras?
- ¿Qué haces con la ropa, los zapatos y las cosas que ya no usas? ¿Los pones en la basura (*trash*), los llevas a un centro de donación, los regalas (*gift*) o los vendes?

2. Observa estas imágenes y lee el texto de la campaña *ReCrafted* de Camper, una marca (*brand*) de zapatos de España. Después, contesta las preguntas.

ReCrafted

Presentamos *ReCrafted*, una colección especial de zapatos usados, devueltos y con taras que combinamos con otros materiales sobrantes para crear una selección de productos Camper únicos. *ReCrafted* representa la unión entre sostenibilidad, tecnología y diseños atemporales y duraderos.

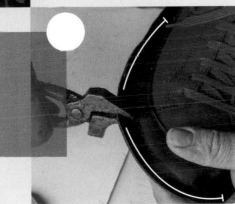

Fuente: Camper, España

devuelto/a *returned* **la tara** *defect, imperfection* **el sobrante** *spare, surplus*

- ¿Cómo son diferentes los zapatos de esta colección?
- ¿Qué cualidades representa esta colección?
- ¿Cuál es el mensaje que comunica Camper con este proyecto?

👥 **3.** En grupos pequeños, comenten estas preguntas.
- ¿Conoces otras compañías que venden productos reciclados o reacondicionados? ¿Comprarías (*Would you buy*) estos productos?
- El consumismo tiene un gran impacto negativo en el medio ambiente (*environment*). ¿Es este un factor relevante en tus hábitos? ¿Qué haces o qué puedes hacer para reducir el impacto de tus compras?

Palabras útiles
la calidad *quality*
la cantidad *quantity*
el material *material*
reparar *to repair*

De compras

MARA

las rebajas

REBAJAS HASTA EL **50%**

la camisa

el traje

la corbata (de seda)

la bufanda

la blusa

el reloj

los aretes/los pendientes (de oro)

el suéter (de lana)

el abrigo

los guantes

la chaqueta

los pantalones

la falda larga

las medias

el paraguas

los jeans/los vaqueros

los zapatos de tacón alto

las botas

la bolsa/el bolso

la camiseta (de manga corta)

la billetera/la cartera

el vestido

los calcetines

los (zapatos de) tenis

las gafas/los lentes (de sol)

la gorra

el sombrero

el collar (de plata)

el traje de baño

la camiseta (de algodón)

las joyas

la pulsera

el cinturón/ la correa

el anillo/ la sortija

los pantalones cortos

las sandalias

los zapatos (de piel/de cuero)

Apoyo de vocabulario

el algodón	cotton
la cartera/la billetera	wallet
corto/a	short (things, not people)
el cuero	leather
los zapatos de tacón alto/bajo	high-heeled/flat shoes
las joyas	jewelry
la lana	wool
largo/a	long
llevar	to wear
la manga	sleeve
el oro	gold
la plata	silver
las rebajas	sales
la seda	silk

¿Qué observas? Contesta las preguntas sobre las imágenes.

1. ¿Qué maniquí lleva (*is wearing*) una blusa: el hombre o la mujer? ¿De qué color es? ¿De qué es la blusa: de seda o de cuero? ¿Quién lleva camisa? ¿De qué color es?

2. La mujer que camina por la calle, ¿lleva jeans o falda? ¿De qué son probablemente los jeans: de algodón o de seda?

3. ¿Quién lleva traje? También hay una falda. ¿De qué color es? ¿Es larga o corta?

¿Y tú? Responde las preguntas sobre ti mismo/a.

1. ¿Qué tipos de prendas (*clothing items*) de esta tienda tienes?

2. ¿Hay algunos tipos de prendas que nunca usas? ¿Hay prendas que usas frecuentemente?

3. ¿Qué accesorios y joyas usas?

Nota de lengua

There is much regional variation in clothing vocabulary. Keep these differences in mind when you travel.

- la chaqueta → el saco (Argentina); la chamarra (México)
- el suéter → el jersey (España); el pulóver (Argentina)
- la falda → la pollera (Argentina)
- el abrigo → el tapado (Argentina); el sobretodo (Colombia)

1 **De compras** Vas a comprar varias cosas para ti y para otras personas.

Paso 1 Esta es tu lista. Indica el número que corresponde a cada foto y completa con el artículo indefinido (**un, una, unos, unas**) apropiado.

_____ _____ botas	_____ _____ chaqueta	_____ _____ gorra
_____ _____ camisa	_____ _____ bolso	_____ _____ tenis
_____ _____ aretes	_____ _____ sandalias	_____ _____ vestido
_____ _____ suéter	_____ _____ pantalones de deporte	_____ _____ calcetines

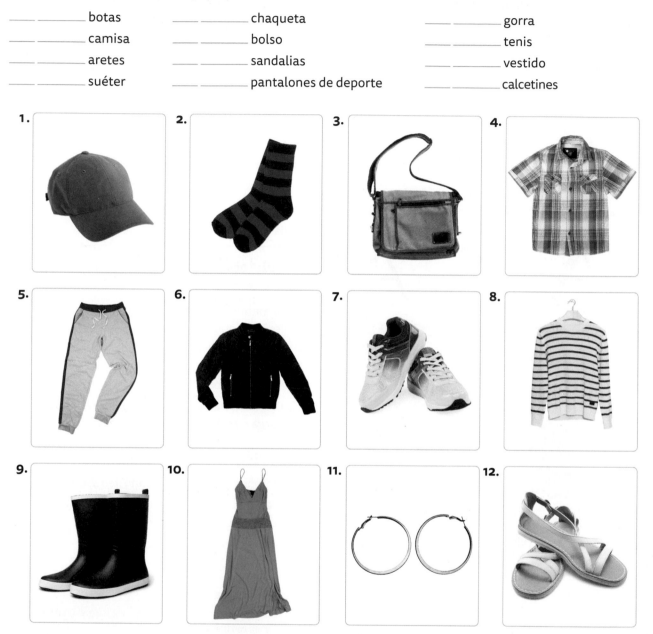

Paso 2 En grupos pequeños, comenten las preguntas.

> **Modelo** *Me gusta mucho el bolso porque puedo llevar mis libros y el verde es mi color favorito. Probablemente lo puedo encontrar en...*

1. ¿Cuáles de estas prendas de ropa (*clothing items*) y accesorios te gustan para ti o para otras personas en tu vida?

2. Vas a comprar estas cosas. ¿En qué tiendas, grandes almacenes de tu comunidad o tiendas de Internet puedes encontrarlas?

Palabras útiles

feo/a
ugly

cómodo/a
comfortable

2 **¿Formal o informal?** Escucha e indica si, en tu opinión, estas prendas de ropa y accesorios son más apropiados para ocasiones formales, informales o para las dos.

	Formal	Informal	Las dos		Formal	Informal	Las dos
1.	☐	☐	☐	6.	☐	☐	☐
2.	☐	☐	☐	7.	☐	☐	☐
3.	☐	☐	☐	8.	☐	☐	☐
4.	☐	☐	☐	9.	☐	☐	☐
5.	☐	☐	☐	10.	☐	☐	☐

3 **¿De quién es?** Tus amigos olvidaron (*forgot*) algunas cosas en tu cuarto.

Paso 1 Lee las siguientes oraciones e indica quién olvidó cada cosa.

1. La bolsa es negra.
2. Sandra no tiene prendas ni accesorios de cuero.
3. La gorra es de algodón.
4. Una prenda es de seda, otra es blanca y roja.
5. Raquel no olvidó una gorra.
6. La corbata es azul con lunares blancos.
7. Óscar olvidó una prenda de algodón.
8. Una chica olvidó su bolsa de cuero.
9. La bufanda es de rayas verdes y blancas.
10. La prenda de Sandra es de lana.

Amigo/a	Prenda	Material	Color
		de algodón	
			rayas verdes y blancas
	una bolsa		
Alberto			

Paso 2 Escribe cuatro oraciones para describir las prendas que tus amigos/as olvidaron. Piensa en ropa o accesorios que usan frecuentemente.

> **Palabras útiles**
> de/a rayas *striped*
> lunares *dots*

> **Modelo** *Andrea olvidó una blusa de algodón amarilla.*

En mi experiencia

Anthony, Rockford, IL

"At my home campus, it's normal for students to attend class in sweatpants and other informal clothes. But when I studied a semester in Quito, Ecuador, I noticed that no one dressed that way. I quickly learned that by rotating four or five polo shirts, a few pairs of khakis or jeans, and shoes, I fit in a lot better. Also, all of the kids in my neighborhood wore uniforms to school."

What are the advantages and disadvantages to a more formal dress code and to uniforms? If you wore a uniform when you were in school, what was your opinion about it?

4 ¿Qué ropa es apropiada? Vas a compartir tu opinión sobre el uso de la ropa.

Paso 1 Individualmente, escucha las descripciones e indica en qué ocasión es apropiado llevar esta ropa. Nota que algunas opciones pueden ser apropiadas para más de una ocasión.

_____ para la playa

_____ para una entrevista de trabajo (*job interview*)

_____ para correr en el parque

_____ para las clases

_____ para una cena formal

_____ para la discoteca

Paso 2 Indica qué ropa y accesorios son apropiados para estas situaciones.

	La playa	Las clases	Una entrevista de trabajo	Una cena formal
joyas de oro				
una camiseta vieja				
una corbata				
una gorra				
sandalias				
jeans				
pantalones cortos				
una falda corta				
una camisa				

Paso 3 En grupos pequeños, comparen sus respuestas. ¿Tienen opiniones similares? ¿Hay prendas de ropa y accesorios que consideran inapropiados para cada ocasión?

5 ¿Qué necesitamos? Vas a conversar sobre qué artículos debes llevar a un viaje.

Paso 1 El próximo año vas a estudiar en Ecuador. ¿Qué vas a empacar (*pack*) para el viaje? ¿Qué ropa y accesorios vas a necesitar para ir a estas visitas? Individualmente, busca información en Internet sobre el clima en estos lugares y meses.

- playas de Guayaquil (agosto)
- volcán Chimborazo (noviembre)
- selva amazónica (septiembre)
- cena en la Embajada de Estados Unidos en Quito (octubre)

Paso 2 ¡Qué casualidad! Tu compañero/a también va a ir a Ecuador. Comparen sus listas y expliquen por qué van a llevar estas cosas. ¿Quieres eliminar, añadir (*add*) o cambiar algo en tu lista?

6 Mi ropa y accesorios Vas a compartir una descripción de dos artículos.

Paso 1 Individualmente, escribe una descripción de tu prenda de ropa o accesorio favorito y también una prenda o accesorio que no te gusta o nunca usas. Indica detalles como el color o el material.

Paso 2 En grupos pequeños, túrnense para leer sus descripciones sin mencionar cuál les gusta mucho y cuál no. El resto del grupo va a intentar identificarlos. Finalmente, pregunten a sus compañeros/as por qué les gusta o no les gusta cada cosa y otros detalles.

7 **El color perfecto** Vas a establecer la relación entre los colores y el estado de ánimo (*mood*).

Paso 1 En grupos pequeños, contesten estas preguntas:
- ¿Cuál es tu color favorito? ¿Por qué te gusta? ¿Tienes mucha ropa de ese color?
- ¿Qué color te transmite tranquilidad? ¿seriedad? ¿alegría (*joy*)? ¿Tienes ropa en estos colores?

Paso 2 Lee el texto y contesta las preguntas.

El color **perfecto** para cada **ocasión**

- **ROJO**. Se relaciona con éxito, energía, pasión y peligro. ¿Sabías que el rojo estimula la respiración y el ritmo cardiaco? • **NARANJA**. Es el color de la comunicación. La persona que lo lleva transmite energía positiva, vitalidad y buen humor. • **AMARILLO**. Es el color del sol, y por tanto inspira emociones cálidas, de luz y optimismo, pero también simboliza traición y mentira. Es un color difícil de asimilar para el ojo (*eye*), por eso es conveniente usarlo en dosis pequeñas o en tonos claros. • **VERDE**. Es el color del dinero y la naturaleza. Da la impresión de independencia y naturalidad. El verde claro produce relajación y bienestar.
- **AZUL**. Transmite seguridad, calma, pero también autoridad y poder, y es el color más frecuente entre diplomáticos y políticos. • **MARRÓN**. El color de la tierra, transmite comodidad, seguridad y estabilidad. • **MORADO**. El color de la realeza y nobleza. Expresa grandeza, misterio y elegancia. • **BLANCO**. Un color clásico, sinónimo de pureza, inocencia, paz, pero también puede ser severo y dar una sensación clínica. • **NEGRO**. Es un color de autoridad, seriedad, drama e incluso tristeza, pero puede ser muy elegante y sofisticado, y también da un aire de misterio.

Palabras útiles

cálido/a
warm

el éxito
success

el peligro
danger

la respiración
breathing

la traición
betrayal

1. ¿Son tus impresiones sobre estos colores similares a las que describe el texto? ¿Dice el texto algo que te pareció interesante, sorprendente o dudoso (*doubtful*)?

2. ¿Piensas que hay una conexión entre tu ropa y tu estado de ánimo? ¿En qué sentido? Comparte (*share*) unos ejemplos.

Paso 3 Basándote en el texto "El color perfecto para cada ocasión", ayuda a estas personas a escoger ropa apropiada para las siguientes ocasiones.

> **Modelo** Rosa quiere pedir un aumento (*raise*) en el trabajo.
> *Puede llevar un traje negro porque es elegante y profesional, y una blusa verde para atraer (attract) el dinero.*

1. El Sr. Donoso va a comer con un cliente importante.
2. Pedro va a trabajar cuidando a niños esta noche.
3. Bernardo tiene una cita (*a date*) esta noche.
4. Andrea va a hacer una presentación en la clase de historia mañana.
5. Leo va a visitar a su abuela en el hospital.

Una nueva forma de comprar

Lo esencial

Inicio   Sobre nosotros   Blog   Noticias

¿Eres víctima del consumismo? ¿Compras **demasiadas cosas**? Entre tú y yo, ¿quién necesita ocho pares de jeans? Para ver las compras de una forma diferente, tengo unas recomendaciones para ti:

1. Organiza tu **ropero**. Si hay algo (*something*) **sucio**, debes lavarlo ahora. Toda tu ropa debe estar **limpia** y lista para usar. Si tienes **ropa** que no usas y está en buenas condiciones, la puedes dar como **regalo**, volver a vender, donar o reciclar.

2. Debes ser realista. Compra solo (*only*) ropa y zapatos **cómodos**, funcionales y consistentes con tu estilo personal. También debes **mirar** la etiqueta (*label*) de materiales e instrucciones de lavado. Los materiales delicados no son muy prácticos.

3. Considera la **calidad**. Sí, la **moda** rápida tiene **precios** más **baratos**, pero la ropa de buena calidad no es siempre **cara**. Si eres paciente o te gustan las tiendas de segunda mano (*thrift stores*), puedes encontrar rebajas increíbles.

4. Presta atención cuando vas de compras. Si compras en persona, debes **probarte** la ropa y los zapatos antes de comprarlos. Las **tallas** pueden variar dependiendo de la marca (*brand*). Y pregunta a los dependientes: conocen los productos y te pueden **mostrar** opciones.

5. Si no estás seguro, es mejor no comprar. Si cambias de opinión, casi siempre puedes **devolver** tus compras.

Apoyo de vocabulario

barato/a	*cheap*	probarse (ue)	*to try on*
caro/a	*expensive*	el regalo	*gift*
cómodo/a	*comfortable*	la ropa	*clothing/clothes*
demasiado(s)/a(s)	*too much/many*	el ropero	*closet*
devolver (ue)	*to return, to bring back*	sucio/a	*dirty*
limpio/a	*clean*	la talla	*size*
la moda	*fashion, style*		

Nota de lengua

While shopping, one usually looks for, looks at, and sees various items. Observe the differences between the verbs **buscar** (*to look for*), **mirar** (*to look at*), and **ver** (*to see*).
Natalia y Camila…

buscan un regalo,
are looking for a gift,

miran varias gafas de sol
look at various sunglasses,

y **ven** las que quieren comprar.
and *see* the ones they want to buy.

¡Atención!

• Note that **probar** means *to try out* (something new), while **probarse** means *to try on* clothes or complements.

• While **ir/estar a la moda** is used to refer to people (to dress with style), **estar de moda** is used to talk about a particular article of clothing, color, etc. that is in fashion: **El color negro está de moda.**

1 **¿Qué prefieres?** Vas a compartir tus preferencias sobre las compras.

Paso 1 Individualmente, indica tus preferencias respecto a las compras. Puedes elegir más de una opción.

ENCUESTA

En los almacenes Mara apreciamos unos minutos de su tiempo para completar esta encuesta. Puede marcar varias opciones.

1. Voy de compras/Hago compras
- frecuentemente
- a veces
- poco
- para mirar, como entretenimiento
- solo en rebajas
- cuando necesito algo específico

2. Generalmente compro
- en tiendas especializadas
- en el centro comercial
- en Internet
- en hipermercados (*big box stores*)
- en tiendas de segunda mano

3. Prefiero ir de compras
- solo/a
- con un(a) amigo/a
- con un(a) pariente
- con un grupo

4. En general, compro
- cosas baratas
- cosas con buena relación calidad/precio
- cosas de precio justo (*fair price*)

5. Me encanta comprar
- ropa
- zapatos
- bolsos
- cosmética y perfumes
- tecnología
- _____

6. Compro ropa y accesorios que
- son baratos
- están de moda
- son de buena calidad
- son prácticos y cómodos
- son sostenibles (*sustainable*)

7. Siempre miro
- la composición
- las instrucciones de lavado
- el precio
- el país de origen
- la marca
- si (*if*) me gusta, nada más

8. Cuando voy de compras,
- me pruebo la ropa en la tienda
- me pruebo la ropa en casa
- no me pruebo la ropa antes de comprarla

9. Devuelvo mis compras
- frecuentemente
- a veces
- nunca
- porque cambio de opinión
- porque la prenda no me queda bien (*doesn't fit me well*)

Paso 2 En grupos pequeños, comparen sus preferencias. Tomen nota de los resultados del grupo. En su conversación, elaboren sus respuestas, haciendo preguntas y dando detalles.

2 **El precio correcto** En parejas, imaginen que trabajan en unos grandes almacenes y deben poner las etiquetas (*tags*) en estos artículos, pero no tienen una lista de precios. Decidan juntos/as qué precio corresponde a cada artículo.

> **Modelo** **Estudiante A:** *El reloj probablemente cuesta 370 dólares.*
> **Estudiante B:** *¿Tú crees? Me parece un precio barato.*
> **Estudiante A:** *Pero no es de oro, ¿verdad?...*

$550
$2,350
$95
$49
$295
$210
$36
$119

> ### Expresiones útiles
>
> ¿Tú crees?
> *Do you think so?*
>
> ¿Estás seguro/a?
> *Are you sure?*
>
> ¿Qué te parece?
> *What do you think?*
>
> Me parece barato/a.
> *It seems cheap.*
>
> Me parece caro/a.
> *It seems expensive.*

Nota de lengua

The prepositions **por** and **para** can be challenging for English speakers because they both can be equivalent to *for*. Their use depends on the meaning we want to convey. You have already studied some uses of **por** and **para** (**Capítulo 7**). Additional uses are:

Para + *thing* = *for* + *destination/recipient*
Voy **para** el centro comercial. *I'm going to/towards the mall.*   Necesita una silla **para** su oficina. *He needs a chair for his office.*

Por + *an amount* = *for, in exchange for*
En el mercadillo encontré un collar de perlas **por** $20. *At the flea market I found a pearl necklace for $20.*
~~Pagué $20 para el collar.~~ Pagué $20 **por** el collar.

3 **Regalos para todos** Este fin de semana hay rebajas y ustedes compran muchos regalos para su familia y sus amigos. En parejas, dile a tu compañero/a qué compraste, para quién es cada regalo y cuánto dinero gastaste. Haz preguntas y comentarios sobre sus compras. Túrnense.

> **Modelo** **Estudiante A:** *Estos guantes son para mi hermana. Los compré por cuatro dólares.*
> **Estudiante B:** *¡Qué baratos! Pero ahora no hace mucho frío.*
> **Estudiante A:** *No, pero mi hermana siempre tiene frío.*

> ### Expresiones útiles
>
> ¡Qué barato/a!
> *How cheap!*
>
> ¡Qué caro/a!
> *How expensive!*
>
> ¡No me digas!
> *Really?/Seriously?/ No way!*

Nota cultural

Los mercados y el regateo

You can buy things from various places in many Spanish-speaking countries, including street vendors, open-air markets, shopping malls, etc. Normally, a degree of bargaining (**regateo**) is expected with street vendors and in markets, particularly for arts and crafts, clothing, and jewelry. When bargaining, be respectful and consider the amount of time that it took for that artist to create that piece, especially if using traditional methods that are more labor and time consuming. You may suggest a slightly lower price than the one offered, and be prepared to meet somewhere in the middle. Bargain only for items that you intend to purchase. Shopping malls and department stores almost always have fixed prices, so bargaining is inappropriate there.

4 Situaciones En parejas, van a representar esta situación. Usen como referencia la foto del mercado de Otavalo en la **Nota cultural**. Sigan este esquema.

Palabras útiles	
bordado/a *embroidered*	el poncho tradicional *traditional poncho*
hecho/a a mano *hand-made*	la talla pequeña/mediana/grande *small/medium/large size*

Estudiante A: Estás en el mercado de Otavalo, en Ecuador. Quieres comprar una blusa bordada para tu madre, un cinturón de cuero para tu mejor amigo/a y un poncho para ti, pero no tienes mucho dinero. Pregunta al/a la vendedor(a) detalles sobre su mercancía, precios e intenta regatear (*bargain*). Recuerda considerar el trabajo y el tiempo del/de la artesano/a.

Estudiante B: Tienes un puesto (*stand*) de ropa y accesorios artesanales en el mercado de Otavalo, en Ecuador. Responde a las preguntas del/de la cliente/a, háblale de la calidad de tus productos e intenta hacer una venta (*sale*).

5 Ropero básico En grupos pequeños, van a elaborar una lista de prendas y accesorios fundamentales para la vida en su campus o ciudad para la primavera o el otoño y para el invierno. Deben estar listos/as para explicar sus elecciones.

- El tamaño de su ropero es limitado, consideren prendas (*garments*) y accesorios versátiles y combinables para diferentes climas y situaciones.
- No es necesario incluir ropa interior (*underwear*) ni joyas.
- Los números indican el número máximo de piezas.
- Describan con el mayor detalle posible, como material, manga corta o larga, etc.

camisas/blusas/camisetas/suéteres: 12   vestidos/trajes: 2

pantalones/faldas/pantalones cortos: 8   chaquetas/abrigos: 2

zapatos: 5   accesorios: 5

☐ **I CAN** discuss clothing and shopping habits.

1. Express possession

Stressed possessives

You have learned to use possessives (**mi**, **tu**, **su** + *noun*) to indicate to whom something belongs. Read and listen to this dialogue observing the possessives in boldface. Can you identify the noun each refers to? Do the possessives modify or replace each noun?

> Diego e Ismael usaron la misma secadora (*dryer*) y están separando su ropa.
>
> **Diego:** Aquí hay una camisa de manga corta. ¿Es **tuya**?
>
> **Ismael:** Sí, la camisa y los pantalones cortos son **míos**. Y este suéter es **tuyo**, ¿no?
>
> **Diego:** No, no es **mío**. Pedro estuvo aquí ayer. Creo que es **suyo**. ¡Qué extraño! Aquí hay unas camisetas muy pequeñas. Estas no son **nuestras**, ¿verdad? Probablemente alguien las olvidó en la secadora.

Stressed possessives are often used for emphasis and contrast. Like other possessives, they agree in gender and number with what is possessed.

Stressed possessives		
mío/a, míos/as	*mine*	Esa chaqueta es **mía**.
tuyo/a, tuyos/as	*yours*	¿Los guantes azules son **tuyos**?
suyo/a, suyos/as	*his*	Pepe dice que esa gorra es **suya**.
	hers	Ana dice que esas botas son **suyas**.
	yours (usted)	¿El bolso de cuero es **suyo**?
nuestro/a, nuestros/as	*ours*	Esa ropa es **nuestra**.
vuestro/a, vuestros/as	*yours*	¿Ese regalo es **vuestro**?
suyo/a, suyos/as	*theirs*	Ana y Tere dicen que esas cosas son **suyas**.
	yours (ustedes)	Señoras, ¿estos paraguas son **suyos**?

Stressed possessives are often used with the verb **ser** to identify who owns something.

—Esta camiseta no es **mía**, ¿es **tuya**? —*This T-shirt is not mine, is it yours?*

—Ben tiene una camiseta así. —*Ben has a T-shirt like that.*
 Creo que es **suya**.   *I think it is his.*

They are also frequently used as pronouns, to avoid repetition of something mentioned earlier and that is understood through context. In this case, they require the use of definite articles (**el, la, los, las**).

—Tengo mi suéter. Y tú, ¿tienes **el tuyo**? —*I have my sweater. And you, do you have yours?*

—Sí, yo también tengo **el mío**.   —*Yes, I have mine, too.*

1 En la lavandería

Diego e Ismael compartieron (*shared*) una secadora en la lavandería (*laundromat*) y están separando su ropa. Diego sacó **una camisa**, **un suéter**, **unas camisetas** y **unos calcetines** de la secadora. Lee sus observaciones e indica a qué se refiere y de quién es.

> **Modelo** Diego dice: Este es mío.
> Tú escribes: *Es el suéter de Diego.*

1. Esta es mía. _____

2. Estos son míos. _____

3. Estos son tuyos. _____

4. Este es tuyo. _____

5. Estas son mías. _____

6. Esta es tuya. _____

2 ¿De quién es?

Después de una fiesta en casa de Fermín, su amiga Vanesa busca sus cosas. Completa la conversación.

Fermín: ¿Esta chaqueta negra es _____, Vanesa, o es de Regina?

Vanesa: No, no es _____ _____. La _____ es azul. Esa puede ser de Regina, la _____ sí es negra.

Fermín: Esta bufanda y gorro de lana también son __ _____ __, ¿verdad?

Vanesa: ¿De Regina? No, esos son _____ _____. También busco un bolso negro.

Fermín: Aquí hay dos bolsos negros. ¿El _____ tiene cremallera (*zipper*)?

Vanesa: Sí, sí, ese es _____.

3 Objetos perdidos

Todos ustedes perdieron algo (*lost something*) en la clase de español. Otros estudiantes encontraron estas cosas y quieren devolverlas. Sigan este esquema: Cada estudiante selecciona un objeto personal y lo pone donde indica su profesor(a). Después, cada estudiante "encuentra" uno de los objetos. Finalmente, caminan por el aula haciendo preguntas para saber de quién es el objeto. Sigan el modelo.

> **Modelo** **Estudiante A:** *Hola, Evan. ¿Es tuyo este cuaderno?*
> **Estudiante B:** *No, no es mío. El mío está en mi mochila. ¿Es tuya esta botella?*

4 Comparando preferencias

En parejas, túrnense para comparar sus preferencias respecto a estos temas. Sigan el modelo, elaboren con detalles y haciendo preguntas.

> **Modelo** **Estudiante A:** *Mi tienda favorita es Mara porque tiene ropa barata y de buena calidad.*
> **Estudiante B:** *La mía es... Me gusta porque...*

- tiendas
- marcas (*brands*)
- regalos
- camisetas
- accesorios
- mi mejor compra (*best thing I have bought*)

□ **I CAN** express possession.

El Mercado Agrícola
de Montevideo

Antes de leer

1. En Estados Unidos Contesta las preguntas.

1. ¿Qué edificios históricos hay en tu ciudad, tanto públicos como privados? ¿Los has visitado (*have you visited them*)?

2. ¿Hay algún mercado famoso en tu región?

El Mercado Agrícola° de Montevideo (MAM), en Uruguay, recibe más de 3.000.000 de personas al año y no solo van a comprar verduras y frutas.

La construcción de este mercado del barrio Goes empezó en 1900. Diez años después, abrió sus puertas como "Mercado Agrícola" para distribuir productos agrícolas en una ciudad en expansión. En 1999 su hermoso edifico fue declarado Monumento Histórico Nacional.

Con el tiempo, el barrio Goes y el mercado fueron perdiendo su esplendor, pero la ciudad de Montevideo decidió invertir en recuperar el mercado para revitalizar el barrio entero. El edificio fue remodelado en el año 2013 y desde entonces° es un lugar popular para turistas y habitantes locales. Ahora tiene casi 100 puestos° de productos diversos: frutas y verduras, carnes, pescados y mariscos, queso, productos gourmet, plantas, flores y ropa. Hoy, las personas que lo visitan tienen opiniones muy positivas sobre el mercado. Según una encuesta° de 2020, el 80% dice que la obra° del MAM fue muy importante para Montevideo, y el 75% evalúa el mercado como° positivo.

La propuesta del MAM y de otros mercados similares en el mundo hispano da nueva vida a estos bellos edificios y ofrece espacios únicos° para disfrutar de los productos y cultura locales.

agrícola *agricultural* **desde entonces** *since then* **el puesto** *stand*
la encuesta *survey* **la obra** *building work* **como** *as* **único/a** *unique*

❙ Mercado Agrícola de Montevideo, Uruguay (exterior e interior)

Después de leer

2. Identificar Indica cuáles de estas ideas están en el texto.

☐ 1. En el Mercado Agrícola de Montevideo puedes comprar ropa antigua (*vintage*).

☐ 2. El MAM tiene millones de visitantes cada año.

☐ 3. Este mercado de Montevideo abrió en 1910.

☐ 4. Los fundadores de este mercado fueron agricultores.

3. Comparar y analizar En parejas, comenten estas preguntas.

1. ¿Dónde puedes comprar comida gourmet, artesanía y otros productos especiales en tu ciudad?

2. En tu ciudad, ¿hay edificios antiguos como iglesias, bancos o cines renovados para una función diferente?

Resources

vhlcentral

online activities

☐ **I CAN** compare shopping habits in the Spanish-speaking world.

2. Discuss actions in the past

The preterit of irregular verbs

Read and listen to Carmen's story, and identify the verbs in boldface using context and your prior knowledge. Then, focus on the verb endings. How do they contrast with other preterit endings? Are they similar to any preterit forms you know?

Ayer fue mi cumpleaños, pero **estuve** ocupada todo el día y no **pude** encontrar un momento para hacer planes con mis amigos. Cuando salí del trabajo y **quise** hablar con ellos, nadie contestó el teléfono ni respondió a mis mensajes, y regresé a casa un poco triste. Pero pronto **supe** la verdad (*truth*) porque ¡me **dieron** una gran fiesta sorpresa! Todos **vinieron** a mi casa a las siete de la tarde: **trajeron** comida, bebidas y un pastel, **pusieron** decoraciones por toda la casa… yo no **tuve** que hacer nada. Como (*As*) les **dije** después, ese día me **dieron** el mejor regalo: su amistad (*friendship*).

You have already learned the irregular preterit forms of the verbs **ser**, **ir** (**Capítulo 6**), and **hacer** (**Capítulo 7**). These irregular verbs have a consistent preterit stem and the same endings as **hacer**.

estar **estuv-**	tener **tuv-**	poder **pud-**	poner **pus-**	saber **sup-**	venir **vin-**	querer **quis-**	traer **traj-**	decir **dij-**
estuv**e**	tuv**e**	pud**e**	pus**e**	sup**e**	vin**e**	quis**e**	traj**e**	dij**e**
estuv**iste**	tuv**iste**	pud**iste**	pus**iste**	sup**iste**	vin**iste**	quis**iste**	traj**iste**	dij**iste**
estuv**o**	tuv**o**	pud**o**	pus**o**	sup**o**	vin**o**	quis**o**	traj**o**	dij**o**
estuv**imos**	tuv**imos**	pud**imos**	pus**imos**	sup**imos**	vin**imos**	quis**imos**	traj**imos**	dij**imos**
estuv**isteis**	tuv**isteis**	pud**isteis**	pus**isteis**	sup**isteis**	vin**isteis**	quis**isteis**	traj**isteis**	dij**isteis**
estuv**ieron**	tuv**ieron**	pud**ieron**	pus**ieron**	sup**ieron**	vin**ieron**	quis**ieron**	traj**eron**	dij**eron**

► Notice that verbs with stems ending in **j** add **-eron** instead of **-ieron** in **ellos/ellas/ustedes** endings.

► This is the preterit for **dar**. Note that it has **-er/-ir** preterit endings.

> **dar:** di, diste, dio, dimos, disteis, dieron

► The verbs **saber**, **querer**, and **poder** convey a slightly different meaning in the preterit than in the present.

saber	**Supe** la verdad.	*I found out/figured out the truth.*
querer	**Quise** hablar con ellos.	*I tried to speak with them.*
no querer	Ella **no quiso** hablar conmigo.	*She refused to speak with me.*
poder	**Pude** terminar el proyecto.	*I managed to finish the project.*
no poder	**No pude** encontrar al profesor.	*I didn't manage to find the professor.*

ASÍ SE FORMA

1 La fiesta de cumpleaños Ayer fue el cumpleaños de Carmen y sus amigos le dieron una fiesta.

Paso 1 Individualmente, escucha y completa las descripciones de las actividades de Carmen y sus amigos.

1. Inés y Camila _____.

2. Inés y Camila _____ para Carmen.

3. En la fiesta, Carmen _____ y todos _____ "¡Feliz cumpleaños!".

4. _____ Camila e Inés _____ irse _____.

5. Inés y Camila _____ en el carro.

6. Manuel _____.

Paso 2 En parejas, comparen y completen sus respuestas. Después, escriban la historia completa con un orden cronológico apropiado, inventando otras acciones y añadiendo detalles para crear una historia única. ¡Usen su creatividad!

2 ¿Qué hicieron el fin de semana pasado? En parejas, van a compartir sus actividades.

Paso 1 Individualmente, indica qué hiciste el fin de semana pasado y añade (*add*) una oración más al final.

Yo	Mi compañero/a
☐ hice algo (*something*) divertido.	☐ hizo algo divertido.
☐ tuve que estudiar mucho.	☐ tuvo que estudiar mucho.
☐ di o estuve en una fiesta.	☐ dio o estuvo en una fiesta.
☐ quise salir pero no pude.	☐ quiso salir pero no pudo.
☐ fui a un lugar agradable (*nice, pleasant*).	☐ fue a un lugar agradable.
☐ tuve que trabajar.	☐ tuvo que trabajar.
☐ me puse triste.	☐ se puso triste.
☐ pude dormir mucho.	☐ pudo dormir mucho.
☐ _____	☐ _____

> **Palabras útiles**
>
> ponerse (triste, contento/a, etc.)
> *to get (sad, happy, etc.)*

Paso 2 En parejas, comparte tus respuestas con tu compañero/a, añadiendo detalles y haciendo preguntas sobre sus actividades. Anota sus respuestas.

> **Modelo** **Estudiante A:** *El sábado hice algo divertido. Jugué al frisbi con mis amigos. Y tú, ¿hiciste algo divertido?*
> **Estudiante B:** *Sí, mis amigos y yo cocinamos en casa y lo pasamos bien.*

3 De compras en el centro Completa las oraciones con la forma apropiada de **saber**, **querer** o **poder**.

El domingo mis amigos y yo decidimos ir de compras al centro. Cuando llegamos a la parada de autobús _____ que no hay servicio los domingos por la tarde, entonces no _____ ir en autobús. Pero no _____ cambiar nuestros planes y caminamos hasta el centro de la ciudad. Yo _____ comprar unos jeans, pero no _____ encontrar uno de mi talla. Por suerte, yo _____ que los zapatos estaban en rebajas y no _____ desperdiciar (*to waste*) la oportunidad: compré dos pares a muy buen precio.

4 Excusas En parejas, imaginen que iban a (*were going to*) cenar juntos/as ayer, pero ¡los/las dos lo olvidaron (*forgot*)! Siguiendo el modelo, usen las excusas de las listas y una adicional para explicar su ausencia y pregúntenle a su compañero/a sobre las suyas. Túrnense.

> **Modelo** **Estudiante A:** *Lo siento, Pete, pero no pude ir porque tuve laboratorio de química.*
> **Estudiante B:** *¿De verdad? ¿A qué hora fue? ¿Dónde?...*

> **Expresiones útiles**
> ¿De verdad? ¡Ah!, ¿sí? ¡No me digas! *Oh, really?*

Estudiante A

1. no poder salir del cuarto/apartamento
2. tener que ayudar a un(a) amigo/a
3. sustituir a un(a) compañero/a en el trabajo
4. ...

Estudiante B

1. no saber llegar al restaurante
2. querer llamar por teléfono y no poder
3. estar enfermo/a
4. ...

5 Una prenda especial En grupos pequeños, van a conversar sobre prendas que son especiales para ustedes.

Paso 1 Individualmente, escribe un párrafo de seis o siete oraciones describiendo una prenda o un accesorio que es especial para ti. Incluye las respuestas a estas preguntas.

> **Modelo** *Mi abuela vino a visitarnos el año pasado. Trajo una bufanda azul muy bonita. Cuando vio que me gustó mucho...*

1. ¿Quién te dio la prenda o el accesorio?
2. ¿Qué pasó ese día?
3. ¿Qué hiciste cuando recibiste el regalo?

Paso 2 En grupos pequeños, túrnense para leer la descripción de su prenda o accesorio especial. El resto del grupo hace preguntas de seguimiento (*follow up*).

☐ **I CAN** discuss actions in the past.

ASÍ SE FORMA

S: Tutorial | **Learning Objective:** Identify people and things and express to whom or for whom something is done.

3. Identify people and things and express to whom or for whom something is done

Double object pronouns

You have learned to use direct object pronouns (**Capítulo 6**) and indirect object pronouns (**Capítulo 7**) to avoid repetitions. Read and listen to the dialogue observing how they are used.

1. Can you identify the person or item each one refers to? Which of them are direct objects and which are indirect objects?

2. What do you notice about their position with relation to the verb and to each other?

3. One of the pronouns is a new form; what pronoun that you know is it replacing? Can you make a hypothesis as to when this happens?

Ana: El sábado voy a una fiesta, pero no tengo nada que ponerme. Ese vestido de seda tan bonito que llevaste el sábado... ¿**me lo** prestas, por favor?

Isabel: No **te lo** puedo prestar; es de mi hermana mayor y **se lo** tengo que devolver.

Ana: Por favor, Isabelita... No tienes que decír**selo** a tu hermana, ¿no?

Isabel: Mira, tengo una falda muy elegante. **Te la** voy a mostrar y, si te gusta, **te la** presto.

When the indirect and direct objects are clear from the context, we can replace both combined as double object pronouns. These are placed in the same positions as when used individually but always together, with the indirect object pronoun (**me**, **te**, **le**, **nos**, **os**, **les**) preceding the direct object pronoun (**me**, **te**, **lo/la**, **nos**, **os**, **los/las**).

—Estos jeans son muy cómodos. La dependienta **me los** recomendó.	—*These jeans are very comfortable. The sales assistant recommended them to me.*
—¿Por qué no **me los** regalas?	—*Why don't you give them to me?*
—**Te los** puedo prestar./Puedo prestár**telos**.	—*I can lend them to you.*

When both object pronouns refer to the third person, the indirect object pronouns **le** and **les** change to **se**.

> le/les + lo/la/los/las → se lo/la/los/las

Encontré tu cartera. **Se la** di a tu hermana.	*I found your wallet. I gave it to your sister.*
¡Qué collar tan bonito! **Se lo** voy a regalar a mi mamá./Voy a regalár**selo** a mi mamá.	*What a pretty necklace! I am going to give it to my mom.*

Note that when two pronouns are added to the infinitive or present participle, a written accent is added to preserve the original stress pattern.

Va a **dármela**.   Está **mostrándomelo**.   Quiere **probárselo**.

1 Regalos de Ecuador Víctor fue a Ecuador y trajo regalos para su familia y amigos.

Paso 1 Individualmente, lee las afirmaciones de Víctor e indica qué reacción corresponde a cada regalo.

1. Traje una camiseta para mi hermanito.

3. Traje bolsas hechas a mano (*handmade*) para mis hermanas.

2. Traje un póster de Guayaquil para mi papá.

4. Traje collares tradicionales para todas mis amigas.

_____ **a.** ¡Impresionante! Víctor me lo regaló.

_____ **c.** ¡Qué bonitos! Víctor nos los dio.

_____ **b.** ¡Nos encantan! Víctor nos las trajo.

_____ **d.** ¡Me encanta! Víctor me la regaló.

Paso 2 En parejas, tú y tu compañero/a hablan sobre los regalos de Víctor. Tomando turnos, uno/a de ustedes hace una pregunta siguiendo el modelo. La otra persona responde confirmando o corrigiendo (*correcting*) la información, usando pronombres.

> **Modelo** **Estudiante A:** ¿Víctor le trajo una camiseta a su hermano?
> **Estudiante B:** Sí, se la trajo a su hermano./
> No, no se la trajo a su hermano. Se la trajo a...

2 En la boutique Aída y Patricia van de compras a una boutique de moda. Completa su conversación con los pronombres de objeto directo y objeto indirecto apropiados.

Aída: Necesito unos jeans de la talla 27. Esos me gustan, ¿_____ puede buscar en mi talla, por favor?

Asistente: Sí, claro. _____ traigo ahora en su talla. ¿Quieren ustedes ver alguna cosa más?

Aída: Esas blusas bordadas son muy bonitas, ¿_____ muestra?

Asistente: Estas blusas _____ traen de Oaxaca, México. Están hechas a mano.

Aída: ¡Son preciosas! Voy a comprar esta blanca, ¿y tú, Patricia?

Patricia: Me encanta la roja, pero ahora no tengo dinero.

Aída: _____ presto yo, _____ puedes devolver mañana. Oye, ¿no es tu cumpleaños la próxima semana? Pues si realmente te gusta la blusa, _____ regalo.

3 Las compras En parejas, imaginen que hoy fueron de compras: uno/a fue al supermercado y el/la otro/a fue a la librería. Tú le pediste a tu compañero/a algunas cosas. Pregúntale si te las compró. Responde también a sus preguntas.

> **Modelo** **Estudiante A:** *¿Me compraste los bolígrafos?*
> **Estudiante B:** *Sí, te los compré.*

Estudiante A

Pediste a tu compañero/a:
bolígrafos
un cuaderno
una regla (*ruler*)

Compraste para tu compañero/a:
leche
tortillas

Compraste para tu compañero/a:
una regla (*ruler*)
bolígrafos

Pediste a tu compañero/a:
leche
tortillas
pan

Estudiante B

---

4 ¿Quién lo tiene? Vas a averiguar (*find out*) quién tiene un objeto que es tuyo.

Paso 1 Cada estudiante le presta un objeto a un(a) compañero/a y toma nota del intercambio. Después, caminan por la clase e intercambian este objeto con otro/a compañero/a, tomando nota de nuevo. Deben completar cuatro intercambios en total.

> **Modelo** **Dices:** *Peter, te presto mi bolígrafo. ¿Me prestas tu gorra?*
> **Escribes:** *Le presté mi bolígrafo a Peter. Él me prestó una gorra.*

Paso 2 Necesitas el objeto que prestaste. ¿Quién lo tiene? Pregunta al/a la compañero/a que lo tomó prestado (*borrowed*) y responde también a sus preguntas (consulta tus notas si es necesario). Continúa hasta encontrar tu objeto.

5 El amigo invisible Van a jugar al amigo invisible (*Secret Santa*) en su clase.

Paso 1 Sigan las instrucciones.

a. Escribe tu nombre en un papel y dáselo al/a la profesor(a).

b. Ahora, toma un papel de un(a) compañero/a y mira el nombre.

c. Piensa en un regalo perfecto para esta persona y escríbelo en la parte de atrás (*back*) del papel. Dale el papel al/a la profesor(a) otra vez.

d. El/La profesor(a) va a leer los nombres y distribuir los "regalos".

Paso 2 Cada estudiante cuenta a la clase qué le regalaron, si el regalo le gusta o no y por qué. El/La profesor(a) pregunta quién le hizo este regalo. El/La estudiante responsable responde y explica sus razones.

> **Modelo** **Estudiante A:** *Me regalaron un(a)..., (no) me gusta porque...*
> **Profesor(a) (a la clase):** *¿Quién se lo regaló?*
> **Estudiante B:** *Yo se lo regalé porque...*

Resources

vhlcentral

SAM

online activities

☐ **I CAN** identify people and things and express to whom or for whom something is done.

4. Identify people and things that are not specific or do not exist

Indefinite and negative words

Read and listen to the text, making educated guesses about the meaning of the emphasized words.

1. Some of these words precede a noun or refer to a previously mentioned noun. What meanings do they convey? Is there agreement between these words and the related nouns?

2. Other words refer to amounts of things or people in general. What quantities do they convey? Do they have variability (different endings)?

Eduardo: Esta noche voy a una cena formal y tengo que ponerme **algo** elegante, pero no tengo **nada** apropiado.

José Luis: ¿No tienes **ningún** traje?

Eduardo: No, no tengo **ninguno**. Y tampoco tengo **ninguna** camisa limpia. **Todas** mis camisas están sucias ¿Tienes tú **alguna**? ¿Y tienes **alguna** corbata?

José Luis: Camisa... sí, tengo **alguna**, pero no tengo **ninguna** corbata. Tengo un corbatín (*bowtie*), ¿lo quieres?

Eduardo: ¿Un corbatín? **Nadie** lleva corbatines, están pasados de moda.

José Luis: ¿Ah, sí? Pues busca a **alguien** más moderno y pídele una corbata... y una camisa también.

Indefinite adjectives precede nouns to indicate an amount, which could be none, an unspecified amount, or a full amount. As with other adjectives, they agree in gender and number with the noun they refer to.

Indefinite and negative words		
todo/a/os/as	*full amount → all*	Fui a **todas** las tiendas.
alguno/a(s), algún	*unspecified amount → some, any*	¿Tienen **algún** reloj? Quiero comprar **algunas** cosas.
ninguno/a(s), ningún	*zero amount → not, not any*	No hay **ninguna** camisa. ¿No tienes **ningún** traje?

▶ When the noun is not repeated but is understood from context, note that we use **ninguno** and **alguno**.

—¿Tienen algún reloj? —*Do you have any watches?*

—Sí, tenemos **alguno**./No, no tenemos **ninguno**. —*Yes, we have some./No, we don't have any.*

ASÍ SE FORMA

▶ These are also indefinite and negative words.

Other indefinite and negative words		
todo	*all, everything*	Me gusta **todo**.
algo	*something, anything*	Quiero **algo** barato. ¿Tienen **algo** barato?
o... o	*either . . . or*	Busco una gorra **o** verde **o** roja.
nada	*nothing*	No voy a comprar **nada**.
alguien	*someone, anyone*	Hay **alguien** en el probador (*dressing room*). ¿Puede ayudarme **alguien**?
nadie	*no one, nobody*	**Nadie** necesita tantos zapatos.
ni... ni	*neither . . . nor*	No encuentro **ni** mis botas **ni** mis tenis.

Nota de lengua

Since **alguien** and **nadie** refer to people, they are preceded by the personal **a** when they function as direct objects.

No vi **a nadie** en el centro comercial.

▶ Remember that in Spanish negation must be expressed before the verb. Negative expressions such as **ningún/ninguna** are usually placed before the verb. If they are placed after the verb, **no** must be added before the verb.

Ninguna chaqueta me gusta.   OR,   **No** me gusta **ninguna** chaqueta.

Nadie vino conmigo.   OR,   **No** vino **nadie** conmigo.

1 **El centro comercial** Tu amiga y tú van a ir de compras al centro comercial Plaza.

Paso 1 Lee el texto. Luego, escucha las preguntas de tu amiga e indica las respuestas.

> ● ● ●
>
> ### Plaza   INFORMACIÓN GENERAL
>
> El centro comercial PLAZA es una propuesta moderna donde puede realizar sus compras, comer, entretenerse, relajarse, cuidar su imagen o simplemente pasear. Le ofrecemos 180 locales comerciales que incluyen tiendas de moda y accesorios, zapaterías, joyerías, salones de belleza, un *spa* y muchísimo más. Después de un largo día de compras, puede disfrutar de deliciosos momentos en alguno de los restaurantes o cafés de nuestro patio de comidas y, por qué no, de una película en una de nuestras 14 salas de cine.
>
> Otros servicios a su disposición son: servicio de información y atención al cliente, centro financiero con oficinas bancarias y cajeros automáticos, café 🌐 Internet con wifi gratuito, sillas de ruedas˚ y coches de niños˚, y servicio de taxis.

la silla de ruedas *wheelchair* **el coche de niño** *stroller*

1. ☐ Sí, hay alguna.   ☐ Sí, hay alguno.   ☐ No, no hay ninguna.   ☐ No, no hay ninguno.
2. ☐ Sí, hay algunas.   ☐ Sí, hay algunos.   ☐ No, no hay ninguna.   ☐ No, no hay ninguno.
3. ☐ Sí, hay algunas.   ☐ Sí, hay algunos.   ☐ No, no hay ninguna.   ☐ No, no hay ninguno.
4. ☐ Sí, hay algunas.   ☐ Sí, hay algunos.   ☐ No, no hay ninguna.   ☐ No, no hay ninguno.
5. ☐ Sí, cuesta algo.   ☐ No, no cuesta nada.
6. ☐ Sí, hay alguien.   ☐ No, no hay nadie.

Paso 2 Describe un centro comercial o una zona comercial de tu ciudad, comparándolo con el centro comercial Plaza.

256 • Capítulo 8

2 **¿Cierto o falso?** Observa el lugar donde estás e indica si las afirmaciones son ciertas o falsas. Si son falsas, corrígelas usando palabras indefinidas y negativas.

> **Modelo** Nadie tiene mochila.
> *Cierto, nadie tiene mochila./*
> *Falso. Algunas personas tienen mochila. Por ejemplo, Ben.*

1. Alguien está escribiendo.
2. Hay algo en la mesa.
3. No hay nadie aburrido.
4. No hay tizas. Tampoco hay papelera.

5. No hay nada en la pared (*wall*).
6. Todos están hablando.
7. No hay ningún libro abierto.
8. Hay alguien descansando.

3 **¿Qué hay en el centro comercial?** Antes de ir al centro comercial Plaza, tu amiga llama al servicio de atención al cliente. Completa su conversación con las palabras indefinidas y negativas del siguiente cuadro. No necesitas usarlas todas.

alguien	algún	alguno/a(s)	ni… ni	ningún	ninguno/a(s)	nunca	todo

Tu amiga: Perdón, señor. ¿Hay _____ estación de metro cercana?

Telefonista: Lo siento mucho, señorita, no hay _____. Pero sí hay _____ autobuses que vienen desde el centro de la ciudad.

Tu amiga: Bueno… ¿Y tienen _____ restaurante de comida tradicional peruana?

Telefonista: Claro, hay _____ en el patio de comidas.

Tu amiga: ¡Qué bien! Y ¿hay siempre _____ en la oficina de atención al cliente? Es por si tengo _____ pregunta más…

Telefonista: Sí, señorita, hay _____ aquí _____ el día.

Tu amiga: Y, para estar segura, no cierran temprano _____ los sábados _____ los domingos, ¿verdad?

Telefonista: No, _____ cerramos antes de las 10 de la noche.

4 **Entrevistas** En parejas, van a entrevistarse sobre los temas indicados. Primero, completa las preguntas con indefinidos apropiados y añade al menos (*at least*) una pregunta más. Después, cada estudiante completa su entrevista, pidiendo más detalles. Toma notas.

> **Estudiante A:** Cosas especiales
>
> 1. ¿Llevas o tienes aquí _____ cosa especial?
> 2. ¿Hay _____ que te gusta especialmente o coleccionas?
> 3. ¿_____ te regaló _____ especial?
> 4. Y tú, ¿regalaste _____ especial a _____?
> 5. ¿_____?

> **Estudiante B:** Lugares especiales
>
> 1. ¿Hay _____ tienda que te gusta especialmente? ¿Qué venden?
> 2. ¿Tienes _____ parque o espacio natural favorito?
> 3. ¿Hay _____ lugar en esta ciudad (o tu ciudad) especial para ti?
> 4. Imagina que no tienes _____ tarea o responsabilidad. Tus amigos están ocupados y _____ puede pasar el día contigo, ¿adónde vas?
> 5. ¿_____?

☐ **I CAN** identify people and things that are not specific or do not exist.

Perú, Ecuador y Bolivia

Antes de leer

🔗 **1. Anticipar** Contesta estas preguntas sobre Perú, Ecuador y Bolivia.

1. Estos son países andinos. ¿Qué significa esto?
2. ¿A qué país pertenecen (*belong*) las islas Galápagos? ¿Por qué son famosas?
3. ¿En cuál de estos países está Machu Picchu? ¿Qué sabes sobre este lugar?

Perú, Ecuador y Bolivia tienen un pasado común. Están situados en la cordillera de los Andes, formaron parte del antiguo imperio inca durante casi 400 años. Los incas hicieron mejoras° en la agricultura (cultivo de la papa) y la ganadería (llamas y alpacas). También construyeron ciudades impresionantes, como Machu Picchu, en Perú. Conoce algunos aspectos destacados de estos países.

Las islas Galápagos

Las islas Galápagos forman parte de Ecuador, pero están a 1.000 kilómetros de distancia del continente. Son famosas por su biodiversidad ecológica, y en ella viven las tortugas gigantes que le dan el nombre, iguanas y aves. Las Galápagos son 19 islas volcánicas. En total tienen 21 volcanes, y 13 están aún activos. Mira el video para conocer más sobre estas islas.

❘ Mujeres aymara de Bolivia con vestidos tradicionales

❘ Cocina nikkei de Perú

Lenguas originarias

Los principales pueblos originarios de los Andes son el aymara y el quechua, y sus lenguas tienen gran vitalidad en los países andinos. El quechua fue la lengua del imperio inca y hoy tiene casi 10 millones de hablantes. La mayoría de ellos son de Perú, pero también son de partes de Ecuador, Bolivia, Chile, Colombia y Argentina. El quechua tiene diferentes variedades regionales. El aymara también se habla en Perú, pero predomina especialmente en el Altiplano° de Bolivia. El quechua, el aymara y el español son lenguas oficiales en Bolivia y en Perú, y Bolivia reconoce además otras 35 lenguas originarias. Estudiar estas lenguas y usarlas en la vida diaria es importante para mantenerlas y valorarlas. En Bolivia, hay programas bilingües para promover° el uso del quechua y el aymara. ¿Sabías que las palabras *cóndor*, *puma* y *papa* vienen del quechua?

La cocina de Perú

Perú vive una revolución gastronómica. Su cocina tradicional incluye platos como el ceviche o el tiradito que son internacionalmente populares. Además, hay una gran diversidad culinaria por la migración de comunidades de otras partes del mundo. Muchos japoneses llegaron a Perú en el siglo XIX y crearon la comida nikkei que combina la delicada cocina japonesa con los ingredientes y sabores peruanos. Hoy en día, los chefs de la nueva cocina peruana, como Gastón Acurio o Virgilio Martínez, ofrecen creatividad y nuevas versiones de los platos peruanos a todo el mundo.

Música afroperuana

Otra fusión interesante en la cultura peruana es en la música. Los africanos que los españoles llevaron como esclavos° a Perú en el siglo XVI mezclaron su música con la de Perú. La música afroperuana utiliza instrumentos de la época colonial, como el cajón, el checo o la quijada° de burro°. Algunos músicos afroperuanos contemporáneos son Susana Baca, la Familia Ballumbrosio y el dúo electrónico Dengue Dengue Dengue.

| Música afroperuana

El salar de Uyuni, Bolivia

El salar° de Uyuni es un lugar mágico. Es como un espejo° gigante en la estación lluviosa°, de diciembre a abril. En realidad está formado por miles de kilómetros de sal. Cuando el agua se seca, aparece la sal y se transforma en un desierto blanco. Este salar es el más grande del mundo y también tiene minerales y metales, como el litio.

la mejora *improvement* **el altiplano** *high plateau region* **promover** *to promote* **el/la esclavo/a** *slave* **la quijada** *jawbone* **el/la burro/a** *donkey* **el salar** *salt pan* **el espejo** *mirror* **la estación lluviosa** *rainy season*

Después de leer

2. Indicar Indica si cada enunciado es cierto (**C**) o falso (**F**), basándote en el texto.

1. El territorio de Perú formó parte del imperio inca. **C F**

2. El ceviche es un plato típico de la cocina nikkei. ..**C F**

3. Las islas Galápagos tienen muchos volcanes. ...**C F**

4. Las culturas andinas comparten una historia común. ....**C F**

5. El salar de Uyuni mide (*measures*) cien kilómetros de radio. ....**C F**

3. Interactuar En grupos pequeños, comenten estas preguntas.

1. ¿Qué dato les sorprendió sobre el quechua y el aymara? ¿Conocen otros idiomas indígenas de América Latina? ¿Y de Estados Unidos?

2. ¿Cómo es la situación de las lenguas originarias similar o diferente en Estados Unidos? ¿Qué pueden hacer los países para mantener vivos los idiomas de sus culturas originarias?

4. Investig@ en Internet Lee la estrategia e investiga en línea uno de los temas presentados en la lectura u otro tema diferente que te interese. Prepara un informe breve escrito para compartir con tu clase. Incluye imágenes y otros recursos apropiados.

Estrategia digital: Using general keywords

When researching online, your questions and search terms are key to finding the right information. If you are unfamiliar with a topic, use general search terms for a general overview, and then add specific keywords to focus your search on an area. For example, if you are interested in Afro Peruvian music, you may use these search terms:

→ **Afro Peruvian music   musician Susana Baca**

Resources

vhlcentral

online activities

☐ **I CAN** identify one or two products and/or practices from Peru, Ecuador, and Bolivia.

Lectura

Antes de leer

1. Conocimiento previo Contesta las preguntas.

1. ¿Qué tipo de accesorios usas habitualmente?

2. Busca en Internet "peseta accesorios" para encontrar un poco de información sobre esta compañía en su sitio web. ¿Qué productos venden? Busca los bolsos y carteras, ¿cómo son? Puedes leer las descripciones.

> **Estrategia de lectura: Guessing meaning from context**
>
> Although, in general, you should ignore unfamiliar words you encounter, some may be central to the message. Try these strategies: (1) pay attention to the overall meaning of the sentence to fill in the gap, (2) see if you recognize parts of the word (e.g., **de·volver**), and (3) note whether the word is a noun, adjective, verb, or other by looking for clues in the word (e.g., endings) and around it (e.g., articles).

A leer

2. Aplicar Lee la estrategia y contesta las preguntas.

1. En el título, ¿puedes reconocer distintas partes de la palabra **democratización** para ayudarte a deducir su significado, como lo sugiere la estrategia de lectura?

2. Con base en el título y lo que encontraste en el sitio web de Peseta, ¿puedes anticipar algunos de los temas o las ideas que se van a mencionar en el texto?

3. Lee el texto una vez, concentrándote en las ideas principales. Puedes marcar palabras desconocidas (*unknown*) que impiden tu comprensión. Después, lee el texto otra vez, intentado aproximar el significado de las palabras que no conoces a través del (*through the*) contexto. Si todavía (*still*) no puedes comprender la idea, puedes usar un diccionario.

el **estampado** *patterned print* el **complemento** *accessory* la **tela** *fabric* **mezclar** *to mix* **no te lo pienses** *don't think twice about it*

PUNTO Y COMA... MODA

Peseta:
La democratización de lo exclusivo

Si te encantan los estampados°, si te mueres por los complementos° y si quieres ir a la moda, está claro: necesitas un Peseta. Bolsos, llaveros, bolsitas, mochilas o carteras son solo algunas de las cosas que ofrece esta compañía. Cada pieza tiene un nombre y una tarjeta que anuncia el origen de los materiales, la fecha y el lugar de creación. El encanto de Peseta es que cada complemento incorpora nuevas telas° y formas sin estar limitado a lo que está de moda en un momento particular.

[reportaje]

Los complementos de esta marca siguen dos principios básicos: la necesidad y la multifuncionalidad. Nunca sabes lo que te espera dentro: bolsos-mochilas que se transforman a tu gusto, llaveros o bolsitas que puedes ajustar de tantas formas como la imaginación te permita. En cada pieza también se mezclan° estampados: flores, estrellas, patos, galletas, rayas o cuadros sin la más mínima estridencia. A Peseta le gusta lo que hace, quizá por eso ha conseguido encontrarle el lado emocional a este negocio de la moda.

La nueva colección de Peseta llega con muchas sorpresas, como la bolsa-ukelele, de la que hizo una edición limitada para Marc Jacobs. Y eso no es todo, ya que también hay espacio para sus inconfundibles clásicos básicos. Así que no te lo pienses°, ¡corre y consigue un Peseta ya! ■

Texto: Elena Giménez/De la revista *Punto y coma* (*Habla con eñe*) Fotografías: Peseta

Después de leer

3. Completar Completa las oraciones.

1. Peseta identifica _____ cada pieza y le da un nombre.
   a. cómo lavar
   b. quién creó
   c. de dónde viene

2. Los accesorios de Peseta _____ las tendencias de la moda.
   a. siempre siguen
   b. no se limitan por
   c. reflejan todas

3. Esta marca sabe combinar la moda con _____ .
   a. los precios bajos
   b. las emociones
   c. las ciudades

4. La colección más reciente presenta algunos estilos _____ y otros _____ .
   a. únicos; conocidos
   b. para adultos; para niños
   c. de playa; de ciudad

4. Analizar Contesta las preguntas.

1. ¿Cómo son diferentes los productos de Peseta?
2. ¿Cuáles son los dos principios que guían el diseño de estos accesorios?

5. Escoger y comparar Escoge los adjetivos de la lista que pueden aplicarse para describir los objetos de Peseta. Después compara tu lista con la de un(a) compañero/a y justifica tu selección basándote en el texto.

artesanal   convencional   lujoso/a (*luxurious*)

creativo/a   divertido/a (*fun*)   práctico/a

6. Interpretar Mira los precios de algunos productos de Peseta en su página web. Después, vuelve a leer el título de la lectura. ¿Cómo lo interpretas?

Resources

vhlcentral

online activities

☐ **I CAN** identify ideas in a text about a Spanish brand.

Video: Artesanas indígenas contra la apropiación cultural

Antes de ver el video

1 Ideas previas En grupos pequeños, compartan algunos ejemplos de artesanías tradicionales de su región o país de origen. Busquen fotos para ilustrar y mostrar en clase.

Palabras útiles

la artesanía *crafts*

el bordado *embroidery*

la cerámica *pottery*

la colcha *quilt*

tejer *to weave; to knit*

Estrategia de comprensión auditiva: Using captions to monitor and support comprehension

Turning on captions for a second or third viewing can help you check your understanding from the first viewing. Captions are also vital when someone in a video speaks a language you don't understand, such as one of the women in the video you are about to watch who speaks an indigenous language of Mexico. It is important, however, that you still listen carefully as you read, matching what you see and hear, and noticing intonation patterns.

A ver el video

En este video artistas y activistas de Chiapas, México, reflexionan sobre la apropiación cultural de artesanías tradicionales.

2 Comprender Mira el video una vez concentrándote en las ideas principales e indica la opción correcta.

1. Las artesanas dicen que los diseñadores _____ su trabajo.
   a. ayudan en   **b.** explotan (*exploit*)   **c.** respetan

2. Imelda Gómez, de la ONG Impacto, usa un concepto de la lengua tzeltal para describir el problema. Este concepto expresa que _____.
   a. copian sus diseños, pero no hay una intención de robar
   b. roban parte del espíritu de la comunidad
   c. roban los diseños del interior de la comunidad

Duración: 4:42
Fuente: El País

3 Aplicar Lee la estrategia. Luego, mira el video otra vez y completa estas ideas. Después, mira el video con subtítulos para revisar tus respuestas.

1. La artesana Francisca Pérez comenta que las diseñadoras le dicen: "Este diseño es solo para mí, _____".

2. Andrea Bonifaz dice: "La cultura está en constante movimiento, eso es innegable, pero _____ y tiene que haber un reconocimiento sobre todo a la cultura de los pueblos originarios".

3. Francisca Pérez explica: "A mí no me afecta que las artesanas (usen mis diseños), [...] no lo veo mal. [...] Pero cuando ya estamos hablando de empresas grandes o empresarios, [...] tienen que apoyar a los artesanos a las artesanas _____".

Después de ver el video

4 Analizar En grupos pequeños, comenten estas preguntas.

1. Para Francisca Pérez no es problema que otras artesanas de su comunidad copien sus diseños, pero no está bien que otras personas o empresas los usen. ¿Por qué es diferente?

2. ¿Qué es, en tus palabras, la apropiación cultural? ¿Cómo es diferente de la influencia natural de unas culturas en otras?

☐ **I CAN** identify ideas in a video about artisans from Mexico.

Palabras útiles

apoyar
to support

los derechos
rights

el lado
place; side

maquilar
to outsource (Mex.)

los pueblos originarios
indigenous peoples

quitar
to take (from)

el reconocimiento
recognition

robar
to steal

ver (algo) bien/mal
to consider (something) good/bad

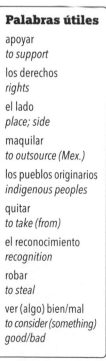

Resources

vhlcentral

online activities

Proyecto oral: Una nueva marca de moda

Tus compañeros/as y tú van a colaborar en un proyecto para crear una marca de ropa y accesorios. Después de desarrollar (*develop*) el concepto y describir una muestra representativa de sus productos, van a compartirlo con la clase. Para prepararte, toma unos minutos para revisar el vocabulario y la gramática de este capítulo y escribe las palabras clave que te gustaría incluir.

¡Atención!

Ask your instructor to share the **Rúbrica de calificación** to understand how your work will be assessed.

Estrategia de comunicación oral: Being specific

Add details to your descriptions. Be mindful of the amount and type of details that is appropriate for the task. For a task like creating a concept for a clothing brand, you will want to add both informative details such as materials or shopping sources, as well as subjective descriptors to appeal and encourage your audience to adopt your ideas.

Paso 1 En sus grupos, consideren estos puntos para desarrollar el concepto de su marca. Tomen notas de sus ideas.

- ¿Qué objetivos tiene su marca? Sus productos pueden enfocarse en una idea innovadora (ej. un nuevo tipo de producto), una filosofía (ej. la sostenibilidad, la inclusión) o un mercado específico (ej. el hombre talla plus).
- ¿Qué productos va a incluir su marca? ¿Van a ofrecer un tipo de producto específico (ej. zapatillas de deporte) o una colección más amplia (ej. ropa y accesorios deportivos)?
- Sus productos, ¿a quién(es) se los van a ofrecer? La marca que van a crear, ¿se la van a promocionar a un público amplio o a un grupo específico?
- Otros detalles prácticos. ¿Dónde van a vender sus productos? ¿Cuáles van a ser sus precios?
- ¿Cómo surgió la idea de su marca? ¿Qué problema quisieron resolver con este concepto?

> **Modelo** *Yo nunca tengo suficiente espacio en mis jeans para poner mi teléfono y otras cosas, pero no quiero llevar una mochila. Nuestro producto puede ser un bolso unisex.*

Paso 2 Desarrollen los siguientes elementos para su marca.
- Un nombre interesante, es mejor si está asociado con su concepto.
- Una descripción de su marca, incluyendo todos los elementos que definieron en el **Paso 1**. Deben incluir algunos detalles informativos y subjetivos.
- Una descripción detallada de dos o tres productos representativos de su colección. También deben incluir detalles informativos y subjetivos.

> **Modelo** *Nuestra marca ofrece bolsos prácticos y de alta calidad a precios accesibles. Tenemos bolsos para diferentes ocasiones, informales y de fiesta. El bolso Álex es de tamaño mediano y tiene espacio para poner tu teléfono, cartera, gafas de sol, llaves y otras cosas pequeñas. Es de tela...*

Palabras útiles

accesible
affordable

duradero/a
durable

inclusivo/a
inclusive

lujoso/a
luxurious

sostenible
sustainable

de última tecnología
latest technology

unisex
gender neutral

Paso 3 Presenta, en tus propias palabras, el concepto de la marca de tu grupo con base en los **Pasos 1** y **2**. Tu presentación debe durar aproximadamente tres minutos. Puedes:
- apoyar tu presentación con imágenes.
- ser creativo/a y considerar formatos alternativos a una presentación formal, por ejemplo puedes hacer un desfile de moda (*fashion show*).

Resources

vhlcentral

☐ **I CAN** present the concept for a clothing brand.

Proyecto escrito: Ropa y accesorios, ¿función o expresión?

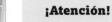

Vas a escribir un ensayo personal reflexionando sobre el valor (*value*) y las funciones que la ropa y los accesorios tienen para ti. Para prepararte, toma unos minutos para revisar el vocabulario y la gramática de este capítulo y escribe las palabras clave que te gustaría incluir.

¡Atención!

Ask your instructor to share the **Rúbrica de calificación** to understand how your work will be assessed.

Estrategia de redacción: Creating effective topic sentences

In essays, topic sentences are key elements that support the main idea. Each paragraph should begin with an effective topic sentence that states the main idea of that paragraph. Ask yourself: What is this paragraph about? Then, think of one or two key words that answer that question and create a simple sentence with them. As you develop the rest of your paragraph, make sure that your explanations, details, and examples support and illustrate the idea in your topic sentence.

Paso 1 Para generar ideas, piensa en tu ropa y accesorios y contesta estas preguntas.

- ¿Qué prendas (*clothing items*) y accesorios predominan en tu ropero? ¿Qué materiales, estilos y colores son más frecuentes?
- ¿Qué criterio predomina en tu ropa y accesorios? ¿Funcionalidad, estilo personal, sostenibilidad o algo diferente?
- ¿Qué dicen tu ropa, accesorios y otros elementos de tu apariencia personal sobre ti? En tu opinión, ¿reflejan algunos aspectos de tu identidad y prioridades?
- ¿Tienes una prenda o un accesorio que es especial para ti porque alguien te lo regaló? ¿Por qué es especial? ¿Quién te lo dio? ¿Cómo fue ese momento?

Paso 2 Usa las respuestas a las preguntas del **Paso 1** para organizar los párrafos de tu ensayo. Cada párrafo debe incluir una oración principal (*topic sentence*) y un resumen de las respuestas de cada punto.

> **Modelo** *Mi ropero es como un arcoíris (rainbow). Tengo ropa de todos los colores. Muchas de mis prendas son de algodón y de estilo casual. Toda mi ropa está organizada por color...*

Para escribir mejor: Aquí tienes algunas palabras para expresar tus opiniones y reflexiones.

En mi opinión *In my opinion*	Es cierto que... *It is true that...*	Pienso que... *I think that...*

Paso 3 Escribe un ensayo de 200 palabras aproximadamente con la información de los **Pasos 1** y **2**. Prepárate para presentar tu ensayo a la clase.

Resources

vhlcentral

☐ **I CAN** write a personal essay.

La ropa   *Clothes/Clothing*

el abrigo   *coat*
el algodón   *cotton*
la blusa   *blouse*
las botas   *boots*
la bufanda   *scarf*
los calcetines   *socks*
la camisa   *shirt*
la camiseta   *T-shirt*
la chaqueta   *jacket*
el cinturón/la correa   *belt*
la corbata   *tie*
la falda   *skirt*
la gorra   *cap*
los guantes   *gloves*
los jeans/los vaqueros   *jeans*
la lana   *wool*
la manga   *sleeve*
las medias   *stockings, pantyhose*
los pantalones   *pants*
los pantalones cortos   *shorts*
la piel/el cuero   *leather*
las sandalias   *sandals*
la seda   *silk*
el sombrero   *hat*
el suéter   *sweater*
los (zapatos de) tenis   *tennis shoes, sneakers*
el traje   *suit*
el traje de baño   *bathing suit*
el vestido   *dress*
los zapatos de tacón alto/bajo   *high-heeled/ flat shoes*

Las joyas   *Jewelry*

el anillo/la sortija   *ring*
los aretes/los pendientes   *earrings*
el collar   *necklace*
el oro   *gold*
la plata   *silver*
la pulsera   *bracelet*
el reloj   *watch*

Acciones de las compras

devolver (ue)   *to return (something)*
llevar   *to wear, to carry, to take*
mirar   *to look at*
mostrar (ue)   *to show*
probarse (ue)   *to try on*

Otras palabras útiles

la billetera/la cartera   *wallet*
el bolso/la bolsa   *purse, bag*
la calidad   *quality*
la cosa   *thing*
demasiado(s)/a(s)   *too much/many*
las gafas/los lentes (de sol)   *(sun)glasses*
la moda   *fashion*
el paraguas   *umbrella*
el precio   *price*
las rebajas   *sales*
el regalo   *gift*
el ropero   *closet*
la talla   *size*

Adjetivos para describir la ropa

barato/a   *cheap, inexpensive*
caro/a   *expensive*
cómodo/a   *comfortable*
corto/a   *short (things, not people)*
largo/a   *long*
limpio/a   *clean*
sucio/a   *dirty*

Palabras indefinidas y negativas

algo   *something, anything (interrogative)*
alguien   *someone, anyone (interrogative)*
alguno/a(s), algún   *any, some, someone*
nada   *nothing*
nadie   *no one, nobody*
ni   *nor, not even*
ni... ni   *neither... nor*
ninguno/a(s), ningún   *no, none, no one*
o... o   *either... or*
siempre   *always*
todo   *all, everything*
todo/a/os/as   *every*

Capítulo

9

Learning Objectives
In this chapter, you will:

- Participate in conversations about health topics.
- Give instructions, describe ongoing actions in the past, and narrate in the past.
- Identify aspects of a healthy life in the Spanish-speaking world.
- Explore and research Colombia and Venezuela.
- Identify main ideas in written and spoken texts.
- Present a health guide for university students.
- Narrate a health-related story.

 **Así se pronuncia** Linking words
VideoEscenas Un deporte peligroso

La
salud

Estrategias para manejar el estrés Contesta las preguntas.

1. ¿Qué problemas de salud son comunes entre los estudiantes universitarios?

   ☐ virus

   ☐ enfermedades cardiovasculares

   ☐ estrés o ansiedad

   ☐ fracturas (*bone fractures*)

   ☐ alergias e intolerancias

   ☐ intoxicación alimentaria

2. ¿Cuáles puedes tratar por ti mismo/a (*on your own*)? ¿Cuáles requieren una visita al/a la doctor(a)? ¿Cuáles requieren ir al hospital?

3. El estrés, la ansiedad y otros problemas de salud mental son frecuentes en la universidad y en la sociedad en general. ¿Conoces algunas estrategias para prevenirlos o manejarlos?

4. Vas a ver el video "Estrategia de visualización para manejar el estrés", de la Organización Panamericana de la Salud. Considerando el título y esta imagen, anticipa las ideas que puede mencionar el video. Después, mira el video y confirma tus respuestas.

Duración: 1:24
Fuente: Organización Panamericana de la Salud

☐ dieta   ☐ suplementos

☐ respiración (*breathing*) controlada   ☐ recordar (*remember*) experiencias positivas

☐ hacer ejercicio físico   ☐ dormir un poco

5. Practica la estrategia que aprendiste en el video. ¿Cómo te sientes (*feel*)?

6. Si los estudiantes de tu universidad sienten ansiedad, estrés u otros problemas de salud mental que dificultan sus rutinas diarias, ¿sabes dónde pueden encontrar ayuda en el campus, la comunidad o a través de (*through*) Internet? ¿Qué recursos (*resources*) hay para mantener la salud mental de los estudiantes universitarios?

La salud

CONSULTORIO 2

El termómetro marca 37 grados, no tiene **fiebre**.

Voy a **examinar la herida.**

tomar la temperatura

el termómetro

(poner) una inyección/ una vacuna

CONSULTORIO

Me caí y me lastimé la mano.

el/la paciente

HOSPITAL DE LA LUZ

URGENCIAS

la ambulancia

la silla de ruedas

Apoyo de vocabulario

la cita	*appointment*
el consultorio	*doctor's office*
doler (ue)	*to be hurting, to hurt*
enfermarse	*to get/become sick*
estar de pie	*to stand*
sentado/a	*to be seated*
la habitación	*room*
la herida (grave)	*(serious) wound*
lastimarse	*to hurt oneself*
pasar°	*to happen*
ponerse (bien)	*to get (well)*
preocupado/a	*worried*
quedarse	*to stay*
sacar una radiografía	*to take an X-ray*
sangre	*to draw blood*
la sala de espera	*waiting room*
sano/a	*healthy*
sentarse (ie)	*to sit down*
(la sala de) urgencias	*emergency room*

¿Qué observas? Contesta las preguntas.

1. El Hospital de La Luz, ¿tiene departamento para situaciones de emergencia? ¿Dónde hacen análisis de sangre: en el consultorio, en el laboratorio o en el departamento de radiología?

2. ¿Cuántas personas están sentadas en la sala de espera? La mujer que habla con la recepcionista, ¿tiene una cita o quiere hacer una cita? Entonces, ¿va a ver al doctor hoy u otro día?

3. En el laboratorio, ¿qué hace la enfermera? ¿Toma la presión, toma la temperatura o saca sangre? ¿Qué va a ponerle a la niña: una tirita o un yeso?

¿Y tú? Contesta las preguntas sobre ti mismo/a.

1. ¿Vas al doctor para hacerte chequeos o vas solamente cuando te enfermas?

2. ¿Tuviste que ir a la sala de urgencias o quedarte en un hospital alguna vez? ¿Te examinaron una herida? ¿Te sacaron sangre? ¿Te hicieron una radiografía?

° **¿Qué me pasa?** is best translated as *What is wrong?/What is the matter?*

El cuerpo humano

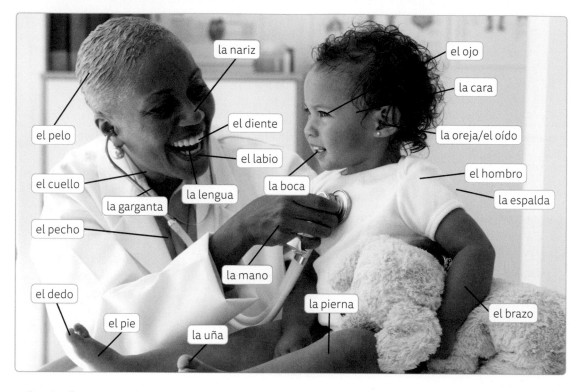

la nariz · el ojo · la cara · el diente · el pelo · la oreja/el oído · el labio · el cuello · la boca · el hombro · la lengua · la espalda · la garganta · el pecho · la mano · el dedo · la pierna · el brazo · el pie · la uña

¿Qué observas? Indica si estas partes pertenecen (*belong*) a la cara, la boca u otra parte del cuerpo: los pies, los labios, los ojos, la lengua. ¿Dónde llevamos aretes: en las orejas o en los oídos? ¿Dónde llevamos botas?

¿Y tú? ¿De qué color son tus ojos? ¿De qué color es tu pelo? ¿Qué mano usas para escribir: la izquierda o la derecha?

Apoyo de vocabulario

la cara	*face*	la garganta	*throat*	el oído	*medium and inner ear; hearing*
el cuello	*neck*	la lengua	*tongue*	la oreja	*external ear*

1 Pobre Daniel Daniel tuvo un accidente. Primero, completa las oraciones con formas del pretérito de los verbos entre paréntesis. Después, determina el orden cronológico de los eventos y lee la narración completa.

_____ La médica le _____ (poner) un yeso y le _____ (recomendar) descanso.

_____ Daniel _____ (ir) a la sala de urgencias.

_1_ Daniel _____ (fracturarse) la pierna esquiando.

_____ La pierna estaba curada, y Daniel _____ (empezar) un programa de fisioterapia.

_____ Varias semanas más tarde, la médica le _____ (quitar) el yeso.

_____ La médica le _____ (sacar) una radiografía.

_____ Daniel _____ (volver) a la médica seis meses después para un chequeo.

_____ La médica le _____ (dar) medicamentos para el dolor (*pain*).

2 **¿Qué van a hacer?** Imagina qué va a pasar (*happen*) en estas situaciones. Primero, individualmente, describe con muchos detalles. Después, en parejas, comparen sus descripciones.

Palabras útiles
medir (i, i) *to measure*
pesar *to weigh*

> **Modelo** No quiero enfermarme este invierno.
> *Voy a ir al centro de salud. El enfermero o la enfermera va a recomendarme comer muchas frutas y verduras, dormir al menos siete horas y hacer ejercicio. Probablemente van a ponerme una vacuna.*

1. No estoy enfermo/a, pero quiero hacerme un chequeo para saber si mi salud está bien.
2. Estoy en la calle, ¡un chico se cayó de la bicicleta y no puede levantarse!
3. Mi amiga se cortó (*cut herself*); tiene una herida en la mano con mucha sangre.
4. Me duele mucho la cabeza, tengo calor y estoy muy cansado/a. No puedo respirar (*breathe*) bien.
5. Tengo una cita en el hospital porque me duele mucho el estómago.

3 **¿Qué parte del cuerpo es?** Vas a compartir descripciones de dos partes del cuerpo.

Paso 1 Escucha las descripciones e indica a qué parte del cuerpo se refieren.

1. _____ 3. _____ 5. _____
2. _____ 4. _____ 6. _____

Paso 2 Escribe descripciones para dos partes más del cuerpo. Después, en grupos pequeños, vas a leer tus descripciones y el resto del grupo va a identificar la parte del cuerpo.

4 **¿Qué partes del cuerpo usamos?** Miren las actividades de la lista. En parejas, un(a) estudiante elige una actividad sin nombrarla y describe para su compañero/a las partes del cuerpo que se usan para esa actividad. El/la compañero/a trata de adivinar qué actividad es.

> **Modelo** **Estudiante A:** *En esta actividad son muy importantes los brazos y las piernas. También usamos los hombros y las rodillas.*
> **Estudiante B:** *¿Es esquiar?*

besar	comer	leer	nadar
cocinar	escuchar música	manejar	tocar el piano

Nota de lengua
El español, como muchas lenguas, tiene frases que incluyen partes del cuerpo. Trata de emparejar (*match*) estas frases con sus traducciones.

_____ tener buen diente
_____ no tener pelos en la lengua
_____ ser un caradura (*hard-face*)

a. *to be shameless*
b. *to not mince words*
c. *to have a good appetite*

5 **Una película de extraterrestres** Tu compañero/a y tú tienen una gran idea para una película del espacio, pero primero deben diseñar cómo van a ser los extraterrestres.

Paso 1 Dibuja con detalle el extraterrestre perfecto para la película.

Paso 2 Primero, describe tu extraterrestre a tu compañero/a, que lo va a dibujar ¡sin mirar tu dibujo! Después, tú vas a dibujar el extraterrestre que tu compañero/a va a describir. Finalmente, compara el dibujo original de tu compañero/a con el dibujo que hiciste siguiendo sus instrucciones. ¿Son similares?

Resources

S
vhlcentral

SAM

online activities

☐ **I CAN** discuss health and parts of the body.

1. Give instructions and orders

Usted/Ustedes commands

Read and listen to the text, focusing on the verb structures in bold. What type of meaning do they express? Who do they refer to, that is, who does—or is meant to do—those actions? Observe the verb forms. What do you notice about the endings of regular verbs?
Focus on the different positions of the pronoun **me**. When is it placed before the verb? When is it attached to the verb?

> **Dr. Ayala:** Señor Ocaña, su análisis de sangre indica que su colesterol está muy alto.
>
> **Sr. Ocaña:** Y **dígame**, doctor, ¿es grave? **Explíqueme** qué debo tomar.
>
> **Dr. Ayala:** Bueno, para empezar, **no coma** grasas animales y **beba** leche desnatada (*skim*) y, muy importante, **haga** ejercicio físico casi todos los días.
>
> **Sr. Ocaña:** ¡**No me diga** que tengo que hacer dieta! ¿No hay alguna medicina para esto?
>
> **Dr. Ayala:** **Escúcheme**, señor Ocaña, **no vaya** a la farmacia tanto (*as much*) y **viva** una vida más sana. ¡Es la mejor medicina!

You have already seen some **ustedes** commands when instructions are given to more than one student (**lean** las preguntas, **respondan**). In this chapter, you will learn more about command forms to address a person formally (**usted**) and when addressing more than one person (**ustedes**).

To form commands for regular verbs, remove the final **–o** from the **yo** form of the present tense and add the endings indicated in the chart below.

	esperar	**beb**er	**escrib**ir
usted	esper**e**	beb**a**	escrib**a**
ustedes	esper**en**	beb**an**	escrib**an**

Stem-changing and irregular verb **usted/ustedes** commands are formed similarly, except for the verb **ir**, which has an irregular command form not based on the present **yo** form.

decir: **diga, digan**   dormir: **duerma, duerman**   pedir: **pida, pidan**
hacer: **haga, hagan**   volver: **vuelva, vuelvan**   ir: **vaya, vayan**

Object and reflexive pronouns *are attached* to the end of all *affirmative* commands. Note that a written accent is often added.

Béba**lo**.   *Drink it.*

Siénte**se**, por favor.   *Please, sit down.*

But they *precede* the verb in all *negative* commands.

No lo beba.   *Don't drink it.*

No se siente todavía, por favor.   *Do not sit down yet, please.*

¡Atención!

The emphasis in command forms with more than one syllable is on the second-to-last syllable (**to**me, **be**ban), so these do not need an accent mark. When adding an extra syllable, the stressed syllable becomes third-to-last, and therefore it needs an accent mark.

You can review the basic stress rules in **Así se pronuncia** in **Capítulo 4**.

Estas son las instrucciones de la doctora a su paciente para hacer un examen físico.
Presta atención al nuevo vocabulario.

Saque la lengua.

Abra la boca.

Diga "¡Aaah!".

Respire profundamente.

¡Atención!

Verbs ending in **–car**, are not really irregular in their command forms, but they do have a spelling change:

sacar → **saque**, **saques**, **saquen**, …

Después de examinar a su paciente, le da consejos (*advice*) y, a veces, una receta.

Cuídese y descanse.

Vaya a la **farmacia** con esta **receta**.

Tome líquidos.

Tome estas **pastillas/cápsulas**.

cuidarse	*to take care (of oneself)*	la receta	*prescription*
explicar	*to explain*	respirar	*to breathe*

1 **¿Usted o ustedes?** Escucha estas instrucciones. Decide si esta persona le habla a **usted** o a **ustedes**.

1. ☐ usted ☐ ustedes   3. ☐ usted ☐ ustedes   5. ☐ usted ☐ ustedes

2. ☐ usted ☐ ustedes   4. ☐ usted ☐ ustedes

ASÍ SE FORMA

2 ¿Qué dice un(a) doctor(a) responsable? Vas a identificar mandatos (*commands*) responsables e irresponsables.

Paso 1 Decide si un(a) doctor(a) dice esto a sus pacientes. Después, reescribe los mandatos que **no** dice el doctor para hacerlos apropiados.

> **Modelo** Coma más tocino.   Sí (No)   *No coma mucho tocino./Coma tocino con moderación.*

1. Coma frutas y verduras.   Sí   No   _____
2. Haga ejercicio solo una vez al mes.   Sí   No   _____
3. Duerma cinco horas cada noche.   Sí   No   _____
4. Tome su medicina como indica la receta.   Sí   No   _____
5. Vuelva a verme si no se pone bien.   Sí   No   _____
6. No venga más a sus chequeos.   Sí   No   _____

Paso 2 En parejas, escriban dos oraciones para cada verbo: una la dice un(a) doctor(a) responsable y otra la dice un(a) doctor(a) irresponsable. Lean sus oraciones a otra pareja, que va a intentar adivinar (*guess*) quién las dice.

> beber   comer   ir   tomar

3 ¿A sus pacientes, estudiantes o hijos?

Paso 1 La doctora Flores, que también es profesora universitaria de medicina y tiene dos hijos adolescentes, hace estas recomendaciones frecuentemente. Indica para quiénes piensas que son. Puedes indicar más de una opción.

	Pacientes	Estudiantes	Hijos
1. Saquen la lengua.	☐	☐	☐
2. Péinense.	☐	☐	☐
3. Estudien más si quieren pasar el curso.	☐	☐	☐
4. Digan "¡Aaah!".	☐	☐	☐
5. Lávense las manos frecuentemente.	☐	☐	☐
6. Vengan a mi oficina si tienen preguntas.	☐	☐	☐
7. No se duerman durante las clases.	☐	☐	☐
8. Tomen una pastilla cada dos horas.	☐	☐	☐

Paso 2 En parejas, escriban dos recomendaciones más que la doctora Flores probablemente hace a sus pacientes, a sus estudiantes y a sus hijos.

Nota cultural

La forma *usted* en Colombia

In Colombia, the form **usted** is often used when the **tú** form is used in many other countries. It is common to hear friends, siblings, and married couples use **usted** with each other. A similar phenomenon happened in English over 500 years ago, when the informal *thou* was replaced by the formal *you*.

4 **¿Puedo pedirlo?** Una persona con colesterol alto está en un restaurante cubano, pero no sabe qué puede comer y llama a su doctor(a). Observa el menú del restaurante y las recomendaciones para regular el colesterol.

Larios

SOPAS

Sopa de verduras	$7
Sopa de pollo	$7,50
Caldo de camarón	$9,50

TORTILLAS

Tortilla° de papa con arroz y plátanos	$11
Tortilla de plátano maduro con arroz y frijoles negros	$12

ENSALADAS

Ensalada de la casa	$12
Ensalada de pasta y jamón	$12
Ensalada de tomate	$10,50
Ensalada de serrucho en escabeche°	$17

CARNES

Pechuga de pollo a la plancha°	$14,50
Chicharrones de pollo°	$15
Arroz con pollo	$13,50
Ropa vieja° con arroz	$17
Masas de puerco	$17

PESCADOS

Pescado empanizado°	$18
Pescado a la plancha	$18
Brocheta° de camarones	$21
Camarones al ajillo	$20
Langosta enchilada	$34

POSTRES

Flan de coco	$8
Helados variados	$8
Sorbete de guanábana	$7

Consejos para controlar el colesterol

- **EVITE°** alimentos fritos o con mucha grasa.
- **TOME** alimentos lácteos desnatados (*skim*) o bajos en grasa.
- **CONSUMA** con moderación alimentos altos en colesterol (huevos, camarones, etc.).
- **COMA** más frutas y verduras.
- **COMA** más pan integral, cereales, frijoles y arroz.

tortilla *omelette* **evitar** *to avoid* **serrucho en escabeche** *pickled king fish* **pechuga de pollo a la plancha** *grilled chicken breast* **chicharrones de pollo** *deep fried chicken chunks* **ropa vieja** *shredded beef with onions and peppers* **empanizado** *breaded* **brocheta** *kabob*

Paso 1 Empareja las preguntas del/de la paciente y las respuestas del/de la doctor(a). Presta atención al uso de pronombres de objeto directo.

Paciente	Doctor(a)
1. ¿Puedo pedir sopa de pollo? _____	a. No, no lo pida. Tiene mucho huevo.
2. ¿Y los chicharrones de pollo? _____	b. Sí, pídalo. Es de fruta y no tiene grasa.
3. ¿Puedo pedir masas de puerco? _____	c. No, no los pida. Son fritos.
4. ¿Y sorbete de guanábana? _____	d. Sí, pídala. Tiene verduras y poca grasa.
5. ¿Y el flan de coco? _____	e. No, no las pida. Son fritas.

Paso 2 En parejas, túrnense para hacer los papeles de doctor(a) y paciente. Teniendo en cuenta los problemas de salud del/de la paciente, el/la doctor(a) responde sus preguntas sobre lo que puede comer. Usen las preguntas y respuestas del **Paso 1** como modelo.

alergia al huevo y los lácteos	colesterol alto	deficiencia de vitaminas	intolerancia al gluten

5 **Mandatos y recomendaciones** Vas a escribir distintos tipos de mandatos y recomendaciones.

Paso 1 Escribe algunos mandatos y recomendaciones frecuentes de padres y profesores. Añade (*add*) un mandato o consejo más de padres y de profesores.

	Los padres	Los profesores
comer	*Coman sus verduras.*	*No coman en la clase.*
1. hacer		
2. decir		
3. ir		
4. sentarse		
5. escuchar		
6. _____		

Paso 2 En parejas, es su turno de dar instrucciones y recomendaciones a padres y profesores. Escriban mandatos afirmativos y negativos en los cuadros.

	A los padres	A los profesores
Mandatos afirmativos	1. _____ 2. _____ 3. _____	1. _____ 2. _____ 3. _____
Mandatos negativos	1. _____ 2. _____ 3. _____	1. _____ 2. _____ 3. _____

Paso 3 Compartan sus ideas con otra pareja y escojan el mandato más razonable (*sensible*), el más original y el más divertido de todos.

En mi experiencia

Julie, Akron, OH

"A Colombian friend told me about home remedies her family uses. Some were similar to my family's, like chamomile tea to help with sleep or warm lemon for a sore throat, although she said they mix it with **aguapanela** (a type of unrefined cane sugar dissolved in water) and some people also put a little rum or brandy. Her family keeps a **sábila** plant (aloe vera) at home and cuts a leaf to use the gel for small cuts and burns. Other remedies were new to me, such as mashed garlic and cloves wrapped in gauze for toothaches, or olive oil and lemon for constipation."

Do you and your family also use home remedies? Which ones? Are they traditional or did you learn about them recently?

☐ **I CAN** give instructions and orders.

Resources

vhlcentral

SAM

online activities

Las Zonas
Azules

Antes de leer

🔗 **1. En Estados Unidos** Contesta las preguntas.

1. ¿Sabes si hay alguna región o comunidad en Estados Unidos donde las personas vivan mucho tiempo?

2. ¿Qué factores y hábitos piensas que favorecen una larga expectativa de vida?

Dan Buettner, un escritor y explorador que trabaja para *National Geographic*, viajó por el mundo en busca de "Zonas Azules". ¿Y qué es una "Zona Azul"? Es una región donde las personas viven más años, y más felices y sanas, que en otras partes del mundo.

Solo existen cinco Zonas Azules y todas tienen algunas cosas en común. Sus habitantes comen poca carne y muchas frutas, verduras y legumbres. Hacen actividad física ligera° y pasan tiempo al aire libre° cada día. Además, disfrutan de una rica vida familiar y social. Y claro°, tienen menos estrés como resultado de su saludable estilo de vida.

Una de estas Zonas Azules se encuentra en la Península de Nicoya, en Costa Rica, donde hay más de 900 personas mayores de 90 años y más de 40 centenarios. Según Buettner, aunque esta es una zona menos desarrollada económicamente, los nicoyanos disfrutan de una dieta rica en pescado y frutas frescas, relaciones humanas duraderas y profundas°, y viven cada día con optimismo e ilusión°. Ellos nos demuestran que no necesitamos restricciones o tecnologías especiales para tener una vida larga y sana. Si hay una fórmula mágica, esta consiste en vivir de forma activa pero tranquila, conectados con la naturaleza y nuestros seres queridos°.

ligero/a *light* **al aire libre** *outdoors* **claro** *of course* **profundo/a** *deep*
la ilusión *hope* **el ser querido** *loved one*

❚ Playa Montezuma, Península de Nicoya, Costa Rica

Después de leer

🔗 **2. Identificar** Indica cuáles de estas ideas están en el texto.

☐ **1.** Las cinco Zonas Azules son regiones del mundo con personas similares.

☐ **2.** Los habitantes de las Zonas Azules tienen cosas en común en su estilo de vida.

☐ **3.** En la Península de Nicoya usan la tecnología para estar más sanos.

☐ **4.** La familia y la vida social son muy importantes en las Zonas Azules.

☐ **I CAN** identify aspects of a healthy life, including a region in the Spanish-speaking world.

🔗 **3. Comparar y analizar** En parejas, comenten estas preguntas.

1. ¿Qué factores mencionados en el texto fueron más interesantes para ti?

2. ¿Cómo piensas que afectan las relaciones sociales a la longevidad?

3. ¿Cuáles de las costumbres de las Zonas Azules ya tienen ustedes o pueden adoptar?

Resources

vhlcentral

online activities

ASÍ SE DICE

Audio: Vocabulary | **Learning Objective:** Discuss health issues.

Un cuestionario de salud

Lee el cuestionario para pacientes del centro de salud Bolívar.

Centro de salud Bolívar

Cuestionario sobre su salud

	Sí	No
1. ¿Le duele la cabeza con frecuencia?		
2. ¿Tiene **dolor** de estómago o **diarrea**?		
3. ¿Tiene **vómitos** o **náuseas**?		
4. ¿Tiene **alergias** o intolerancias alimenticias?		
5. ¿Tiene **resfriados** o **gripe** con frecuencia?		
6. ¿Tiene **congestión nasal**? ¿Estornuda (*Sneeze*) mucho?		
7. ¿Le duele la garganta con frecuencia? ¿Tiene **tos**?		
8. ¿Tiene **mareos**?		
9. ¿**Se cansa** con frecuencia? ¿Respira con dificultad?		
10. ¿Tiene problemas para dormir?		
11. ¿**Siente estrés** o **ansiedad**?		
12. ¿**Se siente deprimido/a**?		

Otros síntomas

____

____

Apoyo de vocabulario

cansarse	*to get tired*	el resfriado	*cold*
la gripe	*flu*	la salud	*health*
el mareo	*dizziness*	la tos	*cough*

To express aches, pains, and how you feel, use the following verbs and expressions:

doler (like **gustar**): *indirect object* + **doler (ue)** + **el/la/los/las** + *body part*

Me **duelen** las piernas.	*My legs hurt.*
¿Te **duele** el estómago?	*Do you have a stomach ache?*

tener dolor de + *body part*

Tengo dolor de espalda.	*I have a backache.*

sentirse (ie, i) + *adjective/adverb*

Se siente bien, mal, estresado/a, cansado/a, etc.	*He/She feels well, unwell, stressed, tired, etc.*

sentir (ie, i) + *noun*

Siente dolor, estrés, etc.	*He/She feels pain, stress, etc.*

1 ¿De quién es el diagnóstico y el tratamiento? Vas a crear mandatos con la forma **usted**.

Paso 1 Tus amigos Jorge, Pedro, Alberto y Daniel se enferman y van al médico. Escúchalos describir sus síntomas e indica a quién le corresponde cada diagnóstico y tratamiento.

Diagnóstico	Tratamiento
1. otitis (infección de oído)	<u>Tomar</u> antibióticos cada (*every*) seis horas. <u>Aplicar</u> calor seco (*dry*) para aliviar el dolor.
	Jorge Pedro Alberto Daniel
2. alergia al polen	<u>Cerrar</u> las ventanas. <u>Tomar</u> un antihistamínico antes de salir a la calle.
	Jorge Pedro Alberto Daniel
3. gastroenteritis	<u>Beber</u> líquidos para evitar (*avoid*) la deshidratación y <u>descansar</u> mucho. No necesita medicina.
	Jorge Pedro Alberto Daniel
4. gripe	<u>Tomar</u> aspirinas, líquidos e <u>ir</u> a la cama.
	Jorge Pedro Alberto Daniel

Paso 2 Convierte las recomendaciones del médico (los verbos <u>subrayados</u>) del **Paso 1** en mandatos con la forma **usted**.

> **Modelo** Tome antibióticos cada seis horas.

Nota cultural

Médicos destacados

From Carlos Juan Finlay (Cuban, 1833–1915), who solved the mystery of yellow fever, to Nora Volkow (Mexican-American, 1956–) with her insights into addiction, numerous doctors across the Spanish-speaking world have contributed to the treatments and techniques that lead to better health care for millions of people. One of today's prominent doctors is Dr. Alfredo Quiñones-Hinojosa, Chair of Neurosurgery at Mayo Clinic. He's an extraordinarily skilled neurosurgeon who performs complex brain surgeries and conducts cutting-edge research devoted to find a cure for brain cancer. Dr. Q, as he is affectionately known, grew up in extreme poverty. In order to bring the best doctors and resources to patients who cannot afford treatment, he has also founded the non-profit foundation Mission: Brain. His amazing work has been featured in the Netflix series *The Surgeon's Cut*.

2 **¿Qué me pasa, doctor?** Ahora tú te sientes enfermo/a también y vas al consultorio.

Paso 1 Piensa en algunos síntomas y escríbelos en una hoja con el mayor detalle posible.

Paso 2 En parejas, túrnense en los papeles de paciente y doctor(a).

> **Modelo** **Paciente:** *Buenas tardes, doctor(a)... Tengo muchos problemas. Ayer me golpeé...*
> **Doctor(a):** *A ver, ¿le duele(n)...? ¿Tiene usted...? Tengo varias recomendaciones:*
> *Primero.../Tome...*
> **Paciente:** *¿Puedo...?/¿Tengo que...?*

Paciente: Describe tus síntomas al/a la doctor(a) y responde sus preguntas (puedes improvisar). Después de escuchar su diagnóstico y recomendaciones, haz una o dos preguntas sobre qué cosas puedes o no puedes hacer.

Doctor(a): Escucha al/a la paciente y hazle algunas preguntas más sobre sus síntomas. Después, haz un diagnóstico y recomienda un tratamiento según la tabla (*chart*) y tus propias (*own*) ideas. Responde a las preguntas del/de la paciente.

Palabras útiles

el escalofrío
chill

golpearse (en)
to hit oneself (on)

inflamado/a
swollen

mareado/a
dizzy, faint, nauseated

la moquedad
runny nose

sangrar
to bleed

Diagnóstico	Tratamiento
gripe, mononucleosis	tomar analgésicos, líquidos, descansar
conmoción (*concussion*)	tomar analgésicos, no mirar pantallas, descansar mucho
gastroenteritis	tomar líquidos y bebidas deportivas
infección de...	tomar antibióticos
resfriado	tomar muchos líquidos, descansar
bronquitis	tomar jarabe para la tos y un expectorante
ansiedad, depresión	hacer ejercicio, usar técnicas de relajación, consultar con un psicólogo o psiquiatra

3 **Situaciones** En parejas, van a representar esta situación: Uno/a de ustedes comparte algunos temas de salud y el/la otro/a le da recomendaciones. Sigan este esquema.

Estudiante A: Eres estudiante de primer año. Estás cansado/a, te duele mucho la espalda y te enfermas con frecuencia. Además, engordaste (*gained*) cinco libras y estás estresado/a porque los exámenes son la próxima semana... pero te encanta tu nueva "libertad" (*freedom*) y quieres disfrutarla (*enjoy it*).

Estudiante B: Tu amigo/a no está cuidándose: no come bien, no hace ejercicio, sale con sus amigos/as durante la semana y duerme poco. Tú ya tienes más experiencia; habla con él/ella y ofrécele algunas recomendaciones.

Expresiones útiles

Debes + infinitivo...
You ought to/should/ must...

¿Por qué no + presente...?
Why don't you...?

Puedes + infinitivo...
You can...

Tienes que + infinitivo...
You have to/must...

Resources

vhlcentral

SAM

online activities

☐ **I CAN** discuss health issues.

2. Describe ongoing actions in the past

The imperfect

Read and listen to the text, focusing on the meaning of the verbs in boldface. What time frame do these verbs refer to? What type of meaning do they convey, complete actions or ongoing situations and events?
Focus now on the verb forms. What can you observe about the endings? What about stem-changing and irregular verbs?

¿Ven esta foto? **Era** el 8 de mayo de 1941, yo **tenía** ocho años. **Llevaba** traje porque **era** el día de mi primera comunión. Entonces (*Back then*) los niños **nos divertíamos** sin computadoras ni teléfonos. **Caminábamos** a la escuela, **jugábamos** afuera... En algunos aspectos la vida **era** más saludable antes: **éramos** muy activos y no **había** polución, pero en esos años no **teníamos** doctor en nuestro pueblo, solo **venía** cuando alguien **estaba** enfermo. Y muchas enfermedades no **tenían** tratamientos efectivos. Sí, el cuidado de la salud y la medicina **son** muy diferentes ahora.

"Aquí tenía ocho años. Era el día de mi comunión".

Use of the imperfect

In previous chapters you have studied the preterit which expresses complete actions and events in the past. The imperfect tense is also used to talk about the past, but it describes actions and events that were ongoing at a particular time. It is used primarily to:

▶ describe background situation: date, time, weather, age, ongoing conditions, etc.

Era sábado y **llovía**.	*It was Saturday and it was raining.*
El centro de salud **estaba** cerrado.	*The health center was closed.*
Había dos pacientes en la sala de espera.	*There were two patients in the waiting room.*

▶ describe characteristics of people, things, and places in the past.

La doctora **era** muy amable.	*The doctor was very kind.*
El hospital **tenía** grandes ventanas.	*The hospital had large windows.*

▶ indicate that past actions, events, or states were in progress, ongoing, or habitual.

Cuando llegué, la recepcionista **hablaba** por teléfono.	*When I arrived, the receptionist was speaking on the phone.*
La enfermera me **saludaba** todos los días.	*The nurse greeted me every day.*
El paciente **estaba** preocupado.	*The patient was worried.*

▶ describe actions happening at the same time in the past.

Mientras el paciente **hablaba**, el doctor **tomaba** notas.	*While the patient was speaking, the doctor was taking notes.*

The imperfect can be translated with the English forms below, depending on the actual meaning expressed:

Leía mientras **esperaba** al médico.	*She read while she was waiting/waited for the doctor.*
Se **hacía** un chequeo todos los años.	*She used to/would get a checkup every year.*

ASÍ SE FORMA

Forms of the imperfect

To form the imperfect in regular verbs, delete the **–ar**, **–er**, or **–ir** from the infinitive and add the endings indicated below. Note that the imperfect **–er/–ir** endings are identical.

	examinar	**toser**	**salir**
(yo)	examin**aba**	tos**ía**	sal**ía**
(tú)	examin**abas**	tos**ías**	sal**ías**
(usted, él/ella)	examin**aba**	tos**ía**	sal**ía**
(nosotros/as)	examin**ábamos**	tos**íamos**	sal**íamos**
(vosotros/as)	examin**abais**	tos**íais**	sal**íais**
(ustedes, ellos/ellas)	examin**aban**	tos**ían**	sal**ían**

Only three verbs are irregular in the imperfect:

ser		**ir**		**ver**	
era	**éramos**	**iba**	**íbamos**	**veía**	**veíamos**
eras	**erais**	**ibas**	**ibais**	**veías**	**veíais**
era	**eran**	**iba**	**iban**	**veía**	**veían**

1 **En el tiempo de nuestros abuelos** Vas a contrastar el pasado y el presente.

Paso 1 Cuando nuestros abuelos eran jóvenes, los problemas y el cuidado de la salud eran diferentes. Indica si piensas que estas afirmaciones son ciertas o falsas y escribe otra afirmación cierta para el número 8.

Cuando mis abuelos eran jóvenes...   Cierto   Falso

1. los jóvenes no eran activos; pasaban muchas horas sentados. ☐ ☐

2. no había mucha información sobre salud mental. ☐ ☐

3. muchas personas consumían comida rápida y procesada. ☐ ☐

4. todos conocían los efectos nocivos (*harmful*) de fumar. ☐ ☐

5. había tratamientos efectivos para el cáncer. ☐ ☐

6. era frecuente usar remedios caseros. ☐ ☐

7. las medicinas alternativas eran populares. ☐ ☐

8. _____ ☐ ☐

Paso 2 En parejas, contrasten el pasado (usando **antes**) y el presente (usando **ahora**). Incluyan sus afirmaciones originales.

> **Modelo** *Antes los jóvenes eran bastante activos y no pasaban muchas horas sentados. Ahora pasamos muchas horas sentandos estudiando, mirando series... pero muchos jóvenes también corren y van al gimnasio.*

2 Para modificar los hábitos Vas a comentar sobre los hábitos que afectan tu salud.

Paso 1 Un amigo está modificando algunos de sus hábitos para prevenir problemas de salud. Escucha sus descripciones e indica si habla de hábitos pasados (**Antes**) o actuales (**Ahora**).

	Antes	Ahora
1. tomar mucha cerveza los fines de semana	☐	☐
2. comer pocas ensaladas y fruta	☐	☐
3. ver la televisión unas horas por la noche	☐	☐
4. no tomar desayuno	☐	☐
5. dormir seis horas	☐	☐
6. fumar bastante	☐	☐
7. tomar mucho café todos los días	☐	☐
8. ser poco activo	☐	☐
9. ir al gimnasio una vez por semana	☐	☐

Paso 2 ¿Qué hábitos tenías tú antes? ¿Y ahora? Escribe cinco oraciones sobre tus hábitos en el pasado y el presente, usando verbos y expresiones de la lista.

> **Modelo** tomar   *Antes no tomaba desayuno, pero ahora...*

caminar/correr	estar preocupado/a (por)	mirar la tele/el teléfono
comer	hacer ejercicio/deporte	relajarse
dormir	ir al médico	tomar

Paso 3 En grupos pequeños, comenten las diferencias en sus hábitos antes y ahora. ¿Qué hábitos eran más o menos saludables? ¿Cómo se sentían antes y cómo se sienten ahora?

> **Modelo** *Antes no tomaba desayuno y no podía concentrarme bien en clase. Además, comía demasiado en el almuerzo. Ahora...*

En mi experiencia

Rebecca, Seattle, WA

"When I lived in Spain, a report came out that Spaniards' life expectancy was the fourth highest in the world at the time! They mentioned factors such as a healthy diet and active lifestyle, but also the importance of their large and strong social networks. I started noticing many elderly people out with friends walking in the park, sitting in a cafe, or stopping to talk to neighbors. I also learned that many people live near their elders and visit frequently, helping with chores, going with them to doctor's visits, etc. There are facilities for the elderly, but those are seen as a last resort."

Have you noticed differences in the lifestyle of the elderly in different families, different parts of the United States, or different countries? What are the potential factors that may affect those lifestyles?

3 **Cuando teníamos trece años** Vas a comparar algunos aspectos de tu adolescencia con los de un(a) compañero/a.

Paso 1 Escribe oraciones describiendo cómo eras y qué hacías cuando tenías trece años.

1. ser (tímido/a; perezoso/a; trabajador(a)...)
2. estudiar (¿Cuánto? ¿Dónde? ¿Con quién?)
3. hacer (deporte/actividades extraescolares...)
4. ver la tele (¿Cuánto? ¿Qué programas?)
5. leer (¿Qué revistas/libros/cómics?)
6. escuchar música (¿Qué tipo de música/cantante/grupo?)
7. mandar mensajes/usar redes sociales (¿A quién?/¿Qué redes sociales?)
8. salir con mis amigos/as (¿Adónde? ¿Con qué frecuencia?)
9. trabajar (¿Dónde? ¿Con quién?)
10. querer tener o hacer... (¿Qué?)

Paso 2 Ahora, en parejas, haz preguntas a tu compañero/a sobre diferentes aspectos de su adolescencia. ¿Eran ustedes similares o diferentes cuando tenían trece años?

> **Modelo** *¿Cuánto estudiabas? ¿Dónde preferías estudiar? ¿Qué materia te gustaba estudiar?*

4 **Antes y ahora** Vas a compartir ideas sobre la vida de una persona.

Paso 1 Individualmente, observa las fotos de esta persona en tres momentos de su vida. Imagina cada momento y escribe párrafos breves para describir y comparar algunos aspectos de su vida. Puedes usar estos temas u otros que prefieras.

comida y bebida	salud física y mental
relaciones personales	tecnología
rutina y actividades diarias	tiempo libre, juegos, deportes

Paso 2 En grupos pequeños, comparen sus ideas. ¿Qué detalles imaginaron de forma similar? ¿En qué aspectos era su vida más o menos saludable que ahora?

☐ **I CAN** describe ongoing actions in the past.

3. Narrate in the past

The imperfect vs. the preterit

Read and listen to the text, focusing on the verbs in preterit and imperfect. You have learned about these individually. Now, observe how they are used to tell a story.

1. Which tense describes the situation, people, and ongoing events at the time of the story?

2. Which relates the completed events and moves the story forward?

Antes todos los niños en mi pueblo **hacían** la primera comunión cuando **tenían** siete u ocho años. La mía **fue** el 4 de mayo de 1941. Ese día **estaba** muy nervioso. **Me levanté** temprano porque no **podía** dormir, **tomé** mi desayuno y, mientras mi madre me **vestía**, **empecé** a sentirme mal. **Corrí** al baño y **vomité**. Por suerte, la ceremonia **fue** breve y después lo **pasé** muy bien. Todos mis parientes **vinieron** y me **dieron** regalos, mi mamá **sirvió** un gran almuerzo, y por la tarde mis primos y yo **jugamos** y **nos divertimos** mucho.

Estaba nervioso, y mientras mi madre me **vestía**, **empecé** a sentirme mal.

Both the preterit and the imperfect refer to events in the past. The difference is not one of when the event happened, but whether we are conveying the event as complete (preterit) or in progress (imperfect) at that time. Here are some specific guidelines:

The imperfect . . .	The preterit . . .
1. Describes a situation or ongoing action or state *at a point* in the past, stressing that the action or state was in progress at that moment.	a. Conveys a *complete* past action, event, or situation, including its beginning and/or end, or specifying a specific time period during which the action took place.
Aquel día Juan **estaba** enfermo. No **quería** comer. Solo **dormía** y **veía** la tele.	Anita **se enfermó** el sábado. **Estuvo** enferma toda la semana. **Pasó** tres días en cama.
2. Describes a past action that was *repeated* or *habitual* over an indefinite period of time.	b. Indicates a *single complete, bounded action*, or a *series of actions* in the past.
La enfermera **visitaba** a sus pacientes todas las noches.	El paciente **entró** en el consultorio.
A veces les **llevaba** jugo de naranja.	El enfermero le **tomó** la temperatura, le **explicó** el problema y le **puso** una inyección.

When narrating the **imperfect** describes the situation and background actions, while the **preterit** recounts the events, moving the story forward.

The imperfect . . .	The preterit . . .

3. Sets the stage, gives background information.
• The date, the season, the time of day:
Era el 12 de diciembre. **Era** invierno.
  Era medianoche.
• The weather:
Hacía frío y **nevaba**.
• A description of the setting:
La casa **era** muy vieja y **tenía** un árbol
  muy grande enfrente.
• A description of the people involved,
both their physical and personality traits,
and also their age:
La abuela **era** bonita y muy amable.
  Tenía ochenta años.
	c. Expresses an event that interrupts or is
	completed within an ongoing action (which
	is usually expressed with an imperfect).
	Mientras <u>leía</u> el libro, **sonó** el teléfono.
	Mientras <u>esperaba</u> al doctor, **leyó**
	  un artículo. <hr> **d.** Narrates sequential events; moves the story
	forward, telling what happened.
	Se levantó, **contestó** el teléfono y **salió**
	  de la casa inmediatamente.

4. Indicates people's emotional/physical state or condition. **Estaba** tranquila. **Tenía** frío.	
5. Describes ongoing actions. Ella **leía** un libro y yo **escribía**. Todos **esperaban** mientras ella **se vestía**.	

Some time expressions convey the idea of a state or repetition and are commonly used with the imperfect. Similarly, time expressions that refer to a particular point in the past or a delimited past time are often associated with the preterit.

Imperfecto		Pretérito	
muchas veces	*many times, often*	**una vez/un día**	*once/one day*
todos los días/cada día	*every day/each day*	**ayer/anoche**	*yesterday/last night*
mientras	*while*	**de repente**	*suddenly*
con frecuencia	*frequently*	**entonces/después/ luego/más tarde**	*then, later*
siempre/ generalmente	*always/generally*	**por fin/ finalmente**	*finally*

<u>Todos los veranos</u> **íbamos** a la playa, pero el <u>verano pasado</u> **fuimos** a las montañas.

Note, however, that these are just tendencies, and these expressions do not require the use of one tense or the other. The main criteria for choosing a past tense should always be the speaker's perspective—that is, what she/he wants to convey.

Cuando estaba en el hospital, mi tío **vino** a verme <u>todos los días</u>.
When I was in the hospital, my uncle came to see me every day.

<u>El verano pasado</u> **íbamos** mucho a la playa.
Last summer we used to go to the beach a lot.

1 **Nuestro gato Rodolfo** Lee esta historia sobre el gato Rodolfo. Para cada verbo, identifica qué significado(s) expresa, usando el cuadro de la sección **Así se forma 3**. Puedes usar los números (1-5) y las letras (a-d) del cuadro. En algunos casos hay más de una opción posible.

Ayer nuestro gato Rodolfo (1) **estuvo** enfermo. (2) **Tenía** diarrea y no (3) **comía** ni casi (4) **bebía** agua. (5) **Se quedó** en su cesta toda la mañana, ¡pobrecito! Por supuesto, todos (6) **estábamos** muy preocupados. Mi mamá y yo lo (7) **llevamos** al veterinario y (8) **nos sentamos** en la sala de espera, donde (9) **había** muchos animales. Rodolfo (10) **estaba** en su transportadora (*carrier*) y, por supuesto, no (11) **estaba** nada contento. (12) **¡Esperamos** por una hora! Por fin (13) **llegó** nuestro turno. Cuando el veterinario lo (14) **examinaba**, (15) **descubrió** que el pobre Rodolfo (16) **tenía** una infección intestinal y le (17) **recetó** un antibiótico. (18) **Volvimos** a casa e inmediatamente le (19) **dimos** su medicamento. En poco tiempo, (20) **se recuperó**. ¡Qué suerte! (*What luck!*)

1. _____ 4. _____ 7. _____ 10. _____ 13. _____ 16. _____ 19. _____
2. _____ 5. _____ 8. _____ 11. _____ 14. _____ 17. _____ 20. _____
3. _____ 6. _____ 9. _____ 12. _____ 15. _____ 18. _____

2 **¡Pobre Rodolfo!** La familia llevó a Rodolfo al veterinario porque notaron varios cambios en el pobre gato. En parejas, escriban oraciones sobre lo que Rodolfo hacía *casi todos los días* y lo que hizo *ayer*. Incluyan una actividad adicional. ¡Usen la imaginación!

Modelo pasear por el jardín
Casi todos los días paseaba por el jardín, pero ayer no salió de la casa.

Casi todos los días...

1. comer toda la comida de su tazón
2. descansar junto a la chimenea
3. pelear con Teo, el perro
4. jugar con los niños
5. dormir una siesta por la tarde
6. ¿...?

3 **La historia del gato Rodolfo** Describe al gato Rodolfo y algunas de sus aventuras juveniles. Usa formas apropiadas de pretérito o imperfecto.

Es verdad que Rodolfo es un gato único. Cuando _____ (tener) dos semanas y _____ (llegar) a nuestra casa, _____ (ser) simpático y bonito. _____ (Poder) correr muy rápido y hasta subir a los árboles, donde le _____ (encantar) observar los pájaros (*birds*). Muchas veces nos _____ (dar) sorpresas. Por ejemplo, normalmente _____ (tomar) agua de su tazón, pero un día ¡(yo) lo _____ (encontrar) tomando leche de mi tazón de cereal! Casi siempre _____ (dormir) en el sótano, en el sofá, pero una noche _____ (salir) a pasear afuera, en el jardín. Allí _____ (conocer) una gata gris. La semana pasada, nos _____ (dar) otra sorpresa: ¡_____ (comerse) el jamón de mi sándwich! Cuando yo _____ (entrar) en la cocina y lo _____ (ver), ¡el "delincuente" _____ (salir) corriendo de la casa! Allí _____ (ver) a su nueva amiga y los dos _____ (escaparse). _____ (Regresar) tres días después. Mi familia y yo _____ (buscar) a los dueños de la gata, pero no los _____ (encontrar) y ahora vive con nosotros también. ¿Cómo la podemos llamar?

4 **El genial Gabriel García Márquez** Completa este texto sobre el escritor Gabriel García Márquez con formas del pretérito e imperfecto de los verbos indicados para cada sección. Nota que debes usar algunos verbos dos veces (x2).

> dar dibujar escribir ir llamar nacer (*to be born*) ser (x2) tener vivir

Gabriel García Márquez _____ un célebre escritor y periodista colombiano.

_____ en 1927, en Aracataca, Colombia, y _____ con sus abuelos hasta 1936. Cuando _____ a vivir con sus padres, Gabriel _____ ocho años. Sus amigos y familiares lo _____ Gabo.

En la escuela, _____ un niño tímido y serio. En su tiempo libre _____ poemas y _____ viñetas humorísticas. Por eso, sus compañeros de colegio le _____ el apodo (*nickname*) "El Viejo".

> completar estar estudiar ganar ir publicar (x2) querer trabajar

_____ sus primeros poemas cuando _____ en la escuela secundaria. Entonces, _____ una beca y _____ a estudiar a Bogotá. Aunque _____ Derecho por unos años, no _____ sus estudios, porque _____ escribir. Mientras _____ como periodista, _____ algunos relatos.

> describir escribir llegar recibir

_____ su primera novela, *La hojarasca*, en 1955, pero la fama internacional _____ en 1967 con *Cien años de soledad*, que muchos consideran una de las mejores novelas del siglo XX. Su obra literaria es la más prominente del realismo mágico, un estilo que integra la fantasía y los mitos dentro de la realidad y las actividades ordinarias, y en 1982 _____ el premio Nobel de Literatura. Después de su muerte, en 2014, el presidente de Colombia lo _____ como "el más grande colombiano de todos los tiempos" y hoy en día continúa la profunda admiración y cariño (*affection*) hacia su persona y su obra.

5 **Martes trece** No eres supersticioso/a, pero ayer fue martes, día trece, y ¡todo salió mal (*went wrong*)!

Paso 1 Indica qué actividad de la tabla hacías cuando sucedió cada evento.

	Mientras...	
1.	ducharse	____ encontrar un pelo en la sopa
2.	desayunar	____ empezar a llover
3.	hacer un examen	____ congelarse (*freeze*) la computadora
4.	comer en la cafetería	____ terminarse (*run out*) el agua caliente
5.	escribir un trabajo	____ sonar mi teléfono celular
6.	volver a mi cuarto	____ derramar (*spill*) café en mi pantalón

Paso 2 Usando las ideas del **Paso 1**, explica lo que hacías y lo que pasó. Luego continúa la historia contando dos cosas que pasaron por la noche.

> **Modelo** *Por la mañana, mientras me duchaba, se terminó el agua caliente...*

6 **¡Una noche increíble!** En grupos pequeños, inventen la historia de una noche increíble. Pueden usar una de las ideas de abajo o una diferente. Un(a) secretario/a escribe la historia para compartirla después. Presten atención al uso del pretérito y del imperfecto.

Temas posibles:

1. una noche en la ciudad de Nueva York

2. una noche en la sala de urgencias de un hospital

3. un sábado por la noche en una fiesta de la universidad

4. una noche viajando en autobús en Colombia o Venezuela

5. una noche en casa de los Simpson o de otra familia de una serie de televisón conocida

Incluyan:

• referencia a la fecha, el día, la hora y el lugar donde estaban
• descripción del tiempo, del lugar y de las personas
• descripción de lo que pasaba en ese lugar (acciones en progreso, etc.)
• qué pasó
• final de la historia

7 **Un hecho memorable en mi vida** Vas a compartir un hecho (*event*) de tu pasado.

Paso 1 Individualmente, escribe notas detalladas sobre un hecho de tu pasado. Puede ser verdadero o ficticio.

Paso 2 En grupos pequeños, sigan este esquema.
• Cada estudiante narra su historia con muchos detalles. Puedes consultar tus notas, pero intenta no leer (*try not to read*).
• El resto del grupo puede hacer un máximo de cuatro preguntas sobre la historia. La persona que cuenta la historia debe contestar y, si la historia es ficticia, debe inventar respuestas creíbles.
• Finalmente, el grupo adivina (*guesses*) qué historias son ciertas y cuáles son ficción.

8 **Situaciones** En parejas, van a representar esta situación: Uno/a de ustedes fue a una fiesta y el/la otro/a no pudo ir. Sigan este esquema.

Estudiante A: Anoche fuiste a una fiesta fantástica, pero tu amigo/a no fue. Llámalo/a para preguntarle por qué no fue y hazle preguntas sobre su situación. También cuéntale sobre la fiesta: dónde era, qué música había, qué comida o bebidas tenían, quiénes estaban y qué hicieron tú y tus amigos. Al final, cuenta a tu amigo/a algo sorprendente que ocurrió.

Estudiante B: Anoche querías ir a una fiesta con tus amigos, pero te enfermaste y te sentías muy mal. Explícale a tu amigo/a por qué no fuiste, describiendo tus síntomas. Hazle también preguntas sobre la fiesta.

☐ **I CAN** narrate in the past.

Colombia y Venezuela

Antes de leer

✎ **1. Anticipar** Contesta las preguntas.

1. ¿Cuál es la relación geográfica de estos países? Puedes consultar el mapa al final del libro.

2. ¿Qué observas sobre sus banderas (*flags*)? ¿Puedes imaginar una posible razón?

3. ¿Qué sabes sobre Colombia? ¿Y sobre Venezuela?

Colombia y Venezuela son naciones vecinas y comparten su geografía de costa, montañas y regiones amazónicas, además de importantes partes de su historia y tradiciones culturales. Conoce algunos aspectos destacados de estos dos países.

Los tepuyes venezolanos

En la bella naturaleza de Venezuela se destacan los tepuyes, impresionantes montañas con forma de meseta°. El Roraima, por ejemplo, tiene acantilados° de 400 metros de altura por todos sus lados. En el Auyantepui está el Salto del Ángel, llamado Kerepakupai Merú en la lengua de los pemones, el pueblo indígena de la zona. Es un destino turístico natural muy popular y tiene el récord Guinness como el salto de agua° más alto del mundo, con casi 1000 metros.

❙El Salto Ángel de Venezuela

❙La cantante colombiana Shakira

Cantantes colombianos

Colombia es un país de una gran riqueza° musical y hay muchos cantantes colombianos conocidos en todo el mundo. Shakira y Juanes son dos de los cantantes de pop latino más famosos, y los dos han recibido numerosos premios° internacionales. Carlos Vives, un ícono de la música colombiana, combina pop y ritmos tradicionales como la cumbia y el vallenato. ¿Viste la película de Disney *Encanto*? Entonces has escuchado su música. También son colombianos los populares cantantes de reguetón J Balvin y Maluma, dos de los artistas latinos de mayores ventas°.

El petróleo en Venezuela

El petróleo es el mayor recurso venezolano y es fundamental para su economía. Además, las reservas de petróleo de Venezuela son las mayores del mundo. Sin embargo°, a veces también causa problemas. En 2020 un derrame° llegó a la Reserva Marina de Morrocoy, un espacio natural con una diversa vegetación marina donde viven corales, peces° y también tortugas en peligro de extinción. Mira el video para aprender más sobre este tema.

El Museo del Oro de Colombia

El Museo del Oro de Bogotá es un lugar fascinante. En él puedes ver 34.000 piezas de oro que pertenecieron a culturas originarias como los muiscas y los taironas. Estos objetos se utilizaban en rituales y en la vida diaria. En el museo también explican la leyenda de El Dorado, que decía que había un lugar secreto completamente hecho° de oro. Los conquistadores buscaron este lugar por 200 años, pero nunca lo encontraron.

▎Pieza del Museo del Oro de Bogotá

El turismo en Colombia

Colombia tiene una gran variedad de atracciones turísticas. Uno de los lugares más visitados es sin duda° la bella ciudad de Cartagena. Su centro histórico, la Ciudad Amurallada°, es Patrimonio de la Humanidad de la UNESCO. Tiene edificios históricos, como iglesias, casas coloniales, palacios, además de estatuas, plazas y rincones con mucha historia.

la meseta *plateau* el acantilado *cliff* el salto de agua *waterfall*
la riqueza *wealth* el premio *award* de mayores ventas *best-selling*
sin embargo *however* el derrame *spill* el pez *fish* hecho/a *made*
sin duda *no doubt* ciudad amurallada *walled city*

Después de leer

2. Indicar Indica si cada enunciado es cierto (**C**) o falso (**F**), basándote en el texto.

1. Los dos países tienen playas y selva. .... **C F**
2. Los tepuyes son montañas con saltos de agua. .... **C F**
3. El Salto del Ángel está en un tepuy. .... **C F**
4. Carlos Vives se hizo (*became*) famoso con la película *Encanto*. .... **C F**
5. El Museo del Oro muestra objetos indígenas de El Dorado. .... **C F**
6. La Ciudad Amurallada está dentro de la ciudad de Cartagena. .... **C F**

3. Interactuar En grupos pequeños, comenten estas preguntas.

1. ¿Qué saben sobre la música colombiana? ¿La han escuchado? ¿Conocen otros artistas no mencionados en el texto?
2. ¿Qué lugares de Colombia o Venezuela les gustaría visitar? ¿Por qué?
3. ¿Creen que tener petróleo es una ventaja o una desventaja para un país? ¿Por qué?

4. Investig@ en Internet Lee la estrategia e investiga en línea uno de los temas presentados en la lectura u otro tema diferente que te interese. Prepara un informe breve escrito para compartir con tu clase. Incluye imágenes y otros recursos apropiados.

> 🔍 **Estrategia digital: Choosing successful search terms**
>
> When researching online, your questions and search terms are key to finding the right information. If you are unfamiliar with a topic, use general search terms for a general overview, and then add specific keywords to focus your search on an area. For example, if you are interested in nature, use these key words:
>
> → **tepuy   Venezuela**

☐ **I CAN** identify one or two products and/or practices from Colombia and Venezuela.

Lectura

Antes de leer

1. Conocimiento previo Contesta las preguntas.

1. El término "medicina ancestral" probablemente se refiere a:

☐ los conocimientos (*knowledge*) y las prácticas de la medicina en el pasado.

☐ los conocimientos y las prácticas de los pueblos originarios para el cuidado (*care*) de la salud.

☐ el estudio de la historia de la medicina.

2. ¿Conoces algún ejemplo de práctica ancestral para la prevención o el tratamiento de enfermedades en tu cultura o en las culturas de otras regiones del mundo? Considera el uso de remedios medicinales, terapias manuales o con uso de instrumentos, y terapias físicas y de salud mental.

Estrategia de lectura: Scanning for details

When reading a text, sometimes it is enough to scan it to get the general idea. Scanning consists of reading over a text quickly, looking for key words that will lead you to the information you need. For example, if you are looking for the connections between ancestral medicine practices and the environment, you would look over the text and read closely when you find terms like **diversidad biológica** or **biodiversidad**.

A leer

2. Identificar Lee el texto y selecciona la opción que expresa la idea principal.

☐ En Perú, podemos encontrar una enorme variedad de plantas que son originarias de diferentes ecosistemas.

☐ El Seguro Social de Salud de Perú cuenta con muchos centros de atención a pacientes en diversas comunidades del país.

☐ Varias instituciones científicas de Perú investigan y promueven la incorporación de tratamientos tradicionales para la recuperación de pacientes.

promover *promote* **el cuidado** *care* **rodear** *to surround*
el conocimiento *knowledge* **el enfoque** *approach*
elaborado/a *produced* **la dolencia** *ailment* **el saber** *wisdom*
no solamente... sino que *not only... but also*

Medicina ancestral en Perú

En décadas recientes, la acupuntura de China, el ayurveda de India y otras medicinas tradicionales están despertando interés internacional. También están demostrando su efectividad en numerosas investigaciones científicas. En Perú, hay iniciativas públicas y privadas para validar y promover° el uso de las medicinas ancestrales locales como complemento a la medicina convencional.

Perú es uno de los países con mayor diversidad biológica del planeta, con casi 25 mil especies de plantas. Su geografía incluye selva amazónica, montañas andinas y costa. Los pueblos originarios de Perú también son muy diversos. Cuentan con sus propias culturas, conocimientos y una experiencia milenaria en el cuidado° y uso de la gran "farmacia natural" que los rodea°.

Con base en ese vasto conocimiento°, los científicos del Instituto de Medicina Tradicional (IMET) cultivan e investigan plantas medicinales. La intención es validar sus propiedades en el tratamiento del cáncer, la diabetes y muchas otras enfermedades. Por su parte, EsSalud, el Seguro Social de Salud de Perú, ofrece desde 1998 un programa nacional de medicina complementaria en más de 80 centros. En una entrevista para la agencia DW, la doctora Martha Villar, directora de este programa, describe su enfoque° holístico. Ahí los pacientes reciben tratamientos como infusiones, tinturas y aceites derivados de plantas medicinales y elaborados° en las farmacias de estos mismos centros. Las encuestas de satisfacción indican una respuesta muy positiva de los pacientes, que reportan mejoras en dolencias° digestivas, osteomusculares, metabólicas, ansiedad, depresión y muchas otras.

La labor de estas instituciones registra, valida y preserva el saber° de los pueblos originarios, y ofrece nuevas avenidas de investigación médica. Al mismo tiempo, el sistema público integra prácticas interculturales fundamentales para una atención apropiada a los miembros de estas comunidades. Además, esta demanda de tratamientos tradicionales impulsa el desarrollo económico de las comunidades que cultivan las plantas y elaboran extractos medicinales. Por eso, conocer y apreciar los inmensos recursos del mundo natural estimula y refuerza las iniciativas de protección de la biodiversidad en Perú.

En palabras de la doctora Villar, "lo interesante de la medicina tradicional es que no solamente° trabaja en el enfermo, sino que° trabaja en conservar la vida". Ciertamente, el innovador modelo de salud complementaria en Perú no solo mejora la salud de sus ciudadanos, también contribuye a proteger las culturas ancestrales y el mundo natural. ∎

Después de leer

3. Aplicar Primero, lee la estrategia. Luego, escanea el texto para localizar estas palabras. Después, usa el contexto para identificar su significado.

_____ **1.** selva

_____ **2.** encuesta

_____ **3.** desarrollo

_____ **4.** mundo

a. proceso de evolución

b. área con gran diversidad de plantas

c. grupo de elementos que forman un ambiente

d. conjunto de preguntas

4. Analizar Contesta las preguntas.

1. ¿Por qué es Perú un país de gran diversidad biológica y cultural?

2. ¿Cuál es la función del Instituto de Medicina Tradicional?

3. ¿Qué tratamientos ofrecen los centros de medicina complementaria del Seguro Social de Salud, y dónde hacen estos tratamientos?

4. ¿Qué efectos positivos tiene la integración de las medicinas complementarias para los pueblos originarios de Perú? ¿Y para el medio ambiente (_environment_)?

5. Conectar En grupos pequeños, comenten estas preguntas.

- ¿Tienes —o tiene una persona que conoces— experiencia personal con alguna práctica de salud o remedio tradicional de tu cultura o una cultura diferente? Si es así, comparte esa(s) experiencia(s). Si no, ¿considerarías el uso de remedios o terapias medicinales tradiciones? ¿Cuáles? ¿Por qué?

☐ **I CAN** identify basic facts in a text about ancient medicine in Peru.

Resources

vhlcentral

online activities

DICHO Y HECHO

 Video | **Learning Objective:** Identify basic ideas in a video from Spain about mental health.

Video: Si no estás bien, pide ayuda

Antes de ver el video

1 **En tu experiencia** Contesta las preguntas: ¿Qué situaciones te causan estrés? ¿Con quién hablas o a quién pides ayuda?

> **Estrategia de comprensión auditiva: Listening for a purpose, focusing on specific information**
>
> If there is a particular goal for your listening, such as finding out what gate your plane leaves from in an airport, or if you know ahead of time what specific information you need to gather from a spoken text, directing your attention on that purpose will help you focus on the relevant information.

A ver el video

Este video forma parte de la serie *A mi yo adolescente* de *Aprendemos juntos*, de la organización BBVA. En esta serie, personas importantes de áreas como la cultura, la ciencia o el deporte conversan con adolescentes sobre temas relevantes.

Duración: 5:57
Fuente: BBVA

2 **Aplicar** Lee la estrategia y estas oraciones. Mira el video e indica si estas afirmaciones son **ciertas** o **falsas**. Si son falsas, corrígelas.

1. El jugador de baloncesto Ricky Rubio a veces tiene presión y estrés.
2. La doctora Galán pregunta quiénes en el grupo tienen estrés y a quiénes piden ayuda.
3. Los jóvenes quieren tener espacio para hablar de sus sentimientos y consejos.

3 **Escoger** Antes de ver el video otra vez, lee las siguientes oraciones. Luego, escoge la respuesta que completa cada afirmación.

1. Ricky Rubio comparte sus experiencias con **(a)**, y recomienda **(b)**.

   a. el éxito   la fama   el estrés
   b. practicar deporte   hablar de la situación   compartirlo con la clase

2. Algunas causas de estrés que mencionan los jóvenes son **(a)** y **(b)**.

   a. la presión social   el tiempo libre   las alergias
   b. las tareas   los resfriados   la autoridad de los padres

> **Palabras útiles**
>
> estar mal visto
> *to be frowned upon, to have a bad reputation*
>
> el éxito
> *success*
>
> juzgar
> *to judge*
>
> la temporada
> *season*
>
> uno
> *one(self)*

Después de ver el video

4 **Analizar** En grupos pequeños, contesten las preguntas.

1. La doctora Galán afirma: "El éxito no garantiza la ausencia de problemas". ¿A qué se refiere? ¿Estás de acuerdo? ¿Tienes ejemplos de tu experiencia personal?
2. Ricky Rubio dice: "Sé fuerte. Di que no estás bien". ¿En qué sentido decir que no estás bien implica ser fuerte?
3. Una joven no está de acuerdo con que se describa a los jóvenes actuales como la "generación de cristal". ¿Qué implica esa expresión? ¿Por qué es injusta?

☐ **I CAN** identify basic ideas in a video from Spain about mental health.

Resources

vhlcentral   online activities

Proyecto oral: Guía de vida saludable

Trabajas para la Oficina de Bienestar Universitario y formas parte de un equipo con un proyecto especial: deben planear una presentación titulada *Guía de vida saludable*. Para prepararte, toma unos minutos para revisar el vocabulario y la gramática de este capítulo y escribe las palabras clave que te gustaría incluir.

Estrategia de comunicación: Preparing effective visual support

When you give a presentation, your slides (or other visual aids, such as posters) should not include the full text you will be delivering, only titles, bullet points, and supporting images. Slides have two main functions: provide an outline to help your audience follow along and provide visual support to enhance and clarify the information with features like images or graphs.

Paso 1 Prepara una lista de los problemas de salud física y mental más habituales entre los estudiantes universitarios de tu campus. Incluye al menos cinco problemas o situaciones.

Paso 2 Anota actividades y prácticas que contribuyen a mantener el bienestar (*well-being*) y prevenir los problemas de salud del **Paso 1**. Considera estos aspectos:

- la dieta (comida y bebida)
- las actividades diarias y el ejercicio
- las relaciones sociales

- el descanso
- el tiempo libre
- otros aspectos

Paso 3 En grupos pequeños, compartan sus ideas y determinen el contenido de su guía. Preparen su presentación incluyendo cinco problemas de salud y una o dos recomendaciones para prevenir o resolver cada problema. Añadan (*Add*) algunos recursos útiles (*useful resources*) en el campus o la comunidad para prevenir o resolver problemas de salud.

Estructura de la guía

1. Título
2. Introducción
3 a 7. Problemas de salud y recomendaciones
8. Recursos
9. Conclusión

> **Modelo** *Guía de vida saludable*
>
> *Compañeros y compañeras, ¿a veces sienten estrés? ¿Sufren problemas de salud relacionados con su ritmo (rhythm) de vida? Lean estos problemas y recomendaciones y empiecen a vivir una vida más saludable...*

Paso 4 Presenta, con tus propias palabras, la guía que creó tu grupo, siguiendo las instrucciones de tu profesor(a). Tu presentación debe durar de dos a tres minutos. Puedes usar diapositivas (*slides*) para reforzar los puntos principales, pero el mensaje debe tener más desarrollo (*development*) y detalles.

Resources

vhlcentral

☐ **I CAN** present a health guide for university students.

Proyecto escrito: Un problema de salud

Vas a contar una historia sobre una enfermedad o una visita médica. Puede ser cierta o ficticia, realista o imaginativa, sobre ti o sobre otra persona. ¿Qué historia vas a contar? Puedes contar una historia sobre una vez que estuviste enfermo/a o tuviste un accidente, una estadía (*stay*) en el hospital o una visita médica. Recuerda que la historia puede ser real o ficticia, seria, cómica o con otras características que prefieras. Para prepararte, toma unos minutos para revisar el vocabulario y la gramática de este capítulo y escribe las palabras clave que te gustaría incluir.

> **¡Atención!**
> Ask your instructor to share the **Rúbrica de calificación** to understand how your work will be assessed.

Estrategia de escritura: Narrating

There are many ways to tell a story. Here are a few ideas that might help you.
- First, think of the key events and people in the story. Then, choose details that are relevant, add interest, or engage the reader emotionally, such as fear, or excitement.
- Tell the story in chronological order, using connecting words (see **Palabras útiles**) that will help the reader follow the events. At some points you may want to interrupt the flow of events with a description of the situation, places, or people.
- Pay attention to your use of verb tenses. Remember to use the preterit to talk about complete actions and the imperfect to describe things like setting, people, or ongoing situations.

Paso 1 Genera las ideas y los detalles relevantes para tu historia.
- Los hechos en orden cronológico: ¿Qué pasó? ¿Cuándo?
- Los lugares y situaciones donde pasaron los hechos, incluyendo algunos detalles descriptivos: ¿Dónde estaba? ¿Cómo eran esos lugares? ¿Qué había? ¿Cómo era el contexto?
- Las personas relevantes, incluyendo características importantes o interesantes: ¿Qué personas son relevantes en la historia? ¿Por qué? ¿Cómo eran? ¿Qué hicieron?

Paso 2 Organiza la historia integrando información sobre la situación y los personajes. Si quieres, puedes añadir otros detalles al escribir para dar interés y emoción a tu historia. Puedes seguir esta estructura general:

Primer párrafo: Comienza con una oración introductoria para anticipar la historia e interesar al/a la lector(a). Después describe la situación (lugar, personas, contexto).

> **Modelo** *Era la noche del jueves y estaba en mi cuarto, haciendo la tarea de español, como todos los jueves...*

Párrafos centrales: Narra la acción y los hechos de la historia, introduciendo descripciones de personajes y lugares, o añadiendo otros detalles sobre la situación cuando sea apropiado. Recuerda usar conectores (*connecting words*) para unir los hechos.

> **Modelo** *...cuando llegué al hospital, la recepcionista me miró alarmada...*

Último párrafo: Como conclusión, ofrece un desenlace (*closure*) y una reflexión final.

> **Modelo** *...al día siguiente no recordaba nada. Aprendí algo importante esa noche...*

Paso 3 Escribe una narración de 200 a 250 palabras aproximadamente con la información de los **Pasos 1** y **2**. Prepárate para presentar tu narración a la clase.

Palabras útiles
al final
in the end

al principio
at the beginning

de repente
suddenly

después, luego, más tarde
later

después de (una hora)
after (an hour)

en ese momento/ instante
at that time/moment

entonces
then

mientras (+ imperfecto)
while (+ imperfect)

mientras tanto
in the meantime

Resources

vhlcentral

☐ **I CAN** narrate a health-related story.

Algunos problemas de salud
Some health problems

la alergia   *allergy*
la ansiedad   *anxiety*
la congestión nasal   *nasal congestion*
la diarrea   *diarrhea*
el dolor   *pain, ache*
el estrés   *stress*
la fiebre   *fever*
la gripe   *flu*
la herida (grave)   *(serious) wound*
la infección   *infection*
el mareo   *dizziness*
la náusea   *nausea*
el resfriado   *cold (illness)*
el síntoma   *symptom*
la tos   *cough*
el vómito   *vomit*

El cuerpo humano   *The human body*

la boca   *mouth*
el brazo   *arm*
la cabeza   *head*
la cara   *face*
el cerebro   *brain*
el corazón   *heart*
el cuello   *neck*
el dedo   *finger*
el diente   *tooth*
la espalda   *back*
el estómago   *stomach*
la garganta   *throat*
el hombro   *shoulder*
el hueso   *bone*
el labio   *lip*
la lengua   *tongue*
la mano   *hand*
la nariz   *nose*
el oído   *medium and inner ear; hearing*
el ojo   *eye*
la oreja   *ear (outer)*
el pecho   *chest*
el pelo   *hair*
el pie   *foot*
la pierna   *leg*
el pulmón   *lung*
la uña   *nail*

En el hospital/el centro de salud
At the hospital/At the health center

la ambulancia   *ambulance*
la cápsula   *capsule*
el chequeo   *checkup*
el consultorio del médico/de la médica
    doctor's office
la farmacia   *pharmacy*
la habitación   *room*
el hospital   *hospital*
la inyección   *shot, injection*
el/la paciente   *patient*
la pastilla   *pill*
la recepción   *reception desk*
la receta   *prescription*
la sala de espera   *waiting room*
la silla de ruedas   *wheelchair*
el termómetro   *thermometer*
la tirita   *band-aid*
(la sala de) urgencias   *emergency room*
la vacuna   *vaccine*
el yeso   *cast*

Las acciones y los estados relacionados con la salud

caerse   *to fall*
cansarse   *to get tired*
cuidarse   *to take care (of oneself)*
curar (curarse)   *to cure (to heal)*
doler (ue)   *to hurt/to be hurting*
enfermarse   *to get sick*
estar de pie   *to be standing*
estar sentado/a   *to be seated*
examinar   *to examine*
explicar   *to explain*
fracturar(se)   *to break (a bone)*
lastimarse   *to hurt oneself*
pasar   *to happen*
ponerse (bien)   *to get (well)*
quedarse   *to stay*
recomendar   *to recommend*
respirar   *to breathe*
sacar   *to take out, to stick out*
sentarse (ie)   *to sit down*
sentir (ie, i) (dolor, estrés)   *to feel (pain, stress)*
sentirse (ie, i) (mal, estresado)   *to feel (bad, stressed)*
tomar   *to take, to drink*
toser   *to cough*
vomitar   *to vomit*

Adjetivos para describir la salud

deprimido/a   *depressed*
embarazada   *pregnant*
grave   *serious*
preocupado/a   *worried*
sano/a   *healthy*

Expresiones de tiempo

anoche   *last night*
cada (día)   *each (day)*
de repente   *all of a sudden, suddenly*
después   *afterwards, later*
mientras   *meanwhile/while*
por fin/finalmente   *finally*
una vez/muchas veces   *once/many times*

Expresiones sobre la salud
Expressions about health

hacer un análisis de sangre/sacar sangre
    to do a blood test/to draw blood
hacer/tener una cita   *to make/have an appointment*
poner una inyección/una vacuna   *to give a shot/vaccination*
sacar una radiografía   *to take an X-ray*
tener dolor de cabeza/estómago   *to have a headache/stomachache*
tener náuseas/tos/vómitos   *to have nausea/a cough/to be vomiting*
tomar la temperatura/la presión arterial
    to take one's temperature/blood pressure

Capítulo
10

Así es mi casa

Learning Objectives
In this chapter, you will:

- Participate in conversations about housing and household chores.
- Give informal instructions.
- Discuss what has/had happened.
- Compare people and things.
- Identify concepts about housing in Colombia.
- Explore and research Paraguay and Uruguay.
- Identify main ideas in written and audiovisual materials.
- Discuss housing needs.
- Describe your ideal home.

Así se pronuncia Intonation in commands
VideoEscenas ¡Hazlo tú!

La casa azul Completa las actividades.

1. Mira la fotografía y escribe cuatro palabras que vienen a tu mente. Pueden ser palabras descriptivas o emociones.

2. Contesta las preguntas.
   - ¿Te gustaría vivir en esta casa? ¿Quieres pasar unas vacaciones aquí? ¿Por qué?
   - Esta es la Casa Azul (Coyoacán, México), donde vivieron los pintores mexicanos Frida Kahlo y Diego Rivera. ¿Los conoces? ¿Qué sabes de ellos? Si no los conoces, investiga en Internet.

3. Busca en Internet "Museo Frida Kahlo" y selecciona la visita virtual. Después, selecciona el idioma español. Visita el comedor, la cocina, las recámaras de Frida y el estudio. ¿Puedes identificar las funciones de cada cuarto?

4. En grupos pequeños, contesten las preguntas.
   - ¿Qué impresiones tienen sobre esta casa? ¿Qué es interesante? ¿Qué es original o especial?
   - El sitio web del Museo Frida Kahlo menciona "la intensa relación que existe entre Frida, su obra y su casa". ¿Qué observan en la casa que apoya (*that supports*) esta idea? Y ustedes, ¿qué relación tienen con su casa o su cuarto? ¿Los/Las inspira, los/las relaja? ¿Refleja sus intereses y personalidad?

Palabras útiles

brillante
bright

la cerámica
pottery

el cuadro
painting

el jardín
garden

la pintura
paint; painting

Así es mi casa

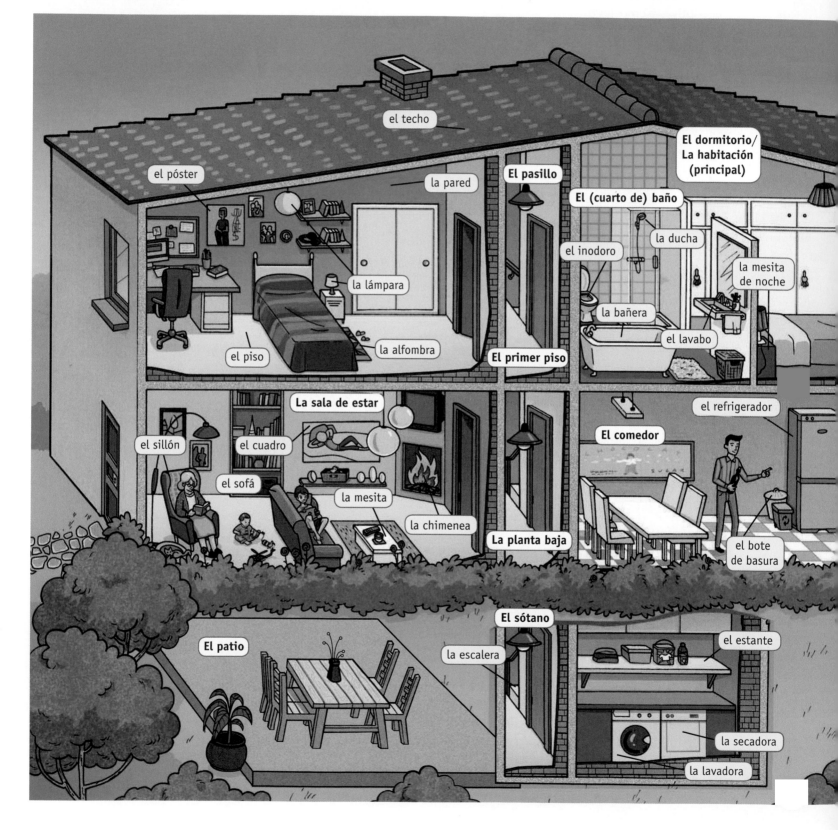

el techo

el póster

la pared

El pasillo

El dormitorio/
La habitación
(principal)

El (cuarto de) baño

la ducha

el inodoro

la mesita
de noche

la lámpara

la bañera

el lavabo

el piso

la alfombra

El primer piso

La sala de estar

el refrigerador

el sillón

el cuadro

El comedor

el sofá

la mesita

la chimenea

La planta baja

el bote
de basura

El sótano

el estante

El patio

la escalera

la secadora

la lavadora

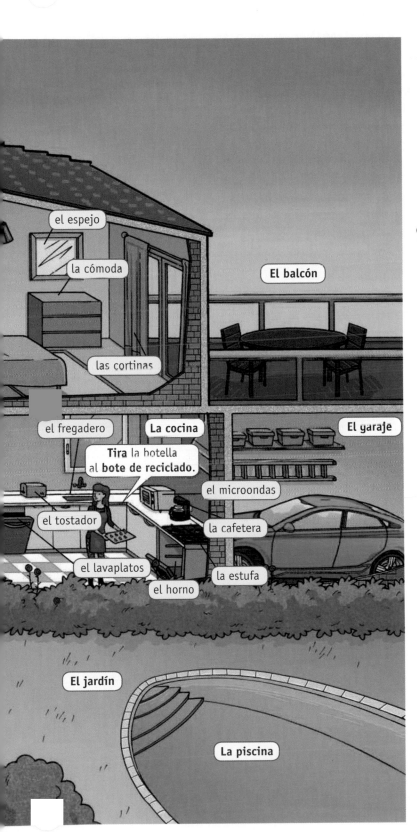

el espejo

la cómoda

El balcón

las cortinas

el fregadero

La cocina

El garaje

Tira la botella al **bote de reciclado.**

el microondas

el tostador

la cafetera

el lavaplatos

la estufa

el horno

El jardín

La piscina

Apoyo de vocabulario

la escalera	stairs
la mesita (de noche)	coffee/side table (nightstand)
la pared	wall
el pasillo	hallway
el piso	floor
la planta baja	ground floor
el primer (segundo) piso	first (second) floor
el sótano	basement
el techo	roof; ceiling
tirar	to throw, to toss

¿Qué observas? Contesta las preguntas sobre las imágenes.

1. En esta casa vive una familia. ¿Quiénes están en la cocina? ¿Y en la sala?

2. ¿Hay alguien en el jardín? ¿Qué hay en el garaje?

3. ¿Cuántos baños ves? ¿Cuántos dormitorios ves? ¿Dónde están el baño y los dormitorios: en la planta baja o en el primer piso? Otro espacio en el primer piso es el balcón, ¿qué hay allí?

4. En la cocina, ¿dónde lavas la fruta: en el fregadero o el lavaplatos? ¿Dónde haces galletas: en la estufa, en el tostador o en el horno?

¿Y tú? Contesta las preguntas sobre ti mismo/a o tu barrio (*neighborhood*).

1. ¿Son las casas de tu barrio similares o diferentes a esta?

2. Menciona algunas semejanzas (*similarities*) y algunas diferencias entre esta casa y tu casa.

3. ¿Qué aspectos o cosas de esta casa te gustan? ¿Cuáles no te gustan?

Nota de lengua

There is much regional variation in house vocabulary. Here are some examples.

• la piscina ➜ la alberca (México); la pileta (Argentina, Uruguay)

• el dormitorio ➜ la recámara (México, Colombia, Panamá); la pieza (Argentina, Chile)

En nuestra casa

Pedro, el joven de la ilustración en la página anterior, nos habla de la vida en su casa.

Vivimos en una casa de dos pisos que **alquilamos**. Mis padres quieren comprar una casa más grande, con sistema de **calefacción** y **aire acondicionado** central, pero a mí me encanta esta y no quiero **mudarme** a otra. Me gusta que en invierno tenemos una chimenea para encender el fuego y, en verano, tenemos la piscina para refrescarnos y nadar y hacemos barbacoas con los **vecinos** que viven en la casa de al lado. En realidad, me gustan todos los vecinos en nuestro **barrio**, son muy amables. Además, los **muebles** son muy cómodos; a veces me siento en el sofá y no quiero **moverme** de allí. Cuando no quiero estar en la sala **subo** a mi dormitorio; allí **guardo** mis cosas favoritas y puedo hacer lo que quiero: **prender** o **apagar** la **luz**, escuchar música, leer... Lo único que no me gusta en esta casa es **bajar** al sótano: siempre está oscuro y oigo **ruidos** extraños.

Nota de lengua

Remember **dormitorio** means *bedroom*. *Dorm* is **residencia estudiantil**.

Apoyo de vocabulario

alquilar	*to rent*	moverse	*to move (oneself)*
apagar	*to turn off*	mudarse	*to move (to a new house, city, etc.)*
bajar	*to go down*		
la calefacción	*heating*	el mueble	*piece of furniture*
guardar	*to keep, to put away*	prender	*to turn on*
la luz	*light*	el ruido	*noise*
mover	*to move (something)*	subir	*to go up*

1 **¿Dónde están?** Vas a compartir descripciones de habitaciones y cosas de la casa.

Paso 1 Decide si las descripciones son **ciertas** o **falsas**, según la imagen de **Así se dice, Así es mi casa**. Luego, reescribe las oraciones falsas modificándolas para hacerlas ciertas.

	Cierto	Falso
1. La lámpara está encima de la mesita de noche.	☐	☐
2. La mesita está frente al sofá.	☐	☐
3. El bote de basura está muy lejos del fregadero.	☐	☐
4. El pasillo está entre una habitación y el baño.	☐	☐
5. El lavabo está cerca del horno.	☐	☐
6. El dormitorio está debajo del techo.	☐	☐
7. El baño está frente al dormitorio del joven Pedro.	☐	☐

Paso 2 Individualmente, escribe tres descripciones sobre otras habitaciones y cosas de la casa, como las oraciones del **Paso 1**. Después, en grupos pequeños, túrnense para leer sus descripciones e identificar las habitaciones y las cosas que sus compañeros/as describen.

> **Modelo** **Estudiante A:** *Está entre la sala y el comedor.*
> **Estudiante B:** *Es la escalera.*

2 **¿En qué parte de la casa está?** Escucha la lista de muebles y objetos y anótalos en el cuarto o cuartos donde están frecuentemente. Después, añade tres objetos más para cada cuarto.

Cocina	Baño	Sala	Dormitorio	Comedor

3 **Asociaciones** En parejas, Estudiante A lee una palabra de su lista a Estudiante B, quien dice palabras (de este capítulo o de otro) asociadas con esta y Estudiante A las escribe. Túrnense.

> **Modelo** **Estudiante A:** *prender*
> **Estudiante B:** *la luz, el televisor, la lavadora* (Estudiante A escribe estas palabras junto a *prender*)

Estudiante A

bajar _____

sótano _____

secadora _____

vecino _____

Estudiante B

_____ mueble

_____ ruido

_____ jardín

_____ alquilar

4 **¿Cómo viven los estudiantes?** Vas a compartir preferencias con tus compañeros/as.

Paso 1 En grupos pequeños, háganse estas preguntas. Escriban sus nombres y anoten sus respuestas.

	Estudiante 1: _____	Estudiante 2: _____	Estudiante 3: _____
1. ¿Es mejor vivir en una residencia universitaria o en un apartamento/ una casa compartido/a? ¿Por qué?			
2. ¿Es mejor vivir solo/a o con compañeros/as de cuarto/casa? ¿Por qué?			
3. ¿Qué te gusta/no te gusta del lugar donde vives ahora? ¿Por qué?			

Paso 2 Compartan lo que aprendieron con la clase. ¿Tienen ustedes preferencias similares?

> **Modelo** *Yo prefiero vivir sola porque no me gusta el ruido (noise), pero Jennifer prefiere vivir con compañeros porque no le gusta estar sola.*

ASÍ SE DICE

5 **Tu estudio ideal** Vas a describir en qué consiste tu estudio ideal.

Paso 1 Individualmente, dibuja (*draw*) un estudio consistente en una única (*only*) sala con cocina y espacios para comer, dormir, etc. más un baño separado. Incluye elementos arquitectónicos (puertas, ventanas) y también los muebles y accesorios que quieres tener en tu estudio ideal.

Paso 2 En parejas, describe tu estudio a tu compañero/a sin mostrárselo. Él/Ella lo va a dibujar. Luego, comparen cada dibujo original con la versión de su compañero/a. ¿Hay diferencias?

6 **¿Quién vive aquí?** En parejas, van a seleccionar y describir una vivienda (*dwelling*).

Paso 1 En parejas, observen estos anuncios de alquiler e imaginen los inquilinos (*tenants*) apropiados para cada vivienda, comentando quiénes son, qué hacen, qué les gusta y por qué esta vivienda es adecuada. Tomen notas de sus ideas.

> **Palabras útiles**
>
> Revisa las preposiciones de lugar en **Así se forma 1, Capítulo 7**:
>
> a la derecha/ izquierda (de) *to the right/left (of)*

Modelo	**Estudiante A:** *Una familia con dos hijos puede alquilar la casa adosada.*
	Estudiante B: *Estoy de acuerdo. Tiene cuatro dormitorios y hay colegios cerca de la casa.*

① Inmobiliaria Báez y Asociados

Casa adosada
- 225 m² 4 dormitorios y 2 baños

Cuenta con jardín y garaje. Colegios, supermercado y transporte público a 10 minutos.

② Grupo Ávila Taverna

Apartamento completamente amueblado en edificio de lujo
- 65 m² 1 dormitorio y 1 baño

El edificio cuenta con gimnasio, conserje y agente de seguridad las 24 horas.

③ Dueño directo

Habitación en apartamento
- 4 dormitorios disponibles

Comparte acceso a 2 baños y cocina con lavadora.

Ubicado en línea de autobús que pasa por el campus universitario.

④ Inmobiliaria Realto

Apartamento con amplio balcón
- 83 m² 2 dormitorios y 1 baño

Ubicado frente a la playa. Alquiler por semanas.

Paso 2 Con la información del **Paso 1**, seleccionen una vivienda y escriban una descripción detallada de la casa o apartamento, dónde está, la persona o personas que viven allí y sus rutinas, indicando en qué parte de la casa están y qué hacen en diferentes momentos del día.

Modelo	*La cada adosada es amplia y tiene mucha luz.*
	En el primer piso están la cocina, el comedor, ...

Los quehaceres domésticos

El verano pasado estos amigos alquilaron una casa para las vacaciones, y todos **compartieron** los quehaceres domésticos. Cuando llegaron, Alfonso y Javier **ordenaron** los cuartos en el segundo piso y **sacudieron** los muebles. Alfonso tiene alergia al polvo (*dust*), por eso prefirió **hacer las camas** y limpiar el baño mientras Javier **barría** el piso y **pasaba la aspiradora**. Durante el resto de la semana, Carmen **ponía la mesa** antes de comer y, cuando terminaban de comer, Natalia **quitaba la mesa** y llevaba los platos a la cocina. Allí Linda y Manuel estaban muy bien organizados para terminar pronto: Linda **lavaba los platos** y Manuel los **secaba**. También había cosas para hacer afuera (*outside*) de la casa. Esteban **sacaba la basura** por las mañanas y Elena **cortaba el césped** todas las semanas. En realidad, todos **recogían** y ayudaban para terminar temprano y disfrutar del tiempo libre.

Apoyo de vocabulario

barrer	*to sweep*	ordenar/recoger	*to straighten up/to pick up*
compartir	*to share*	sacudir (los muebles)	*to dust (the furniture)*

7 Los quehaceres del hogar Vas a compartir información sobre los quehaceres.

Paso 1 Individualmente, escribe oraciones indicando quién hacía estos quehaceres cuando eras niño/a y si tú los haces ahora. Para la última oración, añade (*add*) un quehacer más.

> **Modelo** poner la mesa
> *Antes, mi papá la ponía. Ahora, yo la pongo/la ponemos todos.*

1. poner la mesa
2. hacer mi cama
3. lavar los platos
4. sacar la basura
5. pasar la aspiradora
6. _____

Paso 2 En grupos pequeños, compartan la información del **Paso 1**.

> **Modelo** *De niño, yo hacía mi cama y ahora también la hago./*
> *De niño, yo hacía mi cama, pero ahora no la hago.*

8 Hablando de quehaceres En grupos pequeños, contesten las preguntas.

1. ¿Hacían muchos quehaceres cuando eran niños? ¿Cuáles les gustaban más/menos?

2. ¿Cómo era la división de los quehaceres entre los miembros de su hogar (*home*)?

3. ¿Qué quehaceres hacen ahora? ¿Con qué frecuencia? Si viven con otras personas, ¿cómo comparten los quehaceres?

4. ¿Hay quehaceres asociados con un género específico en tu comunidad? Si es así, ¿piensas que es parte de un estereotipo, una tradición o hay una razón práctica?

9 ¿Todos los días? Vas a comparar tus hábitos con los de un(a) compañero/a.

Paso 1 Buscas compañero/a para compartir apartamento, y quieres estar seguro/a de que ustedes tienen hábitos de limpieza similares. Individualmente, indica con qué frecuencia, en tu opinión, es necesario hacer cada cosa.

1. limpiar el baño compartido

2. lavar los platos

3. limpiar la estufa y el fregadero

4. pasar la aspiradora

5. sacudir los muebles

6. recoger la sala y el comedor

Palabras útiles

al menos…
at least

cada dos/tres días
every other/third day

de vez en cuando
once in a while

una vez a la semana/
  al mes
once a week/month

Paso 2 En parejas, comparen sus respuestas del **Paso 1** para determinar si sus hábitos son compatibles. Si no lo son, intenten llegar a un compromiso y crear un plan. Deben estar preparados para compartirlo con la clase.

10 Preferencias personales En grupos pequeños, contesten estas preguntas sobre sus preferencias. En su conversación, elaboren con detalles y hagan preguntas a sus compañeros/as.

Palabras útiles

acogedor(a) *cozy*

el cristal *glass*

la madera *wood*

el metal *metal*

moderno/a *modern*

tradicional *traditional*

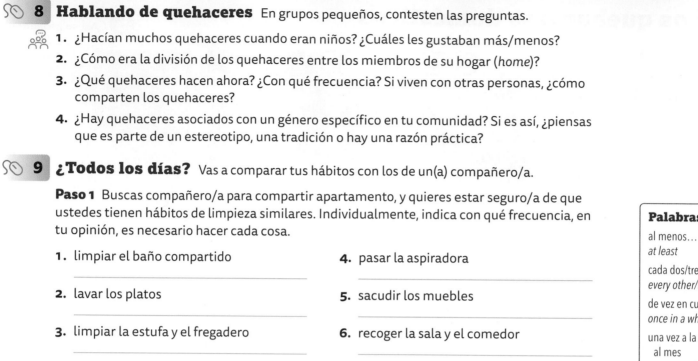

1. ¿Cuál es tu cuarto o espacio favorito en tu vivienda actual o en tu vivienda familiar? ¿Cómo es y qué hay allí? ¿Por qué te gusta?

2. En tu casa o cuarto, ¿es más importante para ti el estilo o la funcionalidad? ¿Qué estilo de casa o apartamento prefieres? ¿Qué características son importantes para ti en un espacio para vivir? Piensa en espacio, materiales y otros detalles.

3. ¿Qué cosas tienes en tu casa o en tu cuarto para hacerlo un hogar (*home*)? ¿Cómo refleja tu espacio tu personalidad y preferencias?

4. ¿Es importante para ti tener una casa muy limpia y ordenada? ¿Qué quehacer o quehaceres son más importantes, en tu opinión? ¿Cuáles te gusta más hacer? ¿Cuáles no te gustan?

☐ **I CAN** describe houses, apartments, and household chores.

Resources

vhlcentral

SAM

online
activities

1. Giving informal instructions and orders

Tú commands

Read and listen to the text, focusing on the verb structures in boldface. What do they express? Who does—or is meant to do—those actions?

1. Observe the verb forms. What do you notice about the endings of regular verbs? Are they the same in affirmative and negative commands?

2. Focus on the pronouns **la**, **te**, **me**, **se**, **lo**, and **los**. When are they placed before the verb? When are they attached to it?

Elisa: Carlos, **no tires** la botella a la basura. **Tírala** al bote de reciclado.

Carlos: Sí, sí, **no te preocupes**. **Dime**, ¿está ya lista la cena? ¡Tengo mucha hambre!

Elisa: Va a estar lista en quince minutos. **Ve** a la sala y **díselo** a todos, por favor. ¡**Espera**, **espera**, Carlos! **Saca** los platos del lavaplatos, **llévalos** al comedor y **pon** la mesa, por favor.

Carlos: ¿Algo más, su majestad?

Elisa: Sí, **siéntate** y **come** una empanada. El hambre te pone de mal humor.

> Tira la botella al bote de reciclado.

Informal **tú** commands are used to give orders or advice to persons whom you address informally as **tú** (friends, children, etc.). Note that affirmative and negative commands are formed differently.

Affirmative *tú* commands

Regular affirmative **tú** command forms have the same form as the third person singular of the present tense.

¡Mira! *Look!*	**¡Espera!** *Wait!*	**¡Vuelve!** *Come back!*

Some affirmative **tú** command forms are irregular:

decir	**di**	**Di**me, ¿limpio el baño?	salir	**sal**	¡**Sal** del baño ya!
hacer	**haz**	**Haz** la cama.	ser	**sé**	**Sé** razonable.
ir	**ve**	**Ve** a sacar la basura.	tener	**ten**	**Ten** paciencia, ya vamos a cenar.
poner	**pon**	**Pon** el traje en el armario.	venir	**ven**	**Ven** a la cocina para ayudarme.

Note that, like affirmative **usted** commands, object and reflexive pronouns follow and are attached to affirmative **tú** commands. A written accent is added in combinations of more than two syllables.

Hazlo. *Do it.*	**Muéstramelo.** *Show it to me.*	**Póntelo.** *Put it on.*

¡Atención!

The oral stress in affirmative **tú** command forms is on the second-to-last syllable: **mi**ra, **com**pra (unless, of course, the verb form only has one syllable: h<u>a</u>z). When we add pronouns, the syllable with the oral stress becomes third-to-last, and therefore requires a stress mark.

ASÍ SE FORMA

Negative *tú* commands

To make a negative **tú** command, simply add **–s** to the **usted** command form.

Usted command	Negative *tú* command	
Espere en la sala.	No **esperes** en la sala.	*Don't wait in the living room.*
Ponga los libros allí.	No **pongas** los libros allí.	*Don't put the books there.*
Cierre la ventana.	No **cierres** la ventana.	*Don't close the window.*

Object and reflexive pronouns are placed before the verb in all negative commands. Observe the placement of the pronouns in the following negative commands and compare them with the corresponding affirmative commands.

Negative		**Affirmative**	
¡No **lo** comas!	¡No **lo** hagas!	¡Cóme**lo**!	¡Haz**lo**!
¡No **los** compres!	¡No **te** vayas!	¡Cómpra**los**!	¡Ve**te**!

1 **¿Dónde lo hacen?** Escucha y completa cada mandato.

1. _____ comida al gato.
2. _____ el patio.
3. _____ los muebles.
4. _____.
5. _____.

6. _____.
7. _____ a pasear _____.
8. _____.
9. _____ y _____.

2 **¿Quién lo debe hacer?** Hoy invitaste a comer a tu amigo Hugo y su madre, Luisa, y están ayudándote. Lee los mandatos e indica cuáles son para Hugo (*tú*) y cuáles para Luisa (*usted*).

	Hugo	Luisa
1. Dígame si prefiere carne o pescado.	☐	☐
2. Saca el pan de la bolsa, por favor.	☐	☐
3. Por favor, tome el pan y llévelo a la mesa.	☐	☐
4. Abre la puerta del horno.	☐	☐
5. Ve a la tienda a comprar limones.	☐	☐
6. Abra esta lata (*can*) de tomates, por favor.	☐	☐
7. Ayúdame a poner la mesa.	☐	☐
8. Vaya a la sala y descanse.	☐	☐

3 **¿Me ayudas con el café?** Unos amigos van a venir a tomar café y tu compañero de apartamento quiere ayudarte a preparar el café. Da instrucciones a tu amigo usando formas de mandato informal y pronombres (**lo, la, los, las**) apropiados para evitar repeticiones.

> calentar   encender   hacer   llevar   poner (x3)   sacar (x2)   servir

Primero, _____ unas tazas del armario y _____ en la mesa. Después, _____ el café. En la cocina, _____ agua y café en la cafetera y _____. Luego, _____ leche del refrigerador y _____ en el microondas. Entonces, _____ el café y la leche al comedor. _____ el café, pero no _____ leche ni azúcar todavía.

4 Compañeros de piso En parejas, imaginen que son compañeros/as de cuarto. Hay muchas cosas que les molestan de los hábitos de su compañero/a y hoy, por fin, deciden resolver sus diferencias.

Paso 1 Individualmente, escribe peticiones para tu compañero/a, con mandatos afirmativos o negativos, basadas en las ideas de tu lista. Añade una petición más.

Estudiante A

1. poner la ropa sucia...   3. traer a tus amigos a las...
2. usar mi(s)...   4. _____

Estudiante B

1. hacer ruido...   3. limpiar...
2. quitarte los zapatos...   4. _____

Paso 2 En parejas, túrnense para hacer sus peticiones explicando sus razones y responder a las peticiones de su compañero/a con una excusa o justificación.

Modelo **Estudiante A:** *Por favor, no fumes en casa, me datos y huele (it smells) muy mal. Sal afuera (outside) para fumar.*
Estudiante B: *Pero hace mucho frío afuera.*

5 Manual para tener un buen día En grupos pequeños, van a crear un manual.

Paso 1 Individualmente, lee estas sugerencias para tener un buen día.

CÓMO TENER UN BUEN DÍA

ORGANIZA UN PLAN DIVERTIDO PARA EL FIN DE SEMANA.

SÉ AMABLE, DA LAS GRACIAS, SONRÍE A UN DESCONOCIDO.

HAZ ALGO CREATIVO.

DALE UN BESO O UN ABRAZO A UNA PERSONA QUERIDA.

MUÉVETE, MEJOR AÚN SI ES AFUERA.

NO DEJES° QUE NADA NI NADIE TE PONGA DE MAL HUMOR.

¡CANTA! ¡BAILA! ¡CANTA Y BAILA!

dejar *to let*

Paso 2 En grupos pequeños, contesten las preguntas sobre el manual del **Paso 1**.

1. ¿Estás de acuerdo con las sugerencias?   3. ¿Qué otras sugerencias puedes añadir?
2. ¿Cuál haces habitualmente?

Paso 3 En grupos pequeños, seleccionen uno de estos temas y escriban una lista de seis o siete sugerencias para alcanzar el objetivo.

- Cómo hacer y mantener amigos
- Cómo dormir bien
- Cómo tener independencia financiera
- Cómo tener un semestre excelente

☐ **I CAN** give informal instructions and orders.

Una vivienda
adecuada

Antes de leer

1. En Estados Unidos Contesta las preguntas.

1. ¿Conoces algún plan de ayuda para alquilar o comprar una vivienda (*housing*) en Estados Unidos?

2. ¿Cuáles crees que son las características de "un buen hogar (*home*)" en Estados Unidos?

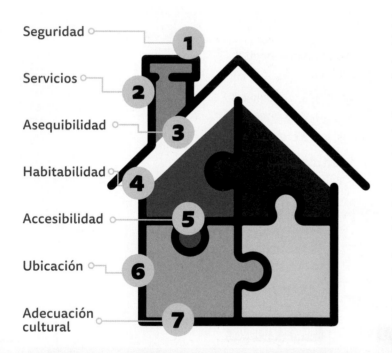

- Seguridad — 1
- Servicios — 2
- Asequibilidad — 3
- Habitabilidad — 4
- Accesibilidad — 5
- Ubicación — 6
- Adecuación cultural — 7

Todas las personas tienen derecho a una vivienda adecuada°. Así lo dice la Declaración Universal de Derechos Humanos° de 1948. Pero una vivienda adecuada no son solo cuatro paredes y un techo, sino° un lugar seguro y estable, con servicios como agua potable°, calefacción° y luz, y que ofrece acceso a trabajo, hospitales, comercios y otros servicios comunitarios básicos.

La falta de acceso a la vivienda afecta a millones de personas en todo el mundo, incluso en los países desarrollados. En Colombia, por ejemplo, se estima que un tercio° de la población está afectada, pero hay muchas iniciativas públicas y privadas que buscan resolver este problema. "Conseguir vivienda propia y digna es cada vez más fácil. No solo se benefician las personas de bajos recursos económicos° que quieren comprar su vivienda propia en vez de° alquilar, sino también las personas que ya tienen casa y quieren mejorar sus viviendas", dice Gonzalo Montoya, un joven profesional de la ciudad de Medellín. Además, los programas sociales como "Mi casa ya" y "Casa digna, vida digna" ofrecen subsidios que reducen las cuotas de los créditos hipotecarios°. Esto resulta en condiciones económicas más razonables para las familias y mayor bienestar para la comunidad en general.

vivienda adecuada *suitable dwelling/housing* **los derechos humanos** *human rights* **no solo... sino** *not only... but* **el agua potable** *drinking water* **la calefacción** *heating* **un tercio** *a third* **de bajos recursos económicos** *low-income* **en vez de** *instead of* **el crédito hipotecario** *mortgage loan*

la seguridad *safety* **la asequibilidad** *affordability* **la ubicación** *location*

❙ Los siete elementos de una vivienda adecuada (adaptación de ONU Háitat)

Después de leer

2. Identificar Indica cuáles de estas ideas están en el texto.

☐ **1.** Tener un hogar seguro y con servicios básicos para vivir es un derecho humano.

☐ **2.** Todos los países tienen viviendas adecuadas para las personas que viven allí.

☐ **3.** En Colombia hay programas para ayudar a las personas a mejorar sus hogares.

☐ **4.** En una vivienda adecuada debe haber agua potable y electricidad.

☐ **I CAN** identify concepts about housing in Colombia.

3. Comparar y analizar En parejas, comenten estas preguntas.

1. La ilustración menciona siete características de la vivienda digna; ¿por qué es importante cada (*each*) una? ¿Pueden pensar en otras?

2. ¿Cómo se compara el ejemplo de Colombia con la situación en tu comunidad? ¿Crees que el acceso a la vivienda digna es un problema donde vives? ¿Por qué?

Resources

vhlcentral

online activities

2. Discuss what has/had happened

Perfect tenses

Read and listen to the text, focusing on the verb structures in boldface. Note that there are two different verb tenses. Can you identify them?

1. How are they formed?
2. What time frame corresponds to each verb tense? Observe the time markers and the context, and decide which forms convey the idea of "up to now" and which express an action or event "before a point in the past."

¿Alguna vez **ha deseado** usted una casa en la playa? **¿Ha imaginado** un oasis frente al mar para escapar del estrés diario? Si todavía no **ha visitado** La Marina, en Punta del Este, ¡no espere más! En este espacio ideal **hemos hecho** sus sueños (*dreams*) realidad. Esto **han dicho** nuestros clientes:

"Mi familia y yo **hemos vivido** en La Marina dos años y nos encanta. Antes de venir a la Marina solo **habíamos vivido** en apartamentos urbanos. **Habíamos buscado** una casa en la playa por años, pero nunca **habíamos visto** residencias como estas a un precio asequible para nosotros. Desde que llegamos a La Marina **hemos tenido** la paz que queríamos".

Spanish perfect tenses closely correspond to their English counterparts, both in form and the meaning they express.

Perfect tenses are formed by combining a conjugated form of **haber** (*to have*) and the **past participle** of a verb. To form the past participle of most Spanish verbs, add **–ado** to the stem of **–ar** verbs and **–ido** to the stem of **–er** and **–ir** verbs.

llamar → llam**ado**   comer → com**ido**   vivir → viv**ido**

The following **–er** and **–ir** verbs have irregular past participles.

abrir → **abierto**	hacer → **hecho**	romper (*to break*) → **roto**
decir → **dicho**	morir → **muerto**	ver → **visto**
devolver → **devuelto**	poner → **puesto**	volver → **vuelto**
escribir → **escrito**	resolver (*to solve*) → **resuelto**	

Nota de lengua

The past participle may also be used as an adjective with **estar** and with nouns to show a condition. As an adjective, it agrees in gender and number with the noun it describes. You have used this construction in previous chapters.

La puerta está **cerrada**.	*The door is closed.*
Duermo con las ventanas **abiertas**.	*I sleep with the windows open.*
Mis amigos/as están **sentados/as** en el sofá.	*My friends are seated on the sofa.*

The present perfect: Saying what *has* happened

The present perfect is formed with the *present* tense of **haber** and the *past participle*.

	presente de *haber* + participio pasado	
yo	**he lavado**	*I have washed*
tú	**has lavado**	*you have washed*
usted, él/ella	**ha lavado**	*you have washed, he/she has washed*
nosotros/as	**hemos lavado**	*we have washed*
vosotros/as	**habéis lavado**	*you have washed*
ustedes, ellos/ellas	**han lavado**	*you/they have washed*

—¿**Has lavado** tú mi camiseta? —*Have you washed my T-shirt?*

—No, yo no **he lavado** ropa hoy. —*No, I haven't washed clothes today.*

▶ Note that the conjugated form of **haber** and the past participle must remain together, so object and reflexive pronouns immediately precede the **haber** form.

Todavía no **lo** <u>he limpiado</u>. *I haven't cleaned it yet.*

Lo <u>he ayudado</u> muchas veces. *I have helped him many times.*

In terms of meaning, and similarly to English, the Spanish present perfect describes actions that began in the past but are still connected to the present in that the event still continues or its consequences are still relevant in the present.

He vivido aquí tres meses. *I have lived here for three months.*

Juan **ha vivido** en muchos países; *Juan has lived in many countries;*
  siempre cuenta historias interesantes.   *he always tells interesting stories.*

Hemos alquilado un apartamento y ahora *We have rented an apartment and now*
  tenemos que comprar muebles.   *we have to buy furniture.*

▶ These time markers (adverbs) indicate when an action occurred with respect to the present. They are frequently used with perfect tenses.

nunca	*never*	hasta ahora	*until now*
alguna vez	*any time, ever*	hasta entonces	*until then*
muchas veces	*many times, often*	ya	*already*
siempre	*always*	todavía	*still, yet*

¿Alguna vez has vivido en un estudio? *Have you ever lived in a studio?*

Ya me **he mudado** a mi nueva casa. *I have already moved to my new house.*

Todavía no **hemos encontrado** la casa ideal. *We have not found the ideal house yet.*

1 Una visita especial Tus amigos Max y Nicolás se han mudado a un nuevo apartamento y han dado una fiesta para celebrarlo. Estás impresionado/a porque ¡todo está perfecto! Escucha a Max, escribe cada actividad e indica quién la hizo.

> **Modelo** Oyes: He pasado la aspiradora.
> Escribes: *pasar la aspiradora*
> Marcas: Max ☑ Nicolás ☐ Los dos ☐

1. Max ☐   Nicolás ☐   Los dos ☐   _____

2. Max ☐   Nicolás ☐   Los dos ☐   _____

3. Max ☐   Nicolás ☐   Los dos ☐   _____

4. Max ☐   Nicolás ☐   Los dos ☐   _____

5. Max ☐   Nicolás ☐   Los dos ☐   _____

6. Max ☐   Nicolás ☐   Los dos ☐   _____

7. Max ☐   Nicolás ☐   Los dos ☐   _____

8. Max ☐   Nicolás ☐   Los dos ☐   _____

2 Experiencias Vas a compartir experiencias con tus compañeros/as.

Paso 1 Individualmente, completa la columna **Yo** con información sobre tus experiencias especificando adónde has viajado, etc. Añade otra experiencia interesante en la última línea.

> **Modelo** 1. *He viajado a Paraguay.*

	Yo	Un(a) compañero/a
1. viajar a un país hispanohablante		
2. conocer a alguien famoso		
3. ganar una competencia		
4. visitar un lugar fascinante		
5. aprender a hacer algo interesante		
6. hacer algo peligroso (*dangerous*)		
7. alcanzar (*achieve*) un objetivo personal importante		
8. ver un concierto/una obra de teatro excelente		
9. participar en un evento especial/importante		
10. _____		

Paso 2 Haz preguntas a tus compañeros/as para averiguar si alguien ha hecho algo similar a ti. Si un(a) estudiante responde afirmativamente, anota su nombre y pregunta algunos detalles. Todos los nombres deben ser de personas diferentes. Responde también a las preguntas de tus compañeros/as, hablando de tus experiencias.

> **Modelo** —¿Has viajado a Paraguay?
> —Sí, he viajado a Paraguay también, ¿cuándo fuiste tú?/
> No, no he viajado Paraguay, pero he viajado a México, ¿y tú?

Paso 3 En grupos pequeños, contesten las preguntas.

1. ¿Quién tiene el mayor número de compañeros/as en la lista?
2. ¿Qué experiencias compartes con otros/as estudiantes de la clase?

> **Modelo** Abel y yo hemos viajado fuera de Estados Unidos, pero a lugares diferentes...

3 ¡No es cierto! Vas a compartir experiencias ciertas y falsas.

Paso 1 Individualmente, escribe tres oraciones describiendo cosas que has hecho (o no has hecho). Piensa en actividades poco frecuentes o atípicas. Dos deben ser ciertas y una falsa.

> **Modelo** He montado en elefante.
> He jugado al tenis con Rafael Nadal.
> Nunca he visto el océano.

Paso 2 En grupos pequeños, un(a) estudiante lee sus oraciones, cada compañero/a del grupo puede hacer una pregunta sobre los detalles. (Deben inventar detalles creíbles para la oración falsa). Después el grupo vota qué experiencia piensan que es falsa.

> **Modelo** ¿Dónde montaste en elefante?

4 Hasta ahora Individualmente, contesta las preguntas, indicando algunos detalles. Después, en grupos pequeños, comparen sus respuestas.

1. ¿En qué tipos de lugares has vivido hasta ahora? ¿Cuáles te han gustado más y por qué?
2. ¿En qué otros lugares te has quedado (*have you stayed*), por ejemplo, en viajes o vacaciones? ¿Cuáles te han gustado más y por qué?
3. ¿En qué lugares no has vivido o no te has quedado todavía, pero te gustaría hacerlo? ¿Por qué?

5 Situaciones En parejas, imaginen que son compañeros/as de apartamento y comparten (*share*) los quehaceres. Este fin de semana era el turno de limpiar de Estudiante B, pero cuando Estudiante A llega a casa el domingo por la tarde, todo está desordenado y sucio. Sigan este esquema.

Estudiante A: Pregunta a tu compañero/a por qué no ha hecho cada uno de los quehaceres, escucha sus respuestas y dile lo que debe hacer.

Estudiante B: Inventa excusas para explicar por qué no has limpiado.

Palabras útiles

la casa adosada
townhouse

la casa rodante
RV

la granja
farm

el hotel
hotel

la tienda de campaña
tent

The past perfect: Saying what *had* happened

The past perfect is formed with the *imperfect* of **haber** and the *past participle*.

imperfecto de *haber* + participio pasado		
yo	**había lavado**	*I had washed*
tú	**habías lavado**	*you had washed*
usted, él/ella	**había lavado**	*you/he/she had washed*
nosotros/as	**habíamos lavado**	*we had washed*
vosotros/as	**habíais lavado**	*you had washed*
ustedes, ellos/ellas	**habían lavado**	*you/they had washed*

As in English, the past perfect is used to describe an action that had already occurred prior to another event or given time in the past (that event or time can be explicit or part of the context.)

Cuando llegaron los abuelos, ya **habíamos limpiado** la casa.

When our grandparents arrived, we had already cleaned the house.

A las diez de la noche aún no **habían cenado**.

At 10 p.m. they had not eaten dinner yet.

La universidad me cambió mucho. Nunca **había sido** tan organizada.

College changed me very much. I had never been so organized.

6 **¿Qué ocurrió primero?** Decide para cada oración qué acción ocurrió primero (indícalo con un "1") y cuál sucedió después (indícalo con un "2"). Luego decide si cada oración es **lógica** o **ilógica**.

> **Modelo** Indicas: Esteban <u>llegó</u> a su casa cansado porque <u>había estudiado</u> más de tres horas.
>   2   1
>
> Marcas: **Lógico** ☑ **Ilógico** ☐

	Lógico	Ilógico
1. Arturo había hecho la cama cuando se despertó.	☐	☐
2. Ángela sacó la basura. Ya había cortado el césped.	☐	☐
3. Natalia lavó los platos. Ya había recogido la mesa.	☐	☐
4. Gabriel había secado los platos y los lavó.	☐	☐
5. Mariana ordenó su cuarto cuando ya había barrido el patio.	☐	☐

7 ¿Qué había pasado? Ayer tus amigos y tú se reunieron en su café favorito. Cuando llegaste, todos explicaron cómo había ido su día. Indica qué situaciones se corresponden y completa las oraciones con las formas correctas de los verbos.

> **Modelo** 1 *Había terminado* toda su tarea.

> comprar   hacer   ir   levantarse   pedir   romper   terminar   usar

1. Juan Antonio estaba relajado.

2. Miguel y Sara estaban emocionados.

3. Mi amigo Sebastián y yo estábamos contentos.

4. Aurora estaba enojada.

5. Nerea estaba un poco cansada.

6. Yo estaba agradecido/a.

_____ Nosotros _____ bien nuestro examen de química.

_____ Alguien _____ su secador de pelo y lo _____.

_____ Alguien ya _____ un café con leche y una galleta para mí.

_____ _____ al gimnasio a las siete de la mañana y _____ muy temprano.

_____ _____ entradas para un concierto de su banda favorita.

8 Tu vida antes de la universidad Indica qué habías o no habías hecho antes de empezar tus estudios universitarios. Escribe dos cosas más que no habías hecho antes de la universidad pero ahora sí has hecho.

> **Modelo** participar en proyectos de grupo
> *Ya/Nunca había participado en proyectos de grupo.*

Antes de la universidad...

1. pasar más de una semana lejos de tu familia

2. hacer un viaje en tren o avión (*airplane*) solo/a

3. trabajar a tiempo completo

4. aprender un nuevo idioma

5. conocer a personas de otros estados o países

6. hacer investigación

7. _____

8. _____

Nota cultural

El voluntariado y las viviendas

There are many international, regional, and local organizations that provide opportunities for students to participate in volunteer programs. One of the most notable examples is joining a team to build or improve the homes of vulnerable families in the students' own community or in another country. Habitat for Humanity has branches in more than 10 Spanish-speaking countries and in all 50 of the United States, while the **Red Iberoamericana de aprendizaje-servicio** encompasses more than 70 organizations throughout the Spanish-speaking world and the United States.

☐ **I CAN** discuss what has/had happened.

3. Compare and express extremes

 **VideoEscenas**

Comparisons and superlatives

Read and listen to the text, focusing on the structures in boldface. What type of general meaning do they convey?

1. Can you identify which structures express things or qualities being different (more/less), being the same, or being at the end of a scale (the most/least)?

2. We can compare qualities (e.g., big, good), things (e.g., light, windows) or actions (e.g., pay). Observe the similarities and differences in the structures to compare each.

Beatriz: ¡Por fin encontramos apartamento! Mirta, para ti, ¿qué dormitorio es **el mejor**?

Mirta: El dormitorio azul es **más grande que** los otros, y tiene **tanta luz como** el verde, pero **más ventanas que** el amarillo.

Eva: Sí, el amarillo es **el menos luminoso de** todos. Además, el clóset del dormitorio amarillo es **más pequeño que** los otros.

Beatriz: Yo también pienso que el dormitorio amarillo es **el peor**. Si alguna lo quiere, no debe **pagar tanto como** las otras, ¿no? ¡O quizá (*maybe*) no tiene que hacer **tantos quehaceres como** las demás (*the rest*)!

Eva: ¡Entonces lo quiero yo!

When we compare two or more things, we can use **comparatives** to say that they are equal (as much as) or unequal (more or less than), or we can use **superlatives** to point out the extremes (the most or least.)

Comparisons

	+	–	=
Adjective **(alto/a)**	Mario es **más** alto **que** yo.	... **menos** alto **que**...	... **tan** alto **como**...
	Ana es **más** alta **que** yo.	... **menos** alta **que**...	... **tan** alta **como**...
Adverb **(tarde)**	Luis llegó **más** tarde **que** tú.	... **menos** tarde **que**...	... **tan** tarde **como**...
Noun **(tiempo, tarea, profesores/as)**	Tienes **más** tiempo **que** él.	... **menos** tiempo **que**...	... **tanto** tiempo **como**...
			... **tanta** tarea **como**...
			... **tantos** profesores **como**...
			... **tantas** profesoras **como**...
Verb **(leer)**	Leo **más que** tú.	Leo **menos que** tú.	Leo **tanto como** tú.

▶ The adjective in a comparison (**alto/a**) agrees with the noun it refers to (**Mario/Ana**).

▶ When comparing nouns, the comparative (**tanto/a/os/as**) agrees in gender and number with the noun.

▶ We use **más/menos de** before a number:

El sillón costó **más/menos de** $625.   *The armchair cost more/less than $625.*

▶ Some Spanish adjectives and adverbs have irregular comparative forms. These forms do not use **más** or **menos**.

Adjetivo		Adverbio		Comparativo	
bueno/a	*good*	**bien**	*well*	**mejor**	*better*
malo/a	*bad*	**mal**	*badly*	**peor**	*worse*
joven	*young*			**menor**	*younger (person's age)*
viejo/a	*old*			**mayor**	*older (person's age)*

Some examples:

La casa es **buena**, pero la mansión es **mejor**.   *The house is good, but the mansion is better.*

Lupe canta **bien**, pero Alicia canta **mejor**.   *Lupe sings well, but Alicia sings better.*

Tengo un hermano **mayor**.   *I have an older brother.*

1 **¿El apartamento o la casa?** Isabel y César quieren alquilar un lugar para vivir, y han visitado una casa y un apartamento en la ciudad. Escucha sus comentarios sobre los dos lugares y selecciona las opciones correctas.

el apartamento

la casa

1. La casa tiene (más dormitorios que / menos dormitorios que / tantos dormitorios como) el apartamento.

2. La casa tiene (más baños que / menos baños que / tantos baños como) el apartamento.

3. La casa es (más grande que / más pequeña que / tan grande como) el apartamento.

4. La cocina de la casa es (más moderna que / menos moderna que / tan moderna como) la cocina del apartamento.

5. La casa tiene (más luz que / menos luz que / tanta luz como) el apartamento.

6. La casa está (más cerca del centro que / menos cerca del centro que / tan cerca del centro como) el apartamento.

7. La casa (cuesta más que / cuesta menos que / cuesta tanto como) el apartamento.

8. Para César, la casa es (mejor que / peor que / tan bonita como) el apartamento. Para Isabel, la casa es (mejor que / peor que / tan bonita como) el apartamento.

2 **¿De acuerdo?** Vas a indicar si estás de acuerdo (*if you agree*) con las comparaciones de tus compañeros/as.

Paso 1 Individualmente, completa las comparaciones indicando tus opiniones, y escribe una más al final.

1. La clase de _____ es más _____ que la clase de _____.

2. Sacar buenas notas es más importante que _____, pero menos importante que _____.

3. En mi opinión, la serie de televisión _____ no es tan _____ como _____.

4. El restaurante _____ es peor que _____.

5. Para mí, _____.

Paso 2 En grupos pequeños, compartan sus comparaciones, digan si están de acuerdo o no con sus compañeros/as y por qué.

3 **¿Somos similares?** Vas a escribir una comparación de estilos de vida.

Paso 1 Formen grupos pequeños. Primero, escriban los nombres de las personas en cada columna de la tabla. Luego, háganse preguntas para completar el cuadro y apunten los números. Después, hagan comparaciones usando la información del cuadro.

> **Modelo** horas en transporte público por semana
> **Estudiante A:** *Yo paso cinco horas en transporte público por semana, ¿y ustedes?*
> **Estudiante B:** *Paso más horas en transporte público que tú. / Paso tantas horas en transporte público como tú.*

	_____	_____	_____
1. número de clases este semestre			
2. horas para estudiar y hacer tarea por día			
3. horas de trabajo pagado (*paid*) por semana			
4. tiempo para deportes/actividades extracurriculares por semana			
5. horas de tiempo libre por día			
6. horas para usar redes sociales/navegar en Internet por día			
7. horas para dormir cada noche			

Paso 2 Individualmente y basándote en la información del cuadro, escribe un párrafo comparando tu estilo de vida con los de tus compañeros/as. Estas preguntas pueden guiar tu escritura:
• ¿Quién está más ocupado/a? ¿Quién tiene más tiempo para descansar? ¿Quién duerme más?
• ¿Quién está más concentrado/a en sus estudios? ¿Quién tiene más variedad en sus actividades?
• ¿Quién tiene una vida más equilibrada? ¿Quién está estresado/a?
• ¿Estás satisfecho/a (*satisfied*) con tu rutina? ¿Qué cosas quieres hacer más y cuáles quieres hacer menos?

4 **¡Qué casas!** En grupos pequeños, lean la información. Hagan comparaciones sobre las casas, las familias y las actividades. Imaginen tantos detalles como sea posible (*as possible*).

> **Modelo** **Estudiante A:** *La casa de Martina y Julián tiene menos luz natural que la casa de Adriana y Rafael porque...*
>
> **Estudiante B:** *Sí. Además, la casa de Adriana y Rafael es más grande porque...*

¡Qué casas!   Mostrar casa   Buscar casa   Ayuda   Perfil   Participa

La casa de Martina y Julián

Nuestra casa
- en el centro histórico de la ciudad
- tres habitaciones y dos baños
- renovada con todas las comodidades modernas
- cocina pequeña con lavadora
- jardín pequeño detrás de la casa

¿Quiénes somos?
- veintitrés años de casados
- un gato
- nos despertamos: 5:30 a.m. y nos dormimos: 11 p.m.
- desayuno: café, cereal y fruta; 7:00 a.m.
- actividades: caminar por las tardes, tres veces a la semana

La casa de Adriana y Rafael

Nuestra casa
- en el campo
- cinco habitaciones y tres baños
- construcción original con muebles rústicos
- cocina amplia y cuarto de lavado
- jardín extenso alrededor (*around*) de la casa

¿Quiénes somos?
- cinco años de casados
- dos hijos y dos perros
- nos despertamos: 7:00 a.m. y nos dormimos: 10:00 p.m.
- desayuno: té, huevos, tocino y pan tostado; 8:00 a.m.
- actividades: jugar con los niños todos los días; pasear por el campo todas las mañanas con los niños y los perros

5 **Diferentes tipos de vivienda** En grupos pequeños, describan y comparen estos tipos de viviendas y los barrios donde generalmente están en tu comunidad.

una casa adosada (*townhouse*) en un centro urbano   un apartamento urbano en un edificio moderno

una casa en las afueras (*suburb*)   una casa en el campo (*countryside*)

Consideren estas preguntas:
- ¿Cómo son similares o diferentes?
- ¿Qué ventajas o desventajas tiene cada una?
- ¿En cuál(es) has vivido?
- ¿En cuál(es) quieres vivir en el futuro?

The superlative

The superlative form of the adjective is used when persons or things are singled out as being *the most...*, *least...*, *best...*, *worst...*, *tallest...*, etc. To form the superlative, use:

el/la/los/las + (noun) **+ más/menos +** (adjective) **+ de...**

La cocina **es el lugar más popular de** nuestra casa.

The kitchen is the most popular place in our house.

▶ Note the use of the preposition **de** in Spanish superlatives, not **en**, which is often incorrectly used by English speakers.

Liliana es **la más alta de la** clase.   ~~Liliana es la más alta en la clase.~~

To form the superlative of **bueno/a**, **malo/a**, we use the same irregular forms as in the comparative.

el/la/los/las + mejor(es)/peor(es) + (noun) **+ de...**

Los mejores restaurantes **de** la ciudad están en el centro.

The best restaurants in the city are downtown.

▶ Note the use of **lo mejor/lo peor** to express the best/worst thing about something.

Lo mejor de la casa es el jardín y **lo peor** es el precio.

The best thing about the house is the garden, and the worst is the price.

Nota de lengua

The ending **–ísimo/a** is another way to express a superlative degree with adjectives and adverbs, and an emphatic alternative to **muy**.

Tienen una piscina **grandísima**, pero viven **lejísimos** del centro.

En mi experiencia

Mark, Bismarck, ND

"When I lived in Uruguay, my host family had a very modern apartment in a nice part of town, so I was surprised that they didn't have a clothes dryer. It turns out that most people there dry their clothes on clotheslines, either on balconies or even out the window."

If you have ever line-dried your clothes, in what ways does it differ from using a machine? How do you think each practice of drying clothes affects the environment?

ASÍ SE FORMA

6 **Las ciudades más...** Busca en Internet las respuestas a estas preguntas.

1. ¿Cuál es la ciudad más poblada del continente americano?
2. ¿Cuál es la ciudad más austral (*southernmost*) del mundo?
3. ¿Cuál es la ciudad capital más alta del mundo?

La ciudad más austral del mundo

7 **Tus preferencias** Acabas de conocer a un estudiante que vendrá a tu universidad el próximo año.

Paso 1 Individualmente, escucha las preguntas del estudiante y responde con tu opinión personal. Escribe oraciones completas.

1. _____
2. _____
3. _____
4. _____
5. _____

Paso 2 En grupos pequeños, comparen sus respuestas, explicando sus razones. Deben ponerse de acuerdo (*agree*) en una o dos sugerencias del grupo para cada pregunta del estudiante.

> **Modelo** **Estudiante A:** *Para mí la clase más fácil es Psicología 101.*
> **Estudiante B:** *Sí, la clase de psicología es facilísima, pero la de biología es la más fácil en mi opinión.*

8 **Algo extraordinario** En parejas, entrevista a tu compañero/a sobre sus experiencias. Usa las preguntas del cuadro y añade dos más.

Estudiante A

1. ¿Cuál es la comida más original que has probado?
2. ¿Quién es la persona más interesante o extraordinaria que has conocido?
3. ¿Cuál es el lugar más bonito que has visto?
4. _____
5. _____

Estudiante B

1. ¿Cuál es el lugar más lejano o fascinante donde has estado?
2. ¿Cuál es tu talento más especial u original?
3. ¿Cuál es el mejor regalo que has recibido?
4. _____
5. _____

En mi experiencia

Beatrice, Charlotte, NC

"I was told I'd be living on the third floor of an apartment building in Montevideo, Uruguay. I figured I'd get used to the walk up pretty quickly. But it turns out that the ground floor doesn't count as the first floor; it's like a "floor zero." That means that the third floor is actually four flights up!"

Both Spain and Latin America use this system of numbering floors. Is there logic behind that system and the one used in the U.S.?

9 ¿Cuál es el mejor? Vas a compartir algunas opiniones.

Paso 1 Individualmente, escoge (*choose*) tres de las siguientes categorías. Luego, para cada categoría, usa superlativos para escribir tu opinión sobre tres aspectos.

> **Modelo** actor: *Para mí, Timothée Chalamet es el mejor de todos.*
> *Daniel Radcliffe probablemente es el menos cómico.*
> *En mi opinión, Jonah Hill es el más divertido.*

1. película
2. actor y actriz
3. libro
4. cantante o grupo musical
5. canción o pieza musical
6. deporte
7. destino para las vacaciones
8. ciudad o lugar para vivir

Paso 2 En grupos pequeños, lean sus opiniones a sus compañeros y escuchen las de ellos. ¿Están de acuerdo? Justifiquen sus posiciones.

10 Quiero alquilar un apartamento Decides alquilar un apartamento en Asunción, Paraguay. Lee los tres anuncios y escribe cuatro oraciones comparando los tres apartamentos. ¿Cuál prefieres y por qué? Usa comparaciones para explicar tu preferencia.

¡Atención!
La **G** es el símbolo del guaraní, la moneda de Paraguay. Investiga en Internet la equivalencia entre el guaraní y el dólar.

1.
ENCANTADOR PENTHOUSE
En Manorá, G 5.200.000, 3 habs., 2 baños con terraza, jacuzzi, bar.
BUENA VISTA 565-2132

2.
ESTUDIO AMUEBLADO
C/Igatimí. G 3.500.000. Bello. 1 hab., baño, sala, comedor, cocina. Totalmente equipado. Muebles nuevos. Inversor.
NUEVOS HORIZONTES 592-2100

3.
DEPARTAMENTO AMUEBLADO
Avda. Carlos Antonio López. 4 habs., 5 baños, 3 balcones, 2 terrazas techadas, amplias áreas de servicio. Vista panorámica, 2 parqueos techados, ascensor.
G 10.250.000. Lucía. 541-1987

Palabras útiles

agradable
pleasant

de lujo
luxurious

innecesario/a
unnecessary

práctico/a
practical

sostenible
sustainable

útil
useful

11 ¿Qué consideramos necesario? En parejas, van a comparar objetos de la casa.

Paso 1 Individualmente, prepara una lista de nueve objetos que muchas personas tienen en sus casas. Luego, indica a qué categoría pertenece cada objeto.

Necesario/a	Conveniente, útil	Deseable, positivo

Paso 2 En parejas, compartan sus listas del **Paso 1** y comparen los objetos con base en su utilidad (*usefulness*) y otras características.

> **Modelo** **Estudiante A:** *De la lista de objetos convenientes, el microondas es el más útil, en mi opinión.*
> **Estudiante B:** *Sí, además el microondas consume menos electricidad que el horno.*

☐ **I CAN** compare and express extremes.

Resources
vhlcentral
SAM
online activities

Paraguay y Uruguay

Antes de leer

1. Anticipar Contesta las preguntas.

1. ¿Hay relación geográfica entre estos países? Puedes consultar el mapa al final del libro.

2. ¿Qué observas sobre sus nombres? ¿Crees que son de origen español?

Uruguay y Paraguay tuvieron una historia muy similar durante el periodo colonial. Sin embargo, sus situaciones geográficas y sus destinos políticos generaron diferencias regionales que resultaron en dos naciones con identidades muy distintas. Conoce algunos aspectos destacados de estos dos países.

El Acuífero Guaraní

El Acuífero Guaraní es la segunda reserva de agua dulce del mundo por su tamaño. Es tan° grande que se extiende bajo la superficie de varias áreas de cuatro países: Argentina, Brasil, Uruguay y Paraguay. Unos 24 millones de personas viven sobre él. En Paraguay, es una fuente de agua muy importante en las zonas rurales. Su profundidad° es de un máximo de 1440 metros, y en algunos puntos, el agua sale a la superficie de manera natural debido a la presión.

▌El Acuífero Guaraní

▌Cristina Peri Rossi

La escritora Cristina Peri Rossi

La única° mujer integrante del *boom* literario latinoamericano de los años 60 y 70 es Cristina Peri Rossi. Es una escritora de Montevideo, Uruguay, que ha publicado novelas, cuentos y poemas, y su obra ha sido traducida a más de veinte lenguas. Se exilió a España en 1972 por su oposición a la dictadura de Uruguay en esos años. En su país prohibieron su obra e incluso mencionar su nombre en los medios de comunicación°. En 2021 recibió el Premio Cervantes de literatura hispana.

El idioma guaraní

En Paraguay, más del 70% de la población desciende de pueblos originarios y casi el 80% habla guaraní. Sin embargo, este idioma era discriminado. En 1992, gracias a protestas y reivindicaciones°, el guaraní fue reconocido como idioma oficial junto al español. La constitución federal está ahora escrita en español y guaraní, y la educación incluye las dos lenguas también. Las palabras **jaguar** y **piraña** vienen del guaraní, así como° el nombre del país: **pará** = océano; **gua** = a/de; **y** = agua; es decir, agua que va al océano.

Punta del Este, Uruguay

En la bahía de Maldonado, 130 kilómetros al este de Montevideo, se encuentra Punta del Este. Esta zona es un destino popular de vacaciones por sus espectaculares playas, restaurantes y alojamientos° diversos. Durante el verano, recibe miles de visitantes y la población llega a casi medio millón de personas. Es famosa también por sus zonas comerciales, y aquí se ideó° en 1986 la Organización Mundial del Comercio (OMC), que se ocupa de° las normas internacionales del comercio.

El cultivo de la soja en Uruguay

La ganadería° ha sido históricamente la base de la economía uruguaya, pero la agricultura ha crecido° mucho en los últimos años con la producción de nuevos cultivos como la soja. Al año se producen miles de toneladas de soja en el país. China importa el 60% de la soja uruguaya, que se compra también en países europeos.

I Ñandutí

Paraguay: El ñandutí

El ñandutí es una artesanía muy famosa de Paraguay. Se dice que la elaboración de encaje° hecho a mano llegó a Paraguay a través de° un grupo de mujeres de Tenerife, España. Después, esta labor integró elementos de las artesanías indígenas y se creó el ñandutí, que significa "telaraña°" en guaraní. Aunque antes eran siempre blancos, como las telarañas, ahora también son de muchos colores. Mira el video para aprender más sobre esta artesanía.

tan so **la profundidad** *depth* **el/la único/a** *the only* **los medios de comunicación** *mass media* **la reivindicación** *demand* **así como** *as well as* **el alojamiento** *accommodation* **idear** *to conceive* **ocuparse de** *to deal with* **la ganadería** *cattle industry* **crecer** *to grow* **el encaje** *lace* **a través de** *via, through* **la telaraña** *spider web*

Después de leer

2. Indicar Indica si cada enunciado es cierto (**C**) o falso (**F**), basándote en el texto.

1. El Acuífero Guaraní es un cuerpo de agua subterráneo en varios países americanos. ....**C F**

2. El guaraní solo lo hablan los indígenas. ....**C F**

3. La escritora Cristina Peri Rossi salió de Uruguay por motivos políticos. ....**C F**

4. La soja se ha convertido (*become*) en un producto que da mucho dinero a Uruguay. ....**C F**

5. Punta del Este es un centro internacional de comercio. ....**C F**

6. El ñandutí forma parte de la artesanía de España y Paraguay. ....**C F**

3. Interactuar En grupos pequeños, comenten estas preguntas.

1. ¿Qué les ha sorprendido más acerca de Uruguay y Paraguay? ¿Por qué?

2. ¿Qué tan (*How*) populares son los productos de soja en su comunidad? ¿Por qué creen que los productos vegetales son más populares ahora? ¿Cómo cambia esto la economía del mundo?

4. Investig@ en Internet Lee la estrategia e investiga en línea uno de los temas presentados en la lectura u otro tema diferente que te interese. Prepara un informe breve escrito para compartir con tu clase. Incluye imágenes y otros recursos apropiados.

> 🔍 **Estrategia digital: Using proofing tools**
>
> If your instructor allows the use of spelling and grammar checkers, be sure to turn them on and use them as learning tools that provide immediate feedback. As you write, pay attention to the alerts noting potential mistakes. If the program offers corrections and alternatives, make very sure they are appropriate for your purposes; simply accepting suggested "corrections" can sometimes be problematic.

Resources

vhlcentral

online activities

☐ **I CAN** identify one or two products and/or practices from Paraguay and Uruguay.

Lectura

Antes de leer

1. Conocimiento previo Responde las preguntas.

1. ¿Cuál es tu edificio u obra arquitectónica favorita? ¿Lo has visitado personalmente? Explica por qué te gusta.

2. El título del texto menciona a Barcelona, España. ¿Has visto fotos de esta ciudad?

Estrategia de lectura: Using a bilingual dictionary

When you encounter an unknown word that seems key to understanding the text, try first to guess its meaning based on context or association with related words you know (word families). If you still cannot make out what it means, a bilingual dictionary can be helpful. It is important, however, that you limit use of a dictionary and avoid looking up every word you might not know, since this habit often leads to missing the point of the text.

When you look up a word, you will need to search for its basic form: the infinitive of a verb, the singular form of a noun, etc. Once you find the correct entry, be sure to go over the different English equivalents or definitions given to determine which is the most logical in the context of what you're reading.

A leer

2. Aplicar Lee la estrategia y sigue las instrucciones.

1. Mira estas palabras del texto que vas a leer y decide (1) qué tipo de palabra es (verbo, sustantivo, etc.), y (2) qué forma de la palabra debes buscar en un diccionario español-inglés.

tirar	nenúfares
roto	destacan

2. Mientras lees el texto, marca estas y otras palabras nuevas que parecen importantes para entender el mensaje general. Intenta (*Try*) interpretar su significado usando algunas de las estrategias que practicaste en los capítulos anteriores. Por ejemplo, identificar cognados, adivinar (*guess*) el significado a partir del contexto o activar el conocimiento previo.

3. Si has agotado (*exhausted*) las otras estrategias y hay palabras que todavía no entiendes, búscalas en un diccionario español-inglés.

GAUDÍ Y BARCELONA

Barcelona, conocida familiarmente como "Barna", es una de las capitales mundiales de la arquitectura. Te proponemos disfrutar° de dos obras° creadas por Antoni Gaudí (Reus, 1852 – Barcelona, 1926) y declaradas Patrimonio de la Humanidad por la UNESCO.

Casa Batlló, "Una Sonrisa Arquitectónica"

La casa del nº 43 del Paseo de Gracia fue construida° en 1875. En el año 1900, Gaudí fue contratado por su propietario, don José Batlló Casanovas, para tirar la casa y levantar una nueva, pero finalmente se decidió hacer una reforma. El resultado, finalizado en 1906, es una de las obras más poéticas e inspiradas del arquitecto. La fachada está revestida° de cerámica vidriada y fragmentos de cristales rotos de colores cuya colocación exacta° dirigió personalmente Gaudí desde la calle. Sus columnas tienen forma ósea° y presentan motivos vegetales. Esta espectacular fachada es comparada con la serie *Los nenúfares* de Claude Monet. El piso principal también fue reformado y decorado por Gaudí, que incluso diseñó sus muebles.

Texto: *De la revista Punto y coma (Habla con eñe)*

Casa Milá o "La pedrera"

Este edificio fue un encargo° del matrimonio Pere Milá y
Roser Segimon, y se levantó entre 1906 y 1910, en el nº 92 del
Paseo de Gracia. Su fachada nos lleva a los paisajes° naturales
visitados por Gaudí: la masa de piedra ondulante rematada°
con azulejos° blancos en la parte superior, recuerda a una
montaña nevada. También destacan los balcones de hierro
en forma de plantas y la azotea°, cuyas chimeneas semejan
cabezas de guerreros. Solamente se puede visitar la azotea,
el ático y la planta baja, que recrea el hogar de una familia
burguesa barcelonesa de principios del siglo XX. El resto del
edificio continúa habitado.

Como apunta Joan Bassegoda, experto en la obra de
Gaudí: "Gaudí observó que muchas de las estructuras
naturales están compuestas de materiales fibrosos como
la madera°, los huesos, los músculos o los tendones, [...]
y las trasladó a la arquitectura [...]. Las Casas Batlló y Milá
fueron el punto culminante de su arquitectura naturalista.
La primera, revestida de pedazos de cristales de colores y
rematada con formas orgánicas de cerámica vidriada, y la
segunda, con su aspecto de acantilado°, parecen símbolos
del mar y de la tierra". ■

Después de leer

3. Identificar Identifica la opción que expresa
mejor la idea principal del texto.

- Casa Batlló y Casa Milá tienen elementos naturalistas
  que las convierten en ejemplos icónicos del estilo del
  arquitecto Antoni Gaudí.
- El arquitecto Antoni Gaudí pasó varios años trabajando
  en estos dos edificios, Casa Batlló y Casa Milá, y
  participó en todos los detalles.

4. Reconocer Contesta estas preguntas sobre
el texto.

1. ¿Cuál de los edificios es obra completa de Gaudí?

2. ¿Qué obra terminó Gaudí primero?

3. ¿De dónde se tomó el nombre de cada casa?

5. Analizar En parejas, comenten estas preguntas.

1. ¿Qué características comparten (*share*) los dos
   edificios del texto?

2. La casa Batlló es también conocida popularmente
   como Casa de los Bostezos (*Yawns*) y Casa de los
   Huesos. ¿Puedes explicar por qué?

6. Describir En grupos pequeños, busquen
en Internet las visitas virtuales de estos edificios
y seleccionen uno o dos espacios para describir y
comentar. Usen las preguntas como guía.

1. ¿Qué elementos mencionados en el texto ven?

2. ¿Qué otras características observan?

3. En la Casa Milá y otros edificios de Gaudí aún viven
   familias. ¿Te gustaría vivir en uno de estos edificios?
   ¿En cuál? ¿Por qué?

disfrutar *to enjoy* **la obra** *work* **construir** *to build*
revestido/a *covered, cloaked* **cuya colocación
exacta** *whose exact placement* **tienen forma
ósea** *are shaped like bones* **el encargo** *commission*
el paisaje *landscape* **rematado/a** *topped*
el azulejo *tile* **la azotea** *terrace roof* **la madera** *wood*
el acantilado *cliff*

□ **I CAN** recognize main ideas in a text about two
buildings in Barcelona, Spain.

Video: La revolución arquitectónica de los Andes

Antes de ver el video

 1 Conocimiento previo En grupos pequeños, cada estudiante investiga uno de estos temas en Internet y selecciona imágenes. Después, comparten la información.

- la ciudad de El Alto, Bolivia
- el pueblo aymara (o aimara)

Estrategia de comprensión auditiva: Categorizing information

As you watch or listen to a video clip, like a report or an interview, relevant information about specific topics may come up at different points of the video or audio. To gain a more complete and accurate understanding, listen/view once, taking notes. Then, create sensible categories to organize the notes into and view/listen again for anything that can be added.

A ver el video

En este video, el arquitecto Freddy Mamani, uno de sus clientes y un académico (*scholar*) hablan sobre un nuevo estilo de arquitectura aymara en El Alto.

2 Identificar Mira el video y toma notas para identificar la idea principal. Después, en parejas, comparen sus notas y acuerden (*agree on*) cuál es la idea principal.

3 Aplicar Primero, lee la estrategia. Luego, mira el video de nuevo tomando notas de la información relevante para estas categorías.

- El Alto y su población
- características físicas de los edificios
- funciones y usos
- elementos que reflejan la cultura y la sociedad aymaras

Duración: 3:16
Fuente: Deutsche Welle

Después de ver el video

4 Analizar En grupos pequeños, comenten las preguntas.

1. El video menciona que estos edificios reflejan (*reflect*) la cultura, las costumbres y los valores del pueblo aymara. ¿Qué elementos de la cultura y los valores de Estados Unidos —o de grupos específicos— están reflejados en las casas de tu comunidad? ¿Y en las de otras regiones de Estados Unidos?

2. ¿Qué estilo de arquitectura es tu favorito y por qué? ¿Prefieres estilos tradicionales o modernos? ¿Decorativos o minimalistas?

Palabras útiles

la clave
key

compartir
to share

despectivo/a
derogatory

(color) encendido
bright

la falta
lack

la ganancia
profit

el hogar
home

la pobreza
poverty

el urbanismo
urban planning

Resources

vhlcentral

online activities

☐ **I CAN** identify main ideas in a video about architecture in Bolivia.

Proyecto oral: En la agencia inmobiliaria

Vas a asumir el papel de alguien que busca un lugar para vivir o de un(a) agente inmobiliario/a (*real estate*) para alquilar una vivienda (*dwelling*). Para prepararte, toma unos minutos para revisar el vocabulario y la gramática de este capítulo y escribe algunas palabras clave que pueden ser útiles.

> ### Estrategia de comunicación oral: Checking comprehension
>
> When carrying out a task through conversation, organize and provide details in small chunks, allow brief pauses for the other person to process or write down information, and use questions to ask for clarification and check for understanding.

¡Atención!

Ask your instructor to share the **Rúbrica de calificación** (*grading rubric*) to understand how your work will be assessed.

Paso 1 Elige un papel como cliente o agente inmobiliario/a.

Cliente: Selecciona uno de estos papeles y escribe una lista de necesidades y preferencias para tu vivienda. Incluye características, ubicación en tu comunidad y precio.

- Soy un(a) joven profesional. No paso mucho tiempo en casa, pero me gusta hacer cenas y fiestas para mi grupo de amigos/as.
- Mi familia está creciendo, ahora tenemos dos hijas, de siete y dos años, y un perro. Mi pareja está en la armada (*navy*) y pasa muchos meses afuera. Necesitamos una casa bien equipada, con espacio dentro y fuera de la casa.
- Mi esposo/a y yo estamos retirados y queremos una casa pequeña, cómoda y cerca de tiendas y restaurantes. Somos activos, pero no queremos manejar.

Agente: Selecciona una vivienda que ofreces para alquilar. Escribe una descripción detallada, incluyendo características, ubicación en tu comunidad y precio. Busca imágenes en Internet para ilustrar tu descripción.

- Una casa grande con jardín en las afueras (*suburb*).
- Un apartamento moderno en el centro.
- Una casa pequeña, con jardín, cerca del centro.

Palabras útiles

¿Cómo dijo usted?
What did you say?

¿Dijo que… o que…?
Did you say that… or that…

¿Entendí bien que…?
Did I understand correctly that…?

Entonces, le gustaría…
So, you would like…

Paso 2 Formen parejas de cliente/agente. El/La cliente describe la vivienda que busca. El/La agente describe la vivienda que ofrece, enfatizando las características más relevantes para el/la cliente. Hagan preguntas e improvisen los detalles de sus respuestas. Recuerden hacer pausas y tomar notas, y usen al menos tres expresiones de la lista para verificar la comprensión. La conversación debe durar aproximadamente cinco minutos.

Paso 3 Formen nuevas parejas de cliente/agente y repitan el **Paso 2**.

Paso 4 Individualmente, haz una presentación describiendo en detalle la vivienda que buscas/ofreces e indica qué vivienda/cliente es más apropiado/a, explicando por qué.

> **Modelo** Si eres cliente: *Busco una casa para mi familia. Nosotros necesitamos…*
>
> Si eres agente: *Ofrezco un apartamento moderno en el centro. Tiene dos dormitorios…*

☐ **I CAN** discuss housing needs.

Resources

vhlcentral

Proyecto escrito: Más que una casa, un hogar

Para tu clase de *Introducción a la Arquitectura* debes escribir una descripción del hogar (*home*) ideal. Puedes imaginar una casa sencilla, sofisticada o con una característica especial, como una casa sostenible, inteligente, una casa sobre ruedas (*on wheels*) o flotante (*floating*), y debes reflexionar sobre los elementos que hacen ese espacio un hogar ideal. Para prepararte, toma unos minutos para revisar el vocabulario y la gramática de este capítulo y escribe las palabras clave que te gustaría incluir.

> **¡Atención!**
>
> Ask your instructor to share the **Rúbrica de calificación** (*grading rubric*) to understand how your work will be assessed.

> **Estrategia de redacción: Using a thesaurus**
>
> As you produce longer, more sophisticated texts in Spanish, you will want to use more precise words and to avoid repetitions. Using a thesaurus can be a helpful tool and a great way to expand your vocabulary. Whether you use the synonym function in your word processing software or an online thesaurus, make sure that your choice is accurate by checking a Spanish-English dictionary and looking at examples of how the "new" word is used.

Paso 1 Crea un mapa de ideas con los diferentes aspectos de la casa que quieres describir y los detalles específicos. Puedes usar estas sugerencias.

- **Ubicación:** ¿Dónde está? ¿Qué ves y escuchas desde las ventanas? ¿Qué hay cerca de tu casa: montañas, el mar, cafés y tiendas?
- **Arquitectura:** ¿Qué estilo tiene tu casa? ¿Qué características tiene este estilo? ¿Qué elementos arquitectónicos hay? Por ejemplo, ventanas grandes o arcos (*arches*).
- **Exterior:** ¿Hay jardín? ¿Cómo es? ¿Qué tipo de plantas hay? ¿Qué puedes hacer allí?
- **Interior:** ¿Qué espacios hay en la casa? ¿Cómo son? ¿Cómo los usas?
- **Otros posibles temas a considerar:** materiales, colores, muebles, decoración, equipo de entretenimiento, objetos especiales, ambiente (*atmosphere*), tu lugar favorito.

Paso 2 Selecciona los aspectos y detalles del **Paso 1** más representativos de tu visión. Después, considera cómo organizar la información en párrafos cohesivos. Este es un buen momento para seleccionar vocabulario preciso y variado usando un diccionario de sinónimos.

Primer párrafo: Comienza con una oración para introducir el tema e interesar a tu lector(a).

> **Modelo** *Cuando imagino mi hogar, veo un lugar...*

Párrafos centrales: Cada párrafo debe incluir una oración principal (*topic sentence*) y detalles, comentarios, ejemplos, etc. Tu objetivo es transmitir una imagen vívida a la mente de tu lector(a).

> **Modelo** *En la cocina, una gran ventana trae la naturaleza dentro de la casa...*

Último párrafo: Como conclusión, ofrece una reflexión o pensamiento final que se conecta con las ideas de los párrafos centrales.

> **Modelo** *Mi futuro hogar debe ser...*

Paso 3 Escribe un texto de 250 palabras aproximadamente con la información de los **Pasos 1** y **2**. Debes prestar atención especial al desarrollo (*development*) de cada párrafo y el uso apropiado y correcto del lenguaje. Considera complementar tu texto con imágenes para ilustrar tus ideas o transmitir un ambiente. Prepárate para presentar tu descripción a la clase.

□ **I CAN** describe my ideal home.

> **Palabras útiles**
>
> acogedor(a)
> *welcoming*
>
> cálido/a
> *warm, cozy*
>
> contemporáneo/a
> *contemporary*
>
> industrial
> *industrial*
>
> la madera
> *wood*
>
> el metal
> *metal*
>
> el patio
> *yard*
>
> rústico/a
> *rustic*
>
> sencillo/a
> *simple*
>
> el vidrio
> *glass*

Resources

vhlcentral

Las partes de la casa *Parts of the house*

el balcón *balcony*
el (cuarto de) baño *bathroom*
la chimenea *fireplace*
la cocina *kitchen*
el comedor *dining room*
el dormitorio/la habitación (principal)
    (master) bedroom
la escalera *stairs*
el garaje *garage*
el jardín *garden/backyard*
la pared *wall*
el pasillo *hallway*
el patio *patio*
la piscina *pool*
la planta baja *ground floor*
el primer (segundo) piso *first (second) floor*
la sala de estar *living room/family room*
el sótano *basement*
el piso *floor*
el techo *roof; ceiling*

En el baño *In the bathroom*

la bañera *bathtub*
la ducha *shower*
el inodoro *toilet*
el lavabo *bathroom sink*

En la cocina *In the kitchen*

la cafetera *coffee machine*
la estufa *stove*
el fregadero *kitchen sink*
el horno *oven*
el lavaplatos *dishwasher*
el microondas *microwave*
el refrigerador *refrigerator*
el tostador *toaster*

Las cosas en la casa/el apartamento
Things in the house/apartment

el aire acondicionado *air conditioning*
la alfombra *rug, carpet*
la cómoda *bureau, dresser*
las cortinas *curtains*
la calefacción *heating*
el bote de basura /reciclado *garbage/ recycling can*
el cuadro *painting*
el espejo *mirror*
el estante *shelf*
la lámpara *lamp*
la lavadora *washing machine*
la luz *light*
la mesita (de noche) *coffee/side table (nightstand)*
el mueble *piece of furniture*
el póster *poster*
la secadora *clothes dryer*
el sillón *armchair*
el sofá *sofa*

Otras palabras útiles

el barrio *neighborhood*
el ruido *noise*
el vecino/la vecina *neighbor*

Las acciones y los quehaceres domésticos

alquilar *to rent*
apagar *to turn off*
barrer *to sweep*
bajar *to go down*
compartir *to share*
cortar el césped *to mow the lawn*
guardar *to put away*
hacer la cama *to make the bed*
lavar/secar los platos *to wash/to dry dishes*
mover (ue) *to move (something)*
moverse (ue) *to move (oneself)*
mudarse *to move (from one residence to another)*
ordenar *to tidy up*
pasar la aspiradora *to vacuum*
poner/quitar la mesa *to set/to clear the table*
prender *to turn on*
recoger *to pick up*
resolver (ue) *to solve*
romper *to break*
sacar la basura *to take out the trash*
sacudir (los muebles) *to dust (the furniture)*
subir *to go up*
tirar *to toss, to throw (away)*

Adjetivo

peor *worse*

Expresiones adverbiales

alguna vez *any time, ever*
hasta ahora *until now*
hasta entonces *until then*
muchas veces *many times*
todavía *yet*
ya *already*

Capítulo

11

Las relaciones personales

Learning Objectives
In this chapter, you will:

- Participate in conversations about personal relationships and stages of life.
- Express wishes and feelings, and make predictions and hypotheses.
- Identify aspects of friendship in a reading about a Colombian writer.
- Explore and research Panama.
- Identify main ideas in written and spoken texts.
- Write and present a short play.
- Write a movie review.

Así se pronuncia Intonation to express emotions

Ⓢ **VideoEscenas** ¿Con quién estabas hablando?

¿Qué define a una generación? Contesta las preguntas.

🅢 Video

1. ¿Qué es una generación? ¿Sabes a que generación perteneces?

2. Completa estas oraciones.
   - Las personas de mi generación somos _____, _____ y _____.
   - Nos gusta _____. No nos gusta _____.
   - Nos interesa _____.
   - Nos importa _____.
   - Queremos _____.

3. Mira estas imágenes. ¿Qué tienen en común? Imagina quiénes son, dónde viven, qué hacen y cómo son.

1.

2.

3.

4.

Duración: 1:28
Fuente: Al 100

4. Vas a ver un video de la organización Al 100. Mira el video una vez sin tomar notas, concentrándote en las palabras y frases que comprendes.

5. Lee las preguntas que vas a responder. Luego, mira el video por segunda vez.
   - ¿Quiénes forman la comunidad de Al 100?
   - ¿Qué dicen otras personas sobre ellos/as? ¿Qué dicen ellos/as sobre sí mismos/as (*themselves*)?
   - ¿Cuál es el objetivo de su canal?

6. ¿Piensas que, en general, estos jóvenes son similares a los jóvenes de Estados Unidos o de tu país? Da al menos dos ejemplos.

Amigos y más

La amistad

Irene y Maribel son amigas y **se llevan** muy **bien**, se divierten **juntas, comparten alegrías** y **problemas** y siempre **se ayudan**.

Hola, ¿qué tal?

¡Álex!¡Cuánto tiempo!

Maribel y Álex también son amigos, pero no se ven mucho. Hoy **se encuentran** caminando por la calle.

¡Por Maribel y su nuevo trabajo!

¡Felicitaciones!

Maribel **se reúne** con sus amigos hoy para **celebrar** su nuevo trabajo.

El amor

¿Adónde quieres ir, mi amor?

Ahora Maribel **sale con** Álex. **Se enamoraron** y esta noche tienen **una cita**. Salen a dar un paseo y a cenar.

Te amo, Maribel. ¿Quieres **casarte** conmigo?

Álex y Maribel están **enamorados** y **se han comprometido**. Ahora viven **juntos** y son muy **felices**.

Sí, quiero.

¡Maribel y Álex **se casan**! Es **una boda** íntima, con su familia y amigos **cercanos**. Mañana, ya **casados**, viajan al Caribe para su **luna de miel**.

Formar una familia

¿Quieres más, mi vida?

Esta es la joven familia de Álex y Maribel. Están muy **contentos** con sus niñas.

¡Nunca dices **la verdad**!

¡Tú tampoco!

El **matrimonio** de Álex y Maribel no va bien. **Se llevan mal** y **discuten** frecuentemente. Van a **separarse**.

Álex **rompió con** Maribel y **se divorciaron**. Álex aún **se pone** triste cuando **piensa en** ella. Y Maribel a veces **llora** porque lo **extraña**.

Las etapas de la vida

la infancia

nacer

la niñez

crecer

la adolescencia

el/la adolescente

la juventud

el/la joven

la madurez

el/la adulto/a

la vejez

el/la anciano/a

la muerte

morir (ue)

¿Qué observas? Contesta las preguntas sobre las imágenes. Encuentra más preguntas en el Supersite.

1. ¿Qué tipo de relación tienen Irene y Maribel? ¿Son parientes, amigas o pareja? ¿Cómo se llevan? ¿Qué comparten: su casa, sus notas de clase o sus problemas?

2. Según el texto, ¿cuál es la acción opuesta de "llevarse bien"? ¿Y cuál es la acción opuesta de "casarse"?

3. ¿Con quién se encuentra Maribel?

4. La palabra **cita** puede tener distintos significados: *date*, *appointment*, o *quote*. ¿Qué piensas que significa en este contexto?

¿Y tú? Contesta las preguntas sobre ti mismo/a.

1. ¿Tienes un(a) mejor amigo/a? ¿Cómo lo/la conociste? ¿Qué cosas comparten?

2. Si tienes o has tenido pareja, ¿cómo lo/la conociste? Si no tienes pareja, ¿te gustaría tenerla o no es muy importante en este momento?

3. ¿Qué aspectos positivos piensas que hay en las diferentes etapas de la vida? ¿Hay aspectos menos positivos o negativos?

Nota de lengua

Note the difference between:

ser feliz: to be happy, as a general, more permanent state.

estar feliz/contento/a: to feel happy, at a specific time or because of a particular event, **feliz** expressing a more intense feeling.

Soy feliz; tengo una vida fantástica.   Estoy feliz: ¡saqué una A en química!

We do not use **contento/a** with **ser**, since this adjective always refers to a temporary state.

ASÍ SE DICE

1 **El ciclo de la vida** Vas a compartir la historia de una persona.

Paso 1 La vida de cada persona es única y, aunque algunos eventos tienen un orden natural, otros varían. Individualmente, imagina la vida de una persona. Escoge al menos diez de estos eventos y organízalos según (*according to how*) ocurrieron en su vida.

_____ criar (*raise*) a los hijos	_____ ir de luna de miel	_____ nacer
_____ estar embarazada	_____ morir	_____ salir con un(a) chico/a
_____ enamorarse	_____ comprometerse	_____ dar a luz
_____ casarse	_____ divertirse con amigos/as	_____ crecer

Paso 2 Usa los eventos que escogiste en el **Paso 1** y escribe una historia. Sigue el orden en que organizaste los eventos y agrega otros detalles.

> **Modelo** *Alberto nació en... Durante su niñez, iba a la escuela y se divertía con sus amigos...*

Paso 3 En grupos pequeños, comparen las historias que escribieron en el **Paso 2**. ¿Qué similitudes y diferencias tienen sus historias? Juntos/as, imaginen una posible secuencia alternativa para cada persona.

2 **Asociaciones** En parejas, escriban listas de palabras de este capítulo y otras que asocian a estos conceptos. Tienen cinco minutos y no pueden repetir palabras. Compartan sus listas con la clase. ¿Quién tiene más palabras?

> la adolescencia   la alegría   la amistad   compartir   la vejez   la verdad

3 **Las etapas de la vida** Vas a compartir descripciones de etapas de la vida.

Paso 1 Individualmente, escoge tres etapas de la vida y escribe una breve descripción de cada una sin mencionar la etapa explícitamente.

> **Modelo** *En esta etapa, la gente no trabaja; van a pasear, ven la televisión o hacen viajes. Pero a veces están enfermos y pasan mucho tiempo en casa.*

Paso 2 En parejas, lee una de tus descripciones a tu compañero/a, que va a intentar identificarla. Túrnense hasta leer todas las descripciones.

Nota cultural

El matrimonio igualitario

Many Spanish-speaking countries have marriage equality laws for same-sex couples. Spain was the first to enact such laws in 2005. Other countries with these types of laws include Colombia, Ecuador, Argentina, Costa Rica, and Chile. There are also countries that have equality laws in many of their states or regions, with more joining the list each year. For example, same-sex marriages are legal in more than 20 of the 32 federal entities in Mexico, Mexico City being the first one to pass the law in 2010. There is still a lot of work to be done, but each year more countries are taking the necessary steps to allow people to marry the person they love.

4 **Las generaciones** En grupos pequeños, miren el póster y contesten estas preguntas. Después, comparen sus repuestas con la clase.

Generación silenciosa (hasta 1945)

Generación X (1965-1980)

Generación Z (1997-2012)

Generación Alfa (desde 2012)

Baby boomers (1946-1964)

Milenials (1981-1996)

Fuente: Pew Research Center

1. En tu opinión, ¿hay edades (*ages*) específicas en las que empiezan y terminan las diferentes etapas de la vida? ¿Por qué?

2. ¿A qué edad permite la ley en tu estado o país hacer estas cosas? ¿Estás de acuerdo?

   manejar _____   trabajar _____   votar _____

   casarse _____   comprar tabaco y alcohol _____   servir en las fuerzas armadas (*armed forces*) _____

3. Piensa en tu familia, tu barrio, el trabajo, etc. ¿Tienes relaciones personales con personas que están en otras etapas de la vida? ¿Qué similitudes y diferencias observas entre tú y ellos/as?

4. ¿Qué estereotipos existen sobre tu generación? En tu opinión, ¿qué características positivas y negativas son ciertas sobre tu generación? Mira las ideas que hay sobre los mileniales. ¿Qué opinas de estos estereotipos?

BUSCAD○R

los mileniales son 🎤

los mileniales son **la peor generación**

los mileniales son **flojos**

los mileniales son **nativos digitales**

los mileniales son **superficiales**

los mileniales son **narcisistas**

los mileniales son **emprendedores**

Palabras útiles

flojo/a
lazy

emprendedor(a)
entrepeneurial

Buscando amistad y amor

Liliana M.

Yo: **Viuda**, 50 años, arquitecta. Mis amigos me definen como **sincera**, **cariñosa** e independiente. En mi tiempo libre me encanta leer y viajar, y **estoy lista** para ser feliz de nuevo.

Tú: Puedes ser **soltero** o **divorciado**, pero debes saber **comunicarte** bien. No quiero casarme otra vez, pero me encantaría tener un compañero de aventuras.

Roberto R.

Yo: Soltero, 27 años, artista comercial. Apasionado, idealista y romántico. No **me quejo de** casi nada y solamente **me enojo** cuando alguien **miente** o no dice la verdad.

Tú: Me encantan las personas comunicativas y creativas, no tolero a las personas **celosas**. **Los celos**, en mi experiencia, **matan** el amor.

Irma T.

Yo: Soltera, 28 años, abogada. Soy optimista, alegre y **romántica** de pies a cabeza, pero práctica y realista también. **Creo** en el amor a primera vista (*love at first sight*), pero no en **el divorcio**.

Tú: Quiero conocerte si eres honesto, **comprensivo** y tu domingo ideal incluye un paseo en la naturaleza o una tarde relajada en casa.

Gregorio J.

Yo: Soltero, 35 años, profesor y, en mi tiempo libre, fotógrafo. Soy responsable, simpático y detallista: siempre **recuerdo** los cumpleaños.

Tú: Busco a alguien optimista, tolerante, que pueda **reírse de** los problemas. Busco pareja, pero estoy abierto a la amistad y no me importa tu género.

Genoveva V.

Yo: Divorciada, 39 años, maestra, dos hijos y una tortuga. Soy amistosa, expresiva, atractiva e inteligente.

Tú: Busco una persona independiente pero **fiel**, con sentido del humor, para pasarlo bien, compartir las cosas sencillas de la vida y, quizás (*maybe*), formar parte de mi familia.

Arturo F.

Yo: Divorciado, 45 años, gerente. Soy un poco serio, pero también comprensivo, tolerante y muy cariñoso. Aunque soy romántico, **olvidé** cómo es estar enamorado. Me gustan la naturaleza y el deporte, y mi fe (*faith*) es muy importante para mí.

Tú: Escríbeme si tienes buen corazón.

Apoyo de vocabulario

cariñoso/a	*affectionate*	mentir (ie, i)	*to lie*
los celos	*jealousy*	olvidar	*to forget*
comprensivo/a	*understanding*	quejarse (de...)	*to complain (about ...)*
creer (irreg.)	*to believe*	recordar (ue)	*to remember*
enojarse	*to become angry*	reírse (de...) (irreg.)	*to laugh (at ...)*
estar listo/a	*to be ready*	soltero/a	*single*
fiel	*faithful, loyal*	viudo/a	*widower/widow*
matar	*to kill*		

¡Atención!

The present tense of **mentir** is: **miento**, **mientes**, **miente**, **mentimos**, **mentís**, **mienten**.

The present tense of **reírse** is: **me río**, **te ríes**, **se ríe**, **nos reímos**, **os reís**, **se ríen**.

5 **¿Quién lo dijo?** Indica qué personas del texto "Buscando amistad y amor" probablemente dijeron esto y por qué lo sabes.

¿Qué dijeron?

1. "Siempre te diré lo que pienso".

2. "Entiendo cómo te sientes".

3. "Nunca he estado casada".

4. "Mi pareja a veces sale con otras personas, pero no me importa".

5. "No nos llevábamos bien y terminamos nuestro matrimonio".

6. "Me gustan los abrazos".

7. "Nunca lo olvidaré. Fue mi gran amor".

8. "Claro que recuerdo la fecha. ¡Felicidades!".

¿Quién lo dijo y por qué?

_6_ **a.** _Liliana o Arturo_, porque son cariñosos.

____ **b.** _____, porque él no es celoso.

____ **c.** _____, porque ella es viuda.

____ **d.** _____, porque nunca olvida los cumpleaños.

____ **e.** _____, porque es sincera.

____ **f.** _____, porque es soltera.

____ **g.** _____, porque es comprensivo.

____ **h.** _____, porque están divorciados.

6 **Perfiles personales** En grupos pequeños, contesten las preguntas.

1. ¿Qué perfil de la sección "Buscando amistad y amor" te parece más efectivo? ¿Por qué?

2. ¿Qué perfiles te parecen compatibles para una amistad? ¿Y para una relación amorosa? ¿Por qué?

3. Si has usado una *app* de citas, ¿fue efectiva para ti? Si no has usado ninguna, ¿estas abierto/a a usarlas?

4. Esta estadística de México refleja las cualidades que buscan los usuarios de aplicaciones de citas. ¿Son estos factores importantes para ti también?

Fuente: Statista, 2022

7 Tus amigos/as y tú En parejas, túrnense para entrevistar a su compañero/a y anotar sus respuestas.

Estudiante A

1. ¿Tienes un(a) mejor amigo/a? ¿Cómo lo/la conociste? ¿Cómo es? ¿Por qué piensas en esta persona como tu mejor amigo/a? ¿Discutes (*Do you argue*) con él/ella a veces?

2. ¿Tienes relaciones de amistad con personas bastante diferentes de ti? Piensa, por ejemplo, en edad, origen, religión o identidad. ¿Qué aspectos positivos tienen estas amistades? ¿Hay algunas dificultades?

3. ¿Es fácil o difícil para ti hacer amigos? ¿Cómo conectas con otras personas? Imagina que quieres encontrar nuevas amistades, ¿qué haces?

Estudiante B

1. ¿Recuerdas a un(a) amigo/a importante de tu niñez? ¿Cómo lo/la conociste? ¿Cómo era? ¿Están en contacto ahora?

2. ¿Prefieres tener un grupo pequeño de amigos/as cercanos/as o un grupo grande de amigos/as diferentes? ¿Te reúnes o sales siempre con las mismas personas?

3. Algunas personas creen que la tecnología ayuda a crear y mantener amistades, pero otras personas creen que la tecnología hace las amistades más superficiales. ¿Qué crees tú?

8 Refranes tradicionales En grupos pequeños, lean estos refranes (*proverbs*) sobre la amistad y contesten: ¿Qué quieren decir? ¿Estás de acuerdo? ¿Te identificas o te gusta especialmente alguno? ¿Hay alguno que no te parece (*seem*) relevante para tu generación?

Palabras útiles

¿Qué piensas de...?
What do you think about...? (opinion)

Me parece que...
It seems to me that...

Pienso/Creo que...
I think/believe that...

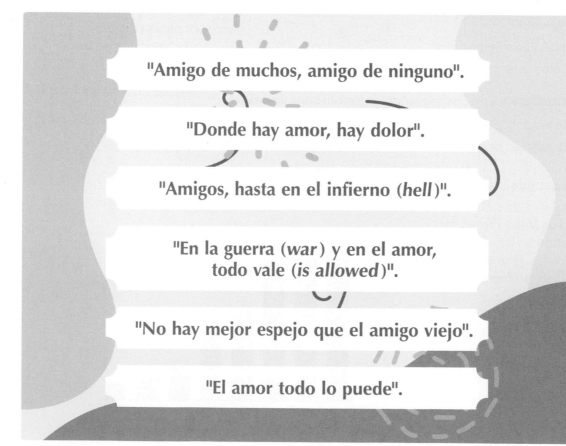

"Amigo de muchos, amigo de ninguno".

"Donde hay amor, hay dolor".

"Amigos, hasta en el infierno (*hell*)".

"En la guerra (*war*) y en el amor, todo vale (*is allowed*)".

"No hay mejor espejo que el amigo viejo".

"El amor todo lo puede".

☐ **I CAN** discuss personal relationships.

1. Express wishes and make requests

The subjunctive with expressions of will, influence, desire, and request

Read and listen to this text, focusing on the message. Then, note the structures in boldface and answer the questions:

1. How many verbs are there in each sentence? Do all the sentences follow the same pattern?

2. Observe the first verb in each sentence. What kind of meaning does it convey? Now, observe the second verb. Do you recognize these forms?

3. What else do you notice in each sentence? What is different about the two verbs? (Hint: Who is the subject of the action in each case?)

> **Álex:** Maribel, **quiero decirte** algo. Y **quiero que sepas** esto: eres muy importante para mí.
>
> **Maribel:** Oh, Álex, ¿quieres romper conmigo? Lo sabía... ¡Adiós! **Espero que seas** muy feliz.
>
> (Maribel empieza a llorar).
>
> **Álex:** Por favor, te **pido que me escuches**...
>
> **Maribel:** **Prefiero que me dejes** sola, por favor.
>
> **Álex:** No **quiero dejarte** sola, ¡**quiero que te cases** conmigo!

> ¡Quiero que te cases conmigo!

Introduction

Most of the verb tenses that you have learned about so far —such as the present, the preterit, and the imperfect— are part of the indicative mood. We use verbs in this mood to talk about events or facts considered to be true or part of reality. The subjunctive mood, however, is used when actions and events are expressed as potential or hypothetical at this time. They convey the speaker's wishes, attitudes, hopes, fears, and other personal reactions. Compare these examples:

Vamos a casa de Jaime esta noche.
Hoy **está** en casa.

We are going to Jaime's house tonight.
He is at home.

Quiero que **vayamos** a casa de Jaime esta noche.
Espero que **esté** en casa.

I want us to go to Jaime's house tonight.
I hope that he is at home.

Present subjunctive forms

To form the present subjunctive of *regular* verbs, delete the final **–o** from the **yo** form of the present indicative and add the endings indicated below. These forms will be familiar: you have already learned them for **usted/ustedes** commands.

¡Atención!
To form the present subjunctive, always think "opposite endings": **–ar** verbs have endings with **–e**; **–er** and **–ir** verbs have endings with **–a**.

	bail**ar** → bail~~o~~	com**er** → com~~o~~	viv**ir** → viv~~o~~
yo	bail**e**	com**a**	viv**a**
tú	bail**es**	com**as**	viv**as**
usted, él, ella	bail**e**	com**a**	viv**a**
nosotros/as	bail**emos**	com**amos**	viv**amos**
vosotros/as	bail**éis**	com**áis**	viv**áis**
ustedes, ellos, ellas	bail**en**	com**an**	viv**an**

▶ Verbs ending in **-gar**, **-car**, and **-zar** have the same spelling changes that occur in the **yo** form of the preterit.

–gar (g → gu)	lle**gar**	→	lle**gue**, lle**gues**, ...
–car (c → qu)	to**car**	→	to**que**, to**ques**, ...
–zar (z → c)	almor**zar**	→	almuer**ce**, almuer**ces**, ...

▶ Stem-changing verbs also follow the pattern of the present indicative, but note that stem-changing **–ir** verbs have <u>an additional stem change</u> in the **nosotros** and **vosotros** forms (**e → i** and **o → u**).

pensar (e → ie)	volver (o → ue)	preferir (e → ie, i)	pedir (e → i, i)	dormir (o → ue, u)
p**ie**nse	v**ue**lva	pref**ie**ra	p**i**da	d**ue**rma
p**ie**nses	v**ue**lvas	pref**ie**ras	p**i**das	d**ue**rmas
p**ie**nse	v**ue**lva	pref**ie**ra	p**i**da	d**ue**rma
pensemos	volvamos	pref**i**ramos	p**i**damos	d**u**rmamos
penséis	volváis	pref**i**ráis	p**i**dáis	d**u**rmáis
p**ie**nsen	v**ue**lvan	pref**ie**ran	p**i**dan	d**ue**rman

▶ Verbs with irregular **yo** forms in the present indicative show the irregularity in all the persons, not only the **yo** form.

conocer	(conozc~~o~~)	**conozca, conozcas, ...**	tener	(teng~~o~~)	**tenga, tengas, ...**

▶ These are the only verbs with irregular forms in the present subjunctive.

dar	dé, des, dé, demos, deis, den
estar	esté, estés, esté, estemos, estéis, estén
haber	haya, hayas, haya, hayamos, hayáis, hayan
ir	vaya, vayas, vaya, vayamos, vayáis, vayan
saber	sepa, sepas, sepa, sepamos, sepáis, sepan
ser	sea, seas, sea, seamos, seáis, sean

▶ **Haya** is the subjunctive form of **hay** (*there is, there are*).

Espero que **haya** otras soluciones.　　　　　　*I hope that there are other solutions.*

1 Relaciones sentimentales En una relación de pareja, ¿qué prefieres? Indica la opción apropiada para ti e identifica el verbo en subjuntivo.

1. (Es importante / No es importante / No quiero) que mi pareja me llame todos los días.
2. (Es importante / No es importante / No quiero) que mi pareja siempre me diga la verdad.
3. (Es importante / No es importante / No quiero) que siempre esté de acuerdo conmigo.
4. (Es importante / No es importante / No quiero) que me haga reír.
5. (Es importante / No es importante / No quiero) que me invite cuando sale con sus amigos/as.

2 Más relaciones Indica la opción que expresa lo que prefieres en una pareja y completa cada oración con la forma del subjuntivo correcta.

> **Modelo** (Es importante / No es importante / No quiero)
> que me *cuente* (contar) todos sus secretos.

1. (Es importante / No es importante / No quiero) que _____ (ser) muy similar a mí.
2. (Es importante / No es importante / No quiero) que _____ (tener) sentido del humor.
3. (Es importante / No es importante / No quiero) que _____ (pasar) conmigo casi todo su tiempo libre.
4. (Es importante / No es importante / No quiero) que _____ (llevarse) bien con mis amigos/as.
5. (Es importante / No es importante / No quiero) que _____ (hacer) cosas románticas.

3 Relaciones de amistad En una amistad, ¿qué prefieres? Completa con el verbo indicado y con información que refleja tus opiniones propias.

> **Palabras útiles**
> la confianza *trust*
> confiar (en) *to trust*
> los gustos *tastes*

1. Para mí, es muy importante que mis amigos/as _____ (ser) _____.
2. Prefiero que mis amigos/as _____ (tener) _____.
3. No es importante que mi mejor amigo/a _____ (recordar) _____.
4. Quiero que mis amigos/as _____ (saber) _____.
5. En mis relaciones de amistad, es importante que _____ (haber) _____.

Expressions of will, influence, desire, and request

Complex sentences express more than one idea, and therefore have more than one clause (each of which has its own verb). A clause that depends on another is a *subordinate clause*.

Main clause	Subordinate clause
<u>Mi novia prefiere</u>	[que la llame todos los días.]
My girlfriend prefers	[*that I call her every day.*]
<u>Espero</u>	[que te diviertas en tu cita.]
I hope	[*that you have fun on your date.*]

You have learned how to express what someone wants or prefers to do by using verbs such as **querer/preferir/desear** + *infinitive*.

Quiero decir la verdad.	*I want to say the truth.*
Luis **desea hacer** nuevos amigos.	*Luis wants to make new friends.*

Note that in the sentences above, there is only one subject. When a main clause expresses someone's wish, desire, preference, recommendation, request, or suggestion that someone does something or that something happens, we use a structure you are now familiar with:

expression of wish/request (*indicative*) + **que** + action desired/requested (*subjunctive*)

Quiero que digas la verdad.	*I want you to say the truth.*
Luis **desea que haga** nuevos amigos.	*Luis wants me to make new friends.*

Here are some verbs that express wishes, suggestions, and requests that we use with this structure:

aconsejar	*to advise*	**preferir (ie, i)**	*to prefer*
desear	*to wish*	**querer (ie)**	*to want*
insistir (en)	*to insist (on)*	**recomendar (ie)**	*to recommend*
pedir (i, i)	*to request*	**sugerir (ie, i)**	*to suggest*

Insisten en que **lleguemos** a tiempo.	*They insist that we arrive on time.*
Te **sugiero** que lo **invites** a la fiesta.	*I suggest that you invite him to the party.*

The verbs **recomendar**, **sugerir**, and **pedir** are often used with indirect object pronouns (**me, te, le, nos, os, les**), as one recommends, suggests, etc. something to someone else.

Te sugiero que vayas.	*I suggest that you go.*

When **es** + *adjective* expresses a recommendation or assessment about the subordinate clause, we use an infinitive when it is a generalization (no specific subject) and a subjuntive when there is a subject.

Es + (**bueno/mejor/necesario/importante/urgente**...) + **que** + action/event (*subjunctive*)

Es importante pasar tiempo con amigos.	*It's important to spend time with friends.*
Es importante que pases tiempo con tus amigos.	*It's important that you spend time with your friends.*

> **Nota de lengua**
>
> Remember that subjunctives are only used in subordinate (dependent) clauses, not independent or main clauses.
>
> ~~Quiera~~ que sepas la verdad.
> Quiero que sepas la verdad.
>
> ~~Sepas~~ la verdad.
> Sabes la verdad.

4 **¿Quién lo dice?** Selecciona la forma del verbo apropiada e indica quién o quiénes te dicen estas cosas: tu padre/madre, tu doctor(a), tu amigo/a, tu pareja u otra persona.

1. No es bueno (pasar / pasas / pases) tanto tiempo mirando el teléfono.

2. Prefiero que me (enviar / envías / envíes) menos mensajes. Es mejor que me (llamar / llamas / llames) más.

3. Quiero que (salir / sales / salgas) conmigo esta noche.

4. No quiero (salir / sales / salgas) esta noche.

5. ¿(Salir / Sales / Salgas) conmigo esta noche?

6. Es importante (dormir / duermes / duermas) al menos siete horas.

7. Te aconsejo que (acostarte / te acuestas / te acuestes) más temprano.

8. ¿Prefieres (venir / vienes / vengas) a mi casa o prefieres que yo (ir / voy / vaya) a tu casa?

9. Para aprender español es necesario (hacer / haces / hagas) la tarea. Y si quieres hablarlo, es necesario que (practicar / practicas / practiques) con mucha frecuencia.

5 **Se lo pide su mamá** ¿Qué cosas quiere la madre que hagan Juanito y el perro? En algunos casos hay más de una respuesta posible.

1. Quiere que su hijo *se quite el pijama, se vista y...*

2. Quiere que...

3. La madre insiste en que...

4. Le dice al perro que...

5. Le pide que...

6. Desea que...

6 **¿Qué te piden a ti?** Aunque ya no eres un(a) niño/a, tus padres y otras personas te piden que hagas o no hagas ciertas cosas.

Paso 1 Individualmente, indica los deseos, las recomendaciones y las sugerencias que estas personas tienen para ti. Completa cada oración con varias actividades.

1. Mi mamá me pide que...
2. Mis amigos me dicen que...
3. Mi compañero/a de cuarto insiste en que yo...
4. Mis hermanos quieren que...

Paso 2 En grupos pequeños, comparen sus oraciones. ¿Reciben todos/as ustedes las mismas recomendaciones? ¿Qué indican estas recomendaciones sobre los hábitos o la personalidad de ustedes?

Modelo		
Estudiante A:	*Mi mamá me pide que la llame todos los días porque se preocupa cuando un día no la llamo.*	
Estudiante B:	*Mi mamá no, pero quiere que le mande al menos (at least) un mensaje de texto. Ella me pide que no gaste mucho dinero...*	

7 **¿Qué prefieres en un(a) compañero/a de apartamento?** Vas a compartir tus preferencias sobre compañeros/as de apartamento.

Paso 1 Quieres encontrar a una persona para compartir tu apartamento. Escribe qué quieres (o no quieres) de un(a) compañero/a de apartamento.

Modelo	hacer la cama todos los días
	Quiero/Es importante/No es necesario que haga la cama todos los días.

1. dejar su ropa en las áreas comunes
2. hablar por teléfono celular día y noche
3. llevarnos muy bien
4. tener intereses similares a los míos
5. ayudarnos a estudiar para los exámenes
6. prender la tele a las dos de la mañana
7. pagar las cuentas a tiempo
8. comerse toda la comida que yo compro
9. ayudarme a limpiar el apartamento
10. ¿? _____

Paso 2 Ahora compartan sus preferencias en grupos pequeños. ¿Quiénes de ustedes serían (would be) buenos/as compañeros/as de apartamento? ¿Por qué?

8 **Consejos para todos** Ustedes colaboran en una organización estudiantil que ofrece apoyo (*support*) a otros estudiantes en línea (*online*).

Paso 1 En parejas, respondan a estos estudiantes, por escrito, con sus consejos y recomendaciones.

Modelo

> Mi novio ha roto conmigo y lo extraño mucho. Estoy triste y no puedo concentrarme en los estudios.

Recomendamos que salgas con tus amigos y también sugerimos que conozcas a otras personas. Además (besides), es importante que...

1. Estoy muy estresado y no duermo bien. Después, por el día, me duermo en mi clase de filosofía. ¡Ayúdenme, por favor!

2. Mi compañera de cuarto es muy desordenada y nuestro cuarto es un desastre. Además toma prestadas mis cosas sin pedir permiso y me despierta cuando llega (¡muy tarde!) por la noche. ¿Qué puedo hacer?

3. Como casi todos los estudiantes, tengo poco dinero. ¿Tienen algunas ideas sobre cómo puedo vivir bien y divertirme sin gastar mucho?

Paso 2 Con tu compañero/a, escriban en una hoja de papel una situación más que tú u otros estudiantes que conoces tienen o han tenido. Después intercambien su situación con otro grupo y escriban sus consejos y recomendaciones.

Nota cultural

"Panama" hats and *molas*

"Panama" hats are actually made in Ecuador, but became known as "the Panama" when workers on the Panama Canal used them as protection against the sun. True examples of Panamanian craftsmanship are the *molas* made by the Kuna people, which have their origin in body-painting rituals. They use a reverse appliqué technique: Two to seven layers of different-colored cotton cloth are sewn together, and the design is formed by cutting away parts of each layer to reveal the color underneath. These days, *molas* are used in clothing, particularly blouses, and as decoration. Traditionally, the designs are an expression of the craftsperson's vision of the world. They often depict birds and plants found in the region, and they can even tell stories.

Resources

S
vhlcentral

SAM

online
activities

☐ **I CAN** express wishes and make requests.

Las amistades de
Gabriel García Márquez

Antes de leer

1. En Estados Unidos Contesta estas preguntas.

1. ¿Conoces alguna amistad entre personas famosas (del presente o el pasado)?

2. ¿Tienes amigos/as que son muy diferentes de ti?

El escritor colombiano Gabriel García Márquez, autor de obras como Cien años de soledad, recibió el Premio Nobel de Literatura en 1982. Este fue un reconocimiento° de gran valor a su carrera literaria, pero para el escritor había algo aún más importante: "En este mundo no hay Premio Nobel que valga° más que mis amigos".

Entre sus amigos más cercanos° estaba el célebre escritor y poeta colombiano Álvaro Mutis. Su amistad duró varias décadas, y Gabo° habló de Mutis con su habitual sentido del humor: "Álvaro y yo nos vemos muy poco, y solo para ser amigos. Cuando quiero verlo, o él quiere verme, nos llamamos antes por teléfono para estar seguros de que queremos vernos". También fue amigo del escritor peruano Mario Vargas Llosa, pero tuvieron desacuerdos que distanciaron su relación.

Una de las amistades más próximas y controversiales de García Márquez fue la del ex primer ministro cubano Fidel Castro, con quien compartió muchos momentos. García Márquez mostraba a Castro sus manuscritos antes de publicarlos. Decía que Castro era un gran lector y podía editar sus textos porque prestaba atención a todos los detalles. Gabo no hablaba mucho de su vida personal y dejaba que sus textos hablaran de él y de sus amistades. Cuando le preguntaron para qué escribía, respondió: "Escribo para que me quieran más mis amigos".

el reconocimiento *recognition* **valer** *to be worth* **cercano/a** *close* **Gabo** *short, informal alternative to the name Gabriel*

❘ Gabriel García Márquez con su amigo Fidel Castro

Después de leer

2. Identificar Indica cuáles de estas ideas están en el texto.

☐ 1. Gabriel García Márquez no compartía mucho tiempo con Álvaro Mutis.

☐ 2. Los amigos eran tan importantes como la familia para García Márquez.

☐ 3. Fidel Castro leía los textos originales del escritor.

☐ 4. Gabriel García Márquez compartía pocos detalles de su vida privada.

☐ **I CAN** identify aspects Lof friendship in a reading about a Colombian writer.

3. Comparar y analizar En parejas, comenten estas preguntas.

1. El texto menciona a tres amigos de García Márquez que compartían con él su pasión por la literatura. ¿Piensas que es fundamental tener intereses similares para hacer y mantener una amistad? ¿Qué intereses compartes con tus amistades?

2. En tu cultura, ¿qué cualidades se valoran en un(a) amigo/a? Explica con ejemplos.

Resources

vhlcentral

online activities

Las llamadas telefónicas

Martina y Adriana están viajando en Centroamérica, pero hay un problema con sus reservaciones de hotel en Panamá.

> **Martina:** Tenemos que llamar al hotel donde vamos a quedarnos en Panamá, porque hay un problema con nuestras reservaciones. ¿Tienes tú el número de teléfono?
>
> **Adriana:** Sí, toma nota. El **prefijo** para Panamá es el 507 y el **código de área** de Ciudad de Panamá es el 2. El número del hotel es el 308235. Si no **contestan el teléfono**, **deja un mensaje** en **el correo de voz**.
>
> (Martina oye la línea ocupada).
>
> **Martina:** **La línea** está ocupada, voy a intentarlo otra vez. Vamos a ver si contesta...
>
> **Recepcionista:** Hotel América, ¿en qué puedo ayudarle?
>
> **Martina:** Hola, tengo una reservación en su hotel para la próxima semana, pero tengo un mensaje del Sr. Morales, diciendo que hay un problema. ¿Me puede comunicar con él, por favor?
>
> **Recepcionista:** **¿De parte de quién**, por favor?
>
> **Martina:** Martina Velasco.
>
> **Recepcionista:** Un momento, por favor. (...) Lo siento, el Sr. Morales **no se encuentra disponible** en este momento. ¿Quiere **dejar un mensaje**?
>
> **Martina:** Sí, **¿le puede decir que he llamado?** Mi número de celular es de Estados Unidos, con prefijo 1, y es el 627 3420769.
>
> **Recepcionista:** Muy bien, señorita Velasco. Espere la **llamada** del Sr. Morales esta tarde.
>
> **Martina:** Muchas gracias.
>
> **Recepcionista:** Gracias a usted. Adiós.

Apoyo de vocabulario

el código de área	*area code*	encontrarse disponible	*to be available (form.)*
contestar (el teléfono)	*to answer (the phone)*	la llamada	*phone call*
de parte de	*from, on behalf of*	el prefijo	*country code*
dejar (un mensaje)	*to leave (a message)*		

Here are some common expressions to use on the phone. Some variations are regional, others represent different degrees of formality.

Greetings:

¡Aló!   ¡Hola! (*Argentina*)   ¡Bueno! (*Mexico*)   ¡Sí!/¡Diga!/¡Dígame! (*Spain*)

To ask for someone:

¿Está Carlos?   ¿Se puede poner Carlos?   ¿(Podría hablar) con Carlos, por favor?

How to respond:

Al habla.   Sí, soy yo.   Un momento, ¿de parte de quién?

Ahora no se puede poner/no está.

Leaving a message:

¿Puedo dejarle un mensaje, por favor?   ¿Le puede decir que ha llamado/que llamó (Martina)?

ASÍ SE DICE

1 **¿Qué es?** Vas a compartir la descripción de un término relacionado con las llamadas telefónicas.

Paso 1 Individualmente, escucha las descripciones e identifica el término al que se refieren.

1. ___   2. ___   3. ___   4. ___

a. el código de área **b.** el correo de voz **c.** el mensaje **d.** el teléfono celular

Paso 2 Individualmente, escribe una descripción de otro término relacionado con las llamadas telefónicas. Después, en grupos pequeños, túrnense para leer sus descripciones. Sus compañeros/as van a identificar el término correcto.

2 **Llamadas telefónicas** Escucha las expresiones e indica una forma apropiada de continuar la conversación. En algunos casos hay varias opciones.

1. ___   2. ___   3. ___   4. ___   5. ___   6. ___

a. Soy su amiga Rosa.
b. Hola, ¿se puede poner Hugo?
c. Al habla.

d. Sí, claro. ¿De parte de quién?
e. Sí, soy yo.
f. Ah, bueno. ¿Le puede decir que llamó Rosana?

3 **Hábitos telefónicos** Primero, contesta las preguntas sobre ti mismo/a. Después, en parejas, háganse las preguntas y escriban las respuestas de su compañero/a. ¿Tienen hábitos parecidos o diferentes?

	Yo	Mi compañero/a
1. ¿A quién llamas con mucha frecuencia?		
2. ¿Quién te llama mucho?		
3. ¿Haces muchas llamadas de larga distancia? ¿A quién?		
4. ¿Te comunicas con tus amigos más por teléfono, mensajes de texto o algo diferente? ¿Y con tus padres?		
5. ¿Qué aspectos negativos tienen los teléfonos celulares?		

4 **Una llamada** En parejas, completen la conversación telefónica como indican sus instrucciones.

Estudiante A

Quieres invitar a tu amigo Martín a una fiesta en tu casa esta noche. Su teléfono está roto y no puedes enviarle un mensaje. Llamas a su compañero/a de apartamento. Martín no tiene tu dirección (Avenida Ricardo Arias, 38) ni número de teléfono (507 215–9078) y quieres dárselo.

Estudiante B

Atiende la llamada de teléfono y toma un mensaje si es necesario. Debes saber que tu compañero de apartamento, Martín, no está en casa.

Resources

vhlcentral

SAM

online activities

☐ **I CAN** make phone calls and leave messages.

2. Express feelings

The subjunctive with expressions of emotion

Read and listen to this text, focusing on the message. Then, note the structures in boldface. What do you recognize from structures you have already learned in this chapter? What is different?

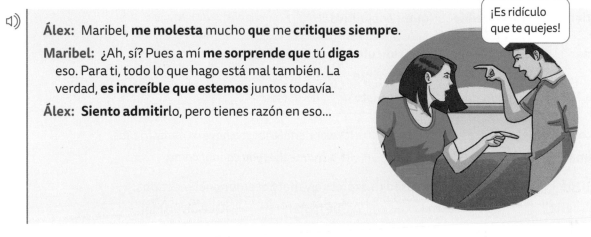

Álex: Maribel, **me molesta** mucho **que** me **critiques siempre**.

Maribel: ¿Ah, sí? Pues a mí **me sorprende que** tú **digas** eso. Para ti, todo lo que hago está mal también. La verdad, **es increíble que estemos** juntos todavía.

Álex: **Siento admitir**lo, pero tienes razón en eso...

> ¡Es ridículo que te quejes!

When the main clause in a complex sentence expresses a request, desire, or suggestion for someone to do something, the subordinate verb is in the subjunctive. Similarly, when the main clause expresses emotional reactions and feelings (joy, hope, sorrow, anger, etc.) about an action or state, the verb in the subordinate (dependent) clause is in the subjunctive.

> expression of emotion (*indicative*) + **que** + action/condition of another person/thing (*subjunctive*)

Me sorprende que Laura no **esté** aquí.	*I am surprised that Laura is not here.*
Es increíble que llegue ya mañana.	*It's incredible that she is already arriving tomorrow.*

Here are some verbs and expressions of emotion that we use with this structure:

alegrarse (de)	*to be glad (about)*	**sentir (ie, i)**	*to be sorry, to regret*
esperar	*to hope, to expect*	**temer**	*to fear, to be afraid*
¡Ojalá (que) ...!	*I hope/wish (that)*		

Me alegro de que estén comprometidos.	*I am glad that they are engaged.*
¡Ojalá que me **inviten** a la boda!	*I hope that they invite me to the wedding.*

Gustar, **encantar**, and similar verbs like these can also be used to express emotional reactions and preferences.

molestar	*to be annoying, to bother*	**sorprender**	*to be surprising, to surprise*

Me gusta que Celia **esté** siempre de buen humor pero **me molesta que** siempre **llegue** tarde.	*I like that Celia is always in a good mood, but it bothers me that she is always late.*

> **¡Atención!**
>
> The word **ojalá** comes from Arabic and it means literally "God willing." In modern Spanish, it is synonymous with "I hope." It is always followed by a verb in the subjunctive.

As before, if there is no change of subject in the subordinate clause, the infinitive is used, not **que** + *subjunctive*.

Espero poder salir con ustedes.	*I hope I can go out with you.*
Espero que ellos **puedan** venir también.	*I hope they can come, too.*

There are also expressions of emotion with the structure **Es** +*adjective*.

Es + **fantástico/terrible/increíble...** + **que** + subjuntivo

es una lástima	*it's a shame*	**es ridículo**	*it's ridiculous*
es extraño	*it's strange*	**es horrible**	*it's horrible*
es fantástico	*it's wonderful*	**no es justo**	*it's not fair*

Es fantástico que tengas tantos amigos.	*It's wonderful that you have so many friends.*
Es una lástima que no **puedas** venir.	*It's a shame that you cannot come.*

The structure **¡Qué** + *noun/adjective*! can be used to express a variety of emotional reactions.

¡Qué (mala) suerte!   ¡Qué desastre!   ¡Qué triste!   ¡Qué divertido!

Sometimes, these structures take a subordinate clause with the verb in subjunctive:

¡Qué suerte que tengas tantos amigos!	*You are lucky to have so many friends!*
¡Qué triste que se **divorcien** sus padres!	*It's so sad that his parents are divorcing!*

1 **¿Lógico o ilógico?** Escucha lo que dice Natalia y decide si es lógico o no. Si una oración no es lógica, reescríbela para hacerla lógica.

	Lógico	**Ilógico**			**Lógico**	**Ilógico**
1.	☐	☐		**5.**	☐	☐
2.	☐	☐		**6.**	☐	☐
3.	☐	☐		**7.**	☐	☐
4.	☐	☐		**8.**	☐	☐

En mi experiencia

Martina, Stillwater, OK

"Meeting new friends in Spain was an amazing experience, and I learned to appreciate different ways of being friends. I joined my host sister's group of friends, who had been friends for a long time and always hung out together. When we went out, it was common for one person to pay for everyone's coffee or drink instead of each person paying for their own. Eventually, everyone gets their turn, of course, and it is nice to invite and be invited."

How do you and your friends pay for drinks, meals, etc. when you go out? Does each person pay for their own, do you split equally, or do you take turns paying? Does it depend on what you are doing or the people that you are with?

2 Emociones Describe las emociones de estas personas según (according to) las situaciones. Usa estas expresiones. Debes usar todas al menos una vez. En las dos primeras tienes un poco de ayuda.

alegrarse de que	gustar que	sorprenderle (a alguien) que
esperar que	sentir que	temer que

1. Anita teme que... y espera...

4. A Daniela... y a Julián...

2. Marcos se alegra de que...

5. Todos nosotros...

3. Isabel y Andrés...

6. Nadia...

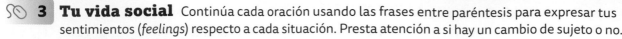

3 **Tu vida social** Continúa cada oración usando las frases entre paréntesis para expresar tus sentimientos (*feelings*) respecto a cada situación. Presta atención a si hay un cambio de sujeto o no.

> **Modelo** Jaime no estudió mucho. (pasar el examen)
> *Espero que pase el examen.*
> No estudié mucho. (pasar el examen)
> *Espero pasar el examen.*

1. Mi amiga Sonia se queja de que no tiene novio. (no encontrar a alguien especial)
2. Bea y su compañera de cuarto siempre discuten (*argue*). (llevarse mal)
3. No me acordé del cumpleaños de Marta. (no enojarse conmigo)
4. Marta no se enojó porque olvidé su cumpleaños. (tener una amiga tan comprensiva)
5. Pedro rompió con su novia y no sale de casa. (estar muy deprimido)
6. El próximo mes me gradúo. (empezar una nueva etapa de la vida)

4 **Reacciones** En parejas, van a compartir situaciones y reacciones.

Paso 1 En parejas, uno/a de ustedes hace una declaración. El/La otro/a responde, expresando sus sentimientos o deseos. Túrnense.

> **Modelo** **Estudiante A lee:** Mi abuelo está en el hospital.
> **Estudiante B ve:** estar enfermo, salir pronto
> **Estudiante B dice:** *¡Qué triste! Es una lástima que esté enfermo.*
> *¡Ojalá que salga pronto!*

Estudiante A

Situaciones
- El mes pasado me comprometí.
- Mi sobrinito/a nació hoy.
- Mi mejor amigo/a tiene novio/a y ya no nos vemos nunca.

Reacciones
- decir la verdad, pedirte perdón (*apologize*)
- estar perdido, encontrar pronto (inventa una reacción y un deseo)

Estudiante B

Reacciones
- estar enamorado/a, ser muy feliz
- tener un(a) sobrinito/a, todo ir bien (inventa una reacción y un deseo)

Situaciones
- Mi amigo/a me miente.
- ¡No encuentro mi celular!
- Estoy enfermo/a y no puedo salir esta noche.

Paso 2 Individualmente, escribe dos situaciones más, reales o imaginarias, de tu vida. Después, compártelas con tu compañero/a, quien va a ofrecer su reacción y deseos.

5 Situaciones En parejas, imaginen que están pasando por unos días difíciles. Hablen por teléfono para contarse sus problemas. Expliquen cómo se sienten, qué quieren o esperan. Escuchen también la situación de su amigo/a. Reaccionen con empatía, ofrezcan sugerencias y expresen sus deseos para él/ella. Sigan este esquema.

Estudiante A: Extrañas a tu pareja que está estudiando en el extranjero (*abroad*) este semestre.

Estudiante B: Estás enojado/a por algo que hizo tu amigo/a.

6 La vida en la universidad Vas a compartir tus opiniones sobre la vida universitaria.

Paso 1 Individualmente, escribe sobre tu experiencia en la universidad, describiendo qué es interesante, qué te gusta, sorprende, molesta, etc. de la vida aquí. Puedes mencionar aspectos académicos, de la vida social, etc.

> **Modelo** *Me encanta que haya tantas clases fascinantes, pero no me gusta que tengamos requisitos (requirements) porque no puedo explorar todas esas materias.*

Paso 2 En grupos pequeños, compartan y comenten sus ideas. ¿Tienen experiencias e impresiones similares?

En mi experiencia

Lupe, San Antonio, TX

"In Argentina, I noticed that good friends and family members have more physical contact than in the U.S. For example, while walking down the street, one man might rest his hand on the shoulder of another, or two women will have their arms interlocked. My friends who studied abroad in Spain and Italy said it's common there, too. I was also surprised by how closely people stand to each other in casual conversation. I had to get used to having people so close when chatting. And where I'm from, the average volume of speaking is considerably lower, and people don't interrupt each other. For them, though, it's not 'interrupting,' but having a normal conversation."

How much physical proximity are you accustomed to when speaking to people you know? Where you're from, do people tend to interrupt or "overlap" when speaking? What values might such cultures be expressing in such physical and verbal behaviors?

☐ **I CAN** express simple feelings.

3. Discuss what will and would happen

The future and the conditional

The future

Read and listen to this text, focusing on its meaning. Note the verbs in boldface. Can you tell what time frame they refer to? Can you figure out how they are formed?

> "Maribel, delante de nuestra familia y amigos prometo que te **amaré** siempre, **estaré** a tu lado cada día, y cada día te **escucharé** y **confiaré** en ti completamente. **Tendrás** en mí un compañero constante y fiel. **Haré** lo posible para que todos tus días sean buenos días. Te quiero hoy y te **querré** siempre".

We use the future tense to express predictions and promises for the future. Almost all verbs form the future by adding these endings to the infinitive.

	llamar	**volver**	**ir**
yo	llamar**é**	volver**é**	ir**é**
tú	llamar**ás**	volver**ás**	ir**ás**
usted, él, ella	llamar**á**	volver**á**	ir**á**
nosotros/as	llamar**emos**	volver**emos**	ir**emos**
vosotros/as	llamar**éis**	volver**éis**	ir**éis**
ustedes, ellos, ellas	llamar**án**	volver**án**	ir**án**

—¿**Irás** a la fiesta con Jorge?   —*Will you go to the party with George?*

—**Iré** si me invita.   —*I'll go if he invites me.*

The following verbs add regular future endings to the irregular stems shown (not to the infinitive).

Infinitivo	Raíz	Formas del futuro
haber	habr-	**habr**á
hacer	har-	**har**é, **har**ás, **har**á, **har**emos, **har**éis, **har**án
decir	dir-	**dir**é, **dir**ás, ...
poder	podr-	**podr**é, **podr**ás, ...
querer	querr-	**querr**é, **querr**ás, ...
saber	sabr-	**sabr**é, **sabr**ás, ...
poner	pondr-	**pondr**é, **pond**rás, ...
salir	saldr-	**saldr**é, **saldr**ás, ...
tener	tendr-	**tendr**é, **tendr**ás, ...
venir	vendr-	**vendr**é, **vendr**ás, ...

¡Atención!

Remember: Add the future endings to the entire infinitive, not the stem.

Habrá muchos invitados en la boda.　　　*There will be many guests at the wedding.*

Los novios **harán** un viaje a Antigua.　　*The bride and groom will take a trip to Antigua.*

These temporal expressions are often used to place actions and situations in the future:

en/dentro de + (amount of time)　　　　**en** + (point in time)

En /Dentro de diez años habrá menos niños.　*In ten years there will be fewer children.*

En 2050 tendremos vidas más largas.　　　*In 2050 we will have longer lives.*

1　En el año 2050　Vas a compartir predicciones sobre el futuro.

Paso 1　Individualmente, indica si estás de acuerdo o no con las predicciones sobre el futuro de las relaciones personales. Escribe una predicción más al final.

1. El uso de la tecnología cambiará las relaciones entre amigos y parejas.　　Cierto　　Falso
2. Casi todos conoceremos a nuestras parejas en aplicaciones de citas.　　Cierto　　Falso
3. Nacerán muchos menos niños.　　Cierto　　Falso
4. También, en el año 2050 _____

Paso 2　En grupos pequeños, comparen sus respuestas y predicciones, explicando sus razones.

2　Nuestro futuro　Ahora que conoces bien a tus compañeros de clase, completa individualmente las predicciones indicando los/las o compañeros/as para quienes (*for whom*) estas predicciones posiblemente serán verdad. Luego, en grupos pequeños comparen sus respuestas, justificando sus predicciones.

> **Modelo**　escribir un libro　*Sarah escribirá un libro.*

1. viajar por todo el mundo
2. ser un(a) artista famoso/a
3. hacer descubrimientos (*discoveries*) científicos importantes
4. ganar unas elecciones políticas
5. ir a vivir a una granja
6. trabajar ayudando a otros

3　Quiromancia　La quiromancia (*palmistry*) es el arte de pronosticar el futuro leyendo las líneas de la palma de la mano.

Paso 1　En parejas, observa la ilustración mientras examinas la palma de la mano de tu compañero/a y dile cómo será su futuro. Usa tu imaginación para interpretar las líneas de su mano. Túrnense.

> **Modelo**　*Esta línea de tu mano me dice que... tendrás una vida muy larga.*

graduarte en...	ser... (profesión)	vivir en...	hacer un viaje a...
casarte con...	tener... (hijos/nietos)	ganar la lotería...	

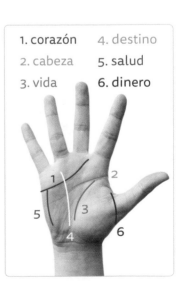

1. corazón　　4. destino
2. cabeza　　5. salud
3. vida　　　6. dinero

Paso 2　¿Qué te parecen las predicciones de tu compañero/a? Individualmente, escribe cuatro o cinco oraciones describiendo algunas de sus predicciones y explica si estás de acuerdo o no.

The conditional

Read and listen to this text, paying attention to the message. Observe the verbs in boldface. Have you seen similar verb forms before? What meaning did those verbs convey? Based on those verbs and your observations here, what type of meaning do these forms express about the actions and events? Can you figure out how they are formed?

> **Esther:** Imagina que te ofrecen un empleo perfecto en otro país. ¿Qué **harías**? ¿Lo **aceptarías**?
>
> **Laura:** No, nunca **dejaría** a mi familia y amigos por un trabajo. Bueno, supongo que **consideraría** un puesto temporal en un lugar muy interesante. ¿Por qué lo preguntas?
>
> **Esther:** ¿**Irías** conmigo a Panamá para ser maestra de inglés por un año? Di que sí: es temporal, en un lugar interesante y no **tendríamos** que separarnos de todos nuestros amigos porque ¡**estaríamos** juntas!

In **Capítulo 4**, you learned a form of the conditional (**me gustaría**) to make a polite request. A more frequent meaning of the conditional, as in English, is to express what *would* potentially happen in certain circumstances. Note below that the conditional endings are identical to the imperfect tense endings of **-er** and **-ir** verbs, but the conditional is formed by adding those endings to the *entire infinitive*.

	llamar	volver	ir
yo	llamar**ía**	volver**ía**	ir**ía**
tú	llamar**ías**	volver**ías**	ir**ías**
usted, él, ella	llamar**ía**	volver**ía**	ir**ía**
nosotros/as	llamar**íamos**	volver**íamos**	ir**íamos**
vosotros/as	llamar**íais**	volver**íais**	ir**íais**
ustedes, ellos, ellas	llamar**ían**	volver**ían**	ir**ían**

Verbs that have an irregular stem in the future tense also form the conditional with that same irregular stem and regular conditional endings.

Infinitivo	Futuro	Formas del condicional
haber (**hay**)	habrá	**habría**
hacer	haré	**haría, harías,** ...
poder	podré	**podría, podrías,** ...
poner	pondré	**pondría, pondrías,** ...
querer	querré	**querría, querrías,** ...
saber	sabré	**sabría, sabrías,** ...
tener	tendré	**tendría, tendrías,** ...
decir	diré	**diría, dirías,** ...
salir	saldré	**saldría, saldrías,** ...
venir	vendré	**vendría, vendrías,** ...

Here are some more examples that illustrate the use of the conditional:

—¿**Podrías** ayudarnos?

—*Would you be able to help us?*

—Hoy no puedo, pero mañana no **habría** ningún problema.

—*I cannot today, but tomorrow there wouldn't be any problem.*

4 **¿Lo harías?** Vas a compartir datos con la clase.

Paso 1 En grupos pequeños, háganse las preguntas y escriban las respuestas de cada uno/a.

	Nombres: _____ _____ _____		
1. ¿Qué harías para hacer amigos en una ciudad nueva?			
2. ¿Competirías con un(a) amigo/a por un trabajo si sabes que le interesa mucho?			
3. ¿Cambiarías la edad legal para casarse? ¿Qué edad te parece apropiada?			
4. ¿Irías a vivir a otro país por amor?			
5. ¿Donarías dinero para la prevención del embarazo de adolescentes (*teenage pregnancy*)?			

Paso 2 Compartan sus datos con la clase y calculen los porcentajes (*percentages*) de estudiantes a favor y en contra para cada pregunta.

5 **Una vida ideal** Un aspecto que hace la vida emocionante es que no sabemos qué va a pasar. Pero imagina que tienes una oportunidad para decidir ciertos aspectos de tu vida, la universidad y el mundo, ¿qué te gustaría?

Paso 1 Individualmente, escribe algunas ideas para cada tema.

Modelo *Viviría con mi pareja en un apartamento de Seattle por unos años...*

tu vida (familia, trabajo, casa)   tu tiempo libre y amigos   el mundo

Paso 2 En parejas, túrnense para compartir sus ideas y hacer preguntas a su compañero/a sobre los detalles.

6 **Situaciones** En parejas, imaginen que tienen situaciones complicadas en sus relaciones. Por turnos, escucha a tu amigo/a, haz preguntas para entender mejor la situación y sus sentimientos, y dile qué harías tú en su lugar (*in his/her place*). Sigan este esquema.

Estudiante A: A tu mejor amigo/a no le gustan tus otros amigos y no quiere salir con ellos.

Estudiante B: Tu novio/a va a vivir en otro país por dos años por trabajo. No sabes si quieres mantener una relación a larga distancia.

☐ **I CAN** discuss what will and would happen.

Panamá

Antes de leer

👐 **1. Anticipar** Contesta las preguntas.

1. ¿En qué parte del continente americano está Panamá? ¿Qué es especial sobre su geografía? Si no sabes la respuesta, mira el mapa al final del libro.

2. ¿Qué sabes sobre el canal de Panamá? ¿Por qué es relevante para el comercio internacional? Una pista (*hint*): está relacionado con la geografía de Panamá.

Panamá es un país de América Central con una historia multicultural. El 65% de los panameños son mestizos, el 18% de origen africano y el 10% pertenece a culturas originarias. Panamá ha atraído a personas de muchos países y hay numerosas comunidades migrantes y expatriados. También tiene algunas de las selvas tropicales más espectaculares del mundo. Conoce algunos aspectos destacados de este país.

La Ciudad de Panamá

La Ciudad de Panamá tiene la segunda población metropolitana más grande de América Central, con más de 2 millones de habitantes. Es una ciudad de contrastes. Esta ciudad fue el primer asentamiento° europeo en la costa del Pacífico y su Casco Viejo° fue declarado Patrimonio de la Humanidad por la UNESCO. Sin embargo, la ciudad es también una metrópolis moderna con rascacielos y tecnología. De hecho, es un importante centro bancario internacional.

❙ La Ciudad de Panamá

Naturaleza: El mar

Se cree que el nombre de Panamá significa "lugar de muchos peces". Al ser un país estrecho° con dos océanos, es un muy buen lugar para practicar deportes acuáticos. Además de la pesca tradicional, se puede hacer esnórquel, buceo, surf, windsurf, surf de remo° o kayak. Al formarse, el istmo de Panamá cerró el flujo de agua entre los dos océanos. Esto cambió las corrientes° del mar y los climas, así como los animales que vivían en el agua y fuera de ella. Mira el video para aprender más sobre la diversidad natural de Panamá.

❙ Un barco pasa por el canal de Panamá.

El canal de Panamá

El canal de Panamá se considera "una maravilla° de la ingeniería mundial" y está situado en el punto más estrecho del istmo de Panamá. Este paso entre el océano Atlántico y el océano Pacífico tuvo muchos proyectos. Finalmente, en 1903, Estados Unidos recibió permiso de Panamá para construir el canal y asumir su soberanía. Con el canal, inaugurado en 1914, el viaje de 8.000 millas para llegar de una costa a la otra se redujo° a 48 millas. Esto revolucionó el transporte de mercancías marítimas. Actualmente°, el canal pertenece de nuevo a Panamá y, en un día normal, pasan por él más de unos 40 barcos.

El pueblo kuna

Los kunas son un pueblo originario de las regiones caribeñas de Panamá y de Colombia y, hoy día, las comunidades más grandes se encuentran en el archipiélago panameño de Guna Yala. Tienen su propio idioma, normas y valores, y una cultura muy rica. Los kunas consiguieron ser una comunidad independiente de Panamá y se gobiernan a sí mismos°, además de mantener sus tradiciones. La sociedad kuna es matriarcal y, además de hombres y mujeres, reconoce un tercer género (*Omeggid*) para los hombres que se identifican como mujeres. Por desgracia, la subida del mar, causada por el cambio climático, amenaza con cubrir° las islas donde viven.

❘ El pueblo kuna

Inmigración china

Panamá tiene la más numerosa población de origen chino de toda América Central, con más de 200.000 personas. Los inmigrantes chinos llegaron en 1850 para construir el ferrocarril° y, más tarde, el canal. La Ciudad de Panamá tiene un gran Barrio Chino con tiendas y restaurantes que estuvo cerrado hasta 1950, porque no se permitía la salida de las personas chinas. Después, muchos se mudaron a El Dorado, un nuevo barrio chino con muchos comercios°, y a otras partes de la ciudad.

Después de leer

2. Indicar Selecciona la opción que refleja la información del texto.

1. La Ciudad de Panamá es la más _____.
   a. antigua   b. poblada   c. rica

2. Este país tiene acceso a _____.
   a. más de un océano   b. solo un océano   c. tres océanos

3. Estados Unidos _____ el canal de Panamá.
   a. construyó   b. gobernó   c. construyó y gobernó

4. Los kunas _____ Panamá.
   a. no viven en   b. no dependen de   c. comparten la cultura de

5. La comunidad chino-panameña _____.
   a. es la mayor de Latinoamérica   b. trabaja en construcción   c. ya no vive solo en el Barrio Chino

3. Interactuar En grupos pequeños, comenten estas preguntas.

1. ¿Qué les pareció más interesante o sorprendente sobre Panamá? ¿Por qué?

2. ¿Por qué creen que fue tan importante la construcción del canal de Panamá? ¿Cómo cambió la manera de llevar productos comerciales por el mar?

4. Investig@ en Internet Lee la estrategia e investiga en línea uno de los temas presentados en la lectura u otro tema diferente que te interese. Prepara un informe breve escrito para compartir con tu clase. Incluye imágenes y otros recursos apropiados.

🔍 Estrategia digital: Using extensions

When researching topics online, you may come across words, expressions, or phrases you are unfamiliar with. Web browsers have many free incredible extensions that can help you enhance your comprehension of texts. Extensions/add-ons/plugins appear at the top of a browser, usually to the right of the omnibar. These icons when clicked help you interact and engage with websites.

el asentamiento *settlement* el Casco Viejo *Old Town* estrecho/a *narrow*
el surf de remo *stand-up paddleboarding* la corriente *current*
la maravilla *wonder* reducir *to reduce* actualmente *currently*
a sí mismos/as *themselves* amenaza con cubrir *threatens to cover*
el ferrocarril *railroad* el comercio *shop*

☐ **I CAN** identify one or two products and/or practices from Panama.

Resources

vhlcentral

online activities

Lectura

Antes de leer

1. Conocimiento previo Contesta las preguntas.

1. ¿Existe alguna costumbre o celebración dedicada a personas que han muerto en tu comunidad, cultura o religión?

2. ¿Qué sabes sobre la celebración del Día de Muertos? Escribe una lista de todas tus ideas.

> **Estrategia de lectura: Considering historical and cultural context**
>
> When you read a text about a different time or culture, or written in a different time and culture, it is essential to consider its historical and/or cultural context. Not only will this awareness help you better understand the text, but you will also interpret and evaluate the events, people, and behaviors described from a valid perspective.

A leer

2. Identificar Selecciona dos o tres oraciones (*sentences*) del texto que reflejan las ideas principales del texto.

3. Aplicar Lee la estrategia y contesta las preguntas.

1. Lee el texto teniendo en cuenta (*keeping in mind*) que menciona elementos, costumbres y acciones de diferentes culturas y momentos en la historia. Indica cuáles pertenecen a estas categorías:
   - Elementos aztecas, prehispánicos
   - Elementos cristianos, después del siglo XVI
   - Elementos modernos

2. El texto describe un ejemplo de sincretismo religioso: la integración de dos tradiciones religiosas y culturales diferentes. A veces dos culturas en contacto se combinan, otras veces una cultura conquista y domina a otra. Considerando la historia de México, ¿qué situación imaginas que es esta? ¿Qué implicaciones tiene para comprender esta festividad?

festejar *to celebrate* **el mundo** *world* **el ser** *person* **el papel picado** *colored paper with cut out patterns* **la vela** *candle* **el cempasúchil** *marigold* **el/la difunto/a** *deceased* **la calavera** *skull* **barrer** *to sweep* **disfrutar de** *enjoy* **el sabor** *taste* **rezar** *to pray* **fallecer** *to pass away* **colocar** *to place* **el camino** *path* **el copal** *an aromatic resin* **el humo** *smoke*

México y su Día de Muertos

El Día de Muertos es una tradición que tiene más de 3000 años, cuando los vivos recuerdan y honran la memoria de sus antepasados. El 1 y el 2 de noviembre, los mexicanos se entregan a lo mágico, porque vivos y muertos festejan° juntos la vida. Los mexicanos no se cansan de decirlo: el Día de Muertos es alegre.

El altar de muertos

Dice la tradición mexicana que durante los días 1 y 2 de noviembre se abre una puerta entre nuestro mundo y el más allá o el Mictlán, como los aztecas llamaban al mundo° de los muertos. Es entonces cuando los vivos recuerdan a sus seres° queridos y los reciben con una gran fiesta donde no puede faltar ningún detalle.

El altar de los muertos es el símbolo más característico de la celebración. Y se puede encontrar en casas, empresas privadas, lugares públicos y cementerios. Las fotos de los familiares, el papel picado°, las velas° y las flores de muerto (o cempasúchil°) son imprescindibles en todos los altares. La función del altar es dar la bienvenida a los difuntos° al reino de los vivos y, por eso, en cada piso se ponen las cosas que más les gustaban, sobre todo comida, bebida y tabaco. Pueden ser calaveritas° de azúcar, pan de muertos, chocolate, cigarrillos, tequila, tamales, tacos... y todo ese conjunto de cosas que les ofrecen a los seres que nos dejaron. Es lo que los mexicanos llaman *ofrenda*.

Un día antes del Día de Muertos, el lugar donde se pone el altar debe barrerse° con hierbas aromáticas. El 2 de noviembre, los familiares

PUNTO Y COMA... CULTURA

se quedan despiertos durante toda la noche, mientras los muertos disfrutan de° su ofrenda. Dicen que, al final de ese día, los alimentos ya no tienen sabor° porque el difunto se ha llevado su esencia.

El origen: unión de culturas

El Día de Muertos nace de la unión de las culturas prehispánicas con la religión católica. Mucho antes de la llegada de los españoles a América, los indígenas ya celebraban rituales en honor a sus antepasados y habían elegido el 2 de noviembre. Al mismo tiempo, el 1 de noviembre se celebra en la religión cristiana el día de Todos los Santos, un día en el que se recuerda y se reza° por los familiares que ya han fallecido°. La unión de estas dos tradiciones dio origen a la fiesta más popular de México: el Día de Muertos.

De la tradición indígena, se conservó lo más colorido de la fiesta: el altar de muerto, donde se coloca° la ofrenda para los difuntos; las flores que marcan el camino° de regreso; el incienso del copal°, cuyo humo° purifica y sirve para atraer a los espíritus; y las omnipresentes calaveras. La religión católica también aportó sus símbolos, las cruces y las imágenes de Santos. Y la modernidad aportó, naturalmente, las fotografías de las personas fallecidas.

En 2008, la UNESCO declaró esta celebración mexicana Patrimonio Cultural Inmaterial de la Humanidad y hoy es una costumbre milenaria que los mexicanos miman, entre otras, porque los hace únicos. ▪

Después de leer

4. Analizar Contesta estas preguntas con información del texto.

1. ¿Dónde y cuándo se celebra el Día de Muertos?
2. ¿Quiénes lo celebran?
3. ¿A quiénes celebran?
4. ¿Cómo celebran?
5. ¿Qué elementos y objetos forman parte de esta celebración? ¿Cuál es su función?

5. Conectar En grupos pequeños, comenten estas preguntas.

1. ¿Hay elementos sincréticos en algunas celebraciones de Estados Unidos?
2. ¿Qué celebraciones de pueblos nativos de Estados Unidos conoces?
3. El Día de Muertos es cada vez más popular en Estados Unidos. Algunos ejemplos son las decoraciones de calaveras coloridas, las películas *Coco* y *The Book of Life*, o la Barbie Día de Muertos. En tu opinión, ¿cuáles son las posibles razones de esta popularidad? ¿Qué aspectos positivos y problemáticos puede haber? ¿Hay una forma apropiada o no apropiada de adoptar elementos de otra cultura?

☐ **I CAN** identify main facts in a text about a tradition from Mexico.

Resources

vhlcentral

online activities

Video: Catalina

Antes de ver el video

1 Predecir Observa la imagen y lee la sinopsis de este cortometraje. En parejas, imaginen detalles sobre Catalina, su vida e imaginen qué dice el mensaje.

> **Estrategia de comprensión auditiva: Listening for tone and intonation**
> Even if you cannot understand what someone says, tone and intonation can reveal a lot about the message as well as the speaker's attitude and emotions; you can probably tell whether someone is stating something or asking a question, speaking with or without conviction, and whether they are feeling excited, upset, etc. Paying attention to these cues will help you interpret what you hear, especially in conversations.

A ver el video

En este cortometraje, vas a ver la historia de Catalina.

Sinopsis: Catalina es una mujer mayor que vive sola en la ciudad. No tiene compañía hasta que un día encuentra un mensaje en su puerta. En ese momento se despiertan su esperanza y sus emociones.

Duración: 15:48
Fuente: Reflecto Films

2 Analizar En grupos pequeños, contesten las preguntas.

1. ¿Qué pasó en esta historia? Colaboren para reconstruir la trama con un poco de detalle.

2. ¿Qué sabemos de Catalina? ¿Cómo es? ¿Cómo es su rutina?

3. ¿Qué otros personajes hay? ¿Cuál es su papel (*role*) en la historia?

4. ¿Cuál es la idea o mensaje principal? ¿Qué otros temas hay?

5. ¿Qué observas en el video que releva diferencias culturales entre México y Estados Unidos? Observa el mercado, las interacciones entre los personajes, etc.

3 Aplicar Lee la estrategia y mira otra vez el corto hasta el minuto 6:00 poniendo atención al tono y la entonación de Catalina. En parejas, describan cómo se siente Catalina cuando saluda a su vecino en estos puntos del corto.

    1:11   3:10   5:33

Después de ver el video

4 Escribir En grupos pequeños, seleccionen una opción.
- Escriban el guion (*script*) para un final diferente.
- Escriban la historia desde el punto de vista (*point of view*) de Bernardo.
- Escriban la historia para un nuevo corto: *Catalina, dos años después.*

Palabras útiles

aprovecharse
to take advantage

la culpa
fault

desperdiciar
to waste

la edad
age

el empujón
push

escaparse
to get away

(no) hace falta
it's (not) necessary

lucir bien
to look good

la plática
chat

Resources

vhlcentral   online activities

☐ **I CAN** identify and interpret events in a short film from Mexico.

Proyecto oral: Una obra de teatro

Con un grupo de compañeros/as, van a escribir y representar una breve obra de teatro sobre una relación personal. Para prepararte, toma unos minutos para revisar el vocabulario y la gramática de este capítulo y escribe las palabras clave que te gustaría incluir.

¡Atención!

Ask your instructor to share the **Rúbrica de calificación** to understand how your work will be assessed.

Estrategia de comunicación oral: Memorizing in Spanish

Memorizing can be helpful as you develop oral skills in Spanish. When you read a text repeatedly or memorize it, you can practice pronunciation, linking of words, intonation, and other features that make your speech sound more natural. Being able to have a fluid interaction, even if that interaction is rehearsed, can also give you a sense of how it feels to speak the language fluently, which can be a great boost!

Paso 1 En grupos pequeños, sigan las instrucciones.

1. Hagan una lluvia de ideas con diferentes situaciones, personajes, etc. Los personajes pueden ser familiares, amigos/as, compañeros/as de clase o de trabajo, o desconocidos (*strangers*) y pueden estar en un restaurante, un mercado, un gimnasio, etc. Su historia puede ser cómica, dramática, misteriosa o sorprendente.

2. Colaboren para escribir un guion (*script*) de cuatro a cinco minutos de la obra (*play*). Deben trabajar juntos/as en el desarrollo de la historia, el diálogo y otros detalles. Consideren:
   - **Partes de la historia:** planteamiento (*setting*), conflicto/situación y resolución.
   - **Personajes:** quiénes son y cómo son, qué relación hay entre ellos, etc.
   - **Apoyo visual:** decoración, ropa y utilería (*props*).

Paso 2 Ensayen (*rehearse*) su obra varias veces, memorizando el texto y prestando especial atención a la pronunciación, entonación e interacciones.

Paso 3 Representen su obra con base en los pasos anteriores. El video debe durar de seis a ocho minutos.

☐ **I CAN** write and present a short play.

Resources

vhlcentral

Proyecto escrito: Una reseña

Vas a escribir una reseña (*review*) para un sitio web de noticias de tu comunidad. Puedes escribir sobre una película reciente o clásica y de cualquier género. Para prepararte, toma unos minutos para revisar el vocabulario y la gramática de este capítulo y escribe las palabras clave que te gustaría incluir.

> **Estrategia de redacción: Justifying your opinion**
>
> An underlying goal of movie reviews and similar texts is to share your opinion and convince your audience. To make your perspective credible for your reader, use one or more of these techniques:
> - Provide robust reasons that are well explained.
> - Provide specific evidence or examples.
> - Draw on your own experience or cite other people, especially experts in the topic.

Paso 1 Selecciona la película que vas a comentar. Genera ideas para la reseña considerando estos aspectos.
- **Datos de la película:** título, año, director(a), actores principales.
- **Trama (*plot*):** resumen y evaluación —¿Es interesante? ¿Es emocionante?
- **Personajes (*characters*):** descripción, motivaciones, relación e interacciones entre ellos.
- **Temas y mensajes:** ¿De qué habla la película? ¿Qué quiere comunicar?
- **Género:** comedia, acción, terror, suspenso, etc.
- **Otros elementos:** cinematografía, escenografía, banda sonora, efectos especiales, etc.

Paso 2 Formula una evaluación u opinión personal. Considera las cualidades positivas y negativas de la película. ¿Qué aspectos son efectivos? ¿El desarrollo de la historia? ¿La actuación de un actor o actriz? ¿Qué aspectos te gustaron menos?

Paso 3 Organiza el contenido de la reseña.

Primer párrafo: Presenta la película que vas a reseñar, incluyendo los datos más relevantes. También puedes escribir un resumen (*summary*) de la trama sin revelar el final (*end*).

> **Modelo** Grease *es una película musical clásica de 1978...*

Párrafos centrales: Elabora tu análisis y evaluación de los aspectos más relevantes. Considera las estrategias de redacción para justificar tus opiniones.

> **Modelo** *La trama de la película es sencilla y un poco predecible...*

Párrafo final: Indica si recomiendas al público que vea esta película y por qué.

> **Modelo** Grease *es una película ideal para...*

Paso 4 Escribe una reseña de 250 palabras aproximadamente con la información de los pasos anteriores. Recuerda justificar tu opinión. Debes prestar atención especial al desarrollo de cada párrafo y al uso apropiado y correcto del lenguaje. Prepárate para presentar tu reseña a la clase.

☐ **I CAN** write a movie review.

¡Atención!

Ask your instructor to share the **Rúbrica de calificación** (*grading rubric*) to understand how your work will be assessed.

Palabras útiles

Creo/Pienso que…
I believe/think that…

En mi opinión, …
In my opinion, …

Para mí, …
For me, …

Palabras útiles

la actuación
performance

la banda sonora
soundtrack

los efectos especiales
special effects

el guion
script

el personaje (principal)
(main) character

la trama
plot

Resources

vhlcentral

Las llamadas telefónicas
Telephone calls

el código de área   *area code*
el correo de voz   *voicemail*
la línea   *phone line*
la llamada   *the phone call*
el mensaje   *message*
el prefijo   *country code*

Las relaciones y las etapas de la vida
Relationships and stages of life

la adolescencia   *adolescence*
el/la adolescente   *adolescent*
el/la adulto/a   *adult*
la alegría   *joy, happiness*
la amistad   *friendship*
el amor   *love*
el/la anciano/a   *old man/lady*
la boda   *wedding*
los celos   *jealousy*
la cita   *date; appointment; quote*
el divorcio   *divorce*
las etapas de la vida   *stages of life*
la infancia   *infancy*
el/la joven   *young person*
la juventud   *youth*
la luna de miel   *honeymoon*
la madurez   *maturity*
el matrimonio   *marriage*
la muerte   *death*
la niñez   *childhood*
el problema   *problem*
la vejez   *old age*
la verdad   *truth*
la vida   *life*

Las acciones y las relaciones

aconsejar   *to advise*
alegrarse (de)   *to be glad (about)*
casarse (con)   *to get married (to)*
celebrar   *to celebrate*
compartir   *to share*
comprometerse (con)   *to get engaged (to)*
comunicarse   *to communicate*
contestar el teléfono   *to answer the phone*
crecer   *to grow*
creer (irreg.)   *to believe*
dejar un mensaje   *to leave a message*
discutir   *to argue*
divorciarse (de)   *to get divorced*
enamorarse (de)   *to fall in love (with)*
encontrarse (ue) (con)   *to meet up (with) (by chance)*
encontrarse disponible   *to be available*
enojarse   *to get angry*
esperar   *to hope, to expect*
estar enamorado/a (de)   *to be in love (with)*
estar juntos/as   *to be together*
estar listo/a   *to be ready*
extrañar   *to miss*
insistir (en)   *to insist (on)*
llevarse bien/mal   *to get along /to not get along*
llorar   *to cry*
matar   *to kill*
mentir (ie, i)   *to lie*
molestar   *to bother*
morir (ue)   *to die*
nacer   *to be born*
olvidar   *to forget*
pensar (ie) (en)   *to think (about)*
ponerse (triste, contento)   *to get (happy, sad)*
quejarse (de)   *to complain (about)*
recomendar (ie)   *to recommend*
recordar (ue)   *to remember*
reírse (de)   *to laugh (at)*
reunirse (con)   *to meet, to get together (with)*
romper (con)   *to break up (with)*
salir (irreg.) (con)   *to go out (with)*
sentir (ie, i)   *to feel regret, to be sorry that*
separarse (de)   *to separate (from)*
sorprender   *to surprise, to be surprising*
sugerir (ie, i)   *to suggest*
temer   *to fear*

Adjetivos para describir personas y relaciones

cariñoso/a   *affectionate*
casado/a   *married*
celoso/a   *jealous*
cercano/a   *close (physically, emotionally)*
comprensivo/a   *understanding*
contento/a   *happy, pleased*
disponible   *available*
divorciado/a   *divorced*
extraño/a   *strange*
fantástico/a   *wonderful*
feliz   *happy*
fiel   *faithful*
horrible   *horrible*
increíble   *incredible*
juntos/as   *together*
justo/a   *fair*
ridículo/a   *ridiculous*
romántico/a   *romantic*
sincero/a   *sincere, honest*
soltero/a   *single*
viudo/a   *widower/widow*

Expresiones útiles

de parte de   *from, on behalf of*
es una lástima   *it's a shame*
¿Le puede decir que he llamado?   *Could you tell him/her that I've called?*
Ojalá que...   *I hope/wish that. . .*

Vive la
naturaleza

Learning Objectives

In this chapter, you will:

- Participate in conversations about the outdoors and the environment.
- Express purpose, doubt, and disbelief.
- Identify some aspects of national parks in the Spanish-speaking world.
- Explore and research Costa Rica.
- Identify main ideas in written and audiovisual materials.
- Debate the pros and cons of life in the city versus life in the countryside.
- Write a text for a responsible consumption campaign.

Ⓢ **Así se pronuncia** Sounds of **r**, **rr**; **ñ**

VideoEscenas ¡Vamos a Cuzco!

Campaña de concienciación social Contesta las preguntas.

Palabras útiles

enterarse *to find out*

el residuo *waste*

el salto *jump*

1. ¿Es reciclar parte de tu rutina? ¿Qué cosas y materiales reciclas normalmente?

2. Observa este póster de una campaña de concienciación social de Argentina.

Fuente: FARN

3. ¿Cuál es el mensaje del póster? ¿Estás de acuerdo?

4. El póster hace referencia a un momento y una frase históricos, famosos en la cultura popular. ¿Puedes identificarlos? ¿Cómo son relevantes para el mensaje de la campaña? ¿Es efectiva esta estrategia?

5. El póster también usa datos reales para apoyar (*support*) su mensaje. ¿Qué información ofrecen esos datos? ¿Son persuasivos?

6. En Argentina, y otros países de América Latina, usan el voseo. El pronombre **vos** se usa para hablar a alguien informalmente y tiene formas verbales específicas. ¿Puedes identificar al menos dos de estas formas en el texto? Pista (*Hint*): lee el texto en voz alta prestando atención al acento oral.

Vive la naturaleza

la naturaleza

la cascada/la catarata

el montañismo

dar una caminata/ hacer senderismo

el bosque

El *rafting* no es **peligroso**, ¡es **emocionante**!

practicar el balsismo/ el *rafting*

Me encanta **ir de vacaciones** a las montañas.

el valle

el kayak

remar

el río

el caballo

la balsa

montar a caballo

el océano

el delfín

la isla

hacer un viaje en crucero/en barco

navegar (a vela)

pescar

la ola

hacer esnórquel

el bote

bucear

el pez (*sing.*), los peces (*pl.*)

hacer surf

el arrecife

¡Me encantan **las aventuras al aire libre**!

el paracaidismo

escalar/hacer escalada

el ciclismo (de montaña)

el cielo

la luna

las estrellas

Yo no **tengo miedo** de dormir **afuera**.

el fuego

la tienda de campaña

la fogata

el saco de dormir

el campamento

la arena

acampar

Apoyo de vocabulario

afuera	*outdoors, outside*
al aire libre	*outdoors*
el arrecife	*reef*
dar una caminata/ hacer senderismo	*to hike*
emocionante	*exciting*
escalar/hacer escalada	*to climb/to do rock climbing*
la fogata	*campfire*
el fuego	*fire*
navegar (a vela)	*to sail*
el paracaidismo	*skydiving*
peligroso/a	*dangerous*
remar	*to row*
tener miedo	*to be afraid*

¿Qué observas? Contesta las preguntas sobre las imágenes.

1. Indica dos cosas que necesitas para acampar: ¿el bote, la tienda de campaña, el arrecife o el saco de dormir?

2. ¿Qué acción asocias con practicar el balsismo: remar o hacer senderismo?

3. Para cada actividad indica dónde se hace típicamente: ¿en el río, el océano o la montaña? Montar a caballo, hacer escalada, practicar el balsismo, bucear, remar, hacer ciclismo, navegar a vela, acampar, hacer montañismo, hacer un crucero.

¿Y tú? Responde estas preguntas sobre ti mismo/a.

1. Cuando vas de vacaciones a la naturaleza, ¿prefieres unas vacaciones tranquilas o hacer deportes de aventura?

2. ¿Has acampado alguna vez? ¿Qué te gusta más de acampar? Si no has acampado nunca, ¿quieres hacerlo? ¿Por qué?

3. ¿Qué espacio natural prefieres para tus próximas vacaciones: el río, la playa, el océano, el valle o la montaña?

Nota de lengua

Many terms referring to adventure sports have been borrowed from English, although the pronunciation is adapted to the sounds of Spanish, for instance: **el esnórquel**, **el** *rafting*, **el** *parasailing*, **el surf**. They are often used with the verb **hacer**; e.g., **Me encanta hacer surf**.

1 **¿Recuerdas las palabras?** Escucha las palabras y, para cada una, escribe otras palabras asociadas con ella.

> **Modelo** Oyes: pescar
> Escribes: *el bote, el pez, el océano...*

1. _____

2. _____

3. _____

4. _____

5. _____

6. _____

7. _____

8. _____

2 **Definiciones** En parejas, cada uno/a de ustedes lee las definiciones mientras el/la otro/a escucha e identifica la palabra. Tomen nota de las palabras.

> **Modelo** **Estudiante A lee:** *Es una porción de tierra rodeada por agua, como Cuba.*
> **Estudiante B escucha e identifica:** *una isla*

Estudiante A

1. Es agua que cae desde lo alto de un río, como la del Niágara.

2. Es un terreno plano (*flat*) entre montañas, como San Fernando, en California.

3. Es una gran extensión de mar, como el Pacífico.

4. Es un terreno con muchos árboles y plantas.

5. Es donde están el sol, la luna y las estrellas.

6. Hacemos esto en los campamentos para poder cocinar o para calentarnos.

7. Cuando acampamos, lo usamos para dormir.

Estudiante B

1. Este deporte se practica en los ríos con una balsa.

2. Es la práctica de capturar peces.

3. Se hace cuando se viaja en un barco grande como un hotel.

4. Solo se puede practicar cuando hay olas.

5. Es caminar hasta la parte más alta de una montaña.

6. Es la práctica de caminar por el campo, un bosque, etc.

7. Se practica bajo el agua y con equipo especial para admirar la vida marina.

3 **¿Es peligroso? ¿Es emocionante?** Vas a conversar sobre las actividades al aire libre.

Paso 1 Individualmente, indica si, en tu opinión, estas actividades son peligrosas o emocionantes. Indica también cuáles has hecho y si te gustaría hacerlas por primera vez/otra vez.

	¿Peligroso?			¿Emocionante?		¿Lo has hecho?		¿Quieres hacerlo (otra vez)?	
	Sí	Un poco	No	Sí	No	Sí	No	Sí	No
pescar									
nadar en el océano									
hacer castillos de arena									
hacer surf									
bucear									
dormir afuera									
practicar el balsismo									
hacer escalada									
montar a caballo									
hacer paracaidismo									

Paso 2 En grupos pequeños, contesten las preguntas.

1. ¿Cuáles de estas actividades hicieron? (Den detalles como cuándo, dónde, con quién, etc.). ¿Cómo fue la experiencia? ¿Tuvieron miedo?

2. Basados en las respuestas anteriores, decidan: ¿Qué miembros del grupo son los/las más aventureros/as? ¿Qué actividades del cuadro quieren hacer más personas? ¿Cuáles no son tan interesantes para el grupo?

Paso 3 En los mismos grupos, respondan: ¿Qué otras actividades al aire libre has hecho antes? ¿Te gustaron? ¿Qué otras actividades te gustaría (*would you like*) hacer?

Palabras útiles

cultivar un huerto *to grow a vegetable garden*	la jardinería *gardening*	el *snowboarding*
esquiar *to ski*	observar las estrellas *to stargaze*	el *windsurfing*

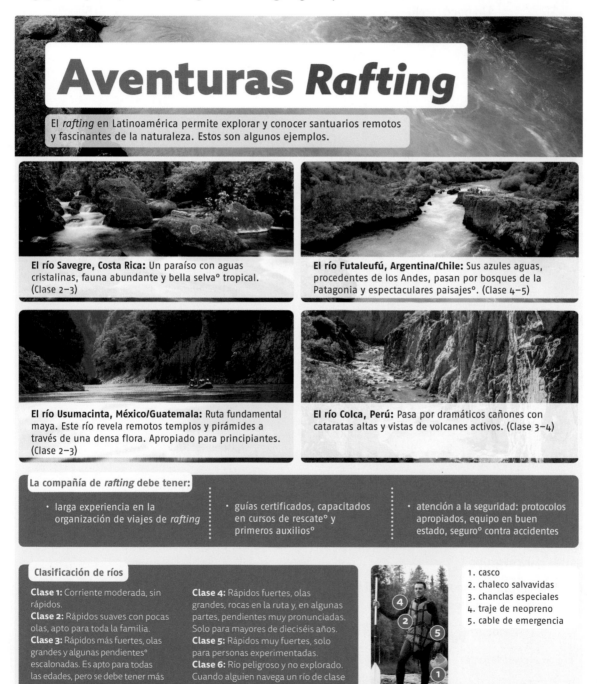

4 **El balsismo** En grupos pequeños, quieren vivir una aventura y deciden descender un río juntos. Lean la información de Aventuras *Rafting* y, luego, contesten estas preguntas.

1. ¿Qué equipo se necesita para practicar el balsismo?

2. ¿Cuáles son las cosas más importantes que debe ofrecer la compañía de *rafting*?

3. ¿Qué clasificación de ríos prefieren? ¿Por qué?

4. ¿Qué río (o ríos) de estos les gustaría navegar? ¿Por qué?

Aventuras *Rafting*

El *rafting* en Latinoamérica permite explorar y conocer santuarios remotos y fascinantes de la naturaleza. Estos son algunos ejemplos.

El río Savegre, Costa Rica: Un paraíso con aguas cristalinas, fauna abundante y bella selva° tropical. (Clase 2–3)

El río Futaleufú, Argentina/Chile: Sus azules aguas, procedentes de los Andes, pasan por bosques de la Patagonia y espectaculares paisajes°. (Clase 4–5)

El río Usumacinta, México/Guatemala: Ruta fundamental maya. Este río revela remotos templos y pirámides a través de una densa flora. Apropiado para principiantes. (Clase 2–3)

El río Colca, Perú: Pasa por dramáticos cañones con cataratas altas y vistas de volcanes activos. (Clase 3–4)

La compañía de *rafting* debe tener:

- larga experiencia en la organización de viajes de *rafting*
- guías certificados, capacitados en cursos de rescate° y primeros auxilios°
- atención a la seguridad: protocolos apropiados, equipo en buen estado, seguro° contra accidentes

Clasificación de ríos

Clase 1: Corriente moderada, sin rápidos.
Clase 2: Rápidos suaves con pocas olas, apto para toda la familia.
Clase 3: Rápidos más fuertes, olas grandes y algunas pendientes° escalonadas. Es apto para todas las edades, pero se debe tener más precaución.

Clase 4: Rápidos fuertes, olas grandes, rocas en la ruta y, en algunas partes, pendientes muy pronunciadas. Solo para mayores de dieciséis años.
Clase 5: Rápidos muy fuertes, solo para personas experimentadas.
Clase 6: Río peligroso y no explorado. Cuando alguien navega un río de clase 6, este se transforma en clase 5.

1. casco
2. chaleco salvavidas
3. chanclas especiales
4. traje de neopreno
5. cable de emergencia

la selva *jungle* el paisaje *landscape* el rescate *rescue* los primeros auxilios *first aid* el seguro *insurance* la pendiente *slope*

☐ **I CAN** discuss outdoor adventures.

Resources

vhlcentral

SAM

online activities

Vacaciones al aire libre

Para unas vacaciones, ¿adónde quieres ir: al **campo** o a la **selva**?

En el campo

la granja

la colina

el pueblo

la gallina

los animales

el granjero

la vaca

la oveja

la hierba

la tierra

el huerto

el cerdo

En la selva

el mono

el pájaro

sacar/tomar fotos

la serpiente

la cámara

el elefante

la araña

la mariposa

la mosca

el mosquito

el león

el tigre

los insectos

Palabras útiles

el campo
countryside

la colina
hill

la hierba
grass

el huerto
vegetable garden

la mosca
fly

la tierra
soil, land

¿Qué observas? ¿Dónde es posible ver un león: en la granja o la selva? ¿Y una mosca? ¿Y una gallina? ¿Dónde viven los animales: en la granja o en el pueblo?

¿Y tú? ¿Alguna vez has pasado tiempo en una granja? ¿Qué animales había? ¿Tenían un huerto? ¿Alguna vez has visto un elefante, un león o un tigre en persona?

ASÍ SE DICE

1 **La palabra diferente** Vas a comparar palabras.

Paso 1 Individualmente, identifica la palabra diferente de cada grupo, según tu opinión.

1. **a.** el mosquito   **b.** el pájaro   **c.** la gallina   **d.** la mosca   **e.** la mariposa
2. **a.** el valle   **b.** la colina   **c.** la tierra   **d.** la granja   **e.** el río
3. **a.** la serpiente   **b.** el cerdo   **c.** la vaca   **d.** la gallina   **e.** el caballo
4. **a.** tener miedo   **b.** acampar   **c.** escalar   **d.** bucear   **e.** sacar fotos
5. **a.** el fuego   **b.** la luna   **c.** las estrellas   **d.** el sol   **e.** el cielo
6. **a.** la serpiente   **b.** la araña   **c.** el león   **d.** el cerdo   **e.** el mono

Paso 2 En parejas, comparen las palabras que indicó cada uno/a. ¿Son iguales o diferentes? ¿Por qué? Luego, añadan una palabra que sí pertenece a cada grupo según (*according to*) los criterios que usaron en el **Paso 1**.

2 **Animales** En parejas, contesten estas preguntas.

1. ¿Cuál es tu animal favorito? ¿Por qué? ¿Qué animal no te gusta mucho o te da miedo (*scares you*)?
2. ¿Cuál es tu insecto favorito? ¿Por qué? ¿Qué insecto no te gusta mucho o te da miedo?
3. ¿Tienes o has tenido una mascota (*pet*)? ¿Cuál? ¿Cómo es/era? ¿Qué hace/hacía? ¿Qué tipo de cuidados (*care*) necesita/necesitaba? ¿Quieres tener un animal doméstico en el futuro?
4. ¿Te identificas con un animal específico? ¿Con qué características de ese animal te identificas?

3 **Un fin de semana en la naturaleza** Tuviste un fin de semana de tres días para disfrutar de la naturaleza. ¿Adónde fuiste? ¿Al océano, a la montaña, a una granja o viajaste a una selva tropical de Centroamérica? Escribe un párrafo describiendo este fin de semana: imagina cómo era el lugar, qué cosas y animales viste y qué hiciste cada día.

4 **Situaciones** En grupos pequeños, van a planear un viaje. Sigan este esquema: Uno/a de ustedes quiere ir a una ciudad con playa, otro/a insiste en unas vacaciones de aventura en la naturaleza y otro/a prefiere unas vacaciones rurales, en un pueblo o una granja. Intenta persuadir a tus amigos/as para ir a tu destino favorito.

> **¡Atención!**
>
> Revisa las formas y el uso del imperfecto y del pretérito (**Caps. 6** a **9**) antes de empezar.

> **Palabras útiles**
>
> la abeja   *bee*
> el conejo   *rabbit*
> la cucaracha   *cockroach*
> el hámster   *hamster*
> la hormiga   *ant*
> el hurón   *ferret*
> la libélula   *dragonfly*
> la rana   *frog*

En mi experiencia

Isabel, Trenton, NJ

"I studied abroad in Villahermosa, Tabasco, Mexico in May, the beginning of their rainy season. Every day, it would pour for at least an hour. The rain is so intense that you feel like buckets of water are emptied over you and sometimes the power would go out. Afterward, everything is nice and calm, and the air is really clean."

How frequently and heavily does it rain where you live, and is there any other type of extreme weather that affects power, roads, etc.?

☐ **I CAN** discuss the countryside and the jungle.

1. Express purpose, destination, and motive

Para and *por*

You are already familiar with some frequent uses of the prepositions **por** and **para**. Before continuing, review those in **Capítulo 7**. Then, read and listen to this text, focusing on the ideas conveyed. Do you recognize some of the uses of **por** and **para** you already know? Can you infer other meanings?

¿Te gusta pasear **por** parques nacionales y cambiar el aire contaminado de las ciudades **por** aire limpio? En el futuro, ¿tendrás suficiente agua **para** beber y ducharte? ¿Quieres lo mismo **para** las próximas generaciones? **Por** muchos años, hemos utilizado los recursos naturales sin pensar en las consecuencias. Pero, si no lo hacemos ahora, **para** el año 2050 el mundo (*world*) será muy diferente. **Para** proteger la naturaleza, todos debemos cuidarla. ¡Hazlo **por** nuestro planeta, **por** nuestro futuro!

Para *indicates:*

1. Purpose/Goal	*in order to + infinitive*	Sonia fue a Costa Rica **para** ver los bosques tropicales.
	for; used for + noun	Llevó un impermeable **para** la lluvia.
2. Recipient	*for*	Sacó unas fotos del bosque **para** su madre.
3. Destination	*toward*	Sonia sale **para** Panamá el viernes.
4. Deadline	*by, for*	Tiene que completar su proyecto **para** el lunes.
5. Employment	*for (in the employ of)*	Ella trabaja **para** una compañía hotelera.

Por *indicates:*

1. Cause, reason, motive	*because of*	Sonia no pudo regresar a Panamá el lunes **por** estar un poco enferma.
	on behalf of	Sandra presentó el proyecto **por** Sonia.
	for (the sake of)	No fue fácil para Sandra, pero lo hizo **por** su amiga.
2. Duration of time	*in, at*	Sandra trabajó en la presentación **por** la mañana.
	for, during	Después habló con el jefe **por** media hora.
3. Physical movement in, along or around a place	*down, by, along, through*	Hoy Sonia está mejor y camina **por** el centro de San José.
4. Exchange, price	*for*	Sonia compra un bolso **por** sesenta dólares.
	for, in exchange	Se lo regala a Sandra y le da las gracias **por** ayudarla.

¡Atención!

To thank someone for something, always use **gracias por…**

1 **¿Para o por?** Observa las oraciones y escoge la preposición correcta. Después compara con un(a) compañero/a, identificando el tipo de significado de **por** o **para** en cada oración.

1. El proyecto de la clase de historia es para/por el próximo lunes.

2. Hemos trabajado en este proyecto para/por dos semanas.

3. Voy para/por la biblioteca porque tengo que estudiar.

4. Voy para/por la calle Bolívar, porque es la ruta más corta.

5. Sé hablar francés para/por mi madre. Es de Montreal.

6. Quiero aprender español para/por poder vivir en Latinoamérica.

7. Tengo que estudiar más para/por el examen de física. El material es difícil.

8. Quiero salir, pero no puedo salir para/por el examen de física. Es mañana.

2 **¡A la montaña!** Tú y unos amigos van a una montaña para escalar y acampar en el monte Chirripó en Talamanca, Costa Rica. Tú y otro/a amigo/a conversan sobre el viaje. Completen la conversación con **por** o **para**.

Tú: Salimos _____ el Chirripó el sábado a las seis de la mañana.

Amigo/a: ¿_____ cuántos días van?

Tú: _____ tres o cuatro días. Vamos _____ acampar y escalar el pico más alto de la región.

Amigo/a: ¡Qué emocionante! ¿Van a tomar la ruta que va _____ el río?

Tú: Sí, y vamos a caminar _____ el bosque hasta encontrar un lugar _____ acampar.

Amigo/a: ¿Saben tus amigos armar la tienda de campaña?

Tú: Creo que no. Pero yo puedo hacerlo mientras ellos buscan leña (wood) _____ la fogata.

Amigo/a: ¿Están ellos en buenas condiciones físicas _____ subir el monte?

Tú: Pues espero que sí. Vamos a salir muy temprano _____ la mañana y llegar a la cumbre (summit) _____ el mediodía, antes de que empiece a llover.

Amigo/a: Es un buen plan. A propósito (By the way), ¿dónde compraste tu saco de dormir?

Tú: Lo compré en una tienda de descuento _____ $38.

Amigo/a: Buen precio... Y, antes de que se me olvide, tengo algo _____ ustedes: un mapa topográfico de la región _____ que no se pierdan.

Tú: Muchas gracias _____ el mapa. ¡Nos va a ser muy útil!

Amigo/a: Pues ¡buen viaje!

El monte Chirripó

3 **Nuestra aventura** En grupos pequeños, imaginen que van a organizar una aventura para su próxima semana de vacaciones. Usen las preguntas. Un(a) secretario/a puede escribir el plan.

1. ¿Adónde van? ¿Cuándo van a salir para ese lugar?

2. ¿Por cuánto tiempo van a estar allí?

3. ¿Para qué van a este destino? (descansar, practicar una actividad específica, etc.)

4. ¿Cómo van a viajar? ¿Cuánto piensan pagar por el viaje?

5. ¿Dónde van a alojarse? ¿En un hotel? ¿Van a acampar?

6. ¿Qué cosas necesitan llevar? ¿Para qué?

7. ¿Qué piensan hacer por la mañana/tarde/noche?

8. ¿Para qué fecha tienen que volver?

☐ **I CAN** express purpose, destination, and motive.

Resources

vhlcentral

SAM

online activities

Los parques nacionales
— en el mundo hispano —

Los parques nacionales son áreas naturales protegidas de gran riqueza biológica. Además de preservar la flora y fauna de la región, ayudan a crear conciencia ecológica. En el mundo hispano, la mayoría de los parques nacionales se establecieron a principios del siglo XX. Conoce algunos de estos parques.

El Yunque, en Puerto Rico, fue declarado parque nacional en 1876 (cuatro años después de inaugurarse Yellowstone). Allí está el único bosque lluvioso° de Estados Unidos, donde crecen muchos tipos únicos de orquídeas y hongos°.

En 1959 se estableció el Parque Nacional Torres del Paine en Chile. Este parque de montañas impresionantes atrae a muchos turistas. Lo visitan muchos montañeros° para caminar y escalar junto a sus lagos° turquesa, gigantescos glaciares y pampas.

En Centroamérica, en El Salvador, está el Parque Nacional Los Volcanes. De los 14 volcanes del parque, destacan tres: Izalco, Cerro Verde y Santa Ana o Ilamatepec. Este último es el más alto, con 2.381 metros, y tuvo su última erupción en 2005.

Al otro lado del océano Atlántico, Guinea Ecuatorial es el único país africano de habla hispana. Allí está el Parque Nacional de Monte Alén. Aunque° relativamente pequeño, en él se han registrado 105 especies diferentes de mamíferos, incluidos gorilas y chimpancés, y 2.300 tipos de pájaros.

el bosque lluvioso *rainforest* **el hongo** *mushroom*
el/la montañero/a *mountaineer* **el lago** *lake* **aunque** *even though*

Parque Nacional de Monte Alén

Resources

vhlcentral

online activities

La naturaleza y el medio ambiente

A causa de los **problemas** ambientales que existen en **el mundo**, una gran cantidad de científicos cree que nuestro **planeta** está en peligro. A muchas personas **les importa** el medio ambiente y **les interesan** las posibles soluciones al problema del **calentamiento global**.

¿Qué se puede hacer para **conservar** y **proteger** nuestro planeta?

La **contaminación** contribuye al **calentamiento global**...

... y los vehículos **causan** mucha **polución** en el aire también.

Además, **el aumento** de **la población** provoca escasez (*shortage*) de **recursos**.

La deforestación **destruye** el hábitat de muchas especies...

... y el uso de **pesticidas** afecta el equilibrio natural.

A causa del **cambio climático**, hay especies en peligro de extinción.

Para **proteger** la naturaleza, **prevenir** la contaminación de ríos y océanos,...

... debemos **evitar** los **incendios forestales**;

... conservar y no **desperdiciar** los **recursos naturales**;

... **reducir el consumo de gasolina** y **desarrollar energías** alternativas;

... educar a la población para **recoger** la basura y **reciclar** más.

¿Qué observas? ¿Cuáles son problemas y cuáles son objetivos: el calentamiento global, conservar la naturaleza, los incendios forestales, la contaminación, reciclar?

¿Y tú? ¿Te preocupa el estado de la naturaleza y el medio ambiente? En tu región o comunidad, ¿han experimentado algún problema relacionado con la polución o el calentamiento global?

Apoyo de vocabulario

a causa de	*because of*	importar	*to matter*
el aumento	*increase*	el incendio (forestal)	*(wild)fire*
contribuir (irreg.)	*to contribute*	el medio ambiente	*environment*
desarrollar	*to develop*	el mundo	*world*
desperdiciar	*to waste*	recoger	*to pick up, to gather*
destruir (irreg.)	*to destroy*	el recurso (natural)	*(natural) resource*
evitar	*to avoid*		

Nota de lengua

In **Capítulos 4, 5,** and **11,** you learned to use **gustar, encantar** and **molestar** to express likes and dislikes. The verbs **interesar** and **importar** also have a similar structure, that is, they are used with indirect object pronouns (**me, te, le, nos, os, les**) and the verb is in the third-person singular or plural in agreement with the subject (what is interesting or important).

importar   to be important to, to matter
Nos importan los recursos naturales.

interesar   to be interesting to, to interest
Me interesa el uso de energías renovables.

---

1 **El medio ambiente** Vas a compartir ideas para proteger el medio ambiente.

Los incendios forestales en California y otros estados son más frecuentes y graves cada año.

Paso 1 Individualmente, indica qué frase completa cada oración.

1. Estados Unidos constituye el 5% de la población mundial _____

2. Consumimos mucha energía eléctrica _____

3. Desperdiciamos mucha agua _____

4. El aumento de la población _____

5. La deforestación y los incendios forestales _____

6. Para evitar la dependencia del petróleo _____

a. debemos desarrollar energías alternativas.

b. y producir electricidad contamina mucho.

c. causa un mayor consumo de energía.

d. han llevado a la desertización en muchas regiones.

e. pero genera el 30% de toda la basura.

f. aunque en muchas regiones hay sequías.

Paso 2 En parejas, comparen sus respuestas y piensen en al menos (*at least*) una actividad —pequeña o grande— que puede contribuir a resolver cada problema. Luego, compartan sus ideas con el resto de la clase.

Modelo *El uso de ciertos pesticidas se relaciona con algunos tipos de cáncer. Para evitarlo, podemos comprar frutas y verduras orgánicas…*

2 Serios problemas del medio ambiente Vas a describir algunos problemas del medio ambiente.

Paso 1 ¿Qué problemas del medio ambiente te importan más? Individualmente, indica escribiendo números del 1 (el problema que más te importa) al 12 (el problema que menos te importa). Añade otros problemas que también te importan.

_____ la contaminación del agua

_____ el uso de pesticidas tóxicos

_____ los incendios forestales

_____ la sequía y la escasez del agua

_____ los derrames de petróleo

_____ la destrucción de la capa de ozono

_____ la deforestación

_____ el calentamiento global

_____ la acumulación de basura

_____ la polución del aire

_____ la sobrepoblación

_____ la extinción de especies

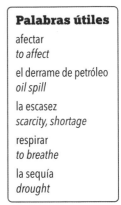

Palabras útiles

afectar
to affect

el derrame de petróleo
oil spill

la escasez
scarcity, shortage

respirar
to breathe

la sequía
drought

Paso 2 En grupos pequeños, comparen y expliquen sus razones. Mencionen también otros problemas que añadieron a la lista del **Paso 1**.

> **Modelo** *A mí me importa mucho la contaminación del agua porque destruye la vida marina y también afecta a los humanos. Por ejemplo, las mujeres embarazadas no pueden comer algunos tipos de pescado porque tienen mucho mercurio.*

3 ¡Protege tu mundo! Imagina que formas parte de un comité universitario para la protección del medio ambiente.

Paso 1 En grupos pequeños, creen un folleto (*brochure*) con consejos para los estudiantes sobre acciones personales que deben integrar en su vida diaria. Piensen en estos aspectos:

> **Modelo** *Ve a la universidad a pie o en bicicleta; no vayas en carro.*

- el transporte
- la reducción de la basura
- el consumo de agua
- el consumismo
- el consumo de energía
- ¿otros?

Paso 2 En grupos pequeños, van a trabajar con la administración de la universidad en la creación y mejora de programas "verdes". Piensen en acciones y programas que debe implementar la universidad para motivar a los estudiantes.

> **Modelo** *Motiven a los estudiantes a usar transporte público aumentando el número de rutas y la frecuencia de los autobuses.*

Nota cultural

La huella hídrica

The United States, Spain, and Mexico are among the ten countries with the highest water consumption in the world, according to the Aquae Foundation in Spain. This includes industrial as well as domestic consumption. On the other hand, in countries such as Peru and Ecuador, most people are used to taking short showers and reducing daily water consumption.

Resources

vhlcentral

SAM

online activities

☐ **I CAN** discuss environmental issues.

2. Express doubt and disbelief

The subjunctive with expressions of doubt and negation

🔗 Read and listen to this text, focusing on the message. Then, note the structures in boldface. They are complex structures, like others we learned about in **Capítulo 11**. What do you recognize in these structures that is similar to those? What is different?

🔊 **Imad:** **Creo que podemos** escalar aquel pico (*peak*).

Iván: Sí, pero **dudo que podamos** hacerlo hoy. Es tarde y **no creo que tengamos** tiempo antes del anochecer (*sunset*).

Imad: Sí, **es verdad que** hoy ya **es** tarde. Pero **seguro que podemos** hacerlo mañana. **Es probable que haya** un buen sitio para acampar cerca de aquí.

Iván: Estoy de acuerdo. Ahora **es imposible continuar**. Vamos a descansar y mañana lo intentamos.

In **Capítulo 11**, you learned that when the main clause in a complex sentence expresses desire, a request, or an emotion, we use a verb in the subjunctive in the subordinate clause. Similarly, when the main clause expresses *doubt, uncertainty,* or *disbelief,* the subjunctive is used in the subordinate clause.

expression of doubt/uncertainty/   +   **que**   +   action that is doubted/
disbelief (*indicative*)   uncertain (*subjunctive*)

(Yo) **No estoy seguro de que** Ernesto **tenga** un carro híbrido.

Some verbs and expressions of doubt, uncertainty, or disbelief are:

dudar	*to doubt*	**Dudo** que **haya** un programa de reciclaje aquí.
no estar seguro/a (de)	*to not be sure*	**No estamos seguros de** que **haya** paneles solares.
no creer	*to not believe*	¿**No crees** que **podamos** ahorrar agua?
no pensar	*to not think*	**No pienso** que **exista** una solución rápida.

▶ Note that the verbs **creer** and **pensar**, as well as the expression **estar seguro/a (de)**, in affirmative sentences require an indicative in the subordinate clause, since they express certainty.

El presidente **cree** que **podemos** reciclar más.   *The president thinks that we can recycle more.*

El presidente **no cree** que **podamos** reciclar más.   *The president does not think that we can recycle more.*

Certainty can also be expressed with the verb **saber** and the expression **seguro que**.

Seguro que **podemos** hacer más.   *Surely we can do more.*

▶ Note that when there is no subject change, the main verb is followed by an infinitive.

No **creemos tener** la solución.   *We don't believe we have the solution.*

ASÍ SE FORMA

▶ Impersonal expressions with **ser** conveying certainty also require an indicative, while those conveying doubt or uncertainty require a subjunctive.

Es (**cierto/verdad/obvio...**) + que + indicativo

Es (**posible/imposible/probable...**) + que + subjuntivo

Es obvio que **consumimos** demasiado.   *It is obvious that we consume too much.*

Es probable que **aumente** la población.   *It is likely that the population will grow.*

Impersonal generalizations without a subject are followed by an infinitive.

Es posible encontrar soluciones.   *It is possible to find solutions.*

1 ¿Qué opinas tú? Vas a compartir algunas opiniones.

Paso 1 Selecciona la opción correcta y completa cada oración expresando tus opiniones.

1. Creo que mucha gente (está/esté) _____.

2. Dudo que mucha gente (intenta/intente) _____.

3. Es probable que no (reciclamos/reciclemos) _____.

4. Es verdad que (debemos/debamos) _____.

5. Dudo que (es/sea) fácil _____.

6. Es imposible que a la gente no le (importa/importe) _____.

7. Creo que el gobierno (debe/deba) _____.

8. No creo que el gobierno (debe/deba) _____.

Paso 2 En grupos pequeños, comparen sus respuestas y opiniones. ¿Están de acuerdo (*Do you agree*) con sus compañeros/as?

> **Modelo** **Estudiante A:** *Creo que mucha gente está preocupada por la situación.*
> **Estudiante B:** *Yo no creo que mucha gente esté tan preocupada por la situación, y creo que...*

2 Situaciones En parejas, van a representar esta situación: A uno/a de ustedes le encanta la aventura y al/a la otro/a, no tanto (*not so much*). Sigan este esquema.

Río Tambopata, Perú

Estudiante A: Tus amigos y tú quieren hacer unas vacaciones de aventura. Sus opciones son una semana escalando montañas, acampando en una isla que no tiene habitantes o explorando la región del Amazonas. Necesitan una persona más para completar el grupo. Explica el viaje a otro/a amigo/a, no tan aventurero/a, e intenta persuadirlo/a para que vaya con ustedes.

Estudiante B: Te encanta la naturaleza... en los documentales. No eres nada aventurero/a, te dan miedo los insectos y otros animales, y los únicos paseos que haces son por el parque de tu ciudad.

Expresiones útiles
Para animar *(to encourage)* ¡Anímate! /¡No pasa nada! ¡Vamos, hombre/ mujer!
Para negarse *(to refuse)* ¡Ni pensarlo!/¡Ni hablar!/¡Ni loco/a! ¡De ninguna manera!

3 **Eco Hotel Delfín Rosado** En grupos pequeños, imaginen que quieren hacer un viaje de aventura y están considerando ir a la selva amazónica de Ecuador. Han encontrado esta información sobre el Eco Hotel Delfín Rosado.

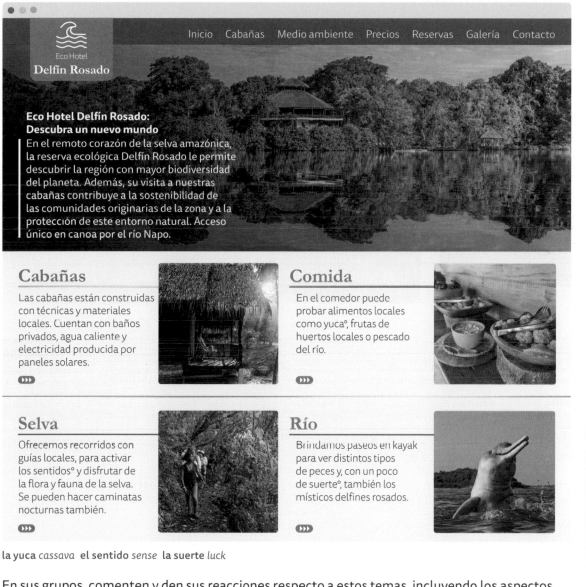

Inicio   Cabañas   Medio ambiente   Precios   Reservas   Galería   Contacto

Eco Hotel Delfín Rosado:
Descubra un nuevo mundo
En el remoto corazón de la selva amazónica, la reserva ecológica Delfín Rosado le permite descubrir la región con mayor biodiversidad del planeta. Además, su visita a nuestras cabañas contribuye a la sostenibilidad de las comunidades originarias de la zona y a la protección de este entorno natural. Acceso único en canoa por el río Napo.

Cabañas

Las cabañas están construidas con técnicas y materiales locales. Cuentan con baños privados, agua caliente y electricidad producida por paneles solares.

Comida

En el comedor puede probar alimentos locales como yuca°, frutas de huertos locales o pescado del río.

Selva

Ofrecemos recorridos con guías locales, para activar los sentidos° y disfrutar de la flora y fauna de la selva. Se pueden hacer caminatas nocturnas también.

Río

Brindamos paseos en kayak para ver distintos tipos de peces y, con un poco de suerte°, también los místicos delfines rosados.

la yuca *cassava* **el sentido** *sense* **la suerte** *luck*

En sus grupos, comenten y den sus reacciones respecto a estos temas, incluyendo los aspectos positivos y negativos de cada uno. Aquí tienen algunas preguntas que pueden usar como guía, pero intenten pensar en otras. Al final, decidan si van a ir al Eco Hotel Delfín Rosado o si prefieren buscar una alternativa. Expliquen sus razones.

1. La localización de las cabañas: ¿Qué piensas sobre el viaje? ¿Qué tipo de servicios piensas que hay en esta zona? ¿Crees que habrá acceso a un teléfono, a Internet o medios de comunicación?

2. El alojamiento (*lodging*): ¿Crees que te va a gustar vivir en estas cabañas? ¿Qué servicios necesitas? ¿Crees que ofrecen esos servicios?

3. La comida: ¿Crees que te va a gustar la comida? ¿Es posible que pruebes (*try*) algo nuevo?

4. Las actividades: ¿Qué actividades de la lista es probable que hagas? ¿Qué otras actividades es posible que ofrezcan?

☐ **I CAN** express doubt and disbelief.

¡Atención!
Usa expresiones de los **Caps. 11** y **12**, por ejemplo:
(No) Me encanta/ gusta que…
Espero/Ojalá que…
¡Qué bueno que…!
Es interesante/posible/ probable que…
(No) Creo/pienso/ dudo que…

Resources

vhlcentral

SAM

online activities

3. Discuss actions with a general or unspecified subject

Se + verb constructions

Observe and listen to these signs. Can you make an educated guess as to their meaning? As for the structures, what do they all have in common? There is no subject, but some verb forms are singular and others plural. Can you identify what they agree with?

To talk about activities for which the subject is general, not specific, or unknown, Spanish commonly uses a **se** + *verb* construction. English uses words such as *one, people, you* for general or unspecified subjects and the passive voice when the subject is not mentioned.

Se prohíbe hacer fogatas.	*Making bonfires is prohibited.*
Se aprobó la ley sobre el uso de pesticidas.	*The law about the use of pesticides was passed.*
En la selva **se escuchan** muchos animales.	*In the jungle one can hear many animals.*

In these constructions, **se** is always used with a verb in the third-person singular, except when it refers to a plural noun; then the verb is also plural.

Aquí **se vende** ropa de segunda mano.	*They sell used clothing here.*
No **se recicla** bastante.	*People don't recycle enough.*
Se venden mapas. (*sign on store window*)	*Maps are sold here.*
En mi residencia **se usan** bombillas de bajo consumo.	*In my dorm they use energy-saving light bulbs.*

> **¡Atención!**
> The English passive voice is formed with the verb *to be + the past participle*: The house *was built* in 1821.

1 **¿Dónde se ven estos anuncios?** Escucha los anuncios que dan instrucciones o información al público. Escribe el número del anuncio al lado del lugar donde puede encontrarse. Para algunos casos, puede haber más de una opción.

_____ en un hotel   _____ en un aeropuerto

_____ en un periódico   _____ en un banco

_____ en un restaurante   _____ en un hospital

2 ¿Dónde estoy? Vas a adivinar (*guess*) dónde están tus compañeros/as.

Paso 1 Individualmente, completa el texto con **se** y la forma apropiada del verbo entre paréntesis. ¿Qué lugar se describe aquí?

En este lugar _____ (estudiar) mucho y, algunas veces, también _____ (hacer) juegos. Algunas veces _____ (escribir) oraciones o párrafos y también _____ (hablar) mucho, pero generalmente no _____ (poder) hablar inglés.

Paso 2 En parejas, escojan uno de estos lugares y describan qué se hace, se puede hacer o no se puede hacer allí. ¿Qué pareja puede hacer la descripción más completa?

  1. en el centro comercial   **2.** en la montaña   **3.** en la playa

Paso 3 Ahora vamos a adivinar. Individualmente, piensa en un lugar que es familiar para todos (la biblioteca, el cine, la cafetería de la universidad, un restaurante... o un lugar popular del campus o la ciudad) y escríbelo.

Paso 4 En grupos pequeños, una persona del grupo contesta las preguntas de sus compañeros sobre las cosas que *se hacen, se pueden hacer* o *no se pueden hacer* en el lugar que pensó. ¿Quién puede adivinar el lugar?

> **Modelo** *En este lugar, ¿se trabaja?/¿Se venden bebidas?/¿Se puede dormir?/¿Se necesita dinero?...*

3 Reciclando Vas a aprender a reciclar los residuos.

Paso 1 Escucha este anuncio de una campaña de reciclado y completa la información sobre qué tipo de residuos se deben poner en cada contenedor.

Contenedor _____ : _____ y cartón.

Contenedor _____ : _____ y _____ .

Contenedor _____ : vidrio (*glass*).

Paso 2 Escucha qué tienen tus amigos e indica en qué contenedor se pone cada objeto.

> **Modelo** Oyes: Tengo una revista.
> Escribes: *Se pone en el contenedor azul.*

1. _____   **4.** _____

2. _____   **5.** _____

3. _____   **6.** _____

4 Reutilizar Reciclar es siempre una buena idea, pero a veces podemos reusar objetos cotidianos de forma creativa. En parejas, piensen en usos alternativos para estos objetos.

> **Modelo** *Con un periódico se pueden envolver regalos.*

un cepillo de dientes viejo	una botella vacía
un tubo del papel higiénico	un periódico
un tarro de mermelada vacío	una caja de zapatos

☐ **I CAN** discuss actions with a general or unspecified subject.

Costa Rica

Antes de leer

🔗 **1. Anticipar** Contesta las preguntas.

1. ¿Qué significa el nombre de este país? ¿Qué información geográfica indica?

2. ¿En qué parte del continente está Costa Rica: Norteamérica, Centroamérica o Sudamérica? Comprueba tu respuesta en el mapa al final del libro.

Costa Rica es uno de los países más estables y prósperos de América Latina. Muchas personas lo visitan por su biodiversidad natural, playas, volcanes y montañas. Además, es un país con una gran conciencia ecológica, y más del 25% de su territorio está protegido con reservas y parques nacionales. Conoce algunos aspectos destacados de este país.

Ambientalismo

La rica flora y fauna de Costa Rica representa el 5% de la biodiversidad del planeta. ¡Esto es mucho para un país que es más pequeño que Virginia del Oeste°! Costa Rica es uno de los países que más prioriza el cuidado del medio ambiente en sus políticas°. Por ejemplo, planea descarbonizar su economía antes de 2050. La ONU le otorgó el premio ambiental Campeones de la Tierra en 2019.

❚ Selva tropical de Costa Rica

❚ El Volcán Arenal es un parque nacional en Costa Rica.

El ecoturismo como industria

El turismo ecológico o ecoturismo es un turismo responsable, respetuoso con la naturaleza y las comunidades locales, y enfocado en el desarrollo sostenible. Hoy en día Costa Rica es un importante destino de ecoturismo en el mundo. En sus parques nacionales, refugios naturales y reservas biológicas, se puede practicar el senderismo, montar a caballo, hacer visitas guiadas, bucear y hacer surf.

Sociedad: Una nación progresista

Costa Rica es uno de los países más progresistas de América. En 1949, después de una guerra civil, la Constitución garantizó la estabilidad política y eliminó el ejército permanente. Entonces comenzó un periodo de desarrollo económico y prosperidad social. En la actualidad° los costarricenses tienen un alto nivel de vida y amplios servicios de protección social, incluyendo sistemas públicos de salud y educación. Mira el video para aprender más sobre este país.

❘ El edificio del Museo Nacional era antes un cuartel del ejército.

Cerámica chorotega

El pueblo chorotega de Costa Rica fue uno de los primeros grupos étnicos en establecerse en América Central. Ahora viven en la región de Guanacaste, donde practican su tradicional arte cerámica. Usan las mismas técnicas, materiales de la zona y símbolos que hace muchos siglos, y cuecen° la cerámica en un característico horno con forma de colmena°. Para los chorotegas, es muy importante mantener este arte porque representa su cultura. Por eso, enseñan a los jóvenes esta tradición y venden las piezas para apoyar a su comunidad.

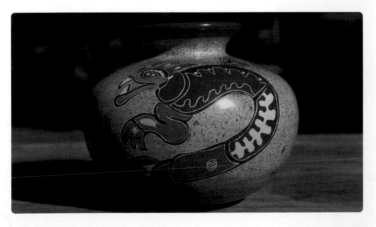

❘ Cerámica chorotega

el oeste *west* las políticas *policies* en la actualidad *currently*
cocer *to bake* la colmena *beehive*

Después de leer

2. Indicar Indica si cada enunciado es cierto (**C**) o falso (**F**), basándote en el texto.

1. Costa Rica tiene una proporción muy alta de especies naturales. ....**C F**

2. El ambientalismo no es popular en este país. ......**C F**

3. Los jóvenes chorotegas están modernizando la tradición cerámica para vender más piezas. ......**C F**

4. Costa Rica no tiene ejército desde 1949. ....**C F**

3. Interactuar En grupos pequeños, comenten estas preguntas.

1. ¿Qué les ha interesado o sorprendido más acerca de Costa Rica? ¿Por qué?

2. Imaginen unas vacaciones en Costa Rica, ¿qué lugares y actividades de ecoturismo incluirían en su visita?

3. Las políticas de Costa Rica priorizan el bienestar social y el medio ambiente, ¿hay algún aspecto de estas que les gustaría tener en Estados Unidos? ¿Pueden imaginar algún reto (*challenge*)?

4. Investig@ en Internet Lee la estrategia e investiga en línea uno de los temas presentados en la lectura u otro tema diferente que te interese. Prepara un informe breve escrito para compartir con tu clase. Incluye imágenes y otros recursos apropiados.

🔍 Estrategia digital: Researching the authors and sources

When researching topics online, you may come across articles that may be "fake news." In recent years, fake news stories have proliferated via social media, in part because they are so easily and quickly shared online. To avoid falling into the trap, read widely and with a critical eye, research the author, evaluate the provision of context for statistics, and think about what is missing or not being honestly represented. If you are unsure of the validity of the source, don't share it with others. You can also use watchdog and fact-checking sites to validate the information.

☐ **I CAN** identify one or two products and/or practices from Costa Rica.

Lectura

Antes de leer

1. Conocimiento previo Contesta las preguntas.

1. ¿Te gusta el ciclismo? ¿Has montado en bicicleta en el campo o las montañas?

2. Lee el título y el subtítulo, y mira la fotografía. ¿Cuál piensas que va a ser el tema principal del texto?

> **Estrategia de lectura: Using questions to predict and summarize content**
>
> You have learned that trying to predict the content of a text can help you interpret it more accurately. One way to predict what you might find in a text and after looking at its title and headings, and observing any visuals, is to brainstorm by asking yourself questions about it. The most useful questions are *who?*, *what?*, *when?*, *where?*, *why?*, and *how?* For example, What information might this text convey? Who will be mentioned in the text?

A leer

2. Aplicar Lee la estrategia y sigue las instrucciones.

1. Anticipa el contenido del texto, con base en tus observaciones iniciales y un vistazo (*glance*) rápido al texto. Usa estas preguntas.
   - ¿Qué acciones o eventos puede mencionar el texto? ¿Qué personas pueden ser parte de la historia?
   - ¿Dónde sucede (*takes place*) la historia?
   - ¿Cuándo sucede esto?
   - ¿Cómo sucede? Imagina partes del proceso o acciones específicas.
   - ¿Por qué lo hacen?

2. Lee el texto con atención. Luego, haz esas preguntas otra vez. Revisa tus respuestas agregando detalles e información del texto.

el desafío *challenge* **el camino** *road* **bordear** *to skirt, to go along* **el precipicio** *cliff* **el derrumbe** *landslide* **desbarrancado/a** *run off the road* **la cumbre** *summit* **el apoyo** *support* **la altura** *elevation* **disfrutar** *to enjoy*

Cinco horas
de pura adrenalina

Si usted es un ciclista amante de la aventura y los desafíos°, el Camino de la Muerte puede ser una buena opción durante su estadía en Bolivia. La antigua ruta a Yungas, al Noreste de la ciudad de La Paz, se ha convertido en un atractivo muy popular para quienes buscan experiencias llenas de adrenalina. Según cuentan aquellos que lo han vivido, el tour "vale cada centavo, es un poco intimidante pero increíble".

¿Qué hace tan popular al Camino de la Muerte? No importa cuántas veces lo preguntemos, parece imposible encontrar una respuesta precisa. Esta ruta era famosa mucho antes de que las empresas de turismo ofrecieran excursiones en bicicleta. En este camino° de tierra que bordea° precipicios° de 300 metros de profundidad, eran frecuentes los derrumbes° y los autobuses desbarrancados°, sobre todo durante la estación lluviosa. En 1995, Yungas fue denominado como el camino más peligroso del mundo por el Banco Interamericano de Desarrollo. Pero, no es solo el peligro lo que atrae a los visitantes. Las características geográficas de la zona forman un impresionante paisaje de precipicios, ríos y cascadas que se combinan con una exuberante vegetación.

Texto: **María Teresa Ardaya**/De la revista *Punto y coma* (Habla con eñe)

La aventura

Para hacer el camino en bicicleta es necesario contratar a una agencia que ofrezca este servicio. Esta transporta a los pasajeros hasta la cumbre° (lugar donde comienza el descenso) y les provee de todo el equipamiento necesario. Un guía acompaña al grupo y un vehículo de apoyo° los sigue durante todo el itinerario. Estas son las condiciones mínimas de seguridad que garantizan un descenso sin contratiempos.

Antes de llegar al Camino de la Muerte hay unos 21 kilómetros de asfalto; pero, a una altura° aproximada de 4,000 metros, el viento y la lluvia ocasionales pueden ser el primer desafío a enfrentar. Así empieza el trayecto, que toma aproximadamente cinco horas y se transforma en el escenario perfecto para disfrutar° de la velocidad, la adrenalina y la naturaleza. "No puedo describir lo que he sentido, es emocionante, definitivamente hay que vivirlo, se lo recomiendo a todos", dice Thomas, un turista inglés, minutos después de terminar los 64 kilómetros del recorrido. Luego sonríe y celebra junto a sus compañeros, levantando los brazos y gritando victoria.

Después de leer

3. Resumir Resume las ideas principales del texto usando tus respuestas de la actividad **Aplicar**. Es posible que no haya respuestas a todas las preguntas en el texto. ¿Anticipaste algunas ideas correctamente?

4. Analizar Contesta estas preguntas sobre el texto.

1. ¿Por qué es peligrosa la ruta por el Camino de la Muerte?

2. Además del sentido de aventura, ¿qué otros atractivos ofrece esta excursión en bicicleta?

3. Esta ruta solo se puede hacer con una agencia especializada. ¿Qué ofrecen estas agencias?

5. Conectar En parejas, comenten estas preguntas.

1. ¿Te gustaría hacer esta ruta en el Camino de la Muerte? ¿Por qué?

2. ¿Hay otra actividad de aventura que te gustaría hacer? Si no, ¿qué tipo de actividades prefieres durante tus vacaciones?

☐ **I CAN** recognize main ideas in a text about a bicycle tour in Bolivia.

Video: El Mate: Agricultura regenerativa

Antes de ver el video

1 **Inferir** Considera el título del video y la imagen para anticipar el tema del video.

☐ El cultivo (*farming*) de la yerba mate para tratamientos médicos regenerativos.

☐ Una granja argentina usa un sistema que regenera los recursos naturales.

☐ Los cultivos y el ganado (*cattle*) son un problema para el medio ambiente.

> **Estrategia de comprensión auditiva: Interpreting and guessing meaning through context**
>
> As mentioned in earlier strategies, you will probably not understand some words or phrases when listening to a text in Spanish. Don't be discouraged; this is probably also true about listening to a text in English about a subject you are not terribly familiar with. Ignoring some unknown words and listening for cognates is still an effective approach, but now that you know more Spanish, you can also use the general context (topic) and the textual context (the sentence where the word appears) to make educated guesses about some of those words and phrases.

A ver el video

En este video los dueños de la granja El Mate hablan de su sistema de agricultura y ganadería.

Duración: 8:10
Fuente: Kiss the Ground

2 **Aplicar** Mira el video completo. Luego, lee la estrategia y mira estos segmentos. En parejas, usen el contexto visual y del texto para interpretar el significado de las palabras y las frases indicadas.

1. (2:12) [A las vacas] Las acabamos de mover porque este sistema **se trata de** imitar a cómo en la naturaleza **pastorean** los herbívoros. Las grandes **manadas** de herbívoros en la naturaleza **pastorean** en grandes grupos compactos por un momento muy corto y luego se mueven a un nuevo lugar.

2. (2:44) [Nuestro suelo tiene] Mayor absorción y es por algo muy **clave**, y es que cada vez que el animal consume el **pasto** hasta abajo, las **raíces** se mueren en un 70, 80% y todo este carbono, cada vez que la **raíz** se muere, queda acumulado en el suelo. Las **pasturas** y los pastizales son los grandes **sumideros** de carbono del mundo y **mientras más carbono tenga un suelo, más agua almacena**.

3. (5:41) Es un huevo muy demandado [...] ¿Por qué? Porque tiene una alta densidad. **Fíjate** vos lo **espeso** que es, ¿no? Y **fíjate** el color de la **yema**. **Fíjate** cuando lo tocás que no **se rompe**. Yo siempre lo que le comento a los consumidores, cuando una persona está enferma, se pone **pálida**. El huevo es lo **mismo**, un huevo producido en **jaula** es muy **pálido** porque no es sano. Este huevo es denso y bien amarillo, porque es un huevo muy saludable.

Después de ver el video

3 **Analizar** En grupos pequeños, respondan las preguntas.

En Estados Unidos existe un debate sobre la ganadería (*cattle industry*) y su efecto en el medio ambiente. ¿Cuáles son los problemas y los retos (*challenges*)? ¿Crees que un modelo como el de la granja El Mate puede ser viable?

☐ **I CAN** identify and interpret information in a video from Argentina.

Palabras útiles

la abeja
bee

la colmena
beehive

el gallinero
chicken coop

la garra
claw

la libertad
freedom

quebrar
to go bankrupt

rentable
profitable

el suelo
ground; soil

Proyecto oral: Debate: ¿El campo o la ciudad?

Van a debatir las ventajas y desventajas de vivir en la ciudad y en el campo. Para prepararte, toma unos minutos para revisar el vocabulario y la gramática de este capítulo y escribe algunas palabras y estructuras que pueden ser útiles.

¡Atención!

Ask your instructor to share the **Rúbrica de calificación** to understand how your work will be assessed.

Estrategia de comunicación oral: Being prepared

While some interactions are spontaneous, others will require both planning what you are going to say and anticipating what the other person may say so that you can prepare a response. To prepare for a debate:

- Consider your position: What arguments can support your position? Is there a clear connection between your arguments and your position? Are they effective as evidence?
- Consider the opposing position: Can you anticipate some of their arguments? How would you respond to those? Also, can you anticipate your opponent's counterarguments to your points?
- Research both positions: You are likely to find new arguments or evidence (facts and data) to support or oppose the arguments you have prepared.

Paso 1 Pongan atención a la proposición: **Vivir en el campo es mejor que vivir en la ciudad**. En parejas, decidan al azar (*randomly*) quién defiende la proposición (Estudiante A) y quién se opone a la proposición (Estudiante B). Luego, individualmente, cada uno/a prepara sus argumentos y contraargumentos. Pueden buscar en Internet información y datos para apoyar (*support*) sus ideas.

> **Modelo** *En muchas ciudades no se necesita carro, se puede usar el transporte público...*

Paso 2 En parejas, participen en el debate. Estudiante A defiende la proposición y Estudiante B se opone. Sigan este esquema de debate.

- Estudiante A presenta sus argumentos principales. (3 minutos)
- Estudiante B presenta sus argumentos principales y responde a los argumentos de Estudiante A. (3 minutos)
- Estudiante A responde a los argumentos de Estudiante B. También puede presentar argumentos adicionales. (4 minutos)
- Estudiante B responde a los argumentos de Estudiante A. También puede presentar argumentos adicionales. (4 minutos)
- Estudiante A presenta conclusiones. (2 minutos)
- Estudiante B presenta conclusiones. (2 minutos)

> **Modelo** *No es verdad que el transporte público sea efectivo en muchas ciudades.*
> *Por eso, muchas personas en la ciudad tienen carros y los usan todos los días...*

Paso 3 Presenta las ideas que surgieron en tu debate del **Paso 2**. Incluye los argumentos que consideras más relevantes de ambas posiciones. Finalmente, explica cuál es tu posición personal y por qué. Tu presentación debe durar de tres a cuatro minutos.

Palabras útiles

además
in addition

aunque
even though

en primer/segundo
 lugar
first/second of all

entonces
then, therefore

por eso
for that reason

sin embargo
however

☐ **I CAN** debate the pros and cons of life in the city versus life in the countryside.

Resources

S

vhlcentral

Proyecto escrito: Una campaña para el consumo responsable

Como parte de una campaña de interés público sobre consumo responsable, vas a escribir un texto informativo y crear un póster para tu comunidad. Para prepararte, toma unos minutos para revisar el vocabulario y la gramática de este capítulo y escribe las palabras clave que podrían ser relevantes.

> **Estrategia de redacción: Getting your reader's attention**
>
> In promotional materials and other texts offering suggestions, the objective is to persuade the reader to follow your advice. Getting your reader's attention with something unexpected or memorable can help you achieve this goal. Here are some ways to capture your reader's interest.
>
> - Thought-provoking points: **En Estados Unidos, casi el 40% de la comida termina en la basura.**
> - Intriguing questions: **¿Por qué son tus nuevos jeans tan malos para el medio ambiente?**
> - Figurative language: **"Compra" en tu armario y da un respiro a tu cartera.**

Paso 1 Genera ideas sobre aspectos relevantes del consumismo. Puedes empezar con estos.
- Áreas de consumo: energía, agua, ropa, tecnología, etc.
- Datos (*facts*) relevantes sobre consumismo.
- Efectos sobre el medio ambiente.
- Estrategias y soluciones a nivel de gobierno, de empresas y del consumidor individual.

Paso 2 Determina el ámbito (*scope*) de tu trabajo. Considera las ideas del **Paso 1**, el propósito de la tarea (una campaña de interés público) y la audiencia (tu comunidad). ¿Vas a hablar del consumismo en general o de algún área específica? ¿Tienes suficiente información o quieres investigar (*research*) en Internet?

Primer párrafo: Comienza con una introducción al tema que llame la atención de tu lector(a).

> **Modelo** *Cada día se desperdicia...*

Párrafos centrales: Selecciona y organiza la información relevante para explicar el problema y proponer acciones. Recuerda que tu objetivo es persuadir a tus lectores para seguir tus sugerencias; es buena idea usar estrategias para captar y mantener su atención.

> **Modelo** *Según un informe de/ datos de...*

Último párrafo: Como conclusión, piensa en una forma de animar (*encourage*) a tus lectores para que tomen acción.

> **Modelo** *No es tarde para...*

Paso 3 Escribe un texto de 250 a 300 palabras aproximadamente con la información del **Paso 2**. Además, crea un póster con una imagen y un mensaje breve, pero memorable, para distribuir en tu comunidad. Las ideas de la estrategia de escritura pueden ayudarte. Prepárate para presentar tu proyecto a la clase.

> **¡Atención!**
>
> Ask your instructor to share the **Rúbrica de calificación** to understand how your work will be assessed.

> **Palabras útiles**
>
> comprometerse (a)
> *to commit (to)*
>
> el compromiso
> *committment*
>
> indicar
> *to indicate, to point out*
>
> el informe
> *report*
>
> según
> *according to*

Resources

vhlcentral

☐ **I CAN** write a text for a responsible consumption campaign.

La naturaleza *Nature*

la arena *sand*
el arrecife *reef*
el bosque *forest*
la catarata/la cascada *waterfall*
el cielo *sky*
la colina *hill*
la estrella *star*
la isla *island*
la luna *moon*
el océano *ocean*
la ola *wave*
el río *river*
la selva *jungle, rain forest*
la tierra *soil, land*
el valle *valley*

Los animales y los insectos
Animals and insects

la araña *spider*
el caballo *horse*
el cerdo *pig*
el delfín *dolphin*
el elefante *elephant*
la gallina *hen, chicken*
el león *lion*
la mariposa *butterfly*
el mono *monkey*
la mosca *fly*
el mosquito *mosquito*
la oveja *sheep*
el pájaro *bird*
el pez (*sing.*), los peces (*pl.*) *fish*
la serpiente *snake*
el tigre *tiger*
la vaca *cow*

Aventuras y otras palabras
Adventures and other words

al aire libre *outdoors*
la aventura *adventure*
la balsa *raft*
el barco *ship*
el bote *boat*
la cámara *camera*
el campamento *camp*
el ciclismo (de montaña) *(mountain) biking*
el crucero *cruise*
la fogata *campfire*
el fuego *fire*
la granja *farm*
el/la granjero/a *farmer*
la hierba *grass*
el huerto *vegetable garden*
el kayak *kayak*
el montañismo *mountain climbing*
el paracaidismo *skydiving*
el pueblo *village, small town*
el saco de dormir *sleeping bag*
la tienda de campaña *tent*

El medio ambiente *The environment*

el aumento *increase*
el calentamiento global *global warming*
el cambio climático *climate change*
el consumo *consumption*
la contaminación *pollution*
la energía *energy*
la gasolina *gas*
el incendio (forestal) *(wild)fire*
el mundo *world*
el pesticida *pesticide*
el planeta *planet*
la población *population*
la polución *pollution*
el problema *problem*
el recurso (natural) *(natural) resource*

Las acciones y el medio ambiente

acampar *to go camping*
bucear *to scuba dive*
causar *to cause*
conservar *to save, to conserve*
contribuir (irreg.) *to contribute*
dar una caminata/hacer senderismo *to hike*
desarrollar *to develop*
desperdiciar *to waste*
destruir (irreg.) *to destroy*
dudar *to doubt*
escalar/hacer escalada *to climb/to do rock climbing*
estar seguro/a (de) *to be sure of*
evitar *to avoid*
hacer esnórquel *to snorkel*
hacer surf *to surf*
importar *to be important, to matter*
interesar *to be interesting, to interest*
ir(se) de vacaciones *to go on vacation*
molestar *to be annoying, to bother*
montar a caballo *to ride a horse*
navegar (a vela) *to sail*
pescar *to fish*
practicar el balsismo/el *rafting* *to go rafting*
prevenir *to prevent*
proteger *to protect*
reciclar *to recycle*
recoger *to pick up, to gather*
reducir *to reduce*
remar *to row*
sacar/tomar fotos *to take photos*
tener miedo *to be afraid*

Adjetivos y adverbios

afuera *outdoors, outside*
cierto/a *true*
emocionante *exciting*
obvio/a *obvious*
peligroso/a *dangerous*
posible/imposible *possible/impossible*
probable *likely*

Palabras y expresiones útiles

a causa de *because of*
Es verdad que... *It's true that...*
Seguro que... *It's true that...*

Capítulo

13

De viaje

Learning Objectives

In this chapter, you will:

- Participate in conversations about travel.
- Express wishes and doubt, and discuss unknown people and things.
- Identify some aspects of train travel in Argentina.
- Explore and research Guatemala and El Salvador.
- Identify main ideas in written and audiovisual materials.
- Plan a trip with classmates.
- Create a travel itinerary in a Spanish-speaking country.

Así se pronuncia Sounds of **ll**, **y** (consonant)

VideoEscenas Necesito descansar

Viajeros Contesta las preguntas.

1. ¿Te gusta viajar (*travel*)? ¿Cuál ha sido tu viaje favorito hasta ahora? En el futuro, ¿adónde quieres viajar?

2. ¿Qué buscas cuando viajas? ¿Cuáles son tus objetivos y prioridades?

3. Mira la infografía. ¿Con qué tipo(s) de viajero te identificas?

¿QUÉ TIPO DE VIAJERO ERES?

GROWPRO

El "eterno" viajero:
"Puedo pasar meses fuera de casa y sentirme en mi hogar en cualquier lugar"

El viajero fotógrafo:
"puedo dejar hasta mi ropa interior, pero nunca mi cámara"

El viajero aventurero:
"estoy dispuesto a llegar al fin del mundo"

El viajero cultural:
"Conocer una nueva cultura es lo mejor de viajar"

El viajero planificador:
"Cuando viajo, me gusta que todo esté en orden"

El viajero de lujo:
"Para mí la comodidad lo es todo"

El viajero comprador:
"Quiero llevar muchos recuerdos para mi familia"

El viajero 2.0:
"Debo compartir todos estos recuerdos con mis seguidores"

El viajero trabajador:
"tengo muchas reuniones, pero me echaré una escapadita"

El viajero foodie:
"Voy a probar la gastronomía típica de esta ciudad"

Fuente: GrowPro

4. En grupos pequeños, comparen y comenten sus respuestas a estas preguntas.
   - ¿Te identificaste con uno o más tipos de viajero? ¿Con cuál(es)?
   - ¿Con qué tipo de viajero te gustaría ir de vacaciones? ¿Por qué?
   - ¿Con qué tipo de viajero no querrías viajar? ¿Por qué?

Audio: Vocabulary | **Learning Objective:** Discuss travel preferences.

De viaje

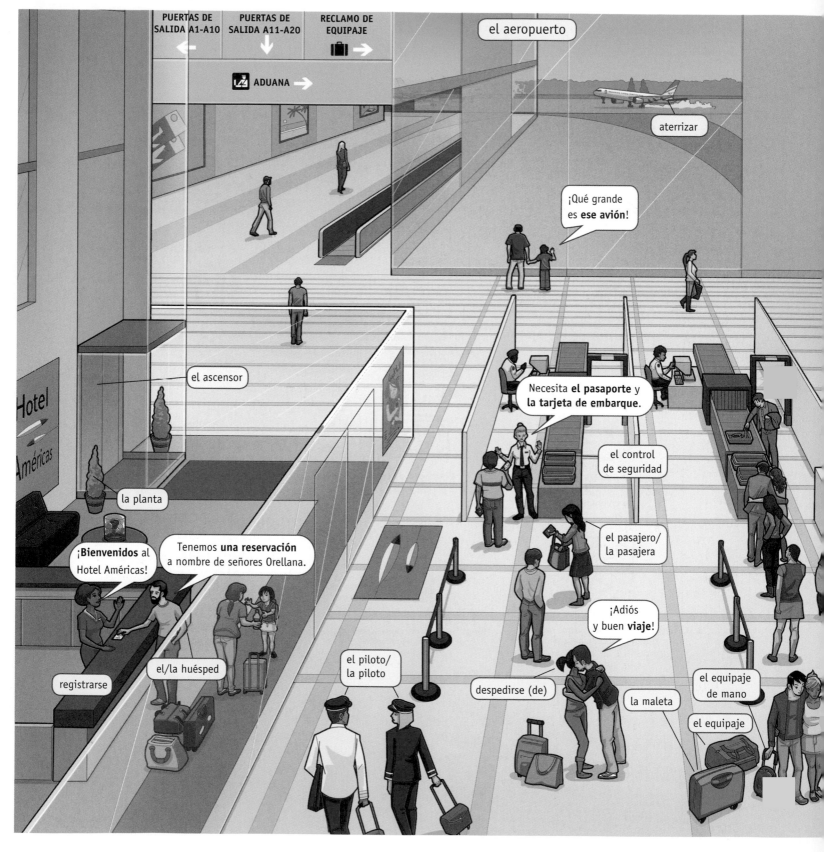

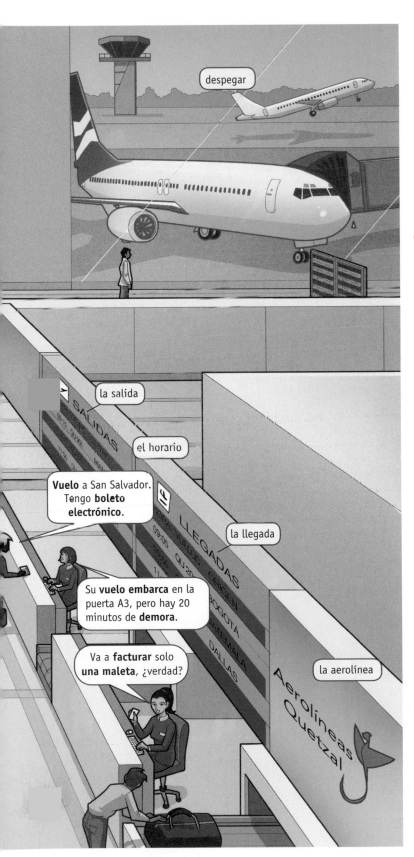

despegar

la salida

el horario

Vuelo a San Salvador. Tengo boleto electrónico.

la llegada

Su vuelo embarca en la puerta A3, pero hay 20 minutos de demora.

Va a facturar solo una maleta, ¿verdad?

la aerolínea

Aerolíneas Quetzal

Apoyo de vocabulario

el ascensor	*elevator*
bienvenido/a/os/as	*welcome*
el boleto (*Lat. Am.*)/ el billete (*Sp.*)	*ticket*
la demora	*delay*
despedirse (i, i) (de)	*to say goodbye (to)*
embarcar	*to board*
facturar (el equipaje)	*to check (baggage)*
el/la huésped	*guest*
la llegada	*arrival*
la salida	*departure*
la tarjeta de embarque	*boarding pass*

¿Qué observas? Contesta las preguntas sobre las imágenes.

1. ¿Cuántos aviones puedes ver en este aeropuerto? ¿Cuándo despega un avión: en la salida o en la llegada? ¿Cuándo aterriza?

2. Cuando viajamos en avión, ¿qué debemos hacer primero: facturar el equipaje o pasar el control de seguridad? Después de llegar a nuestro destino, ¿qué debemos hacer primero: ir al reclamo de equipaje o pasar por la aduana?

3. ¿Qué deben mostrar los pasajeros en el control de seguridad: una reservación o una tarjeta de embarque?

4. En el hotel, ¿facturas o te registras? ¿Eres huésped o pasajero/a?

¿Y tú? Responde estas preguntas sobre ti mismo/a.

1. ¿Te gustan los viajes? ¿Has viajado en avión? ¿Cómo fue la experiencia? O si no has viajado en avión, ¿quieres hacerlo?

2. Imagina que ganas un boleto de avión gratis (*free*) a cualquier ciudad hispanohablante. ¿Adónde te gustaría ir? ¿Por qué?

Nota de lengua

Planta has two meanings: plant (vegetation) and floor (as in ground, first, etc., floors in a building). Remember that **la planta baja** is the first floor in the United States and Canada (see **Capítulo 10, Así se dice 1**).

Se van de viaje

¡Bienvenidos a bordo!

la ventanilla

el asiento

el pasillo

¡Espero que **disfruten de** su estancia en Guatemala!

Para viajar a otro **país**, tienes que **sacar un pasaporte**. En Estados Unidos, se **obtiene** en la oficina de correos. A veces, también necesitas **un visado**.

Estos amigos **vuelan** hoy a Guatemala. Antes de **ir de viaje** deben **hacer las maletas** (o **empacar**).

Cuando **suben al avión**, **un asistente de vuelo** los **saluda** y les **indica** dónde está su **asiento**.

Con **un asiento de ventanilla** puedes mirar afuera, pero es más fácil salir de **un asiento de pasillo**. Es obligatorio **abrocharse el cinturón** durante el vuelo.

Después de **hacer escala** en Dallas, **bajan del** avión en el aeropuerto de Guatemala. **Parece que** tuvieron un buen vuelo.

Apoyo de vocabulario

abrocharse	*to fasten*	el país	*country*
disfrutar (de)	*to enjoy (something)*	parecer (que)	*to seem (that)*
hacer escala	*to have a layover*	sacar un pasaporte	*to get a passport*
obtener (irreg.)	*to obtain, to get*	volar (ue)	*to fly*

¡Atención!
The verb **obtener** is conjugated like **tener**.

Note some uses of the verb **parecer**:

Parece que hay demora.   *It looks like there is a delay.*

Me parece muy caro.   *It seems very expensive to me. / I think it is very expensive.*

Juan parece cansado.   *Juan looks tired.*

En mi experiencia

Danielle, Stamford, CT

"When I studied in Spain, I was surprised by how many options for domestic travel there were. Of course, for longer distances, flying is a great option. But there are many train and bus lines with frequent schedules, so they make it easy to travel anywhere in the country. Both trains and buses are usually quite comfortable and well equipped, and more affordable than in the United States. My favorite was the high-speed train, which travels at up to 186 miles per hour."

Estación de autobús de Granada, España

Have you ever traveled between different cities by train or bus? How is the experience described above similar to or different from traveling by train or bus in the United States?

1 **Conexiones** Vas a compartir algunas asociaciones de palabras.

Paso 1 Individualmente, lee las palabras y, en cinco minutos, anota las asociaciones que observas, explicando la conexión entre las palabras. Se pueden repetir y asociar más de dos palabras.

> **Modelo** el boleto
> *la tarjeta de embarque*

el aeropuerto	el boleto	el equipaje	la llegada	el/la piloto
el ascensor	la demora	el hotel	la maleta	subir
aterrizar	despegar	el/la huésped	el/la pasajero/a	la tarjeta de embarque

Paso 2 En parejas, comparen sus asociaciones. ¿Son similares o diferentes? Explica las asociaciones.

> **Modelo** *Para mí, el boleto y la tarjeta de embarque tienen conexión porque son documentos de viaje y necesitas el boleto para obtener la tarjeta de embarque.*

2 **¿Antes, durante o después?** Vas a hacer recomendaciones para viajar.

Paso 1 Decide si estas actividades normalmente se hacen antes, durante o después de un vuelo.

	Antes del vuelo	Durante el vuelo	Después del vuelo
llegar al aeropuerto			
abrocharse el cinturón de seguridad			
despedirse del/de la asistente de vuelo			
mostrar el pasaporte			
pedirle un refresco al/a la asistente de vuelo			
enviar una tarjeta postal			
esperar porque hay una demora			
facturar el equipaje			
registrarse en el hotel			
ir a la puerta de salida con la tarjeta de embarque			

Paso 2 Imagina que tienes un(a) amigo/a que va a viajar por primera vez en avión. Elige cuatro de las actividades mencionadas en el **Paso 1** y escribe recomendaciones para tu amigo/a con estas frases. Puedes añadir detalles a tus recomendaciones. ¡Recuerda que debes usar el subjuntivo!

> **Modelo** *Te recomiendo que llegues al aeropuerto dos horas antes de tu vuelo.*

> Te recomiendo que...   Te sugiero que...   Te aconsejo que...

3 **Hablando de viajar** En parejas, túrnense para entrevistarse. Lee las preguntas a tu compañero/a y anota sus respuestas. Pide más detalles (ejemplos, explicar por qué, etc.).

Estudiante A

1. ¿Has viajado en avión? ¿Cuántas veces? ¿A qué lugares?

2. ¿Disfrutas de los viajes? ¿Te gusta, o te gustaría, viajar en avión o no? ¿Por qué?

3. En el avión/tren/autobús, ¿prefieres un asiento de ventanilla o de pasillo? ¿Por qué?

4. ¿Te gustan los aeropuertos? Si conoces más de uno, ¿cuál te gusta más y cuál menos? ¿Por qué? Si no conoces ninguno, ¿piensas que te gustarán?

Estudiante B

1. ¿Has tenido una demora en algún viaje? ¿Cuánto tiempo tuviste que esperar? ¿Qué hiciste?

2. ¿Viajas ligero/a (*light*) o empacas muchas cosas? ¿Alguna vez has perdido (o ha perdido la aerolínea) tu equipaje? ¿Qué pasó?

3. ¿Has sido huésped en algún hotel? ¿Qué te gusta o no te gusta de quedarte en un hotel?

4. Cuando viajas, ¿prefieres hoteles de cadenas (*chain hotels*) que conoces, hoteles locales o alojamiento en casas o apartamentos para conocer y disfrutar más de la cultura local?

4 **Mis preferencias** Vas a compartir lo que te gusta y lo que no te gusta de viajar.

Paso 1 Individualmente, escribe un párrafo describiendo lo que más te gusta (*what you like the most*) y lo que menos te gusta (*what you like the least*) de viajar en avión o en otro medio de transporte (tren, autobús, carro).

> **Modelo** *Lo que más me gusta es empacar las maletas porque...*
> *Lo que menos me gusta son las demoras y hacer escala porque...*

Paso 2 Comparte tus respuestas con un(a) compañero/a y, después, con toda la clase. ¿Hay algunas cosas que mencionaron muchas personas?

5 **Situaciones** En parejas, van a representar esta situación: Ustedes tienen asientos contiguos (*next to each other*) en un avión. Sigan este esquema.

Estudiante A: El/La pasajero/a a tu lado quiere conversar. Tú no tienes ganas de hablar; prefieres descansar, leer o mirar una película, pero no quieres ser grosero/a (*rude*). Conversas con él/ella unos minutos, pero después intentas parar (*stop*) la conversación.

Estudiante B: Viajas en avión frecuentemente y siempre haces un esfuerzo por ser simpático/a y conversar con la persona a tu lado. Puedes empezar la conversación preguntando sobre su viaje y hablando de tus viajes.

☐ **I CAN** discuss travel preferences.

Resources

ⓢ vhlcentral

SAM

online activities

1. Express wishes, emotions, and doubt

The subjunctive with impersonal expressions

Read and listen to this text, focusing on the general ideas. Then, look at the text again. Do you recognize the structures in boldface? How are they all similar? Which use the indicative and which the subjunctive? Can you tell why?

> Antes de un viaje internacional, **es importante revisar** toda la documentación necesaria. Por ejemplo, **es esencial que** su pasaporte no **esté** caducado (*expired*) y **que obtenga** los visados oportunos. A veces, es aconsejable (*advisable*) **que reciba** algunas inmunizaciones contra enfermedades locales. **Es verdad que**, durante un viaje, **puede** haber situaciones imprevistas. Por eso, para poder disfrutar de su viaje, **es mejor tener** paciencia y flexibilidad.

In previous chapters, you learned that impersonal expressions with **ser** and a subordinate clause often require the subjunctive:

Es + *importante/bueno/necesario...* + **que** + subjunctive

▶ to express wishes, recommendations, and requests for someone else to do something or something to happen:

es buena idea	**es importante**	**es necesario**
es bueno	**es mejor/peor**	**es urgente**

Es necesario que **compres** tu boleto de avión, pero **es urgente** que **saques** tu pasaporte.

▶ to express emotional reactions to the actions or conditions of another person or thing:

es extraño	**es horrible**	**es una lástima**
es fantástico	**es ridículo**	**no es justo**

¡**Es fantástico** que te **den** un asiento en primera clase (*first class*)!

▶ to express doubts and uncertainties:

es posible/imposible	**es probable/improbable**

Es **posible** que **tengamos** demora y **perdamos** la conexión en Miami.

▶ Remember that if there is no specific subject after the impersonal expression, the *infinitive* is used instead of **que** + *subjunctive*. Compare these examples:

Es necesario ir al aeropuerto temprano.

Es necesario **que** (nosotros) **vayamos** al aeropuerto temprano.

▶ Expressions such as **es verdad**, **es cierto**, and **es obvio** used affirmatively require the indicative, not the subjunctive, as they introduce factual statements.

Es verdad/cierto que los aviones **son** muy seguros (*safe*).

Note that when the statement is negative, the subjunctive is used:

No es verdad/cierto que yo **tenga** miedo a volar.

ASÍ SE FORMA

1 **¡Qué situación!** Las vacaciones están cerca y el periódico de la universidad quiere publicar una sección sobre cómo reaccionar en situaciones problemáticas durante los viajes. En grupos pequeños, escriban sus reacciones y algunos consejos para cada situación con expresiones de la lista u otras similares.

Es posible/imposible que...	Es urgente que...	Es importante/necesario que...
Es una lástima que...	Es obvio que...	Es cierto/verdad que...

1. Me voy de viaje en una semana y ¡no puedo encontrar mi pasaporte!
2. Tengo que salir para el aeropuerto en una hora y ¡no he empacado todavía!
3. Estoy en el aeropuerto y anuncian que el vuelo tiene una demora de cinco horas.
4. Estoy en el avión y el piloto anuncia que vamos a pasar por una zona de turbulencia, y me pongo muy nervioso/a.
5. Estoy en la aduana y la inspectora sospecha que tengo algo prohibido en la maleta.
6. Estoy en un hotel y descubro que en el baño no hay agua caliente y que hay unos insectos en la cama.

2 **Un vuelo en la aerolínea Buena Suerte** Vas a compartir lo que te ocurrió en un vuelo reciente.

Paso 1 En parejas, imaginen que vuelan juntos/as en el vuelo 13 con destino a Antigua, Guatemala. Este vuelo tiene algunas "sorpresas". Estudiante A lee una de sus observaciones sobre el viaje y Estudiante B escucha y reacciona con oraciones completas. Después, cambien los papeles (*switch roles*).

> **Modelo** **Estudiante A:** *Mi tarjeta de embarque no indica un número de asiento.*
> **Estudiante B:** *¿De verdad? ¡Es muy extraño que no haya asientos reservados! Es mejor que preguntes al asistente de vuelo antes de sentarte.*

Estudiante A

1. El asistente de vuelo no da instrucciones de seguridad.
2. Los compartimentos de equipaje de la cabina están cerrados.
3. Mi asiento está sucio.
4. ¡El piloto está tomando un cóctel!

Estudiante B

1. Mi asiento es muy pequeño.
2. El cinturón de seguridad no se cierra bien.
3. No tienen bebidas para servir.
4. ¡Perdieron mi equipaje!

Posibles reacciones
es (muy) extraño
es horrible
es una lástima
es mejor
es necesario
es posible
es probable
es ridículo
no es justo

Paso 2 Tu experiencia con la aerolínea Buena Suerte fue terrible. Individualmente, haz una lista de los problemas que tuviste. Después, escribe un mensaje al/a la presidente/a de la aerolínea explicando qué pasó y expresando tu indignación. Usa este esquema.

Saludo: Estimado Sr. presidente:/Estimada Sra. presidenta:

Párrafo 1: Una o dos oraciones para expresar tu indignación.

Párrafo 2: Tres o cuatro oraciones explicando los problemas que tuviste.

Párrafo 3: Una o dos oraciones dando sugerencias de cómo mejorar el servicio.

Despedida: Atentamente,/Sinceramente,

3 **Compañeros/as de viaje** Vas a compartir recomendaciones para ser un(a) buen(a) pasajero/a.

Paso 1 En grupos pequeños, respondan esta pregunta: Cuándo viajas en tren o avión, ¿qué cosas hacen otros pasajeros que te molestan?

Paso 2 Individualmente, lee el texto. Después, en los mismos grupos del **Paso 1**, contesten las preguntas.

Los pasajeros más molestos

Por emoción, estrés o simple falta° de consideración, algunos pasajeros tienen conductas que molestan tanto a sus compañeros de viaje como a la tripulación° del avión. Estas son algunas de las quejas° más frecuentes. Repasa la lista y asegúrate de que tú no seas un(a) pasajero/a molesto/a en tu próximo viaje.

1. Pasajeros que empujan° o patean° el asiento delantero.
2. Pasajeros con mal olor corporal o perfume intenso.
3. Padres que no intervienen cuando sus hijos molestan.
4. Pasajeros que tomaron demasiado° alcohol.
5. Pasajeros con demasiado equipaje de mano.
6. Pasajeros que hablan todo el tiempo o hablan muy alto.
7. Pasajeros que reclinan su asiento cuando todavía están extendidas las bandejas° de comida.
8. Pasajeros que golpean° los asientos al caminar por el pasillo.
9. Pasajeros que ocupan todo el apoyabrazos°.
10. Pasajeros que encienden la luz en un vuelo nocturno.

la falta *lack* **la tripulación** *crew* **la queja** *complaint* **empujar** *to push* **patear** *to kick* **demasiado/a** *too much*
la bandeja *tray* **golpear** *to hit* **el apoyabrazos** *armrest*

1. ¿Qué conductas desconsideradas del texto habían mencionado en el **Paso 1**? ¿Qué otras conductas mencionadas en el texto les molestan también?

2. Si uno de estos comportamientos te afecta directamente en un viaje, ¿dices o haces algo o sufres la molestia en silencio?

Paso 3 Escriban una **Guía del pasajero cortés** haciendo recomendaciones a los/las viajeros/as para evitar molestar a otras personas. Pueden escribir sobre las situaciones del artículo y otras.

Modelo *Es posible que usted moleste al pasajero del asiento delantero. Es buena idea prestar atención cuando cierra la bandeja…*

☐ **I CAN** express wishes, emotions, and doubt.

El Tren a las Nubes
de Argentina

Antes de leer

1. Conocimiento previo Contesta estas preguntas.

1. ¿Has viajado en tren alguna vez o te gustaría hacerlo?

2. ¿Conoces alguna ruta famosa para viajar por tren o carretera en los Estados Unidos?

C asi todos hemos oído hablar de trenes legendarios como el lujoso Orient Express de París a Estambul, el Glacier Express en Suiza o el tren Transiberiano en Rusia. Otro de los viajes en tren más espectaculares del mundo puede hacerse en Argentina. Es el llamado Tren a las Nubes, que recorre° 271 kilómetros en el montañoso noroeste argentino.

El viaje empieza en autobús desde la ciudad de Salta hasta San Antonio de los Cobres, donde se toma el tren. Desde la ventanilla se puede ver la inmensa y árida altiplanicie° de la Puna, con montañas y volcanes de más de 6.000 metros de altitud. En su tramo° final, el tren llega hasta los 4.220 metros de altura cuando pasa por el viaducto° La Polvorilla, una enorme estructura de metal de más de 60 metros de altura. Es entonces que uno realmente se siente entre nubes.

Si decides tomar este tren, disfrutarás de impresionantes vistas° de la tundra y las montañas, y es posible que veas el ave° sagrada de los incas, el cóndor andino, así como° vicuñas, guanacos, llamas y otros animales de la fauna regional. Además de estas maravillas naturales, podrás también apreciar esta gran obra de ingeniería que, desde 1921 hasta 1948, incluyó la construcción de 29 puentes, 21 túneles y 13 viaductos para llegar en tren al cielo.

recorrer *to travel* **la altiplanicie** *high plateau* **el tramo** *stretch* **el viaducto** *metal bridge over a deep hollow* **la vista** *view* **el ave** *bird* **así como** *as well as*

▌La Polvorilla, Argentina

Después de leer

2. Identificar Indica cuáles de estas ideas están en el texto.

☐ 1. El Tren a las Nubes viaja desde Salta hasta el noroeste argentino.

☐ 2. Una parte del viaje no es en tren.

☐ 3. El Tren a las Nubes recorre una extensa región que tiene zonas llanas (*flat*) y montañas.

☐ 4. El viaducto La Polvorilla tiene más de 4.000 metros.

3. Comparar y analizar En parejas, comenten estas preguntas.

1. ¿Te gustaría hacer este viaje? ¿Por qué? ¿Hay una ruta en Estados Unidos que te gustaría hacer en tren?

2. ¿Cuáles crees que son las ventajas y desventajas de viajar en tren en Estados Unidos?

☐ **I CAN** identify some aspects of train travel in Argentina.

En el hotel y en la estación

En el hotel

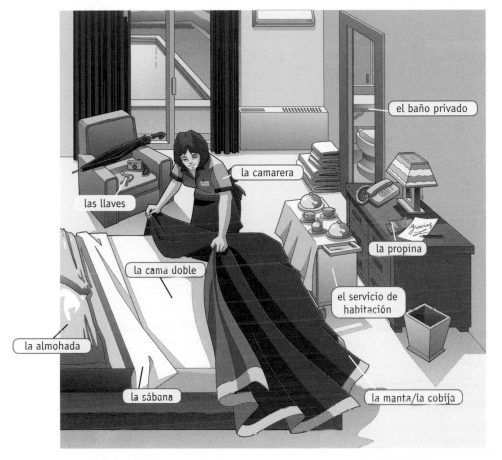

las llaves · la camarera · el baño privado · la propina · el servicio de habitación · la cama doble · la almohada · la sábana · la manta/la cobija

Nota de lengua

Note the difference between **salir** (*to leave, to go out*) and **dejar** (*to leave an object behind*):

David *salió* de su habitación. *Dejó* su chaqueta porque no hacía frío.

Cuando viajas, ¿prefieres un hotel con servicios (*amenities*), **una pensión** donde puedes integrarte en la cultura local o **un hostal** donde puedes conocer a muchos otros jóvenes que viajan? ¿O buscas alojamiento (*lodging*) en una casa o apartamento privado? Este es un **hotel de cuatro estrellas** con **servicio de wifi**, gimnasio, piscina y **servicio de habitación** las 24 horas del día. Los huéspedes han salido a visitar la ciudad. **Dejaron** una nota y **una propina** para **la camarera**. También **dejaron** olvidadas algunas cosas: **las llaves**, la cámara y un paraguas.

Apoyo de vocabulario			
dejar	*to leave (behind), to forget*	la pensión/el hostal	*guesthouse*
el hotel de (tres/ cuatro…) estrellas	*(three-/four-…) star hotel*	(habitación/cama) sencilla/doble	*single/double (room/bed)*

¿Qué observas? ¿Este cuarto está en una pensión, un hostal o un hotel? ¿Hay una cama sencilla o una cama doble? En la cama, ¿cuántas almohadas hay? ¿Y cuántas sábanas? ¿Cuántas cobijas?

¿Y tú? Si buscas alojamiento para unas vacaciones, ¿qué es más importante para ti: la ubicación (*location*) del hotel, el precio de las habitaciones o los servicios que se ofrecen?

ASÍ SE DICE

1 **Buscan un hotel** En grupos pequeños, imaginen que van a ir a Antigua, Guatemala, para participar en un curso intensivo de español y necesitan hacer reservaciones en un hotel.

Paso 1 Individualmente, indica la importancia que estos servicios y características de un hotel tienen para ti.

	Indispensable	Importante	Conveniente	No me importa
baño privado				
cambio diario de toallas y sábanas				
servicio de habitación				
teléfono				
aire acondicionado				
televisión por cable				
wifi				
piscina				

Paso 2 En grupos pequeños, comparen sus respuestas. Van a viajar juntos y deben ponerse de acuerdo (*agree*) en un hotel donde quedarse. ¿Qué características debe tener? Recuerden que cada servicio aumenta el precio del hotel.

Nota cultural

Guatemalan food is similar to that of Mexico: tortillas and tacos are very common, but it also has influences from Spain, India, and France. One regional specialty is the **pepián**, consisting of chicken or beef and vegetables with a spicy salsa. Does this dish remind you of any others you're familiar with? Find a Guatemalan restaurant online—in the U.S. or in Guatemala—and find out how much the restaurant charges for **pepián**.

Pepián de pollo

2 **¿Cómo se dice?** En parejas, se están preparando para el viaje, pero han olvidado algunas palabras que van a necesitar durante su estancia en el hotel. Túrnense para explicar lo que necesitan, *sin usar las palabras entre paréntesis*, y ayudarse a descubrir las palabras.

Modelo una habitación (doble)
Estudiante A: *Necesito una habitación para dos personas.*
Estudiante B: *¿Quieres decir que necesitas una habitación doble?*
Estudiante A: *Sí, sí, una habitación doble.*

Estudiante A

1. una habitación (sencilla)
2. un baño (privado)
3. (la llave)
4. otra (almohada)
5. otra cosa o servicio

Estudiante B

1. dos (toallas)
2. otra (cobija)
3. el servicio (de habitación)
4. una (sábana) más
5. otra cosa o servicio

3 **¿Hotel Milton u hostal Las Flores?** En parejas, van a buscar un hotel para alojarse durante su estancia en Guatemala. Cada uno/a tiene información sobre un lugar diferente, así que hablan por teléfono para compartir sus datos y tomar una decisión.

Paso 1 En parejas, sigan este esquema.

Estudiante A: Lee la información sobre el hotel Milton y marca las características más interesantes.

El hotel **Milton** está ubicado en el centro de la ciudad y le ofrece un ambiente agradable y la comodidad necesaria para hacer su estancia placentera. Nuestras habitaciones están completamente equipadas y decoradas con elegancia, y nuestros profesionales le ofrecen servicio personalizado:

Precio: $125/día

- 152 habitaciones dobles
- Servicio de limpieza (diario)
- Baños privados con ducha
- Servicio de habitación 24 horas
- Aire acondicionado
- Piscina, gimnasio y centro de negocios
- Wifi de alta velocidad (*high speed*)
- Restaurante: La Parrilla
- Desayuno *buffet* ($9/persona)
- Televisor y servicio de *streaming*
- Parqueo ($15/día)

Estudiante B: Lee la información sobre el hostal Las Flores y marca las características más interesantes.

Precio:
Suite: $95/día
Habitación sencilla: $70/día

El hostal **Las Flores** se encuentra en una casa colonial en una tranquila área residencial de Antigua, a 15 minutos a pie del centro. Este pequeño hostal familiar se caracteriza por la atención personalizada, para que usted se sienta como en casa. Comience el día con el desayuno casero y café de Guatemala. Descanse en su habitación, disfrute del jardín o de la sala común donde puede ver la televisión o navegar por Internet.

- 4 suites dobles con baños privados
- 6 habitaciones sencillas con baños compartidos
- Servicio de limpieza (dos veces/semana)
- Aire acondicionado en suites
- Sala común con televisión, teléfono, wifi
- Desayuno incluido; café disponible todo el día

Paso 2 En las mismas parejas, compartan la información más relevante sobre sus opciones de alojamiento (*lodging*) y háganse preguntas sobre otros detalles que les interesan; comparen las ventajas y desventajas de cada una. Finalmente, decidan en qué lugar se van a quedar.

En la estación de tren o autobús

los aseos/el baño

la taquilla

el tren

el andén

tener prisa

perder el tren

el boleto/el billete
... de ida/sencillo
... de ida y vuelta
... de primera/segunda clase

Apoyo de vocabulario

el andén	*platform*	perder (el tren, el autobús…)	*to miss (the train, the bus…)*
los aseos/el baño	*restroom(s)*	la taquilla	*ticket window*
el boleto/el billete		tener prisa	*to be in a hurry*
... de ida/sencillo	*one-way ticket*		
... de ida y vuelta	*round-trip ticket*		

¿Qué observas? ¿Es esta una estación de tren o de autobús? ¿Cuántas personas están comprando boletos?

¿Y tú? ¿Hay una estación de tren o de autobús de larga distancia donde vives? Si la hay, ¿adónde puedes viajar en tren o en autobús desde tu ciudad? Si no la hay, ¿te gustaría tener servicio de tren o de autobuses a otras ciudades?

4 ¿Cierto o falso? Escucha las afirmaciones e indica si son **ciertas** o **falsas**. Si son falsas, corrígelas para que sean ciertas.

> **Modelo** Oyes: La taquilla es el lugar donde subes al tren.
> Indicas: *Falso*
> Escribes: *El andén es el lugar donde subes al tren.*

	Cierto	Falso	
1.	☐	☐	_____
2.	☐	☐	_____
3.	☐	☐	_____
4.	☐	☐	_____
5.	☐	☐	_____
6.	☐	☐	_____

5 **Un viaje a Sevilla en el AVE** En parejas, imaginen que están en Madrid, España, y quieren viajar en el tren de alta velocidad AVE. Lean esta descripción en la página web de RENFE (Red Nacional de los Ferrocarriles Españoles).

Viajar⌄   Experiencias⌄   Cercanías⌄   Ayuda   Buscar Q

[Origen]   [Destino]

Los trenes de alta velocidad AVE conectan Madrid con múltiples puntos de España. Estos trenes, con velocidades de hasta 350 km/h, ofrecen servicios como wifi, música, películas, pasatiempos para niños, aseos y acceso completo para viajeros de movilidad reducida°. Casi todos nuestros trenes disponen también de cafetería y bar móvil. Usted puede viajar con su mascota, transportar su bicicleta y llevar hasta tres maletas gratis. Tenemos tres opciones de billetes: Básico, Elige y Prémium. La clase Prémium incluye asientos más espaciosos y servicio de restaurante y bar en su asiento. Además, puede reprogramar su viaje de forma gratuita.

RENFE promete extrema puntualidad. Con una demora de más de 15 minutos, le devolvemos el 50% del precio de su billete; con más de 30 minutos, le devolvemos el 100%.

	Zaragoza	León	Sevilla	Alicante	Valencia	Barcelona
Básico	40,65	57,95	72,45	55,35	58,20	56,85
Elige	46,55	66,25	80,50	62,30	65,30	68,20
Prémium	68,95	80,70	122,10	93,30	91,16	95,80

Fuente: RENFE

la movilidad reducida *limited mobility*

Ahora un(a) estudiante hace el papel del/de la empleado/a de la RENFE y el otro/la otra es el/la pasajero/a. Completen las transacciones (pueden inventar los detalles). Después, cambien los papeles.

> **Modelo**   **Empleado/a:** *Buenos días. ¿En qué puedo servirle?*
> **Pasajero/a:** *Quiero un billete para...*
> **Empleado/a:** *Muy bien. ¿Qué día quiere viajar?*

1. comprar un boleto para una de las ciudades que menciona el cuadro (puedes investigar un poco antes de decidir)
2. pedir información (sobre horario/equipaje/comida/andenes/aseos, etc.)
3. hablar de posibles demoras y tratar de resolver los problemas que puedan causar

Resources

vhlcentral

SAM

online activities

☐ **I CAN** discuss travel plans.

2. Discuss unknown or nonexistent people or things

The subjunctive with indefinite entities

Read and listen to this text, focusing on the message. Then, note the structures in boldface and answer the questions.

1. What are these clauses referring to? Mark that in the text.

2. Some of the boldface clauses use the indicative and others, the subjunctive, depending on the nature of what they are referring to. Can you infer what the difference between indicative and subjunctive indicates?

> **Sra. Orellana:** Necesitamos una habitación **que tenga** dos camas, por favor.
>
> **Recepcionista:** Sí, hemos reservado una habitación **que tiene** una cama doble y una sencilla.
>
> **Sra. Orellana:** Gracias. ¿Hay alguien **que** nos **ayude** a llevar el equipaje?
>
> **Recepcionista:** Claro, tenemos un botones (*bellboy*) **que** lo **llevará**. ¿Hay algo más **que pueda** hacer por ustedes?
>
> **Sra. Orellana:** Sí, hay algo **que puede** hacer: ¿me da la llave?

Some subordinate clauses are used to give further information about a noun, as an adjective would. Compare the following examples and note how the sections in boldface are adding information about *hotel*.

> Vamos a un hotel **lujoso**. → Vamos a un hotel **que tiene piscina y gimnasio**.
>
> Busco un hotel **barato**. → Busco un hotel **que cueste $90** al día.

We use the *indicative* when these clauses refer to a person or thing —the noun— that is *specific and identified*. In these examples, the speaker has a specific, identified hotel and guide in mind:

> Vamos a <u>un hotel</u> que **tiene** piscina.   *We are going to a hotel that has a pool.*
>
> Hay <u>un guía</u> que **puede** ayudarlos.   *There is a guide who can help you.*

In contrast, we use the *subjunctive* when the clause refers to a person or thing —the noun— that is *unidentified, an idea*. In these examples, the speaker has an idea of *what kind of* a hotel and guide:

> Busco un hotel que **cueste** $90.   *I'm looking for a hotel that costs $90.*
>
> Queremos un guía que **pueda** ayudarnos.   *We want a guide who can help us.*

If we are *asking whether someone/something exists* or *saying that someone/something does not exist*, we also use the *subjunctive*.

> ¿Hay alguien que **pueda** ayudarnos?   *Is there someone who can help us?*
>
> No hay ningún hotel que **tenga** piscina.   *There isn't any hotel that has a pool.*

1 **¿Hay o no hay?** Escoge la opción apropiada para completar cada oración. Recuerda que cuando algo existe, la subordinada adjetiva que lo modifica tiene el verbo en indicativo y cuando algo no existe, el verbo en la subordinada es subjuntivo.

> **Modelo** (<u>Existe</u>/No existe) un pueblo en Guatemala que tiene ruinas mayas.

1. (Hay/No hay) un pueblo en El Salvador que esté a más de 100 millas de la costa.
2. (Hay/No hay) una activista y autora guatemalteca que ganó el Premio Nobel de la Paz.
3. (Existe/No existe) un volcán en Guatemala que es muy famoso.
4. (Existe/No existe) una ciudad en Guatemala que sea tan grande como la Ciudad de Nueva York.

2 **En mi ciudad** Completa las oraciones describiendo qué hay o no hay en tu ciudad o región. Escribe una cosa más que tienen o no tienen en tu ciudad.

> **Modelo** *No hay un museo que sea (ser) para niños./*
> *Tenemos un museo que es (ser) para niños.*

Mi ciudad/región es _____

1. _____ una persona que _____ (ser) famosa en todo el país.
2. _____ un monumento que _____ (tener) importancia artística o histórica.
3. _____ un deportista o equipo que _____ (ganar) muchas competiciones.
4. _____ restaurantes que _____ (tener) comida hispana.
5. _____

3 **Cosas interesantes** Vas a compartir actividades y planes.

Paso 1 En grupos pequeños, respondan a las preguntas del cuestionario y escriban el número de personas que contesten afirmativamente. Anoten también sus nombres y algunos detalles (por ejemplo: ¿qué sabes hacer?, ¿dónde y cuándo aprendiste?, etc.).

¿En su grupo hay alguien...	Número	Nombre(s)	Detalles
1. ... que sepa hacer algo especial (hablar otra lengua, tocar un instrumento, etc.)?			
2. ... que tenga parientes (incluyendo la familia extendida) en otro país?			
3. ... que sepa cocinar u hornear (*bake*)?			
4. ... que no viva en el campus?			
5. ... que esté comprometido/a o casado/a?			
6. ... que piense viajar a un país hispano en el futuro?			

Paso 2 Compartan con la clase sus datos y los detalles más interesantes. Un(a) secretario/a anota el número total de respuestas afirmativas en la pizarra o en un documento colaborativo.

> **Modelo** *En nuestro grupo no hay nadie que esté casado/a, pero sí hay una persona*
> *que está comprometida. Se va a casar en abril, ¡en una granja!*

ASÍ SE FORMA

4 **Preguntas personales** En parejas, van a entrevistarse (*interview each other*).

Paso 1 En parejas, decidan quién va a ser Estudiante A y quién será Estudiante B. Completen las preguntas que van a hacer a su compañero/a y escriban una pregunta más al final (*at the end*).

Modelo ¿Hay alguien en tu familia que... *sepa* (saber) hablar español?

Estudiante A

¿Hay alguien en tu familia que...
1. _____ (tener) más de ochenta años?
2. _____ (vivir) en otro país?
3. _____ (conocer) a una persona famosa?
4. _____ (saber) tocar un instrumento?
5. _____ (ser) muy interesante o especial?
6. _____

Estudiante B

¿Conoces a alguien que...
1. _____ (haber) viajado a Latinoamérica?
2. _____ (tomar) una clase muy original?
3. _____ (trabajar) mientras estudia?
4. _____ (jugar) en un equipo deportivo?
5. _____ (ser) muy interesante o especial?
6. _____

Paso 2 En parejas, túrnense para entrevistarse. Pregunten más detalles y anoten las respuestas.

Modelo **Estudiante A:** ¿*Hay alguien en tu familia que sepa hablar español?*
Estudiante B: *Sí, mi tía sabe... o No, no hay nadie en mi familia que sepa...*

5 **El mundo real y el mundo ideal** En grupos pequeños, su profesor(a) les va a asignar un tema y van a comparar lo real y lo ideal con el mayor número de detalles posible. En cada grupo, un(a) secretario/a escribe las oraciones para compartir con la clase.

Modelo nuestros empleos
Tenemos empleos que son bastante aburridos/que no pagan mucho dinero... Queremos/Buscamos empleos que nos den un poquito más de dinero/que sean interesantes...

1. nuestros/as profesores(as)
2. nuestras clases
3. nuestros/as compañeros/as de cuarto
4. nuestra residencia/nuestro apartamento
5. nuestra universidad
6. nuestra comunidad/ciudad

☐ **I CAN** discuss unknown or nonexistent people or things.

3. Describe actions that have been going on for a period of time

 VideoEscenas

Hacer in time constructions

Read and listen to this text, focusing on the ideas conveyed. Then, note the structures in boldface and answer the questions.

1. In the statements, what follows the word **hace**? In the question, what is **hace** asking about?

2. Note the tense of the verbs in these examples. Do they all have the same time frame? Can you hypothesize what these expressions mean?

> **Pasajero:** Señorita, estamos esperando el vuelo a San Salvador. ¿Hay mucho retraso?
>
> **Empleada:** **¿Cuánto tiempo hace que esperan** aquí?
>
> **Pasajero:** **Hace** 40 minutos **que esperamos**. ¿Sabe usted qué pasa?
>
> **Empleada:** El vuelo a San Salvador **salió hace** 20 minutos por la puerta A2; esta es la puerta A12.
>
> **Pasajero:** ¿**Hace** 20 minutos **que salió** nuestro vuelo?

We use these equivalent constructions with **hace** with a verb in the present tense to indicate that an action or condition started in the past is still going on.

hace + *time length* + **que** + *present tense*   OR   *present tense* + **desde hace** + *time length*

Hace dos semanas **que están** en Guatemala.   *They have been in Guatemala for two weeks.*

Están en Guatemala **desde hace** dos semanas.

```
dos semanas en Guatemala                          (hoy)
←——————————————————————————————|
```

To ask how long an action or condition has been going on, use the question:

¿Cuánto tiempo hace que + *present tense*?

—**¿Cuánto tiempo hace que estás** en Guatemala?

—*How long have you been in Guatemala?*

—**Hace** dos días (**que estoy** aquí).

—*(I've been here for) Two days.*

We use **hace** with a verb in the preterit to indicate how long ago an action took place. There are also two equivalent constructions.

hace + *time length* + **que** + *preterit tense*   OR   *preterit tense* + **hace** + *time length*

Hace dos semanas **que llegamos** a Guatemala.   *We arrived in Guatemala two weeks ago.*

Llegamos a Guatemala **hace** dos semanas.

```
dos semanas desde  Guatemala                      (hoy)
(X)·······································|
```

To ask how long ago an action or condition took place, use the question:

¿Cuánto tiempo hace que + *preterit*?

—**¿Cuánto tiempo hace que estuviste** en Guatemala?

—*How long ago were you in Guatemala?*

—**Hace** dos años (**que estuve** allí).

—*(I was there) Two years ago.*

1 **¿Hace mucho o poco tiempo?** Lee las oraciones y escoge la opción más lógica.

1. Arturo busca un apartamento (desde hace tres meses/desde hace tres minutos).
2. (Hace media hora que/Hace medio año que) Silvia espera a su amigo.
3. Carlos tiene un resfriado (desde hace dos años/desde hace dos días).
4. (Hace un mes que/Hace una hora que) Miguel espera en el tráfico.
5. (Hace quince minutos que/Hace quince días que) Margarita navega en Internet.

2 **¿Cuánto tiempo hace?** Imagina qué está pasando en estas situaciones. ¿Cuánto tiempo hace que cada persona realiza (*performs*) esta actividad? Inventa algunos detalles o añade un comentario personal.

Ariana

> **Modelo** *Ariana está en el laboratorio. Trabaja en este experimento hace dos horas. Parece que está concentrada. Probablemente le gusta la química.*

Inés

Elías

Candela, Dolores y Beatriz

Pedro

3 **Entrevista** En parejas, háganse estas preguntas y compartan más detalles, como en el modelo. Al final, añadan otra pregunta más.

> **Modelo** **Estudiante A:** *¿Cuánto tiempo hace que estás en tu espacio de estudio hoy?*
> **Estudiante B:** *Hace una hora que estoy en mi espacio de estudio, ¿y tú?*
> **Estudiante A:** *Yo estoy en mi espacio de estudio hace veinte minutos, pero antes estaba leyendo en la sala…*

Estudiante A

1. ¿Cuánto tiempo hace que estudias en la universidad?
2. ¿Dónde vives ahora? ¿Cuánto tiempo hace que vives allí?
3. ¿Cómo se llama tu amigo/a más reciente? ¿Cuánto tiempo hace que lo/la conoces?
4. _____

Estudiante B

1. ¿Cuánto tiempo hace que estudias español?
2. ¿Cómo se llama tu mejor amigo/a? ¿Cuánto tiempo hace que lo/la conoces?
3. ¿Cuánto tiempo hace que no hablas con tu padre o tu madre? ¿Y con tus abuelos o tíos?
4. _____

4 **Nuestra vida social** Vas a compartir cosas que has hecho.

Paso 1 Individualmente, indica cuánto tiempo hace (horas, días, semanas, meses, años) que haces o hiciste estas cosas. Añade otra oración al final.

> **Modelo** ir a un concierto fantástico
> *Hace seis meses que fui a un concierto fantástico./*
> *Fui a un concierto fantástico hace seis meses.*

1. ir a un concierto fantástico
2. comer algo delicioso en un restaurante
3. ir al cine o ver una película en casa
4. jugar un juego o practicar un deporte con amigos/as
5. salir con tus amigos/as
6. hacer un viaje
7. asistir a una fiesta/reunión/celebración especial
8. ¿...?

Paso 2 En parejas, túrnense para hacerse preguntas sobre las actividades del **Paso 1** y escriban sus respuestas. Pregunten también sobre otros detalles.

> **Modelo** **Estudiante A:** *¿Cuándo fue la última vez que fuiste a un concierto?*
> **Estudiante B:** *Hace seis meses.*
> **Estudiante A:** *¿De quién?/¿Te gustó?/¿Dónde fue?...*

5 **Otras actividades memorables** Vas a compartir actividades que has hecho.

Paso 1 Individualmente, prepara una lista de tres cosas interesantes que hiciste hace un tiempo (*some time ago*).

> **Modelo** *Visité Antigua.*

Paso 2 En grupos pequeños, compartan sus actividades y háganse preguntas para averiguar cuándo se hicieron las actividades y otros detalles.

> **Modelo** **Estudiante A:** *¿Cuándo visitaste Antigua?*
> **Estudiante B:** *Hace cinco años.*
> **Estudiante C:** *¿Con quién fuiste?/¿Cómo fuiste?/¿Qué viste?...*

Antigua, Guatemala

☐ **I CAN** describe actions that have been going on for a period of time.

Guatemala y El Salvador

Antes de leer

1. Conocimiento previo Indica si estas afirmaciones se refieren a Guatemala, a El Salvador o a los dos. Puedes consultar el mapa al final del libro para responder.

1. Tiene cuatro países vecinos.
2. Solo tiene costa en el oceano Pacífico.
3. El nombre del país y su capital son iguales o similares.

Guatemala y El Salvador son dos países vecinos centroamericanos. Tienen una naturaleza diversa, volcanes y terremotos°. En los dos países hay una importante presencia de los pueblos originarios. En El Salvador casi un 90% de la población es mestiza. El 43% de los guatemaltecos se identifican como indígenas y casi todos los demás, como mestizos. Conoce algunos aspectos destacados de estos países.

Los mayas: antes y ahora

La civilización clásica maya fue muy avanzada. Construyeron° grandes pirámides y templos, desarrollaron el sistema de escritura más sofisticado de Mesoamérica, y fueron grandes matemáticos, además de expertos guerreros°. Muchos pueblos mayas continúan viviendo en América Central. Más del 30% de los guatemaltecos hablan un idioma maya, como el k'iche' o el q'eqchi', entre otros.

❙ Tikal, Guatemala

❙ Rigoberta Menchú Tum

Rigoberta Menchú Tum

Rigoberta Menchú Tum es una líder y activista k'iche' que trabaja por los derechos° de las personas indígenas en Guatemala y en el mundo. Cuando era adolescente empezó a participar en movimientos sociales con su padre. Durante la guerra civil de Guatemala, varios de sus familiares —incluidos su madre, su padre y su hermano— fueron torturados y asesinados. Ella tuvo que esconderse° y finalmente huyó° a México, donde continuó su tarea. Su trabajo ha recibido los premios Nobel de la Paz en 1992 y Príncipe de Asturias de Cooperación Internacional en 1998, entre otros.

Antigua Guatemala

Antigua Guatemala es una bella ciudad que fue la capital de Guatemala de 1543 a 1773. Cada año, esta ciudad atrae a miles de estudiantes de todo el mundo por sus escuelas de español como segunda lengua. Estas instituciones cuentan con programas y métodos de enseñanza innovadores y de alta calidad. Además, Antigua combina la belleza de una ciudad histórica con las comodidades más modernas.

Estudiantes de español llegando a Antigua Guatemala

El surf en El Salvador

El Salvador es uno de los destinos favoritos para el surf en Latinoamérica. El país tiene más 300 kilómetros de costa en el Pacífico, un clima tropical cálido, y, lo más importante, olas de gran variedad y calidad, perfectas para surfistas de diferentes niveles y preferencias. Dos lugares para hacer surf conocidos internacionalmente son Punta Mango y Punta Roca, donde a menudo° se celebran competiciones internacionales de surf. Mira el video para aprender más sobre este tema.

Surfista en Punta Roca, El Salvador

el terremoto *earthquake* **construir** *to build* **el/la guerrero/a** *warrior* **el derecho** *right* **esconderse** *to hide onself* **huir** *to run away* **a menudo** *often*

Después de leer

2. Indicar Indica si cada enunciado es cierto (**C**) o falso (**F**), basándote en el texto.

1. Guatemala y El Salvador están junto a América Central. ....**C F**

2. Los mayas tuvieron importantes logros (*achievements*) intelectuales y científicos. ....**C F**

3. Muy pocos guatemaltecos hablan una lengua indígena. ....**C F**

4. Antigua Guatemala es un destino popular para aprender español. ....**C F**

5. El Salvador tiene playas con diferentes tipos de olas para hacer surf. ....**C F**

3. Interactuar En grupos pequeños, comenten estas preguntas.

1. ¿Qué les ha interesado o sorprendido más sobre Guatemala y El Salvador?

2. Estos dos países tienen volcanes y terremotos por su situación geográfica en el Anillo de Fuego. ¿Por qué pasa esto? ¿Qué otros países están en este anillo?

3. ¿Conoces a otras personas o instituciones que, como Rigoberta Menchú Tum, trabajan por los derechos de los pueblos originarios en el mundo hispanohablante, en Estados Unidos o en otros países? ¿Qué sabes de su trabajo?

4. Investig@ en Internet Lee la estrategia e investiga en línea uno de los temas presentados en la lectura u otro tema diferente que te interese. Prepara un informe breve escrito para compartir con tu clase. Incluye imágenes y otros recursos apropiados.

🔍 **Estrategia digital: Comparing sources**

When researching topics online, once you have checked the author and sources, it is very important to compare the information found in these sources. This will allow you to get a more comprehensive point of view and to identify conflicting or inconsistent information. Start by writing down new ideas from these sources. Put a check mark next to the ideas that occur in all of them. Take notes of any contradictory information. Finally, make inferences and draw conclusions about the topic you are researching.

Resources

vhlcentral

online activities

☐ **I CAN** identify one or two products and/or practices from Guatemala and El Salvador.

DICHO Y HECHO

S Audio: Reading | **Learning Objective:** Identify facts in a text about travel in Chile.

Lectura

Antes de leer

1. Anticipar Contesta estas preguntas.

1. Tradicionalmente las islas han sido lugares más aislados. ¿Qué implica esto respecto a su cultura, tradiciones, etc.?

2. Considera el título, los subtítulos y la imagen del texto. ¿Qué ideas anticipas en el texto?

Estrategia de lectura: Skim, question, read, recall, and review (SQ3R)

"SQ3R" is a five-step strategy to improve reading comprehension.

Step 1. Skim: Identify headings and topic sentences. Resist reading further but see if you can identify three or four major ideas.

Step 2. Question: To guide your reading, ask yourself: What questions does this text help answer?

Step 3. Read: Read each section of the text, looking for the answer to the questions you identified in Step 2.

Step 4. Recall: After reading each section, write a sentence that sums up the main idea and answers the question from Step 2.

Step 5. Review: When you finish reading, try to recall the sentences you wrote down to sum up each section. When you can't recall a major point, reread that section.

A leer

2. Aplicar Lee la estrategia y sigue las indicaciones.

1. Completa los pasos 1 y 2 de la estrategia. Después, en parejas, comparen sus ideas.

2. Individualmente, continúa la lectura completando los pasos 3, 4 y 5 de la estrategia.

---

la **colina** *hill* de **madera** *wooden* el **transbordador** *ferry*
tierra adentro *inland* el **aislamiento** *isolation* el **fantasma** *ghost*
arraigado/a *ingrained* de **tanto en tanto** *every once in a while*
la **tripulación** *crew* **radicarse** *to settle down* el **auge** *rise*
el **avistaje** *sighting* la **ballena** *whale* la **mudanza** *move (house)*
el **puente** *bridge* **ya que** *because* **correr el riesgo** *to be at risk*

Isla de Chiloé,
entre lo salvaje y lo moderno

Separada del continente por el canal de Chacao, la isla de Chiloé destaca por sus suaves colinas° verdes, los numerosos islotes menores repartidos en la costa, las casas de madera° en las orillas y los mercados, donde abundan los mariscos.
Por Diego Virgolini

Su capital, Castro, se encuentra a más de 1.100 kilómetros de Santiago de Chile, y, para llegar a ella, se debe tomar un transbordador° en Puerto Montt hasta la Isla Grande y, una vez allí, recorrer 35 kilómetros tierra adentro° por la ruta 5, que es la continuación de la que recorre el país de norte a sur.

RITOS Y CREENCIAS
El aislamiento° ha facilitado que se preserven una gran cantidad de ritos y creencias, que perviven especialmente en los pueblos y parajes más alejados de la capital. En Chiloé, los relatos de fantasmas°, duendes, leyendas e historias fantasiosas son parte de la realidad del lugar.

La Pincoya, por ejemplo, es un mito muy arraigado° en la cultura local. Esta es una mujer de cabellos rubios, vestida con algas, que sale del mar durante la noche para bailar en la playa. Si la temporada de mariscos es buena, significa que la Pincoya bailó mirando hacia la costa. Si fue mala, es porque lo hizo de espaldas al mar. Entre otras creencias se encuentra también el Caleuche, un barco fantasma que de tanto en tanto° se acerca a la costa con toda su tripulación° cantando.

EL TURISMO, LA GRAN AMENAZA
Entre 2010 y 2011, la célebre escritora chilena Isabel Allende se radicó° de forma temporal en la isla para escribir *El cuaderno de Maya*. El libro recorre varios aspectos de

Isla de Chiloé, entre lo salvaje y lo moderno

la cultura y la geografía chilota, y, según su autora, podría haberse llamado *Tierra de madera y papas*. Y es que ambos elementos, además de los mariscos, son el centro de la historia y la economía de Chiloé. Pero en las últimas décadas, a las tradicionales actividades se sumó el auge° del turismo. Según la Encuesta Mensual de Alojamiento Turístico (EMAT) de Chile, en junio de 2019, 18.440 turistas visitaron la isla, y el número de visitantes incrementa a razón del 5% anual.

El avistaje° de pingüinos y ballenas° en un ambiente de naturaleza salvaje es parte de su atractivo. Pero también la posibilidad de tomar contacto con una forma de cultura que parece conservada en el tiempo. En la actualidad, el turismo ha convertido antiguas costumbres en paquetes turísticos. Las tradicionales tiraduras, donde toda una comunidad se une para ayudar a un vecino a mover su casa por mar y depositarla en un sitio mejor para la siembra, son hoy eventos a los que asisten cientos de turistas cámara en mano. En la mayoría de los casos, la necesidad de la mudanza° no existe: es todo ficción para el encanto de los turistas.

Sin embargo, existe una amenaza a la tranquilidad y aislamiento de Chiloé. El Gobierno chileno está construyendo el Puente° de Chacao, un puente colgante de 2.750 metros que unirá la isla con el continente.

La mayoría de los chilotas se oponen al proyecto, ya que° el puente incrementará la circulación vehicular y de personas en la isla, afectando severamente al medioambiente y la calidad de vida de sus habitantes. La imagen de un Chiloé de naturaleza salvaje y tradiciones autóctonas forman parte de un presente que corre el riesgo° de desaparecer. ■

Texto: De la revista *Punto y coma (habla con eñe)*

Después de leer

3. Comparar En parejas, compartan sus notas con las ideas principales de cada sección (paso 4 de la estrategia). ¿Son similares? Si son diferentes, consulten el texto de nuevo para revisar.

4. Analizar Contesta a las preguntas, apoyando (*supporting*) tus respuestas en el texto.

1. ¿Se puede manejar desde Santiago, la capital de Chile, hasta Castro, en Chiloé? Y en el futuro, ¿se podrá hacer?

2. Según el texto, ¿cómo se sabe si la Pincoya miró hacia el mar o hacia tierra cuando bailó en la playa?

3. Tradicionalmente, ¿cuáles han sido los tres productos fundamentales de la economía de Chiloé? ¿Qué nuevo recurso económico hay ahora?

4. ¿Cómo afecta el turismo las tradiciones de la isla?

5. ¿Qué efecto anticipan los habitantes de Chiloé como consecuencia de la construcción del Puente de Chacao?

5. Conversar En grupos pequeños, contesten estas preguntas.

1. Muchos habitantes de Chiloé no están de acuerdo con la construcción del Puente de Chacao. ¿Qué aspectos positivos puede tener este puente para la isla? ¿Cómo podrían evitarse los efectos negativos?

2. ¿Has visitado o has vivido en algún lugar remoto o aislado? ¿Tenía las características que el texto destaca sobre Chiloé? ¿Qué lugares remotos te gustaría visitar?

Resources

vhlcentral

online activities

□ **I CAN** identify facts in a text about travel in Chile.

Video: Un hotel hecho por mujeres indígenas: Hotel Taselotzin, Cuetzalan

Antes de ver el video

1 Aplicar Primero, individualmente, lee la estrategia. Luego, en grupos pequeños, escriban predicciones sobre posible contenido y palabras o estructuras para expresarlo. Aquí tienen una idea para empezar.

Las mujeres indígenas, su historia (verbos en pasado); vocabulario: mujeres, comunidad, organización.

> **Estrategia de comprensión auditiva: Predicting content and language**
>
> One way of enhancing comprehension is to make predictions about what you are about to hear. In previous chapters, you have already practiced predicting content and ideas. In addition, you can also anticipate words and language you're likely to hear in the video.

A ver el video

En este video Rufina y otras mujeres indígenas de la Sierra Norte de Puebla, en México, describen su organización y el hotel Taselotzin, que administran allí.

Duración: 5:13

Fuente: Perceptual Project

2 Identificar Mira el video para identificar las ideas principales y las tres secciones fundamentales. Anota algunas ideas para cada una.

3 Seleccionar Dos grupos de turistas están considerando visitar Cuetzalan, donde se encuentra el hotel Taselotzin. Mira el video otra vez y, considerando sus perfiles (*profiles*), toma notas de la información relevante para cada grupo.

Gustavo y Frank: De Estados Unidos, conocen algunas zonas de México y quieren explorar regiones nuevas. Les interesan todos los aspectos de las culturas originarias de México, como sus tradiciones, artesanías y gastronomía.

Familia Arroyo: Emilio, Rosalba y sus hijas, Adriana de 13 años y Valeria de 10. Buscan un lugar para pasar tiempo en familia y cerca de la naturaleza. Para ellos es importante también apoyar proyectos sostenibles, especialmente de comunidades indígenas.

Después de ver el video

4 Explicar El hotel Taselotzin se describe como un hotel de ecoturismo. En grupos pequeños, comenten qué características piensan que debe tener un hotel ecoturista.

Palabras útiles

el bordado
embroidery

la confianza
trust

darse cuenta
to realize

encantador(a)
charming

el hospedaje
lodging

lograr
to manage, to achieve

el retoño
sprout

el temazcal
traditional sweat lodge

volverse
to become

Resources

vhlcentral | online activities

☐ **I CAN** identify main ideas and select details in a video from Mexico.

Proyecto oral: Plan de vacaciones

Este verano tú y un grupo de amigos/as van a ir de vacaciones juntos/as y deben acordar el destino, alojamiento, transporte y algunas actividades. Para prepararte, toma unos minutos para revisar el vocabulario y la gramática de este capítulo y escribe algunas palabras clave que pueden ser útiles.

¡Atención!

Ask your instructor to share the **Rúbrica de calificación** to understand how your work will be assessed.

Estrategia de comunicación oral: Successful group decisions

Sometimes, getting consensus in a group transcends simply reaching a compromise. There might be certain issues that shape the group's decision. For instance, when planning a group vacation, the group members must recognize and adapt to existing limitations: how much each person can spend, how much time each person can free up, whether anyone is afraid of flying, and other real-life restrictions will inform the group's final decision.

Paso 1 En grupos pequeños, van a ir de vacaciones después del final de los exámenes. Establezcan juntos/as las fechas. Todos están de acuerdo en que quieren poder hablar español, pero cada uno prefiere un destino diferente entre estos cuatro.

Antigua, Guatemala   CDMX, México   San Juan, Puerto Rico   Miami, Estados Unidos

Individualmente, toma unos minutos para investigar estos aspectos del lugar que elegiste. Incluye todos los detalles relevantes como:

- precios, horarios de vuelos, servicios del hotel, etc.
- transporte hasta el destino.
- dos opciones de alojamiento con la información relevante.
- tres actividades que pueden hacer allí o cerca.
- otra información o detalles que pueden ayudarte a convencer a tus compañeros/as.

Paso 2 En sus grupos, conversen para elegir un destino. Compartan su información, enfatizando los aspectos atractivos y elaborando con detalles interesantes. Escuchen también a sus compañeros/as, hagan preguntas y tomen en cuenta las razones personales de cada uno/a antes de tomar la decisión final. Es buena idea crear una tabla donde tomar notas de los detalles de cada opción. Deben llegar a un acuerdo final.

> **Modelo** **Estudiante A:** *Yo prefiero ir a una ciudad donde pueda hacer muchas cosas diferentes, por eso espero que decidamos ir a la CDMX.*
>
> **Estudiante B:** *Yo también prefiero un lugar que tenga opciones, pero para mí es importante que haya espacios naturales,...*

Paso 3 Presenta la decisión final de tu grupo, con base en su conversación del **Paso 2**. Debes incluir detalles de vuelos, hotel, actividades, otros aspectos relevantes y las principales razones de su decisión. Tu presentación debe durar de cuatro a cinco minutos.

Palabras útiles

De acuerdo con lo que comentas, podríamos...
According to what you say, we could...

No olvides/No olviden que...
Don't forget that...

Sugiero que consideremos...
I suggest that we consider...

Ten/Tengan en cuenta que...
Keep in mind that...

Una ventaja/desventaja de (...) es que...
An advantage/ disadvantage about (...) is that...

☐ **I CAN** plan a trip with classmates.

Resources

vhlcentral

Proyecto escrito: Tres días en...

Trabajas para la Oficina de Turismo de una ciudad o región del mundo hispanohablante que quiere darse a conocer (*be better known*) en Estados Unidos. Vas a crear un itinerario turístico completo para tres días allí. Para prepararte, toma unos minutos para revisar el vocabulario y la gramática de este capítulo y escribe las palabras clave que podrían ser relevantes.

¡Atención!

Ask your instructor to share the **Rúbrica de calificación** to understand how your work will be assessed.

Estrategia de redacción: Organizing information

Depending on the type of text you are writing, there might be an expected way to organize information. For example, a narration is often organized chronologically. On the other hand, when comparing two things, such as two hotels, you can describe every feature of one hotel and then the other, or you may organize the information by feature and explain how it applies to each hotel.

Paso 1 Elige (*Select*) la ciudad o región que quieres presentar. Puedes hacer una presentación general o seleccionar un tema específico. Por ejemplo, un paseo por el Bosque Nacional El Yunque en Puerto Rico o una visita gastronómica a Lima. Genera un mapa de ideas relevantes para turistas. Puedes empezar con estos aspectos.

- Información práctica: clima, qué empacar, características de la variedad regional de español, etc.
- Contexto histórico y cultural.
- Lugares recomendados para visitar.
- Otras actividades: naturaleza, deportes, compras, etc.
- Comida y restaurantes.
- Opciones de alojamiento.

Paso 2 Investiga los aspectos del **Paso 1** consultando varias fuentes en español. Haz una selección de imágenes relevantes y sitios web de referencia. Después, considera qué información incluir y cómo organizarla. Estas son dos posibles opciones.

- Organización cronológica, día a día, con secciones separadas para información general.

> **Modelo** *Introducción e información general; Contexto histórico y cultural; Día 1: mañana, tarde, noche; Día 2...*

- Organización temática.

> **Modelo** *Introducción e información general; Contexto histórico y cultural; Lugares para visitar; Platos típicos...*

Paso 3 Crea un itinerario de 300 a 350 palabras aproximadamente con base en los pasos anteriores. Incluye imágenes relevantes y sitios web de referencia. Presta atención especial al desarrollo de cada sección y al uso apropiado y correcto del lenguaje. Prepárate para presentar tu itinerario a la clase.

Palabras útiles

el alojamiento
lodging

la entrada
admission ticket

el horario (de visita)
schedule, hours of operation

el monumento
monument

sugerir
to suggest

☐ **I CAN** create a travel itinerary in a Spanish-speaking country.

Resources

vhlcentral

En el aeropuerto/En el avión
In the airport/On the plane

la aduana   *customs*
la aerolínea   *airline*
el asiento   *seat*
el/la asistente de vuelo   *flight attendant*
el avión   *plane*
el boleto/el billete (electrónico)   *(e-) ticket*
el control de seguridad   *security check*
la demora   *delay*
el equipaje (de mano)   *(hand) luggage*
el horario   *schedule*
la llegada   *arrival*
la maleta   *suitcase*
el país   *country*
el/la pasajero/a   *passenger*
el pasaporte   *passport*
el pasillo   *aisle*
el/la piloto   *pilot*
la puerta de salida   *gate (at airport)*
el reclamo de equipaje   *baggage claim*
la salida   *departure*
la tarjeta de embarque   *boarding pass*
la ventanilla   *window*
el viaje   *trip*
el visado   *visa*
el vuelo   *flight*

En el hotel/En la habitación
In the hotel/In the room

la almohada   *pillow*
el ascensor   *elevator*
el baño privado   *private bath*
¡Bienvenido/a!   *Welcome!*
la cama sencilla/doble   *single/double bed*
la camarera   *housekeeper*
la habitación sencilla/doble   *single/ double room*
el hostal   *hostel*
el hotel de... estrellas   *...-star hotel*
el/la huésped   *guest*
la llave   *key*
la manta/la cobija   *blanket*
la pensión   *guesthouse*
la planta   *plant; floor*
la propina   *tip*
la reservación   *reservation*
la sábana   *sheet*
el servicio de habitación   *room service*
el wifi   *Wi-Fi*

En la estación (de tren o autobús)   *In the (train or bus) station*

el andén   *platform*
los aseos/el baño   *restroom(s)*
el boleto/el billete
   ... de ida/sencillo   *one-way ticket*
   ... de ida y vuelta   *round-trip ticket*
perder (el tren, el autobús...)   *to miss (the train, the bus…)*
la taquilla   *ticket window*
el tren   *train*

Las acciones y los viajes

abrocharse el cinturón   *to fasten one's seatbelt*
aterrizar   *to land*
bajar de   *to get off*
dejar   *to leave (behind), to forget*
despedirse (i, i) de   *to say goodbye to*
despegar   *to take off*
disfrutar (de)   *to enjoy*
embarcar   *to board*
empacar   *to pack*
facturar   *to check (baggage)*
hacer escala   *to have a layover*
hacer las maletas   *to pack*
indicar   *to indicate*
irse (de viaje)   *to leave/to go away (on a trip)*
obtener   *to obtain, to get*
parecer (que)   *to seem (that)*
registrarse   *to register, to check in*
sacar un pasaporte   *to get a passport*
saludar   *to greet*
subir a   *to get on, to board*
tener prisa   *to be in a hurry*
volar (ue)   *to fly*

La
tecnología

Learning Objectives
In this chapter, you will:

- Participate in conversations about technology and cars.
- Make suggestions, express conditions, and react to past actions.
- Identify some aspects of prominent influencers in the Spanish-speaking world.
- Explore and research Honduras and Nicaragua.
- Identify main ideas in written and spoken texts.
- Carry out a survey on technology use.
- Write a report on the use of technology among college students.

Así se pronuncia Sounds of **t**, **d** and **p**, **b**

VideoEscenas ¡Se va el autobús!

Uso del teléfono celular Contesta las preguntas.

Palabras útiles

la búsqueda
search

el/la conocido/a
acquaintance

incrementar
increase

indagar
research, inquire

la marca
brand

1. ¿Para qué usas tu teléfono móvil? Indica al menos (*at least*) cuatro cosas que haces todos o casi todos los días, ej. usar la alarma, consultar tu calendario, ver redes sociales, tomar fotos, etc.

2. Observa esta infografía sobre el uso del móvil en Perú.

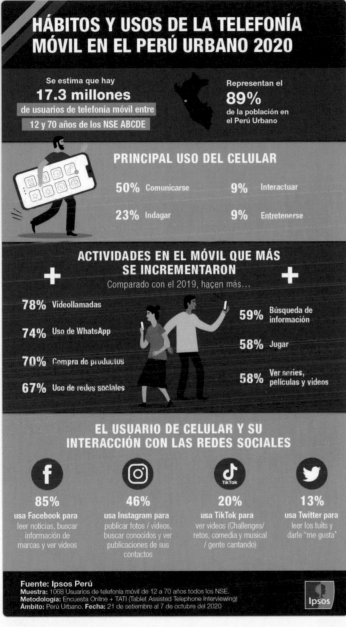

Nota: NSE es una abreviación de "nivel socioeconómico".
Fuente: Ipsos Perú

3. ¿Qué te parece interesante o sorprendente de esta infografía?

4. ¿En qué aspectos son estos datos similares o diferentes a tu uso personal de tu móvil?

5. Lee la cita del psicólogo español Marc Masip, especialista en adicción al móvil. ¿A qué se refiere, en tu opinión? ¿Estás de acuerdo?

"El teléfono móvil es lo mejor a nivel social, una herramienta fantástica y estupenda, que bien utilizada es fenomenal e incluso fundamental. Pero mal utilizada puede ser desde mortal a fatal (*terrible, very bad*)".

El mundo moderno

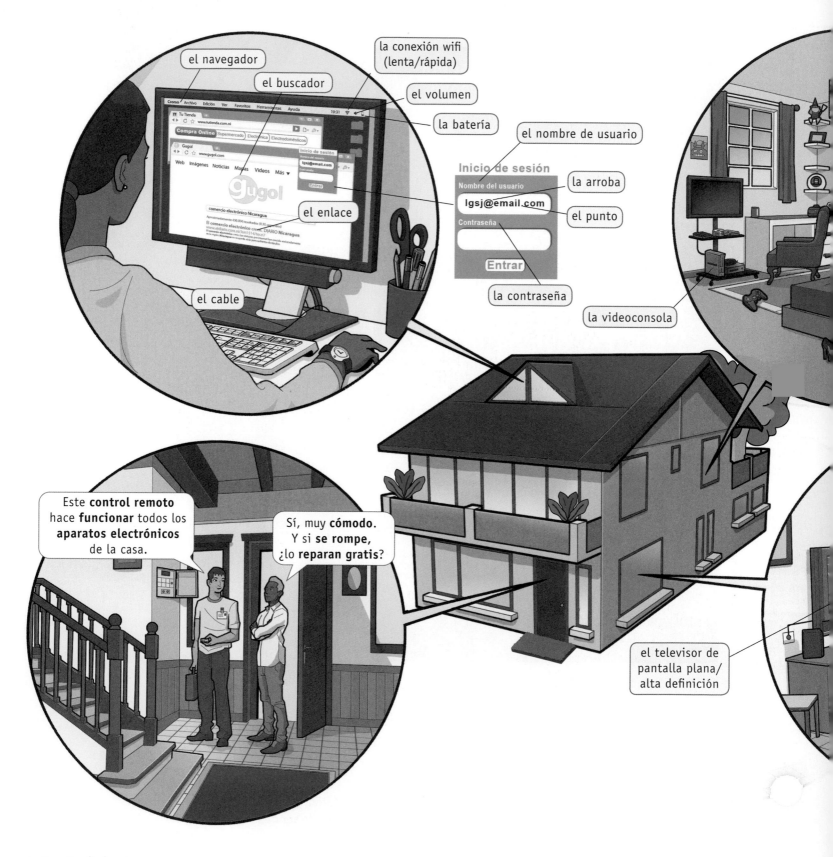

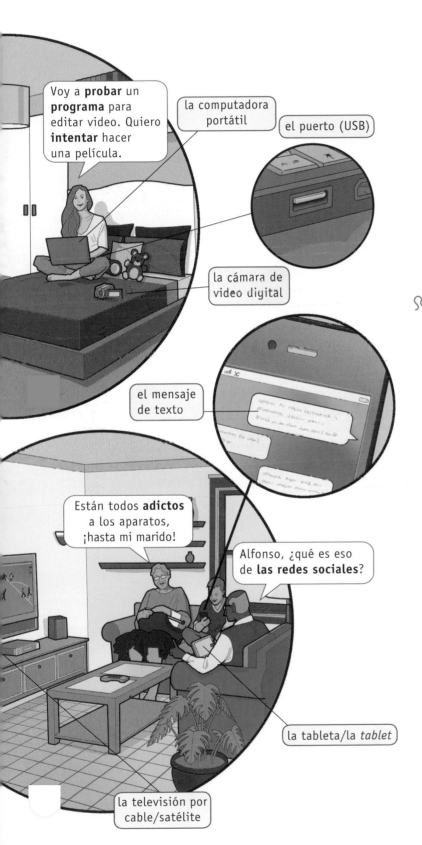

la computadora portátil

Voy a **probar** un **programa** para editar video. Quiero **intentar** hacer una película.

el puerto (USB)

la cámara de video digital

el mensaje de texto

Están todos **adictos** a los aparatos, ¡hasta mi marido!

Alfonso, ¿qué es eso de **las redes sociales**?

la tableta/la *tablet*

la televisión por cable/satélite

Apoyo de vocabulario

el aparato (electrónico)	*device, gadget*
el buscador	*search engine*
cómodo/a	*convenient*
la contraseña	*password*
intentar	*to try, to attempt*
lento/a	*slow*
el navegador	*browser*
probar (ue)	*to try, to test out*
el programa (de computadora)	*software*
rápido/a	*fast*
la red social	*social network*

¡Atención!

Revisa el vocabulario de tecnología presentado en el **Capítulo 2**.

¿Qué observas? Contesta las preguntas sobre las imágenes.

1. ¿Cuántos aparatos electrónicos están usando en esta casa ahora? ¿Quién está usando la computadora portátil? ¿Quién está usando la tableta?

2. La madre de la familia está usando una computadora. ¿Qué tipo de programa usa para buscar información en Internet: un navegador o un buscador?

¿Y tú? Contesta las preguntas sobre ti mismo/a.

1. ¿Cuál es tu buscador favorito? Y ¿cuál es tu navegador favorito?

2. ¿Qué aparato electrónico usas más frecuentemente? ¿Para qué lo usas?

3. ¿Cómo es tu relación con la tecnología? ¿Te consideras un(a) usuario/a básico/a o experto/a?

Nota de lengua

Most technology-related terms in Spanish are either borrowed directly from English, with adapted Spanish pronunciation and endings (**Internet, iPad, wifi, blog,** *streaming,* **chatear,** etc.), or translated literally (**el ratón** = *mouse,* etc.). Sometimes both options coexist (**la tableta/la** *tablet*).

1 ¿Qué buscan? Imagina que trabajas en una tienda de aparatos electrónicos y computación. Escucha lo que dicen las personas y escribe el número que corresponde a lo que necesitan.

_____ una cámara de video   _____ una tableta

_____ un control remoto   _____ una videoconsola

_____ una computadora portátil   _____ un programa

_____ una batería   _____ un televisor 3D

2 ¿Qué son? Indica a qué se refieren estos ejemplos.

1. Chrome, Safari _____
2. Google, Bing _____
3. Facebook, TikTok _____
4. Microsoft Word, Zoom _____
5. Playstation, Xbox _____
6. iPad, Kindle _____

3 El abuelo en las redes sociales Alfonso, el joven de la ilustración en la presentación de vocabulario, le explica a su abuelo cómo usar las redes sociales. Completa su explicación con palabras del vocabulario de este capítulo y añade los artículos necesarios.

Abuelo, si quieres conectar con tus amigos, puedes usar _____, como Instagram o Facebook. Puedes descargar la aplicación a tu teléfono o usar la computadora. Claro, debes tener una conexión _____ para ver fotos y videos sin esperar. Puedes _____ varias redes y ver cuál te gusta más o cuál usan tus amigos. No tienes que pagar nada: estas aplicaciones son _____. Primero, debes crear una cuenta y escoger _____, que es como tu identificación en esa red social. Dime si necesitas ayuda.

4 Redes sociales En grupos pequeños, compartan sus experiencias y opiniones sobre las redes sociales. Usen estas y otras preguntas.

- ¿Usas redes sociales? ¿Cuántas has probado? ¿Cuáles prefieres y por qué?
- ¿A quiénes sigues (*follow*) en las redes sociales? ¿A amigos y conocidos? ¿A personas célebres, influenciadores o fuentes de noticias? ¿Qué tipos de contenidos te interesan?
- ¿Publicas (*Do you post*) contenido frecuentemente? ¿Qué tipo de contenido publicas y para quién?
- ¿Qué aspectos positivos y negativos tiene el uso de las redes sociales?

5 La tecnología en tu día Vas a compartir tu rutina relacionada con la tecnología.

Paso 1 Individualmente, escribe una narración detallando la función de la tecnología en cada momento de tu día. Incluye aparatos, programas y aplicaciones que forman parte de tus rutinas, trabajo y ocio (*leisure*). Intenta recordar el mayor número posible.

> **Modelo** *Mi mañana empieza con la alarma de mi teléfono, que uso como despertador...*

Palabras útiles

la aplicación *app*	los auriculares bluetooth/inalámbricos *wireless earphones*	el cargador *charger*	el teléfono/reloj inteligente *smartphone/smartwatch*	el dispositivo de *streaming* *streaming device*

Paso 2 En parejas, compartan sus descripciones y contesten las preguntas.
- ¿Usan la tecnología de forma similar?
- ¿Hay alguna tecnología que use tu compañero/a que te interesa y quieres probar?
- ¿Te consideras adicto/a a tu teléfono u otro tipo de tecnología?

☐ **I CAN** discuss technology preferences.

Resources

vhlcentral

SAM

online activities

Los automóviles y el tráfico

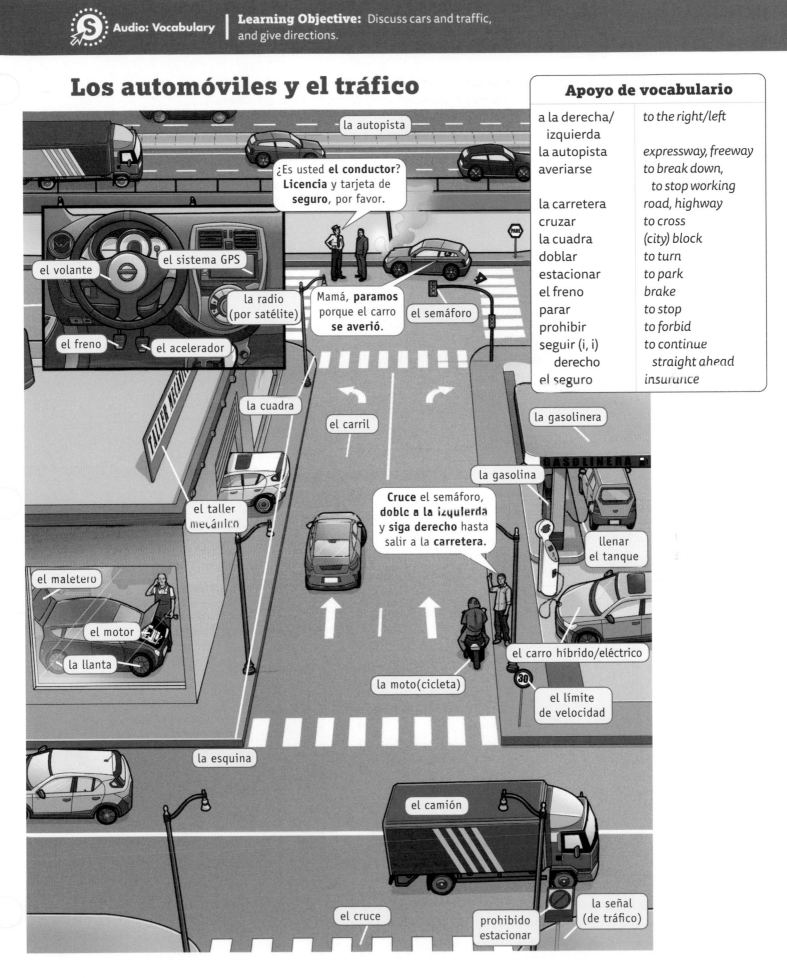

la autopista

¿Es usted **el conductor**? **Licencia** y tarjeta de **seguro**, por favor.

el sistema GPS

el volante

la radio (por satélite)

Mamá, **paramos** porque el carro **se averió**.

el semáforo

el freno

el acelerador

la cuadra

el carril

la gasolinera

el taller mecánico

la gasolina

Cruce el semáforo, **doble a la izquierda** y **siga derecho** hasta salir a la **carretera**.

llenar el tanque

el maletero

el motor

la llanta

el carro híbrido/eléctrico

la moto(cicleta)

el límite de velocidad

la esquina

el camión

el cruce

prohibido estacionar

la señal (de tráfico)

Apoyo de vocabulario

a la derecha/ izquierda	*to the right/left*
la autopista	*expressway, freeway*
averiarse	*to break down, to stop working*
la carretera	*road, highway*
cruzar	*to cross*
la cuadra	*(city) block*
doblar	*to turn*
estacionar	*to park*
el freno	*brake*
parar	*to stop*
prohibir	*to forbid*
seguir (i, i) derecho	*to continue straight ahead*
el seguro	*insurance*

¿Qué observas? ¿Cuántos camiones ves en la escena? ¿El hombre de la motocicleta quiere ir a la autopista o al taller mecánico? ¿Hay algún carro híbrido en la gasolinera?

¿Y tú? ¿Piensas que eres (o serías) buen(a) conductor(a)? ¿Qué debes hacer cuando se avería el carro en el que viajas?

1 **¿Qué es?** Vas a describir términos relacionados con el tráfico y los carros.

Nota de lengua

Many words that refer to driving and transportation vary in different regions of the Spanish-speaking world. Here are some examples:

México
carro
estacionar(se)
camión

España
coche
aparcar
autobús

Argentina
auto
estacionar
colectivo

Paso 1 Individualmente, indica qué palabra se describe en cada oración.

_____ **1.** Vehículo grande, para transportar grandes cargas.

_____ **2.** Cuando llegas a tu destino, haces esto con el carro.

_____ **3.** En la intersección de dos calles, hay cuatro.

_____ **4.** Es el "corazón" del auto.

_____ **5.** Lo mueves con las manos para manejar el carro.

_____ **6.** Agradable, conveniente.

_____ **7.** Espacio de una calle situado entre dos esquinas.

_____ **8.** Ir de un lado de la calle al otro.

_____ **9.** Te permite escuchar música mientras vas en carro.

_____ **10.** Guardas el equipaje aquí.

a. estacionar

b. el volante

c. cruzar

d. cómodo/a

e. el camión

f. la cuadra

g. la esquina

h. el motor

i. el maletero

j. la radio por satélite

Paso 2 Individualmente, escribe dos oraciones como las del **Paso 1** para definir otras palabras sobre el tráfico y los carros. Después, en grupos pequeños, cada estudiante lee sus oraciones para que sus compañeros/as identifiquen las palabras.

En mi experiencia

Diana, Burlington, VT

"We took a road trip down 500 miles of the Pan-American Highway in Latin America, which is somewhat similar to Route 66 in the U.S. I noticed that it's rare for customers to be allowed to pump the gas themselves; the gas stations have attendants. I was told to be careful that the counter was reset to zero when they began pumping, to always have cash in case the credit card machine wasn't working, and to tip the attendant."

What is the longest road trip you've ever taken? Would you prefer to pump gas yourself or have an attendant do it for you? Go online to find the trailer of the movie The Motorcycle Diaries _to see footage of the Pan-American Highway._

2 Señales de tráfico

Paso 1 Individualmente, escribe qué debe o no debe hacer un(a) conductor(a) cuando ve estas señales. Usa mandatos como en el modelo.

Modelo *No maneje a más de 90 kilómetros por hora.*

1.
2.
3.
4. PARE
5.
6.

Palabras útiles

cambiar de carril
to change lanes

ceder el paso
to yield

el kilómetro
kilometer

¡Atención!

In Spanish-speaking countries the metric system is used to measure distances and speed. This is the conversion formula:

1 km = 0.62 mi

1 mi = 1.61 km

Paso 2 En parejas, túrnense para leer a su compañero/a un mandato del **Paso 1**. El/La compañero/a debe identificar la señal.

Modelo **Estudiante A:** *No maneje a más de 90 kilómetros por hora.*
Estudiante B: *Es la señal número...*

3 Los carros

En parejas, hablen sobre sus preferencias respecto a los carros. Usen estas preguntas de inicio y de seguimiento (*follow up*).

Estudiante A

1. ¿Tienes licencia de manejar?
SÍ: ¿Quién te enseñó? ¿Cómo fue la experiencia?
NO: ¿Conoces algunas señales y normas de tráfico?
2. ¿Tienes carro o moto?
SÍ: Para ti, ¿es necesario o es conveniente? ¿Para qué usas tu carro/moto? ¿Hay situaciones donde usas otra forma de transporte?
NO: ¿Quieres tener un carro o una moto? ¿Por qué?

Estudiante B

1. ¿Sabes manejar?
SÍ: ¿Te gusta? ¿Qué aspectos de manejar te gustan más y menos?
NO: ¿Quieres aprender a manejar? ¿Por qué?
2. ¿Quieres comprar un carro (nuevo)?
SÍ: ¿Qué tipo de carro quieres? ¿Qué características son más importantes para ti?
NO: ¿Por qué?

Palabras útiles

el carro de cero emisiones
zero-emissions car

el carro deportivo
sports car

seguro/a
safe

la transmisión automática
automatic transmission

la transmisión de marchas
manual transmission

el vehículo utilitario deportivo
SUV

4 **Para ver un poco de Puebla** Tu amigo/a y tú acaban de llegar a Puebla, México. Han alquilado un carro para visitar la ciudad.

Paso 1 Están listos/as para comenzar su visita y piden consejo al recepcionista del hotel. Él les da indicaciones para llegar a su primer destino. Escuchen atentamente para identificar el lugar al que llevan estas indicaciones. Recuerden que ahora están en el Hotel Colonial (el estacionamiento del hotel es la "E" en su mapa).

¿Dónde están? ¿Qué se puede ver?

Palabras útiles			
el poniente *west*	el oriente *east*	el norte *north*	el sur *south*

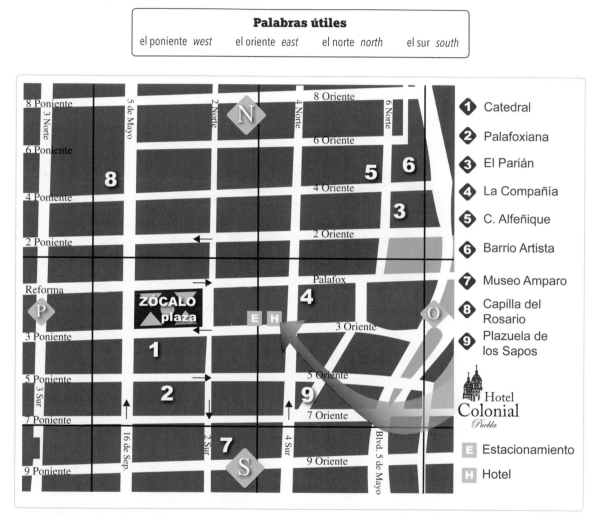

Fuente: Hotel Colonial de Puebla

Nota cultural

Las instrucciones para llegar

Many older cities in Spanish-speaking countries were formed spontaneously and in a somewhat disorderly fashion. In such places, people normally don't use cardinal points (north, south, east, west) when giving directions. They are more likely to use expressions such as **Siga derecho**, and use points of reference such as **Doble a la derecha después de pasar la iglesia.**

Cholula, Puebla, México

Paso 2 Es tu segundo día en Puebla. Lee el folleto y escoge tres atracciones turísticas interesantes. Escribe los nombres de estos lugares.

Ayer visitaste estos lugares y hoy le recomiendas a tu amigo/a que los visite también. Usando el mapa del **Paso 1**, túrnense dando instrucciones para llegar desde el hotel (sin mencionar el destino final) y escuchando. ¡Atención! Hay calles de una sola vía (*one way*). ¿Qué lugares recomienda tu amigo/a?

LUGARES INTERESANTES EN PUEBLA

Catedral
Su construcción comenzó en 1575. Es una joya de la arquitectura colonial. Sus torres° son las mas altas del país.

Biblioteca Palafoxiana
Está clasificada como monumento histórico de México. Fue fundada en 1646.

Mercado El Parián
Es la antigua° plazuela de San Roque. Se construyó en 1801. Hoy es un mercado donde se puede encontrar artesanías, dulces°, textiles, etc.

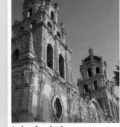

Iglesia de la Compañía de Jesús
Otra de las famosas iglesias de la ciudad. Es de estilo barroco, tiene torres blancas y un bello altar.

Casa del Alfeñique
Esta casa del siglo XVIII tiene mucha ornamentación blanca y por eso se la llama *alfeñique*, un dulce poblano°.

Capilla° del Rosario
Este ejemplo del arte barroco novohispano se considera una de las maravillas de México. El interior de la capilla es de estuco cubierto con lámina de oro de veintidós quilates.

Barrio del Artista
Es una plazuela con una fuente° hermosa y muchos talleres de artistas.

Plazuela de los Sapos°
Rodeada de casas típicas y bazares de antigüedades, tiene una fuente muy linda en el centro. Aquí se puede contratar a mariachis y tríos.

Museo Amparo
Una de sus exhibiciones más importantes es sobre las culturas mesoamericanas.

la torre *tower* **antiguo/a** *former* **el dulce** *candy* **poblano/a** *person from Puebla* **la capilla** *chapel*
la fuente *fountain* **el sapo** *toad*

☐ **I CAN** discuss cars and traffic, and give directions.

1. Make suggestions

Nosotros/as commands

Read and listen to the conversation, focusing on what these people probably mean. Then, observe the words in boldface. Do you recognize them? What type of meaning do they express here?

> **Alicia:** Javier, salimos para Tegucigalpa el lunes. **Pensemos** en qué hay que preparar.
>
> **Javier:** Es muy importante hacer una revisión del carro: **llevémoslo** al taller el jueves.
>
> **Alicia:** No, **hagámoslo** mañana por si (*in case*) tienen que hacer alguna reparación.
>
> **Javier:** Sí, y vamos a llamar al hotel para confirmar las reservaciones también.
>
> **Alicia:** ¡Ay! ¡Olvidé hacer las reservaciones! **Esperemos** que tengan habitaciones libres.

To express a suggestion with *let's*, Spanish sometimes uses the **nosotros/as** form of the present subjunctive.

Llevemos el carro al taller.   *Let's take the car to the mechanic.*

▶ In **nosotros/as** commands, object and reflexive pronouns are attached to an affirmative command but placed before a negative one.

Hagámos**lo** mañana.   No **lo** hagamos ahora.

▶ To form the affirmative *let's* command of a reflexive verb, delete the final **-s** of the present subjunctive form before adding the pronoun **nos**. Note the written accent.

levantemos → levantemo– + **nos** = **¡Levantémonos!**

▶ The forms **vamos** and **vamos a +** *infinitive* are often used as an alternative to the **nosotros/as** command form:

¡Vamos allí!   *Let's go there!*

¡Vamos a parar aquí!   *Let's stop here!*

However, the negative counterpart does use the subjunctive form.

¡No **paremos** aquí!   *Let's not stop here!*

> **¡Atención!**
>
> The **nosotros/as** command for the reflexive **irse** is, therefore, **vámonos**.
>
> **¡Vámonos** de aquí! *Let's leave this place!*

1 **Un fin de semana en Tegucigalpa** Vas a reaccionar y a dar sugerencias para un viaje.

Paso 1 Tu amigo/a y tú van a viajar de Managua a Tegucigalpa. Lee las sugerencias que hace tu amigo/a y determina el orden cronológico. Escribe el número que corresponde a cada oración.

_____ Levantémonos a las seis de la mañana.

_____ Durante el viaje, miremos el sistema GPS cada 15 minutos.

_____ Salgamos a las siete en punto.

_____ Al llegar, estacionemos en el hotel Honduras Maya.

_____ Almorcemos en el camino.

_____ Hoy, llevemos el carro a la gasolinera para llenar el tanque y revisar las llantas.

_____ Acostémonos temprano esta noche para estar en forma para el viaje de mañana.

_____ Luego, busquemos un buen restaurante para cenar.

Paso 2 En general eres muy flexible, pero no estás de acuerdo con todas las sugerencias de tu amigo/a. Responde a las sugerencias confirmando que estás de acuerdo u ofreciendo una alternativa si no estás de acuerdo. Usa mandatos con formas de **nosotros/as**.

> **Modelo** *Sí, levantémonos a las seis. /*
> *No, no nos levantemos a las seis; mejor levantémonos a las ocho.*

2 **Campaña de seguridad vial** Vas a contribuir a una campaña de seguridad vial.

Paso 1 Observa este póster, parte de una campaña de seguridad vial en Panamá. ¿Cuál es el mensaje?

Paso 2 Completa otras recomendaciones para la campaña con mandatos de **nosotros/as** afirmativos o negativos, usando estos verbos. Puedes usar algunos más de una vez.

Manejemos como equipo.
Haz tu parte.

> estacionar evitar mantener respetar ser usar

1. _____ las señales de tráfico.
2. _____ siempre el cinturón de seguridad.
3. _____ el límite de velocidad.
4. _____ las distracciones.
5. _____ la distancia de seguridad.
6. _____ casco (*helmet*) si vamos en bicicleta o moto.
7. _____ el carro en lugares prohibidos.
8. _____ responsables.

3 **¡Vamos a hacer un viaje en carretera!** En parejas, están planeando un viaje en carretera (*road trip*) de dos días. Están muy emocionados/as, pero también tienen algunas preocupaciones (*concerns*). Túrnense para escuchar a su compañero/a y ofrecer sugerencias usando mandatos de **nosotros/as** o **vamos a + infinitivo**.

> **Estudiante A**
> 1. Tenemos muy poca gasolina.
> 2. El sistema GPS no funciona.
> 3. Hay un lago muy bonito en el camino.
> 4. El viaje es muy largo; no quiero manejar todo el tiempo.

> **Estudiante B**
> 1. El carro es muy viejo.
> 2. El maletero es pequeño.
> 3. No quiero escuchar música todo el tiempo.
> 4. No tenemos dinero para dormir en un hotel.

☐ **I CAN** make suggestions.

Influenciadores famosos
del mundo hispano

Antes de leer

1. Conocimiento previo Contesta estas preguntas.

1. ¿Estás familiarizado/a con la palabra "influenciador"? ¿Qué hace esta persona?

2. ¿Sigues o conoces a algún/alguna influenciador(a)? ¿Quién es? ¿Qué tipo de contenido publica?

Como en otras regiones, las redes sociales influencian la forma de pensar y actuar° de muchas personas hispanas. Conoce a algunos jóvenes influenciadores destacados del mundo hispano que día a día usan las redes para generar cambios positivos en la sociedad.

Sofía Jirau: Esta joven puertorriqueña quería ser modelo desde que era niña. Finalmente lo consiguió° y se convirtió en la primera modelo con síndrome de Down que ha posado para Victoria's Secret. Sofía busca inspirar a sus seguidores a vivir una vida sin límites.

Santiago Maratea: Es de Argentina y recaudó° millones en solo tres días para luchar contra° incendios en la provincia de Corrientes. Comprometido con diferentes causas, utiliza su cuenta de Instagram para ayudar a otros.

Cindy Villaseñor: Es una mexicana-americana muy concientizada° sobre el medio ambiente. Intenta vivir una vida con menos residuos, y anima° a sus seguidores a conservar y reutilizar más para reducir la contaminación.

Dr. Cuerda: Detrás de esta cuenta están Daniel Rueda y Anna Devís, quienes se conocieron en la universidad cuando estudiaban arquitectura. Ahora inspiran a miles de personas con sus imágenes. Forman escenas con objetos cotidianos° en lugares inesperados para crear un efecto surrealista.

actuar *to behave* **conseguir** *to achieve* **recaudar** *to collect* **luchar contra** *to fight against* **concientizado/a** *aware* **animar** *to encourage* **cotidiano/a** *daily*

▌Sofía Jirau

Después de leer

2. Identificar Indica cuál de estas ideas está en el texto.

☐ 1. Los influenciadores hispanos son jóvenes.

☐ 2. Los influenciadores del texto consiguen dinero en sus redes sociales.

☐ 3. Estos influenciadores quieren tener un impacto beneficioso en otras personas o en el mundo.

☐ 4. El activismo es importante para todos estos influenciadores.

☐ **I CAN** identify some aspects of prominent influencers in the Spanish-speaking world.

3. Comparar y analizar En parejas, comenten estas preguntas.

1. Individualmente, busca las cuentas de al menos dos de los influenciadores que menciona el texto. ¿Qué tipo de imágenes y contenido publican? Después, comparte con tu compañero/a una publicación reciente que te gusta o te parece interesante.

2. ¿Qué piensan sobre los influenciadores? ¿Qué aspectos positivos y problemáticos encuentran en este fenómeno?

Resources

vhlcentral

online activities

2. Express conditions and purpose

The subjunctive with expressions of condition and purpose

Read and listen to the conversation, focusing on the intended message. Then, observe the phrases in boldface. Can you figure out their meanings? Notice the verbs in the clauses that follow them. What is the tense used?

Este es un anuncio de servicio público. Disfrute de las infinitas posibilidades que ofrece Internet **con tal de que** lo **haga** con seguridad.

- No abra mensajes ni documentos adjuntos (*attached*) de fuentes desconocidas **en caso de que puedan** contener un virus.
- Tenga siempre activado un programa antivirus **para que** su computadora **esté** protegida.
- No comparta sus datos personales **a menos que sepa** con certeza quién tiene acceso a ellos.
- No use la misma contraseña en diferentes sitios web **en caso de que intenten** robarla (*steal*).

Some subordinate clauses express a condition or purpose for the main clause. They are introduced by these conjunctions (joining words).

a menos que	*unless*	**en caso de que**	*in case*
con tal de que	*provided that*	**para que**	*so that; in order that*

These denote purpose (*so that*) and condition/contingency (*unless, provided that, in case*), and they <u>always require the use of the subjunctive</u>, since they indicate that the speaker considers the outcomes to be indefinite or pending (they might or might not take place).

Trae una batería extra **en caso de que** la **necesites**.	*Bring an extra battery in case you need it.*
Te presto mi tableta **con tal de que** la **cuides**.	*I'll lend you my tablet provided that you take good care of it.*
No me envíes mensajes de texto **a menos que tengas** alguna noticia importante.	*Don't text me unless you have some important news.*
Descarga un programa antivirus **para que** tu computadora no **sea** vulnerable.	*Download antivirus software so that your computer is not vulnerable.*

When the subject does not change (the same person is the subject of the main verb and the verb after the conjunction), **para que** + *subjunctive* is replaced by the preposition **para** + *infinitive*.

Vamos a la tienda **para que** Leo **compre** un monitor nuevo.	*We are going to the store so that Leo may buy a new monitor.*
Voy a la tienda **para comprar** un monitor nuevo.	*I'm going to the store to buy a new monitor.*

ASÍ SE FORMA

1 **Los jóvenes y las redes sociales** Vas a comentar algunas recomendaciones.

Paso 1 Individualmente, indica qué frase completa cada oración.

1. Puedes usar una red (*network*) social como Instagram... ____
2. Debes tener cuidado (*be careful*) con la privacidad de tu información... ____
3. No escribas cosas ofensivas ni pongas fotos cuestionables... ____
4. No aceptes una invitación para ser amigos... ____
5. Usar redes sociales es divertido... ____

a. en caso de que alguien quiera usarla para robar tu identidad.
b. con tal de que lo hagamos con cuidado (*carefully*).
c. para mantenerte en contacto con tus amigos.
d. a menos que conozcas a esa persona.
e. para no tener problemas en la escuela o el trabajo.

Paso 2 En parejas, comenten si están de acuerdo o no con las recomendaciones del **Paso 1** y expliquen sus razones. Después, escriban tres recomendaciones más para alguien que quiere usar redes sociales.

2 **La tecnología y la educación** Vas a compartir tus opiniones y experiencias.

Paso 1 Individualmente, completa las oraciones con estas conjunciones y con las formas apropiadas del presente de subjuntivo o el infinitivo.

a menos que	con tal de que	en caso de que	para	para que

1. Los cursos en línea son excelentes _____ _____ (tú, trabajar) o _____ (tú, vivir) lejos de la universidad.
2. Los libros de texto electrónicos son útiles _____ no _____ (ellos, ser) demasiado caros o _____ (nosotros, poder) alquilarlos.
3. Es importante que los profesores tengan formación en tecnología _____ _____ (los profesores, diseñar) materiales efectivos e interesantes.
4. Las clases por videoconferencia son muy convenientes _____ no _____ (tú, tener) una conexión de Internet rápida y estable.
5. El acceso equitativo es fundamental _____ todos _____ (nosotros, beneficiarse) de las nuevas tecnologías en la educación.

Paso 2 En grupos pequeños, comenten las afirmaciones del **Paso 1**. ¿Están de acuerdo? ¿Qué otras experiencias y opiniones tienen sobre el uso de la tecnología en la educación?

Nota cultural

Inventores hispanos de ayer y hoy

- En 1943, Lászlo József Biró, de Argentina, inventó el bolígrafo.
- El colombiano Jorge Reynolds desarrolló el marcapasos (*pacemaker*) en 1958.
- Franklin Chang-Díaz, de Costa Rica, fue astronauta de la NASA e inventó el motor de plasma para vehículos espaciales, que sigue desarrollando hoy en día.
- El inventor de los códigos de seguridad digital CAPTCHA (2000) y ReCAPTCHA (2007) es Luis von Ahn, de Guatemala.

Luis von Ahn

3 **¿Qué necesitas en la universidad?** Vas a compartir tus opiniones sobre lo que es necesario en la universidad.

Paso 1 Individualmente, indica si es necesario, importante o conveniente tener estas cosas en la universidad. Usa estas conjunciones para explicar tus razones.

> **Modelo** un televisor de alta resolución: *No es necesario que tengas un televisor de alta resolución, a menos que te gusten mucho las películas y tengas suficiente espacio.*

a menos que	con tal de que	en caso de que	para que

1. una computadora portátil
2. una tableta
3. un teléfono inteligente
4. un carro
5. una videoconsola
6. un lápiz electrónico

Paso 2 En grupos pequeños, comparen y comenten sus oraciones del **Paso 1**. Después, escriban tres cosas más que son necesarias o convenientes en la universidad, explicando en qué casos o para qué.

4 **Aplicaciones favoritas** Vas a compartir tus ideas sobre las aplicaciones.

Paso 1 Individualmente, selecciona cinco aplicaciones útiles o interesantes y escribe para qué las recomiendas. Estos son algunos posibles tipos de aplicaciones.

> **Modelo** *Uso la aplicación MiPrecio. Es para que compares precios en caso de que quieras hacer compras por Internet.*

comida	fotos y video	productividad
compras	juegos y entretenimiento	salud y deporte
dinero y bancos	noticias	transporte

Paso 2 En grupos pequeños, compartan sus ideas. ¿Usan aplicaciones similares? ¿Hay alguna recomendación de tus compañeros/as que quieres probar?

En mi experiencia

Tony, Little Rock, AR

"When I was in Spain, an elderly man initiated an online petition asking banks to offer more services in person. It became viral and everyone was talking about it. Digital banking has resulted in many local branches closing or reducing their hours and staff, so the elderly and other people with less digital literacy or technological resources are unable to carry out transactions, check balances, etc. Since then, I have been more aware of how the use of technology in education, services, etc. can sometimes exclude people from important services and information."

How frequently do you carry out financial transactions in person? Can you think of people in your community that might have difficulty with digital banking? What other services might they have difficulty accessing?

☐ **I CAN** express conditions and purpose.

ASÍ SE DICE

(S) Audio: Vocabulary | **Learning Objective:** Discuss the order of people and things.

Los números ordinales

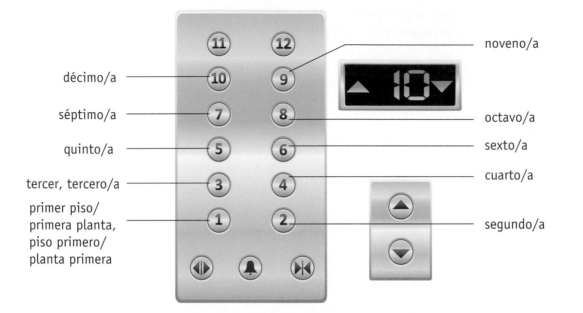

décimo/a — 10

séptimo/a — 7

quinto/a — 5

tercer, tercero/a — 3

primer piso/
primera planta,
piso primero/
planta primera — 1

noveno/a — 9

octavo/a — 8

sexto/a — 6

cuarto/a — 4

segundo/a — 2

¡Atención!

Primero and **tercero** become **primer** and **tercer** when they immediately precede a masculine, singular noun:

El ascensor está en el *tercer* piso.

---

1 **Trivia** Vas a contestar y hacer preguntas sobre el orden de cosas y personas.

Paso 1 ¿A cuántas preguntas puedes responder correctamente en dos minutos? Preparados, listos... ¡ya! (*Ready, set... go!*)

1. ¿Cuál es el **cuarto** día de la semana (según los hispanos)?
2. Cuando estás muy contento/a y todo va bien, estás en el **séptimo**...
3. ¿Cómo se llama el **noveno** mes?
4. ¿Sobre qué país aprendiste en el **décimo** capítulo de *Dicho y hecho*?
5. ¿De qué material es la **segunda** medalla en las Olimpíadas?
6. ¿Quién es el **tercer** estudiante más alto de la clase?
7. ¿Cuál es el **quinto** planeta desde el Sol?
8. ¿Quién fue el **sexto** presidente de Estados Unidos?
9. ¿Cuál fue el **primer** día de clases este semestre?
10. ¿Cómo se llama la **primera** y **octava** nota de la escala musical?

Paso 2 En parejas, escriban en una hoja de papel cinco preguntas más similares a las del **Paso 1**.

Paso 3 En grupos pequeños, intercambien (*exchange*) sus preguntas con sus compañeros/as y respondan las preguntas de ellos/as.

2 **Suba al quinto piso** En parejas, túrnense en los papeles de huésped y recepcionista en el Hotel Central. El/La huésped llama a la recepción para preguntar dónde encontrar algunos lugares o servicios. El/La recepcionista responde según la *Guía de servicios*.

> **Modelo** Quieres tomar un café.
> **Huésped:** *Hola, buenas tardes. ¿Podría indicarme si hay una cafetería en el hotel?*
> **Recepcionista:** *Sí, claro. Suba/Vaya al segundo piso. Está junto al restaurante.*

HC

Granada, Nicaragua

Hotel Central
· Guía de servicios ·

	Pisos
Recepción	Planta baja
Floristería	1
Bar	1
Cafetería	2
Restaurante	2
Centro de negocios	4
Centro de belleza y masaje	5
Bebidas y hielo	3, 5, 7
Gimnasio	8
Piscina y jacuzzi	9
Terraza panorámica	10
Garaje	Sótano

Estudiante A

1. Deseas tomar una bebida y cenar.
2. Quieres hacer ejercicio.
3. Quieres comprar flores para una persona que vas a visitar.
4. Deseas imprimir unos documentos.

Estudiante B

1. Deseas unos refrescos y hielo para la habitación.
2. Quieres sacar fotos panorámicas del centro de la ciudad.
3. Quieres un masaje relajante.
4. Deseas nadar un rato.

☐ **I CAN** discuss the order of people and things.

3. React to past actions and events

The imperfect subjunctive

Read and listen to this text, focusing on the message. Then, note the verbs in boldface and answer the questions.

1. Observe the structures that these verbs are part of. Can you identify them? Are they main or subordinate (dependent) clauses? In each case, can you explain why the subjunctive is used?

2. Now, observe what is different in the main clauses. (Hint: It has to do with the time reference.)

El mes pasado viajé a Honduras y visité las ruinas mayas en Copán. Esperaba que me **gustaran** porque me fascinan las civilizaciones antiguas, pero me sorprendió que me **impresionaran** tanto. Ya sabía que era un centro importante de la civilización maya, pero no imaginaba que **fuera** una ciudad tan grande: había más de 20.000 habitantes entre la ciudad y la periferia. Sentí haber reservado solamente un día para visitar Copán y pedí a mi agente de viaje que **cambiara** mis reservas para visitar las ruinas un día más.

In the previous chapters, you have studied various linguistic contexts that require the use of the subjunctive for actions and events in the present or in the future.

Espero que **visiten** Copán.   *I hope that they visit Copan.*

The imperfect (past) subjunctive is used in the same structures as the present subjunctive (after expressions of influence, emotion, doubt, etc.), when the actions and events took place in the past. Observe how the different time expressed in the main clause (present or past) correlates to the tense used in the subordinate clause.

Main clause	Subordinate clause
Les recomiendo... *present indicative*	... que lleven un sistema GPS. *present subjunctive*
Les recomendé... *past indicative (preterit)*	... que llevaran un sistema GPS. *imperfect subjunctive*
Siempre les recomendaba... *past indicative (imperfect)*	... que llevaran un sistema GPS. *imperfect subjunctive*

Ⓢ VideoEscenas

Formation of the imperfect subjunctive

To form the imperfect subjunctive of all verbs (**–ar**, **–er**, and **–ir**), use the **ellos/as** form of the preterit indicative as a base (**compraron**). Then, delete the **–ron** ending from it (**compra–**) and add the following endings: **–ra**, **–ras**, **–ra**, **–ramos**, **–rais**, **–ran**.

The imperfect subjunctive automatically reflects all irregularities of the preterit.

¡Atención!

In Spain and in certain dialects of Spanish, the imperfect subjunctive has an alternate set of endings: **–se**, **–ses**, **–se**, **–semos**, **–seis**, **–sen (comprase, comprases...)**. These forms are frequently found in writing.

	comprar	volver	salir
(Preterit →)	compraron	volvieron	salieron
(yo)	comprara	volviera	saliera
(tú)	compraras	volvieras	salieras
(usted, él, ella)	comprara	volviera	saliera
(nosotros/as)	compráramos	volviéramos	saliéramos
(vosotros/as)	comprarais	volvierais	salierais
(ustedes, ellos/as)	compraran	volvieran	salieran

Other examples:

	(Preterit)		Imperfect subjunctive
dormir	durmieron	→	durmiera, durmieras, ...
estar	estuvieron	→	estuviera, estuvieras, ...
ir/ser	fueron	→	fuera, fueras, ...
leer	leyeron	→	leyera, leyeras, ...
pedir	pidieron	→	pidiera, pidieras, ...
tener	tuvieron	→	tuviera, tuvieras, ...

▸ **Hubiera** is the imperfect subjunctive form of **haber**.

Nos alegramos de que **hubiera** sistema GPS en el carro.

We were happy that there was a GPS system in the car.

1 **¿Hoy o ayer?** Esta semana Óscar está un poco estresado. Es un experto en tecnología y todos le piden ayuda. Escoge la forma apropiada en cada oración.

1. Ernesto le pidió que (repare / reparara) su tableta.
2. Su profesor espera que (instale / instalara) un programa de cálculo en su computadora portátil.
3. Sus amigos quieren que los (ayude / ayudara) a conectar su videoconsola al televisor y sistema de sonido.
4. Celia le rogó (*begged*) que (vaya / fuera) con ella a comprar una cámara digital.
5. Su abuelita quería que (imprima / imprimiera) unas fotos que recibió por e-mail.
6. Inés desea que (se olvide / se olvidara) de todos estos aparatos y (salga / saliera) a cenar con ella.

¡Atención!

Remember to use the preterit tense, not the infinitive stem, to form the imperfect subjunctive. Review the regular, stem-changing, and irregular preterit tense verbs in **Capítulos 5, 6,** and **7**.

ASÍ SE FORMA

2 Una visita a la consejera Está terminando el curso. Emilio no ha tenido muy buenas notas y quiere mejorarlas. Fue a ver a su consejera académica, pero... ahora no recuerda bien sus recomendaciones.

Paso 1 Escucha y anota las recomendaciones que Emilio dice que le dio su consejera. Si piensas que la recomendación es incorrecta, escribe la versión correcta.

> **Modelo** Oyes: Me recomendó que estudiara en la biblioteca.
> Escribes: *Le recomendó que estudiara en la biblioteca.*
> Oyes: Me dijo que saliera más con mis amigos.
> Corriges y escribes: *Probablemente le dijo que saliera menos con sus amigos.*

Paso 2 Tus consejeros académicos y profesores, ¿qué recomendaciones hicieron para ti o para la clase? Escribe al menos tres de sus consejos.

> **Modelo** *El profesor de español nos recomendó que...*

3 ¿Qué hicieron en la clase? Valeria estuvo enferma y llama a su compañero de clase, Gerardo, para preguntar sobre la tarea. Completa la conversación. ¡Atención! Todos los verbos deben estar en el subjuntivo: algunos en el presente y otros en el imperfecto.

Gerardo: Hola, Valeria. Has estado enferma, ¿verdad? Espero que hoy _____ (sentirse) mejor.

Valeria: Sí, estoy mejor. ¿Cómo fue la clase? ¿Qué dijo la profesora que _____ (nosotros, hacer) como tarea?

Gerardo: Dijo que _____ (estudiar) los verbos en el imperfecto del subjuntivo y que _____ (escribir) un esquema (*outline*) para un ensayo sobre la tecnología en la educación.

Valeria: ¿Dio más instrucciones?

Gerardo: Sí, nos pidió que _____ (hacer) investigación en línea y que _____ (buscar) dos ejemplos interesantes de programas y aplicaciones educativos.

Valeria: ¿Ya encontraste algo?

Gerardo: Encontré algunas cosas, pero todavía no tengo nada que _____ (ser) muy interesante. También nos pidió que _____ (leer) dos artículos sobre el tema. Están en la plataforma, pero ¿quieres que te los _____ (enviar) esta tarde?

Valeria: No, gracias. Puedo buscarlos.

Gerardo: Espero que _____ (tú, tener) suficiente tiempo para completar el trabajo. Si no, te recomiendo que _____ (hables) con la profesora y le _____ (pedir) un día o dos más.

Valeria: Sí, es verdad. La profesora me dijo que _____ (ir) a su oficina si necesitaba ayuda. Es probable que _____ (ir) mañana. Gracias por tu ayuda, Gerardo.

Gerardo: ¡Ojalá que _____ (estar) bien pronto! Nos vemos el lunes en clase.

4 **Hace unos años...** ¿Qué pasaba en tu vida durante los periodos indicados?

Paso 1 Completa las oraciones sobre el pasado y el presente.

> **Modelo** Cuando tenía diez años, mis padres no querían que yo *jugara mucho con videojuegos ni viera la televisión muchas horas. Temían que no estudiara bastante y que no sacara buenas notas en mis cursos.*

1. Cuando tenía diez años,
   a. mis padres no querían que yo...
   b. yo esperaba que mis padres...
   c. yo quería que mis amigos...

2. Cuando estaba en la escuela secundaria,
   a. mis padres querían que yo...
   b. mis maestros recomendaban que yo...
   c. yo buscaba un(a) novio/a que...

3. Cuando empecé la universidad,
   a. yo temía que mi nuevo/a compañero/a de cuarto...
   b. yo esperaba que los profesores...
   c. yo esperaba que los otros estudiantes...

4. Ahora,
   a. mis padres quieren que yo...
   b. mis amigos quieren que yo...
   c. y yo quiero que...

Paso 2 En parejas, comenten y comparen lo que pasaba y pasa en sus vidas durante los periodos indicados en el **Paso 1**. Túrnense. Al final, compartan algunos de sus deseos, temores y esperanzas con la clase.

5 **Tus impresiones sobre la universidad** Antes de empezar tus estudios probablemente tenías algunas ideas que anticipaban tu experiencia en la universidad. ¿Qué aspectos son como imaginabas y cuáles son diferentes?

Paso 1 Individualmente, escribe oraciones completas comparando al menos cinco de tus ideas sobre la universidad antes y ahora. Piensa en el campus, las clases, los estudiantes, los profesores, etc. Puedes usar estas estructuras.
- qué esperabas/no esperabas: (No) Esperaba/deseaba/quería que... + imperfecto del subjuntivo
- qué imaginabas/no imaginabas: Pensaba/creía que... + imperfecto del indicativo; No pensaba/creía que... + imperfecto del subjuntivo
- qué piensas sobre la universidad ahora que la conoces bien: Creo/pienso que... + presente indicativo; No creo/pienso que... + presente subjuntivo

> **Modelo** *Antes de venir a la universidad, esperaba que las clases fueran muy difíciles. Ahora no pienso que todas las clases sean difíciles, pero...*

Paso 2 En parejas, túrnense para compartir sus ideas del **Paso 1**. ¿Qué similitudes y diferencias hay entre sus expectativas y sus experiencias?

☐ **I CAN** react to past actions and events.

Honduras y Nicaragua

Antes de leer

1. Conocimiento previo Contesta las preguntas sobre Honduras y Nicaragua.

1. ¿En qué región de Latinoamérica están Honduras y Nicaragua?

2. Considerando lo que sabes de otros países de esta región, ¿qué anticipas sobre Honduras y Nicaragua? Piensa en su geografía, naturaleza y población.

Situados entre el Caribe y el Atlántico, Honduras y Nicaragua son países centroamericanos de gran biodiversidad. Honduras es montañosa, con cordilleras, valles y costas. Nicaragua tiene volcanes y grandes lagos. Ambos° países tienen poblaciones multiétnicas con origen europeo, indígena y africano, y están comprometidos a conservar y promover sus culturas precolombinas. Conoce algunos aspectos destacados de estos países.

El lago de Nicaragua

Con una extensión de 8.264 km², el lago de Nicaragua ocupa casi el 7% del territorio nacional y es el más grande de Centroamérica. En él hay más de 40 especies marinas y es el único en el mundo con tiburones° de agua dulce y peces sierra°. Dentro del lago hay más de 400 islotes e islas de origen volcánico. En la isla Zapatera se han encontrado objetos de cerámica y estatuas de culturas originarias.

El lago de Nicaragua, también conocido como lago Cocibolca

Calle en Granada, Nicaragua

Las calles de Nicaragua

La mayoría de las calles de Nicaragua no tienen nombre ni número que las identifique. Las personas dan indicaciones utilizando lugares conocidos, como iglesias, edificios, escuelas o restaurantes. A veces, incluso° se refieren a lugares que no están ya°. Por ejemplo, pueden decir: "sigue hasta donde fue el restaurante Managua y gira a la derecha". También usan los puntos cardinales y el término "vara", que equivale a un poco menos de un metro.

Copán, Honduras

En el valle de Copán se encuentra uno de los sitios arqueológicos más importantes de la civilización maya. Esta antigua° ciudad fue un centro político, civil y religioso, y estuvo habitada desde el siglo° XV a. C. hasta el siglo X d. C. Había un gran número de plazas, patios, templos y canchas° para el juego de pelota maya. Hoy en día todavía se conservan varios edificios con monumentos, centros ceremoniales y esculturas. Mira el video para aprender más sobre este sitio.

Copán fue abandonada a comienzos del siglo X.

Los garífunas en Honduras

Los garífunas son un pueblo ancestral que tiene su origen en la unión de tres culturas: la africana, la arahuaca y la originaria caribeña. Su presencia se concentra en Honduras, aunque también viven en Belice, partes de Guatemala y Nicaragua. Este grupo étnico conserva su lengua, costumbres, alimentos y prácticas de pesca y agricultura. Sus cantos, su música y sus bailes reúnen muchos elementos africanos e indígenas. Actualmente algunas comunidades están amenazadas° por la construcción de complejos turísticos° y los cultivos extensivos de palma de aceite.

ambos/as *both* **el tiburón** *shark* **el pez sierra** *sawfish* **incluso** *even* **ya** *anymore* **antiguo/a** *old, ancient* **el siglo** *century* **la cancha** *sports field* **amenazado/a** *threatened* **el complejo turístico** *tourist resort*

Después de leer

2. Indicar Indica si estas afirmaciones son ciertas (**C**) o falsas (**F**), según el texto.

1. En el lago Nicaragua hay peces que normalmente viven solo en mares y océanos. ....**C F**

2. Las calles de Nicaragua usan lugares conocidos en sus nombres. ....**C F**

3. Los garífunas trabajan en el cultivo de la palma. ....**C F**

4. Cocibolca es también el nombre del lago de Nicaragua. ....**C F**

3. Interactuar En grupos pequeños, contesten estas preguntas.

1. ¿Hay algún lago importante en tu región o país? ¿Cómo es relevante en la economía y cultura de la región?

2. ¿Hay sitios arqueológicos o históricos en tu región o país? ¿Qué sabes sobre ellos? ¿Hay esfuerzos para conservarlos?

4. Investig@ en Internet Lee la estrategia e investiga en línea uno de los temas presentados en la lectura u otro tema diferente que te interese. Prepara un informe breve escrito para compartir con tu clase. Incluye imágenes y otros recursos apropiados.

> **🔍 Estrategia digital: Comparing sources**
>
> When researching topics online, once you have checked the author and sources, it is very important to compare the information found in these sources. This will allow you to get a more comprehensive point of view, and to identify conflicting or consistent information. Start by writing down new ideas from these sources. Put a check mark next to the ideas that occur in all of them. Take notes of any contradictory information. Finally, make inferences and draw conclusions about the topic you are researching.

Resources

vhlcentral

online activities

☐ **I CAN** identify key products and practices from Honduras and Nicaragua.

DICHO Y HECHO

S Audio: Reading | **Learning Objective:** Identify facts in a text about young innovators from Argentina.

Lectura

Antes de leer

1. Anticipar Contesta estas preguntas.

1. Lee el título y observa la estructura e imágenes del texto. ¿Qué puedes anticipar sobre su contenido y formato?

2. ¿A quién consideras una persona "innovadora y solidaria"? ¿Qué trabajo o actividades hace?

> **Estrategia de lectura: Understanding sentence structure**
>
> Spanish texts often use longer, more complex sentences than English ones and have a more flexible word order. When reading authentic texts, focus on identifying main parts of the sentence first by locating the main verb, subject, and object (note that they might be implicit) and identify subordinate clauses by spotting conjunctions that introduce them: **que**, **para que**, **a menos que**, **hasta que**, etc. Then, think about how the idea expressed in the subordinate clause complements or completes the meaning of the sentence.

A leer

2. Aplicar Primero, lee la estrategia. Luego, lee el artículo concentrándote en las ideas principales. Después, revísalo y marca las oraciones que no comprendiste bien. Intenta identificar los elementos principales y analizar su estructura.

la caída *fall* **la certeza** *certainty* **la herramienta** *tool* **la mirada** *view, approach* **si bien** *even though* **la desconfianza** *distrust* **reivindicar** *to reclaim* **no solo... sino** *not only... but also* **funcionar** *to work* **sordo/a** *deaf person* **la denuncia** *(police) report* **descargar** *to download* **a costa de** *at the expense of* **el concurso** *competition* **la medida** *measure* **la pérdida** *loss* **los fondos** *funding* **volverse** *to become*

SECCIONES   BUSCAR

Innovadores y solidarios

Estos son dos jóvenes argentinos que usan la tecnología para cambiar el mundo

Por Lorena Oliva

Son exponentes de una generación que daba, literalmente, sus primeros pasos durante la crisis de 2001. Crecieron mientras emergían nuevos fenómenos sociales, como la caída° de la clase media o el boom de los comedores comunitarios. En cada una de sus historias hay patrones que se repiten: la necesidad de resolver problemas sociales combinada con la certeza° de que las herramientas° para hacerlo existen. Sólo es cuestión de innovar en tecnología para que eso ocurra, y ahí es donde el talento de cada uno de ellos entra en juego.

Pero ¿cuánto de esta mirada° social es compartida por sus pares generacionales? Constanza Cilley, directora ejecutiva de la consultora Voices, es optimista al respecto. "Nuestras investigaciones nos muestran que este es un segmento de la población muy solidario y con alto potencial para dar. Si bien° entre ellos prima una desconfianza° generalizada, es interesante mencionar que son una generación que reivindica° no solo el realizar acciones solidarias sino° el hacerlas de modo público, contar acerca de ellas porque creen que genera un efecto contagio", analiza.

Mateo Salvatto tenía 18 años cuando desarrolló Háblalo. Se trata de una app que conecta a quienes no pueden comunicarse verbalmente. "Yo creo que haber creado Háblalo tiene mucho que ver con la no tolerancia a lo que no funciona°. La tendencia constante a tratar de solucionar las cosas. ¿Cómo un sordo° no va a poder hacer una denuncia° si ahora mismo hay un rover en Marte sacando fotos? Es injustificable. Entonces me dije que, si no había una solución concreta, iba a programar algo yo", recuerda Salvatto.

Hoy en día, la app ayuda a unas 200.000 personas y ya fue descargada° en 65 países. La lógica que guía sus pasos puede resumirse en que "para recibir, tenés que dar". "Obviamente hay que hacer negocios y progresar, pero la búsqueda pasa por crecer con los demás y no a costa de° los demás", concluye.

Julieta Porta fue noticia a principios de este año porque Flut Mapper, el proyecto que desarrolla junto a otros tres jóvenes, fue distinguido por la NASA en un concurso° para el que se presentaron más de 2600 proyectos. El prototipo que presentaron logra anticipar el impacto de ciertas catástrofes naturales, como las inundaciones, utilizando información satelital. "Poder anticipar esta clase de conflictos les permite a los gobiernos tomar medidas°, evitando la pérdida° de vidas, ahorrando grandes sumas de dinero y cuidando al medio ambiente", explica. En forma paralela, Julieta es parte de diferentes iniciativas que tienen una finalidad social generando los medios para que sean lo más exitosas posibles. "Me junto con científicos que tienen un montón de ideas, pero no las ven posibles. Por ahí porque faltan fondos° para seguir investigando o financiar esos proyectos. Pero ahí entro en juego yo. Haciendo que las cosas tengan impacto económico en un contexto tan inestable, esos proyectos se pueden volver° sustentables en el tiempo y generar mayores cambios", agrega Julieta, quien está convencida de que el mundo de los negocios puede hacer mucho por salvar el planeta.

Texto: Del diario *La Nación*

Después de leer

3. Analizar Contesta las preguntas apoyando (*supporting*) tus respuestas en el texto.

1. ¿Qué eventos sociales marcaron la niñez de los jóvenes argentinos que menciona el texto? ¿Cómo son relevantes en su misión y objetivos?

2. Según el texto, ¿qué características tiene la generación joven argentina?

3. ¿Qué motivación impulsa (*drives*) el trabajo de Mateo Salvatto?

4. Julieta Porta cree que el éxito (*success*) de su proyecto consiste en combinar dos tipos de beneficios. ¿Cuáles son? ¿Cómo hace esto Flut Mapper?

4. Explicar En grupos pequeños, contesten estas preguntas.

1. Mateo y Julieta coinciden en que la tecnología y los negocios pueden mejorar (*improve*) la sociedad y el medio ambiente. ¿Estás de acuerdo?

2. Mira el anuncio de la aplicación **Háblalo**, de Mateo Salvatto, y contesta las preguntas.
   - ¿Qué pide el video que hagas? ¿Qué pasa? ¿Qué intenta este "experimento"?
   - Mateo usa lengua de signos para presentar su aplicación, ¿por qué?
   - ¿Qué hace esta la aplicación?

y desde pequeño que es sordo

Duración: 01:30
Fuente: Proyecto Háblalo

3. ¿Usas o conoces alguna aplicación o tecnología con un componente social, solidario o de beneficio para el medio ambiente?

Resources

vhlcentral

online activities

☐ **I CAN** identify facts in a text about young innovators from Argentina.

Video | **Learning Objective:** Identify main ideas in a video about reforestation in Spain.

Video: Reforestar España con drones y *big data*

Antes de ver el video

 1 **En tu experiencia** Contesta las preguntas: ¿Qué usos y funciones de los drones conoces? ¿Cómo piensas que drones y *big data* ayudan en la reforestación?

> **Estrategia de comprensión auditiva: Listening for linguistic cues**
>
> You are now familiar with grammatical features, such as conjugations and verb tenses, and you also know a variety of transitions and connecting words. You may use this knowledge to help you interpret who is carrying out an action and when, relationships between ideas, and other information that will help you interpret meaning.

A ver el video

En este video Juan Carlos Sesma habla sobre su empresa CO2 Revolution.

2 **Comprender las ideas principales** Mira el video con atención a las ideas principales y completa las oraciones.

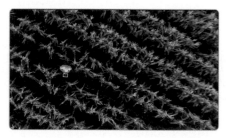

Duración: 03:18
Fuente: Pienso, Luego Actúo

1. El objetivo de CO2 Revolution es _____.
   a. evitar incendios **b.** combatir la deforestación **c.** distribuir semillas de vegetales

2. Para lograr (*achieve*) su objetivo, CO2 Revolution usa _____.
   a. tractores **b.** semillas y palas (*shovels*) **c.** drones y *big data*

3 **Aplicar** Lee la estrategia y mira el video otra vez prestando atención a las formas verbales que se usan. Completa las oraciones.

1. En la primera parte del video, Juan Carlos Sesma usa más verbos en (presente / pasado / futuro) porque
   ☐ describe el trabajo de su empresa.
   ☐ habla sobre su historia personal y los precedentes de su iniciativa.
   ☐ predice los logros (*achievements*) de su empresa.
2. En la segunda parte del video, Sesma usa más verbos en (presente / pasado / futuro) porque
   ☐ describe el trabajo de su empresa.
   ☐ habla sobre su historia personal y los precedentes de su iniciativa.
   ☐ predice los logros de su empresa.

Después de ver el video

 4 **Analizar** En grupos, contesten y comenten estas preguntas: ¿Conocen otros ejemplos de tecnologías para combatir problemas del medio ambiente? Den algunos ejemplos. En general, ¿cuáles son los aspectos positivos y negativos de la tecnología para el medio ambiente?

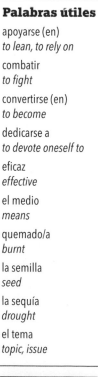

Palabras útiles

apoyarse (en)
to lean, to rely on

combatir
to fight

convertirse (en)
to become

dedicarse a
to devote oneself to

eficaz
effective

el medio
means

quemado/a
burnt

la semilla
seed

la sequía
drought

el tema
topic, issue

Resources

vhlcentral | online activities

☐ **I CAN** identify main ideas in a video about reforestation in Spain.

Proyecto oral: Una encuesta sobre el uso de tecnología

¡Atención!

Ask your instructor to share the **Rúbrica de calificación** to understand how your work will be assessed.

Para conocer mejor el uso de la tecnología entre los estudiantes de la clase de español, vas a escribir una encuesta (*survey*) y vas a entrevistar a tus compañeros/as de clase. Para prepararte, toma unos minutos para revisar el vocabulario y la gramática de este capítulo y escribe algunas palabras clave que pueden ser útiles.

Estrategia de comunicación oral: Defining and paraphrasing

In verbal interactions, there might be times when the person to whom you are speaking does not understand words or structures you use. In these situations, you must explain your idea or concept in a different way. You can prepare for this by anticipating which words or ideas might be new or more complex, thinking about how you could define what it is, explain what it does or what it is for, or other relevant context (e.g., when, where, or how it is done) and coming up with examples to effectively illustrate the concept or idea.

Palabras útiles

Es una cosa/
  persona que...
*It's a thing/
  person that...*

Sirve para.../
  Se usa para...
It is used for...

Es como...
It's like...

Es cuando...
It's when...

O sea,... /Es decir,...
*In other words...,/
  That is...*

Paso 1 En grupos pequeños, decidan un aspecto del uso de la tecnología que quieren investigar (*research*). Estos son algunos posibles temas.

uso de teléfono móvil   uso de aplicaciones (diferentes de redes sociales)

uso de redes sociales   uso de tecnologías para la educación

Primero, consideren qué quieren averiguar (*find out*) sobre este tema. Después, escriban preguntas relevantes. Deben incluir cuatro preguntas con respuestas cuantificables (*quantifiable*) y cuatro preguntas para elaborar o explicar.

> **Modelo** • *¿Cuántas aplicaciones de estas categorías tienes en tu teléfono?*
> **a.** *herramientas de estudio*   **b.** *redes sociales*   **c.** *juegos*   **d.** *compras*
>
> • *¿Cuál es tu aplicación favorita como herramienta de estudio y por qué?*

Paso 2 Entrevista a al menos tres personas, tomando nota de sus respuestas. También contesta a las preguntas de tus compañeros/as. Es importante no responder la misma encuesta más de una vez. Debes estar preparado/a para explicar algunos conceptos o ideas que tal vez (*maybe*) tu compañero/a no entienda.

> **Modelo** *Mi aplicación favorita para estudiar se llama... Sirve para...*

Paso 3 Compila y analiza las respuestas de tu encuesta del **Paso 2**. Presenta los resultados. Tu presentación debe durar de cuatro a cinco minutos. Puedes usar estas preguntas como guía.
- ¿En qué aspectos hay más variación?
- ¿Hay datos sorprendentes o interesantes?
- ¿Qué ideas o comentarios específicos son representativos?
- ¿Hay ideas o comentarios específicos sorprendentes o interesantes?

Resources

S

vhlcentral

☐ **I CAN** carry out a survey on technology use.

Proyecto escrito: Uso de la tecnología en la educación

Vas a escribir un artículo informativo sobre un aspecto del uso de la tecnología en la educación. Para prepararte, toma unos minutos para revisar el vocabulario y la gramática de este capítulo y escribe las palabras clave que te gustaría incluir.

¡Atención!

Ask your instructor to share the **Rúbrica de calificación** to understand how your work will be assessed.

Estrategia de escritura: Incorporating survey data

There are various ways of incorporating and presenting data from a survey. For an overview of a topic, organize your information by question, summarizing your findings. To focus on individual variation, you might organize the data by person. To combine, organize, and present general findings by question, illustrate with specific examples or quotes, or mention varying responses that differ or contrast with the general findings.

Paso 1 Piensa en tu uso de la tecnología y contesta estas preguntas.

1. ¿Qué tecnologías se usan en tu universidad y en cursos específicos? ¿Cuáles son más útiles o efectivas?

☐ plataformas de gestión (*management*) educativa

☐ aparatos/instrumentos

☐ programas o aplicaciones

2. ¿Qué tecnologías usas personalmente en clase, para completar tus tareas y para estudiar? ¿Cuáles son más útiles o efectivas?

☐ computadora ☐ tableta ☐ teléfono ☐ otra

☐ programas ☐ aplicaciones ☐ herramientas en línea

3. Indica con qué afirmaciones estás de acuerdo.

☐ Prefiero los libros y materiales de referencia electrónicos.

☐ Prefiero tomar notas en mi computadora o tableta en vez de (*instead of*) en papel.

☐ La tecnología en la educación podrá reemplazar a los profesores.

4. ¿Cuáles son dos aspectos positivos del uso de la tecnología en la educación?

5. ¿Cuáles son dos aspectos negativos del uso de la tecnología en la educación?

Paso 2 En grupos de hasta seis personas, compartan sus respuestas del **Paso 1** y tomen nota de las respuestas de sus compañeros/as. Hagan preguntas a sus compañeros/as para expandir sus ideas y dar ejemplos relevantes.

Paso 3 Escribe un informe de 300 a 350 palabras para presentar la información de los **Pasos 1** y **2**. Aplica las sugerencias de la **Estrategia de escritura** para organizar la información de una forma clara y efectiva. No olvides incluir una introducción para presentar el tema y despertar el interés de tus lectores, y una conclusión que resuma (*summarizes*) las observaciones principales o haga una reflexión final. Prepárate para presentar tu informe a la clase.

Palabras útiles

afirmar
to state
considerar
to consider
opinar
to be of the opinion that
suponer
to suppose

Resources

vhlcentral

☐ **I CAN** write a report on the use of technology among college students.

El mundo moderno   *Modern world*

el aparato (electrónico)   *device, gadget*
la arroba   *@*
la batería   *battery*
el buscador   *search engine*
el cable   *cable*
la cámara (de video)   *(video) camera*
la computadora portátil   *laptop*
la conexión (wifi)   *(wifi) connection*
la contraseña   *password*
el control remoto   *remote control*
el enlace   *link*
el mensaje de texto   *text message*
el navegador   *browser*
el nombre de usuario   *username*
el programa (de computadora)   *software*
el puerto (USB)   *(USB) port*
el punto   *dot (.)*
la red social   *social network*
el satélite   *satellite*
la tableta/*tablet*   *tablet*
el televisor (de pantalla plana/de alta definición)   *(flat screen/high definition) TV set*
la videoconsola   *video game console*
el volumen   *volume*

El automóvil   *Automobile*

el acelerador   *accelerator, gas pedal*
el carro híbrido/eléctrico   *hybrid/electric car*
el freno   *brake*
la llanta   *tire*
el maletero   *trunk*
el motor   *motor*
la radio (por satélite)   *(satellite) radio*
el sistema GPS   *GPS*
el tanque   *tank*
el volante   *steering wheel*

En la carretera   *On the road*

la autopista   *expressway, freeway*
el camión   *truck*
la carretera   *road*
el carril   *lane*
el/la conductor(a)   *driver*
el cruce   *intersection*
la cuadra   *block (in a city)*
la esquina   *corner*
la gasolina   *gas*
la gasolinera   *gas station*
la licencia de manejar   *driver's license*
el límite (de velocidad)   *(speed) limit*
la moto(cicleta)   *motorcycle*
el seguro   *insurance*
el semáforo   *traffic light*
la señal   *sign*
el taller mecánico   *mechanic shop*
el tráfico   *traffic*
la velocidad   *speed*

Verbos y expresiones verbales

averiarse   *to break down, to stop working*
cruzar   *to cross*
doblar   *to turn*
estacionar   *to park*
funcionar   *to work, to run (machine)*
intentar   *to try, to attempt*
llenar   *to fill*
parar   *to stop*
probar (ue)   *to try, to test out*
prohibir   *to forbid*
reparar   *to repair*
romperse   *to break, to get broken*
seguir (i, i)   *to continue, to follow*

Adjetivos, adverbios y frases adverbiales

a la derecha/izquierda   *to the right/left*
adicto/a   *addicted*
cómodo/a   *convenient*
derecho   *straight ahead*
digital   *digital*
electrónico/a   *electronic*
híbrido/a   *hybrid*
gratis   *free of charge*
lento/a   *slow*
rápido/a   *fast*

Conjunciones para expresar condición o propósito

a menos que   *unless*
con tal de que   *provided that*
en caso de que   *in case*
para que   *so that; in order that*

Los números ordinales

See page 442.

El mundo en las noticias

Learning Objectives
In this chapter, you will:

- Participate in conversations about world challenges and solutions.
- Express pending and hypothetical actions.
- Identify aspects of activism in the Spanish-speaking world.
- Explore and research Equatorial Guinea.
- Identify main ideas in written and spoken texts.
- Write and present a news broadcast.
- Write a petition to a person of authority.

 Así se pronuncia Regional variations

VideoEscenas Alcaldes unidos

Los nuevos revolucionarios de Cuba Completa las actividades.

1. Contesta estas preguntas.
- ¿Sigues las noticias (*news*) regularmente? ¿Qué medios prefieres: periódicos, canales de noticias o algo diferente?
- ¿Consultas las noticias en redes sociales? Si es así, ¿qué fuentes o a qué personas sigues?
- ¿Qué sabes sobre la situación política y social de Cuba? ¿Sabes qué fue la Revolución cubana?

2. Vas a ver parte del reportaje *Los nuevos revolucionarios de Cuba*, del servicio de noticias BBC Mundo. Esta imagen pertenece al video. ¿Cómo imaginas que este joven puede ser un "nuevo revolucionario"?

Duración: 6:54
Fuente: BBC News Mundo

3. Mira el video hasta el minuto 1:55 y contesta estas preguntas.
- ¿Qué dice el video sobre las noticias y la información en Cuba?
- ¿Qué evento está cambiando esta situación? ¿Qué ha significado este evento para los cubanos?
- ¿Quiénes son los "nuevos revolucionarios"? ¿A qué se refiere este término?

4. Mira el video completo y contesta estas preguntas.
- ¿Quiénes son Sergio, Myrna y Pedrito? ¿Qué hacen?
- ¿Qué dice el periodista Abraham Jiménez sobre el pasado y el presente de la información en Cuba?

5. En grupos pequeños, contesten las preguntas.
- ¿Cómo se informan ustedes de eventos públicos y privados (como fiestas, etc.)?
- ¿Cuáles son las posibles ventajas y desventajas de que ciudadanos sin formación como periodistas asuman una función de reporteros o informadores?

> **Palabras útiles**
> involucrado/a
> *involved*
> permitir
> *to allow*
> la voz
> *voice*

ASÍ SE DICE

S Audio: Vocabulary | **Learning Objective:** Discuss world challenges and solutions.

El mundo en las noticias

TELENOTICIAS (el noticiero)

- sufrir — el hambre
- los desamparados
- **AUMENTA LA POBREZA**

- el/la gerente
- la entrevista — solicitar
- la solicitud (de empleo)
- **BAJA DEL DESEMPLEO**

- las drogas
- **CRISIS DE SALUD PÚBLICA**

- construir — el voluntario/la voluntaria
- enseñar
- Proyecto Habitar
- **EL VOLUNTARIADO CAMBIA VIDAS**

- robar
- el/la delincuente — la víctima
- la violencia
- **OLA DE ROBOS**

- el/la inmigrante
- **LEY DE INMIGRACIÓN**

- la guerra
- la bomba
- la paz
- **BOMBA MATA CIVILES**

- el reportero

- la igualdad — la libertad
- NO A LA ESCLAVITUD DEL S.XX
- RECUPEREMOS NUESTROS DERECHOS
- POR UNA VIDA DIGNA
- MÁS JUSTICIA
- **PIDEN JUSTICIA SOCIAL**

el terrorismo | la explosión

ATAQUE TERRORISTA

apoyar

votar (por) | el/la ciudadano/a

el candidato/la candidata

ELECCIONES A PRESIDENTE DE GOBIERNO

la reportera

la enfermedad

la medicina

ÉXITOS EN LA INVESTIGACIÓN DEL CÁNCER

los/las líderes

informar/reportar

ACUERDO SOBRE DERECHOS HUMANOS

Apoyo de vocabulario

el acuerdo	*treaty, agreement*
apoyar	*to support*
el/la ciudadano/a	*citizen*
construir (irreg.)	*build*
el/la delincuente	*criminal*
el delito	*misdemeanor, crime*
los derechos (humanos)	*(human) rights*
los desamparados	*homeless people*
la enfermedad	*illness*
enseñar	*to teach*
el éxito	*success*
el/la gerente	*manager*
la guerra	*war*
la igualdad	*equality*
la investigación	*research*
la ley	*law*
la libertad	*freedom*
solicitar	*to apply for*
la solicitud (de empleo)	*(employment) application*

¡Atención!

- Note that all the new vocabulary in the headlines is part of the active vocabulary to study.

- **Éxito** is used with **tener** in the expression **tener éxito**, which translates as "to be successful" in English.

¿Qué observas? Contesta las preguntas sobre las imágenes.

1. ¿Cuál es la situación de los desamparados: no tienen casa o no tienen familia? ¿Qué es la pobreza: no tener dinero o no tener comida? ¿Y el hambre?

2. ¿Por qué tipo de trabajo se recibe compensación económica: por un empleo o por voluntariado?

¿Y tú? Contesta las preguntas sobre ti mismo/a.

1. ¿Te gustaría ser reportero/a? ¿Por qué? ¿Tienes un(a) reportero/a favorito/a? ¿Qué te gusta de él o ella?

2. ¿Te interesan más las noticias locales, nacionales o internacionales? ¿Te interesan más las noticias de política, economía, sociedad o ciencia? ¿Por qué?

3. ¿Haces o has hecho trabajo voluntario? ¿Qué tipo de actividad? Si no lo has hecho, ¿te gustaría participar en el futuro?

ASÍ SE DICE

1 **¿Persona, problema u objetivo?** Vas a describir algunas palabras.

Paso 1 Escucha las palabras e indica a qué categoría corresponde cada una.

Persona(s)	Problema	Objetivo

Paso 2 Para cada categoría del **Paso 1**, escoge una palabra que consideras importante. Explica en dos o tres líneas tus elecciones.

2 **El mundo en las noticias** En parejas, escojan una de las imágenes de la presentación de vocabulario. Imaginen que ustedes son los/las reporteros/as. Escriban la noticia e inventen los detalles usando palabras del vocabulario. Deben estar preparados/as para compartir la noticia con la clase.

3 **¿Cuáles son las noticias actuales?** Vas a comentar algunas noticias de estos días.

Paso 1 Estas son algunas secciones de noticieros y periódicos. Individualmente, anota el tipo de noticias que probablemente vas a encontrar en cada sección. Después, compara tus ideas con las de un(a) compañero/a.

> **Modelo** *En la sección de política vamos a encontrar noticias sobre nuevas leyes del gobierno,...*

> Política   Economía   Sociedad   Internacional   Ciencia y tecnología   Deportes

Paso 2 Individualmente, escribe los titulares (*headlines*) de tres noticias de actualidad que te han interesado, sorprendido, preocupado o que son especialmente relevantes para tu comunidad. Luego escribe un resumen de cada una. Incluye por qué es interesante o relevante y qué implicaciones o consecuencias puede tener en el futuro.

Paso 3 En grupos pequeños, compartan y comenten sus noticias. ¿Tienen intereses y preocupaciones similares? ¿Han aprendido algo nuevo de las noticias de sus compañeros/as?

Problemas del mundo actual

NUESTRO MUNDO

En la historia de la humanidad han existido muchos retos (*challenges*), como las guerras, las enfermedades y la injusticia. Hemos progresado en algunas áreas, pero todavía existen muchos problemas en el mundo **actual** y hay diferentes perspectivas sobre ellos.

Algunos problemas globales parecen difíciles de **resolver**. ¿Podremos…

- evitar las guerras y **mantener** la paz?
- **eliminar al menos** parte de la pobreza y el hambre del mundo?
- eliminar los **prejuicios** y la **discriminación**?
- prevenir el **narcotráfico** y la **drogadicción**?
- **controlar** la sobrepoblación en el mundo?
- parar el calentamiento global y proteger el medio ambiente?

En algunos temas hay perspectivas diferentes, con posiciones **a favor de(l)** y **en contra de(l)**…

- derecho a llevar **armas**
- derecho de la mujer a **escoger** el **aborto**.
- la **pena de muerte**.
- **legalizar** el matrimonio entre personas del mismo sexo.
- prohibir o regular contenido sobre evolución, género o teoría crítica de la **raza** en las escuelas.
- facilitar la residencia legal a inmigrantes indocumentados.

Los gobiernos deben tomar decisiones y crear **políticas** para el progreso. Debaten…

- el aumento, reducción y distribución de **impuestos**.
- la inversión en investigación y tecnología para encontrar **curas** a enfermedades como el cáncer.
- la inversión en el **ejército** y la defensa militar
- las leyes necesarias para **conseguir** la igualdad y **los derechos humanos** para todos.
- el sistema electoral y el derecho al voto.
- la creación de sistemas públicos gratuitos de salud y educación.

> ¿Cuáles de estos temas son importantes para usted? ¿Querría usted **luchar por** alguna causa?

Apoyo de vocabulario

actual	*current*	el impuesto	*tax*
al menos	*at least*	luchar por	*to fight for*
el arma	*weapon*	el mundo	*world*
conseguir	*to achieve*	el narcotráfico	*drug trafficking*
el ejército	*army*	la política	*policy*
escoger	*to choose*	resolver (irreg.)	*to solve*
estar a favor de/en contra de	*to be in favor of/against*		

Nota de lengua

Note the differences among:

- **derecho**
  straight (ahead)
  la derecha
  right (side)
  Siga **derecho** por dos cuadras y gire a **la derecha**.

- **el derecho (a)**
  the right (to)
  los derechos (humanos)
  (human) rights
  Todos tenemos **el derecho a** la salud. La salud es **un derecho humano**.

- **la política** can refer to *politics*, or a *female politician*, or a *policy*. La tía de Irene es **política**; es diputada en el Congreso. Quizá por eso a Irene le interesa mucho **la política**. Ahora está escribiendo un análisis sobre **las políticas** de educación de nuestro estado.

¡Atención!

Escoger changes the **g** to **j** to maintain the same pronunciation in the **yo** form of the present indicative—**escojo**—and in all forms of the present subjunctive: **escoja, escojas, escoja, escojamos, escojáis, escojan**.

1 Asociaciones Vas a compartir ideas sobre organizaciones de ayuda.

Paso 1 Forma grupos de tres o cuatro palabras asociadas. Indica cómo están relacionadas.

las armas	el ejército	la política
conseguir	escoger	los prejuicios
controlar	la guerra	prevenir
el derecho	legalizar	prohibir
la discriminación	la ley	resolver

Paso 2 En parejas, comparen sus grupos de palabras y comenten qué diferencias encuentran.

2 Organizaciones ¿Qué causas apoyan estas organizaciones?

Paso 1 Individualmente, indica qué causa corresponde a cada organización.

Chef José Andrés, fundador de World Central Kitchen

Organización	Causa
_____ **1.** World Central Kitchen	**a.** Lucha por los derechos humanos y contra la pena de muerte.
_____ **2.** Organización Mundial de la Salud	**b.** Protege el medio ambiente.
_____ **3.** Amnistía Internacional	**c.** Ayuda a víctimas de conflictos y catástrofes naturales.
_____ **4.** PETA	**d.** Ofrece asistencia médica a poblaciones en situación precaria, víctimas de conflictos, etc.
_____ **5.** UNICEF	**e.** Intenta eliminar la discriminación contra personas de la comunidad LGBTQ+.
_____ **6.** Greenpeace	**f.** Defiende los derechos de los animales.
_____ **7.** Campaña de Derechos Humanos (HRC, por sus siglas en inglés)	**g.** Lucha para eliminar la pobreza y apoya el desarrollo de las comunidades.
_____ **8.** Cruz Roja	**h.** Promueve la salud pública a nivel mundial.
_____ **9.** Oxfam	**i.** Defiende los derechos de los niños.
_____ **10.** Médicos sin fronteras	**j.** Distribuye comida durante desastres naturales y guerras.

¡Atención!

- PETA, UNICEF. The names of these organizations are not translated into Spanish, and their acronyms are read as words.

- The present indicative of **construir** is **construyo**, **construyes**, **construye**, **construimos**, **construís**, **construyen**.

Paso 2 Individualmente, escoge tres organizaciones del **Paso 1** u otras que apoyas o te gustaría apoyar. Luego, en grupos pequeños, explica tu elección a tus compañeros/as.

3 **Los objetivos de desarrollo sostenible** Vas a compartir ideas sobre este cuadro de objetivos de desarrollo sostenible de la ONU.

Paso 1 En parejas, miren el cuadro y piensen a qué categorías pertenece cada objetivo. ¿Hay objetivos difíciles de categorizar?

> Economía   Salud   Paz e igualdad   Medio ambiente

Fuente: Naciones Unidas

Paso 2 En parejas, escojan un objetivo de cada línea (*row*) del cuadro del **Paso 1**. Para cada uno, describan la situación actual o situaciones actuales e indiquen qué políticas gubernamentales y acciones de organizaciones públicas y privadas pueden conseguir ese objetivo.

> **Modelo**   *Objetivo 14. La vida submarina está en crisis. Existen muchos problemas, por ejemplo... Los gobiernos deben...*

4 **Problemas en nuestra comunidad** Vas a participar en una presentación sobre un problema de tu comunidad.

Paso 1 En parejas, escojan dos problemas importantes de su ciudad o región. Escriban descripciones detalladas de estos problemas, incluyendo información relevante sobre sus causas, consecuencias, personas o grupos involucrados y otros detalles.

Paso 2 Con otra pareja, primero imaginen que tienen una oportunidad para hablar de uno de los problemas a los líderes de su comunidad. Comparen, comenten sus listas y escojan juntos/as un problema. Luego, preparen su presentación para los líderes de su comunidad, con una descripción clara del problema y algunas propuestas para resolverlo.

☐ **I CAN** discuss world challenges and solutions.

1. Discuss pending actions

The subjunctive with time expressions

Read and listen to this text, focusing on the message. Then, note the subordinate, or dependent, clauses in boldface and answer the questions.

1. What words introduce these clauses? What types of meanings do these words express?
2. Observe the verb forms in these clauses, what do you observe about when indicative and subjunctive tenses are used?

> Queridos voluntarios y voluntarias:
>
> **Cuando recibí** su propuesta para un programa de lectura, me pareció una gran idea y les agradezco su generosidad. Por favor, completen el formulario adjunto **antes de empezar** su voluntariado y envíenmelo **tan pronto como esté** listo. No pueden trabajar con niños **hasta que** lo **completen**. **Cuando lleguen** a la escuela, vayan a recepción y den su nombre a la Sra. Blanco. Después, esperen en la biblioteca **hasta que** los grupos de estudiantes **lleguen**.
>
> De nuevo, gracias por su tiempo y entusiasmo. **Cuando** ustedes **leen** con los más pequeños, les enseñan a amar los libros.
>
> Sonia Soto, Directora

Cuando los voluntarios leen con los niños, les enseñan a amar los libros.

Some subordinate clauses express when the main action or event takes place and are introduced by the following conjunctions of time:

cuando	*when*	antes de que	*before*	después de que	*after*
hasta que	*until*	tan pronto como	*as soon as*		

In these clauses, the subjunctive is used when the action is pending—it has not yet occurred. In contrast, if the action has been completed or experienced—past or habitual actions—the indicative is used.

Action pending, yet to occur → subjunctive

Cuando llegue a la escuela, te llamaré.	*When I arrive at the school, I'll call you.*
Organizaré las tareas **antes de que lleguen** los voluntarios.	*I will organize the tasks before the volunteers arrive.*
Los niños vendrán **después de que terminen** sus clases.	*The kids will come after they finish their classes.*
Tan pronto como llegues, pasa por la oficina.	*As soon as you arrive, stop by the office.*

Completed or habitual action → indicative

Daniel me llamó **cuando llegó** a la escuela.	*Daniel called me when he arrived at the school.* (completed)
La reunión no empezó **hasta que llegaron** todos.	*The meeting did not start until everyone arrived.* (completed)
Nuestros voluntarios responden **tan pronto como reciben** nuestra llamada.	*Our volunteers respond as soon as they get our call.* (habitual)

> **¡Atención!**
>
> Because it signals an action that has not yet occurred at the time of reference, the conjunction **antes de que** is always followed by the subjunctive, even if the general event takes place in the past.
>
> **Nos atacó antes de que lo viéramos.** *(It attacked us before we saw it.)* → the action of seeing is pending in relation to the moment when the attack took place.

When there is no change of subject, the conjunctions drop **que** and the subordinate clause takes an infinitive.

Change of subject → subjunctive	No change of subject → infinitive

Lo terminaremos **antes de que salgas**.   Lo terminaremos **antes de salir**.

Nos quedaremos aquí **hasta que lo termines**.   Nos quedaremos aquí **hasta terminarlo**.

1 **¿El pasado, el presente o el futuro?** Vas a compartir algunas experiencias.

Paso 1 Individualmente lee estas oraciones y elige la forma correcta del verbo en indicativo, subjuntivo o infinitivo.

1. Cuando (tenía / tuviera / tener) diez años, miraba el noticiero casi todos los días.
2. Leeré el periódico cuando (tengo / tenga / tener) más tiempo.
3. Veo los titulares (*headlines*) del día en mi teléfono cuando (me despierto / me despierte / despertarme).
4. A veces, cuando (veo / vea / ver) las noticias, me siento frustrado/a y preocupado/a.
5. Después de (veo / vea / ver) las noticias, a veces las comento con mis amigos/as.
6. Cuando (empecé / empezara / empezar) a aprender español, ya había visto un poco de televisión en español.

Paso 2 Indica si la acción de cada oración del **Paso 1** se refiere al pasado, al presente o al futuro.

	Pasado	Presente	Futuro		Pasado	Presente	Futuro
1.	☐	☐	☐	5.	☐	☐	☐
2.	☐	☐	☐	6.	☐	☐	☐
3.	☐	☐	☐	7.	☐	☐	☐
4.	☐	☐	☐				

Paso 3 En grupos pequeños, comenten si las afirmaciones del **Paso 1** son ciertas para ustedes o no, elaborando con algunos detalles.

> **Modelo** *Cuando tenía diez años casi nunca miraba el noticiero. Mis padres sí lo miraban frecuentemente, pero yo no estaba interesado/a. ¿Y ustedes?*

En mi experiencia

Ann, Davenport, IA

"I signed up for a Spanish community service course in my Spanish department, and I admit that I began the experience with a bit of a 'savior complex.' But I soon learned that the recent immigrants I was assigned to assist were incredibly strong, resilient people and they were often victims of unfair practices and policies. They really opened my eyes and taught me so much—more than I could ever hope to teach them."

Have you ever engaged in community service? What were your experiences like?

2 **Proyecciones futuras** Vas a compartir algunas ideas sobre el futuro.

Paso 1 Individualmente, completa las oraciones con tus proyecciones para el futuro.

Medicina y tecnología

1. Antes de que llegue el año _____, habrá una cura para el cáncer.
2. Cuando alguien desarrolle _____, muchas cosas cambiarán.
3. Muchas personas tendrán una vida mejor cuando haya un tratamiento efectivo para _____.

Política nacional e internacional

4. Después de que el/la presidente/a actual termine su mandato (*term*), _____ ganará las elecciones.
5. Muchos ciudadanos se alegrarán cuando se apruebe una ley para legalizar/prohibir _____.
6. No habrá paz en el mundo hasta que se resuelva este problema: _____.

Sociedad y medio ambiente

7. El problema de la drogadicción va a mejorar (*improve*) tan pronto como haya _____.
8. No vamos a eliminar la pobreza hasta que tengamos _____.
9. Tenemos que consumir menos y reciclar más, pero eso solo va a pasar después de que _____.

Paso 2 En parejas, primero comparen sus proyecciones del **Paso 1** y descubran si tienen opiniones parecidas. Después, escriban dos proyecciones más sobre uno de los temas del **Paso 1**.

3 **En mi futuro** Completa estas oraciones con las formas apropiadas de los verbos en paréntesis y lo que tú imaginas para tu futuro. Después, comparen sus ideas en grupos pequeños.

1. Después de que _____ (terminar) el semestre, _____.
2. Cuando _____ (graduarse), _____.
3. No voy a _____ hasta que _____ (tener) _____.
4. Antes de que _____ (cumplir) 50 años, _____.
5. Tan pronto como _____ (tener) dinero suficiente, _____.

4 **¿Cuándo?** Completa las oraciones refiriéndote a tus experiencias y planes. Después, compara tus ideas con un(a) compañero/a. ¿Tienen opiniones similares?

1. Un momento muy feliz para mí fue cuando _____
2. Un día que me sentí muy triste fue cuando _____
3. En general, estoy contento/a cuando _____
4. No me sentiré satisfecho/a antes de _____
5. El día más feliz de mi vida será cuando _____

☐ **I CAN** discuss pending actions.

Resources

vhlcentral

SAM

online activities

Los jóvenes y
el activismo

Antes de leer

1. En tu experiencia Contesta las preguntas.

1. ¿Qué acciones de activismo conoces en Estados Unidos?

2. ¿Has participado o visto alguna marcha de protesta? ¿Qué se pedía o contra qué se protestaba?

Los países de América Latina cuentan con una larga y compleja historia. Muchos han vivido bajo colonialismo, intereses imperialistas, dictaduras y gobiernos liderados por las élites y hoy persisten algunas desigualdades. Yanina Welp, del Centro para la Democracia Albert Hirschman, opina sobre los retos que enfrentan los jóvenes: "(Cuando) yo era joven, la expectativa era que los hijos viviríamos mejor que nuestros padres y abuelos; ahora esto no es así". Los jóvenes universitarios se han organizado y han tomado las calles para manifestarse° contra sistemas injustos y para hacer demandas a sus gobiernos. A veces estas protestas son recibidas con represión, pero también han conseguido importantes cambios.

Chile, 2019: Un gran descontento social llevó a un "estallido° social", uniendo a más de un millón de manifestantes. Se logró un Acuerdo por la Paz Social y la Nueva Constitución.

Perú, 2020: El presidente Martín Vizcarra fue destituido° y reemplazado en un acto que muchos peruanos consideraron inconstitucional. Más de la mitad de los jóvenes de 18 a 24 años protestaron y se anuló° al gobierno ilegítimo.

Colombia, 2021: Una reforma con nuevos impuestos° para la clase media-baja unió a cientos de miles de personas en un "Paro Nacional". La reforma se canceló y el ministro de Hacienda° renunció.

manifestarse *to demonstrate* **el estallido** *outburst* **destituido/a** *demoted* **anular** *to overturn* **el impuesto** *tax* **Hacienda** *Treasury*

❚ Marcha en Santiago de Chile, 2019

Después de leer

2. Identificar Indica cuáles de estas ideas están en el texto.

☐ 1. Hay desigualdades entre países ricos y pobres.

☐ 2. La generación actual duda que vaya a tener una vida mejor que las generaciones anteriores.

☐ 3. Las manifestaciones de los estudiantes tienen éxito a veces.

☐ 4. En Perú solo una minoría de los jóvenes no salió a protestar.

☐ **I CAN** identify aspects of activism in the Spanish-speaking world.

3. Comentar En parejas, comenten estas preguntas.

1. ¿Piensas que las manifestaciones son efectivas? ¿Qué ventajas y desventajas tienen?

2. ¿Crees que el activismo es un aspecto importante en tu comunidad o sientes que las personas deberían involucrarse más? ¿Por qué causas irías a una marcha o manifestación?

3. ¿Qué otras formas de activismo has usado o usarías para una causa importante para ti?

Resources

S

vhlcentral

online activities

2. React to recent events

The present perfect subjunctive

Read and listen to this text, focusing on the message. Then, note the verb forms in boldface. How are they formed? What time frame corresponds to this verb tense?

OFICINA DE EMPLEO

Noticias de economía. Esta tarde se anuncian los datos económicos del último semestre. Se espera que las políticas del nuevo gobierno **hayan tenido** éxito. Según los expertos, es posible que el desempleo **haya bajado** y que el consumo **haya aumentado** de nuevo. Por su parte, el líder de la oposición no es optimista y piensa que la situación no ha cambiado de forma significativa para las personas más pobres.

Se espera que el desempleo haya bajado.

In previous chapters you have learned when to use the subjunctive. You have also learned that there are different subjunctive tenses, and their use has to do with the time frame of the action or event.

Present subjunctive: **Esperamos** que el desempleo **baje** en los próximos meses.

Imperfect subjunctive: **Esperábamos** que el desempleo **bajara** el año pasado.

The present perfect subjunctive is used in the same contexts as other subjunctives, and it conveys past action as continuing or relevant to the present.

Ojalá que el desempleo **haya bajado** en estos últimos meses.

We hope that unemployment has gone down in these last few months.

Votaremos por políticos que **hayan mostrado** integridad.

We need politicians that have shown integrity.

The present perfect subjunctive is formed with the present subjunctive of **haber** + *past participle*.

> el presente de subjuntivo de **haber** + el participio pasado

hacer	
(yo) **haya hecho**	(nosotros/as) **hayamos hecho**
(tú) **hayas hecho**	(vosotros/as) **hayáis hecho**
(usted/él/ella) **haya hecho**	(ustedes/ellos/ellas) **hayan hecho**

¡Atención!

Note that the choice between indicative and subjunctive mood is independent of tense. If it seems complicated at first, it may help to decide first whether the structure requires subjunctive, and then think about the appropriate tense.

No creo que... → requires subjunctive

No creo que sea fácil.
I don't think it is/will be easy.

No creo que haya sido fácil.
I don't think it has been easy.

1 **Buscando empleo** Vas a reaccionar a lo que te dice un amigo.

Paso 1 Tu amigo te cuenta sobre su búsqueda de empleo. Escucha lo que te dice e indica el número que corresponde a cada respuesta.

Tú le respondes:

_____ Es importante que hayas hablado de tus cualidades con honestidad.

_____ Me alegro mucho de que hayas conseguido pasar al siguiente paso del proceso.

_____ Espero que te hayan respondido muchas de ellas.

_____ ¡Ojalá que te hayan ido muy bien!

_____ Es estupendo que hayas estudiado español este semestre.

_____ Es probable que nadie lo haya notado.

Paso 2 Indica la forma correcta para estas otras cosas que te cuenta tu amigo.

1. ¡Ayer recibí una oferta de empleo! Me sorprende que me (ofrezcan / hayan ofrecido) el puesto después de la primera entrevista.

2. No sé, es posible que (necesiten / hayan necesitado) a alguien urgentemente.

3. Las condiciones y el sueldo no son muy buenos, espero que (pueda / haya podido) negociarlos.

4. Finalmente, no quisieron negociar y rechacé el puesto. Espero que (tome / haya tomado) la decisión correcta.

2 **Un(a) candidato/a político/a** Vas a compartir opiniones sobre un(a) candidato/a político/a.

Paso 1 Individualmente, indica qué formación, experiencias y comportamientos (*behaviors*) debe haber tenido o no un(a) candidato/a político/a. Puedes usar estos verbos u otros diferentes.

> **Modelo** (No) Es importante que *un candidato político haya estudiado en la universidad/haya estudiado economía...*

aprender	decir	dirigir	estudiar	ser
colaborar	demostrar	escuchar	saber	trabajar

1. (No) Es importante que _____.

2. (No) Espero que _____.

3. Prefiero que (no) _____.

4. Es mejor que (no) _____.

5. (No) me importa que _____.

6. (No) Es necesario que _____.

Paso 2 En parejas, túrnense para leer sus perspectivas. Incluyan varios detalles y comenten las perspectivas de su compañero/a.

> **Modelo** **Estudiante A:** *En mi opinión, es muy importante que un candidato político haya estudiado en la universidad porque...*
> **Estudiante B:** *Sí, es verdad. Es importante que haya estudiado.../ No, para mí no es muy importante que haya estudiado en la universidad porque... Para mí, es importante que...*

3 **¿Qué piensan sobre estas noticias?** Hay noticias preocupantes, positivas, interesantes y divertidas.

Paso 1 Individualmente, indica tu reacción a estas noticias. Al final, añade otras dos noticias recientes y escribe tu reacción a ellas.

> **Modelo** El panda gigante ya no está en peligro de extinción.
> *Me alegro mucho de que el panda gigante ya no esté en peligro de extinción, porque...*

1. Más del 20% de la energía que ha producido Estados Unidos recientemente es energía limpia.
2. Unos científicos han desarrollado la primera vacuna contra la malaria.
3. El número de víctimas de conflictos armados en el mundo ha crecido recientemente.
4. La brecha salarial (*gender pay gap*) no ha cambiado de forma significativa en los últimos años.
5. _____
6. _____

Paso 2 En grupos pequeños, compartan sus reacciones del **Paso 1**. También compartan las dos noticias que escribieron y reaccionen a las noticias de sus compañeros/as.

> **Modelo** **Estudiante A:** *Me alegro mucho de que el panda gigante ya no esté en peligro de extinción, porque...*
> **Estudiante B:** *Sí, a mí también me alegra. Además, me sorprende que hayan conseguido esto cuando muchas especies están desapareciendo.*

4 **¿Qué han hecho ustedes?** Vas a compartir algunas actividades en las que has participado.

Paso 1 Individualmente, escribe tres cosas fantásticas, interesantes, difíciles o extrañas que has hecho en tu vida. Pueden ser reales o imaginarias.

Paso 2 En grupos pequeños, compartan las actividades que escribieron en el **Paso 1**. Escuchen a sus compañeros/as, reaccionen y hagan preguntas. Después van a intentar identificar las actividades reales e imaginarias. Pueden usar estas expresiones.

> **Modelo** **Estudiante A:** *He saltado de un avión en paracaídas.*
> **Estudiante B:** *Me sorprende que hayas saltado de un avión en paracaídas. ¿Cuándo lo hiciste?*

Dudo que	Me alegro de que
Es extraño/horrible que	Me sorprende que
Es genial/increíble que	No creo que

☐ **I CAN** react to recent events.

Resources

vhlcentral

SAM

online activities

3. Express hypothetical situations

Si clauses

 VideoEscenas

Nota de lengua
Remember that
si clauses can be
followed by present
indicative or imperfect
subjunctive, never
present subjunctive.

Read and listen to the text, focusing on the message. Note the **si** clauses and verb forms in boldface. Then, answer the questions.

1. What types of meanings do **si** clauses express?

2. Note the correlations between the verbs in **si** clauses and in the main clause. What can you tell about these correlations? What differences in meaning do they express?

> Me importa lo que pasa en el mundo, pero **si veo** los noticieros, me **quedo** desmoralizado. **Si pudiera** cambiar algo, **eliminaría** todas las desigualdades: de género, de raza, económicas. **Si tuviéramos** la convicción de que todas las personas son iguales, **exigiríamos** (*demand*) a los gobiernos políticas para garantizar los mismos (*same*) derechos para todos. Estudio educación y he aprendido que **si** todos los niños **tuvieran** acceso a una educación de calidad, **tendrían** más oportunidades y **podrían** elegir su futuro. **Si damos** prioridad a ese objetivo, **conseguiremos** un mundo mejor para todos.

To express possibilities or hypothetical situations, we use **si** (*if*) clauses.

▶ When the **si** clause conveys that a situation is *possible or probable*, use this structure.

si + *present indicative*, (then) *present/future*

Si no puedo leer el periódico, **escucho** un *podcast* de noticias.	*If I cannot read the paper, I listen to a news podcast.*
Si tengo tiempo, **leeré** el reportaje esta noche.	*If I have time, I'll read the report tonight.*

▶ When the **si** clause expresses a *hypothetical situation*, i.e., contrary-to-fact or not likely to occur, use this structure.

si + *imperfect subjunctive*, (then) *conditional*

Si **tuviera** dinero, **donaría** a una organización de ayuda a refugiados.	*If I had the money, I would donate it to an organization that helps refugees.*

▶ Note that the clauses can appear in either order, **si** clause first or last. Use a comma only when the **si** clause is first.

Leeré el reportaje esta noche **si tengo** tiempo.   *I'll read the report tonight if I have time.*

1 **Emociones** Indica qué consecuencia corresponde a cada situación según tu opinión. Cuando termines, completa la situación que no tenga consecuencia.

1. Estaría muy triste si...
2. Estaría muy preocupado/a si...
3. Me sorprendería si...
4. Me enojaría si...
5. Me alegraría si...
6. Estaría muy nervioso/a si...
7. Estaría deprimido/a si...
8. Estaría más tranquilo/a si...
9. Tendría miedo si...

a. subiera la tasa de desempleo.
b. mi candidato favorito ganara las elecciones.
c. no hubiera contaminación.
d. un(a) amigo/a consumiera drogas.
e. fuera víctima de un robo.
f. los profesores no trataran a todos con igualdad.
g. escuchara una explosión.
h. el noticiero dijera que hay una cura para el cáncer.
i. ...

2 **¿Qué harías?** Vas a compartir ideas sobre tu universidad.

Paso 1 Individualmente, completa las oraciones según tu opinión.

1. Si hubiera una manifestación en contra/a favor de _____, participaría en ella porque...

2. Si pudiera cambiar algo en el campus, cambiaría _____ porque...

3. Si pudiera añadir (*add*) un curso/una especialización nueva, sería _____ porque...

4. Si se pudiera renovar un espacio de la universidad, se debería renovar _____ porque...

5. Si la universidad ofreciera un nuevo servicio a los estudiantes, me gustaría tener...

6. Si pudiera pedirle una cosa al presidente/a la presidenta de la universidad, le diría/pediría...

Paso 2 Se acercan las elecciones del comité de representantes estudiantiles y tú y tus amigos/as forman un grupo para presentarse a las elecciones. En grupos pequeños, comparen sus respuestas para el **Paso 1** y escojan cuatro o cinco problemas importantes que quieran resolver.

> **Modelo** *Queremos que no haya clases los viernes.*

Paso 3 En los mismos grupos, escriban cinco oraciones explicando lo que harán si son elegidos.

> **Modelo** *Si nos eligen como representantes, pediremos que no haya clases los viernes.*

3 **Situaciones** En parejas, van a representar esta situación: El/La presidente/a de la universidad piensa hacer ciertos cambios y ha pedido a un comité que discuta sus ideas y haga recomendaciones. Ustedes forman parte de este comité. Tienen que pensar en las posibles consecuencias positivas y negativas de cada propuesta.

> **Modelo** **Estudiante A:** *Si no tenemos requisitos generales, podremos estudiar más cursos que nos interesen.*
> **Estudiante B:** *Sí, pero si no tenemos requisitos generales, no tendremos una educación general.*

- No tener requisitos generales, solo los de la especialización.
- Requerir que todos los estudiantes participen en un programa de voluntariado.
- Usar versiones electrónicas de los libros de texto y otros materiales de curso.

Nota cultural

Sigue aprendiendo: Medios en español en Estados Unidos

A great way to start reading and watching TV in Spanish is through news, especially if you focus on topics that you are interested in and familiar with. A topic that is interesting to you will motivate you and knowing about it will provide you helpful background knowledge to fill in any gaps in your understanding. There are many Spanish-language newspapers with online sites in the US, and most major English-language newspapers also have Spanish-language sections. We also recommend international news media such as CNN en español, BBC Mundo or DW español. Many of these also have YouTube channels, podcasts, etc. Because they are geared to a wider audience, and not only native Spanish speakers, they use language that is more neutral and accessible.

4 **Aventuras por el mundo hispano** Vas a compartir información sobre diversos temas.

Paso 1 Individualmente, completa las oraciones basándote en lo que has aprendido sobre el mundo hispano, incluyendo las comunidades hispanas de Estados Unidos.

> **Modelo** Si pudiera tomar clases en un país hispano, (estudiar)…
> *estudiaría en Chile.*

1. Si pudiera pasar una semana en una ciudad hispana, (ir)…
2. Si quisiera conocer un espacio natural, (visitar)…
3. Si tuviera la oportunidad de probar una comida local, (comer)…
4. Si pudiera asistir a un concierto de un grupo o cantante, (querer ver)…
5. Si tuviera la oportunidad de entrevistar a un hispano famoso, (hablar)…

Paso 2 En grupos pequeños, cada estudiante hace un sondeo en el grupo sobre uno de los temas anteriores: ciudades, espacios naturales, etc. Anota las respuestas de tus compañeros/as.

> **Modelo** *Si pudieras tomar clases en un país hispano, ¿dónde estudiarías?*

Paso 3 Formen nuevos grupos con estudiantes que tienen información sobre el mismo tema. Compartan sus datos para averiguar qué ciudades, espacios naturales, etc. son más populares. Informen a la clase.

5 **Una cadena de posibilidades** En grupos pequeños, escojan uno de los siguientes temas. En cinco minutos, escriban una cadena (*chain*) muy larga siguiendo el modelo. Después lean sus "creaciones" a la clase.

> **Modelo** Si tuviera mil dólares, *haría un viaje.*
> *Si hiciera un viaje, iría a México.*
> *Si fuera a México, comería muchas tortillas.*
> *Si comiera muchas tortillas,…*

1. Si hoy fuera domingo,…
2. Si viviera en _____,…
3. Si fuera presidente/a de Estados Unidos,…
4. Si no tuviera que trabajar nunca,…

6 **Una cápsula de tiempo** Imaginen que se va a crear una cápsula de tiempo y pueden poner adentro diez objetos que representen nuestro mundo en el siglo XXI. En grupos pequeños, decidan qué pondrían en la cápsula y por qué. Algunos grupos presentarán sus ideas a la clase.

Resources

vhlcentral

SAM

online
activities

☐ **I CAN** express hypothetical situations.

Guinea Ecuatorial

Antes de leer

✍ **1. Conocimiento previo** Contesta las preguntas.

1. ¿Dónde está Guinea Ecuatorial? ¿Puedes localizar este país en un mapa? Su nombre contiene una pista (*hint*).

2. Considerando la ubicación geográfica de este país, ¿puedes imaginar su clima, flora y fauna?

Guinea Ecuatorial es el único° país de África donde se habla español porque fue colonia de España de 1778 a 1968. Situado en la región ecuatorial de la costa atlántica, su territorio está distribuido entre el continente y cinco islas volcánicas. Conoce algunos aspectos destacados de este país.

El español

El español es lengua oficial y la lengua compartida por el 80% de los ecuatoguineanos que, además, hablan las lenguas de sus culturas originarias, como fang y bubi. El español también es el idioma principal de la educación, los medios de comunicación y la administración del país.

Bioko

En la isla de Bioko los contrastes son espectaculares. Hay volcanes como el Pico Basilé, densos bosques tropicales con una diversa población de primates, y playas donde varias especies de tortugas° marinas ponen sus huevos.

▌Malabo, capital del país

❙ A la playa de Arena Blanca llegan nubes de mariposas en la estación seca°.

Tres ciudades

La mayor ciudad es Bata, en la costa continental, aunque la capital es Malabo, en el norte de la isla de Bioko. Pero esto puede cambiar en el futuro próximo. El gobierno ha empezado a construir una nueva capital, Ciudad de la Paz, en el centro del país. Sin embargo, la construcción está parada por el momento.

Literatura

La literatura refleja las experiencias vitales ecuatoguineanas: el patrimonio africano, la etapa colonial y los desafíos del presente. Donato Ndongo-Bidyogo, exiliado en España, es el escritor más reconocido y promotor de la producción cultural del país. Una nueva generación de autores incluye a Melibea Obono, Justo Bolekia y César Brandon Ndjocu.

Riqueza étnica y cultural

Hay una gran variedad de grupos étnicos que comparten el territorio guineoecuatoriano y aportan a la gran riqueza cultural de este país. Los fangs forman la étnia más numerosa y viven en familias y clanes. Los bubis se encuentran en la isla de Bioko y son bantúes pertenecientes a la llamada "civilización del ñame". Otras comunidades son los pigmeos, ndowés, bisios, criollos fernandinos y annoboneses.

Petróleo

Guinea Ecuatorial es uno de los países más ricos de África desde que empezó la explotación de petróleo en los años 80, y esto ha permitido el desarrollo de modernas carreteras, puertos y aeropuertos. Desgraciadamente, los beneficios de estos recursos no llegan a muchos sectores de la población, que viven en la pobreza.

❘ Plataforma petrolera en el golfo de Guinea

Después de leer

2. Indicar Indica si estas afirmaciones son ciertas (**C**) o falsas (**F**), según la información del texto.

1. Muchos ecuatoguineanos solo hablan español. ..**C F**
2. En la isla de Bioko hay montañas, selvas y playas. **C F**
3. Malabo ya no se reconoce como la capital del país. ....**C F**
4. Donato Ndongo-Bidyogo escribe y apoya a otros escritores. ....**C F**
5. El petróleo no ha mejorado el nivel de vida de muchos ecuatoguineanos. ....**C F**

3. Interactuar En grupos pequeños, comenten estas preguntas.

1. ¿Qué te ha parecido más interesante sobre Guinea Ecuatorial? ¿Qué te ha sorprendido? ¿Por qué?
2. El texto menciona la gran riqueza del petróleo y la pobreza de una buena parte de la población. También menciona que hay escritores en exilio. ¿Qué podemos deducir sobre el sistema político y social de Guinea Ecuatorial con esta información?
3. Si pudieras visitar Guinea Ecuatorial, ¿qué te interesaría más: los parques naturales, las ciudades con su arquitectura, restaurantes y mercados, o pasar tiempo con la gente y conocer su cultura?

4. Investig@ en Internet Lee la estrategia e investiga en línea uno de los temas presentados en la lectura u otro tema diferente que te interese. Prepara un breve informe escrito para compartir con tu clase. Incluye imágenes y otros recursos apropiados.

> 🔍 **Estrategia digital: Integrating previous strategies**
> Review the strategies you have learned about in previous chapters. Then, in groups, share which strategies you were already using before, which ones were new to you and whether there are any other strategies you find useful when researching online. Keep those in mind as you research for this activity.

Resources

vhlcentral

online activities

☐ **I CAN** identify one or two products and/or practices from Equatorial Guinea.

único/a *only one* **la tortuga** *turtle* **la estación seca** *dry season*

DICHO Y HECHO

S Audio: Reading | **Learning Objective:** Identify facts in a text about news reporting.

Lectura

Antes de leer

1. Anticipar Contesta estas preguntas.

1. ¿Qué significa el término **desinformación**? ¿Con qué tipos de medios o eventos lo asocias?

2. Considera el título del texto, ¿qué ideas anticipas en el texto?

2. Aplicar Lee la estrategia y selecciona las estrategias específicas que quieres usar para leer el texto de manera más eficiente. Considera qué estrategias pueden ser más apropiadas para un artículo periodístico y cuáles fueron más efectivas para ti en el pasado.

> **Estrategia de lectura: Integrating previously learned strategies**
>
> Throughout this textbook you have learned a variety of strategies for improving your comprehension of texts written in Spanish. Take a few minutes to review them. Choose two or more strategies to combine as you read the selection that follows. For example, you might scan for cognates before reading to get some clues as to the topic, then pause and summarize the main idea of each paragraph as you read.

A leer

3. Completar Lee el texto prestando atención a las ideas principales. Después, completa estas oraciones usando tus propias palabras.

1. El trabajo de organizaciones como Chequeado es una respuesta a _____.

2. Estas organizaciones quieren ayudar a _____.

3. La tarea de Chequeado consiste en _____.

4. Según Luis Botello, las consecuencias de la desinformación son _____.

5. Para Laura Zommer, a las redes sociales les interesa que no veamos perspectivas diferentes porque _____.

---

la **herramienta** *tool* el **crecimiento** *growth* **verdadero/a** *truthful* el **inicio** *beginning* **medio/a** *average* el **hecho** *fact* **disponible** *available* la **fuente** *source* la **cámara** *chamber* **descartar** *to discard* la **etiqueta** *label* **engañoso/a** *misleading* **escaso/a** *scarce* la **amenaza** *threat* el **odio** *hate* **dejar** *to keep*

LIBERTAD DE PRENSA

Mecanismos de verificación, herramientas° que luchan contra la desinformación en América Latina

El crecimiento° de las iniciativas de chequeo a nivel mundial ha sido ponderado por organizaciones que defienden la libertad de prensa como una de las primeras líneas de defensa en contra de la desinformación.

WASHINGTON — En los últimos años se han multiplicado en América Latina las iniciativas de verificación de datos o fact-checking, la mayoría de ellas en respuesta, precisamente, a esta problemática.

Para Luis Botello, vicepresidente adjunto de Impacto Global y Estrategia del Centro Internacional para Periodistas, "estamos en una era que algunos llaman la era de la desinformación, en donde el ecosistema mediático que presentamos hoy día no permite que los ciudadanos puedan definir entre lo que es verdadero° y falso".

Laura Zommer, experta en fact-checking, directora de Chequeado y cofundadora de Factchequeado, dijo a la VOA que hoy día que existen más de 300 organizaciones de chequeo en 102 países del mundo. "La libertad de prensa y el derecho a la información es un derecho humano. Todos tenemos derecho a tener buena información para tomar mejores decisiones, sea la decisión que sea con toda la libertad", señala la experta.

Según Zommer, Chequeado es un proyecto en línea creado en octubre de 2010, pionero en Argentina y la región. "La innovación principal que tuvo Chequeado, desde el inicio°, es que no solo chequeamos a líderes públicos, sino también a medios, a líderes sociales, a empresarios, a cualquiera que tenga una voz que resuene más que la del ciudadano medio°", dijo la experta.

Su objetivo es contrastar lo que se dice con los hechos° y los mejores datos disponibles° que, en muchos casos, son de gobiernos o, cuando esos datos no son fiables, se buscan fuentes° alternativas como la academia, las cámaras° empresarias, organizaciones de la sociedad civil, entre otras. El trabajo consiste en poner en contexto los datos y después "llegar al momento de la conclusión: uno confirma, relativiza o descarta° como falsa afirmación y la califica. Nosotros ponemos unas etiquetas° que dicen falso, verdadero, engañoso°".

Laura Zommer, además, es cofundadora de Factchequeado, un proyecto que nació en alianza con chequeadores de EEUU y que busca contrarrestar la desinformación en español que afecta a los latinos o los hispanos que viven en EEUU.

"El cálculo es que en 2030 van a ser 60 millones, el 20 por ciento de la población. Se sabe, por los datos que existen, que usan muchísimo más WhatsApp para informarse y para comunicarse que lo que usan los norteamericanos no hispanos y la oferta de verificación y fact-checking es muy escasa° en los EEUU", explica Zommer.

Según Luis Botello, "la desinformación es considerada hoy día una de las amenazas° más grandes al periodismo... y promueve una serie de odio°, desestima la credibilidad del periodismo, desestima la capacidad de traer voces de distintas partes para poder hacer un mejor trabajo de informar al público".

Sin embargo, Zommer reconoce que recientemente hay más conciencia de la existencia de la desinformación y cómo se vienen generando contenidos falsos, e insiste en que las redes sociales tienen "muchísimos problemas sobre todo de transparencia sobre cómo regulan o cómo modelan el contenido".

"Las redes sociales son empresas que no necesariamente trabajan para fortalecer la democracia sino trabajan para ganar plata y necesitan que los usuarios estén el mayor tiempo posible en esas redes para poder vendernos cosas, y que estemos más tiempo en las redes supone dejarnos° cómodos y cuando nos dejan cómodos en general nos dejan con los que piensan igual que nosotros y eso es complicado", explica Zommer. ■

Belén Mora para diario *Voz de América*

Después de leer

4. Identificar Escribe las palabras en el texto asociadas a cada una de estas ideas.

Aumentar	Evaluación	Información

5. Analizar En grupos pequeños, contesten las preguntas.

1. ¿Piensas que los medios de comunicación o las redes sociales donde ves noticias ofrecen información verificada y objetiva? ¿Conoces algún sitio para verificar noticias o saber el grado de imparcialidad de un medio?

2. El artículo menciona que la comodidad (*comfort*) determina nuestra interacción con redes sociales y afirma que esto es un problema. ¿En qué sentido es un problema?

☐ **I CAN** identify facts in a text about news reporting.

Video: La España AFRO es invisible

Antes de ver el video

1 **En tu experiencia** Contesta las preguntas brevemente.

1. ¿Cuál es el origen de los afrodescendientes en Estados Unidos? ¿Son generaciones recientes? ¿Cuál ha sido su historia en este país?

2. ¿Qué similitudes y diferencias imaginas que hay entre los afrodescendientes aquí y en España?

> **Estrategia de comprensión auditiva: Integrating previously learned strategies**
> Throughout this textbook you have learned a variety of strategies for improving your comprehension of spoken Spanish when you watch and listen to a video. Take a few minutes to review them. Then, in small groups, talk about which ones you found most useful, and why. Try to use them when you watch and listen to this video.

A ver el video

En este video vas a ver y escuchar a un grupo de afrodescendientes españoles que hablan de sus experiencias y deseos.

2 **Resumir** Sigue estas instrucciones para ver el video.

1. Mira el video una vez, prestando atención a las ideas principales.

2. En parejas, escriban un resumen del concepto general del video en dos o tres líneas.

> **Modelo** *En este video, algunos inmigrantes africanos y personas afrodescendientes hablan de...*

Duración: 4:25
Fuente: El País

Palabras útiles

el Congreso de los Diputados
Congress

da igual
it doesn't matter

el legado
legacy

orgulloso/a
proud

el puente
bridge

el sudor
sweat

3 **Identificar** En el video hay temas que mencionan varias personas. ¿Qué dicen sobre estos temas? Lee la lista y mira el video otra vez. Toma nota de algunas ideas expresadas sobre cada tema. Después, en grupos pequeños, comparen y completen sus ideas.

afroconciencia   racismo

causas de la migración   representación

4 **Completar** Estas son algunas afirmaciones que aparecen en el video. Mira el video una vez más y completa las ideas. Puedes hacerlo con tus propias palabras.

1. Es increíble que en toda la democracia de este país, _____.

2. Nosotros somos la primera generación de afrodescendientes aquí en España, entonces _____.

3. No somos víctimas, somos _____.

4. Cuando no veamos el color de las personas sino que _____.

Después de ver el video

5 **Comparar** En parejas, compartan sus opiniones sobre estas preguntas: ¿Qué cuestiones mencionadas en el video son relevantes también en tu comunidad o país? ¿Hay diferencias?

☐ **I CAN** identify ideas in a video about the experience of Africans and Afro-descendants in Spain.

Resources

vhlcentral   online activities

Proyecto oral: Un noticiero

Van a presentar segmentos de un noticiero. Para prepararte, toma unos minutos para revisar el vocabulario y la gramática de este capítulo y escribe las palabras clave que te gustaría incluir.

Estrategia de comunicación oral: Drawing attention to important information

Oral presentations, including news broadcasts, should use concise, straightforward language so the audience can easily follow. However, journalists sometimes highlight key parts of the message by placing them at the beginning of the news story, with details following later.

El nuevo acuerdo sobre el medioambiente se ha firmado esta mañana en San Juan.

"Bajaré los impuestos". Estas fueron las palabras del candidato presidencial.

For further effect, certain parts of the sentence can be omitted.

Quería superar su récord y lo hizo. Rafa Nadal ganó ayer su título número 22.

Paso 1 En grupos pequeños, van a crear un noticiero. Primero, decidan si prefieren hacer un noticiero enfocado en la universidad, un noticiero local o uno nacional. Después, elijan las secciones que van a formar parte de su noticiero y asignen una a cada miembro del grupo. Pueden ser estas u otras.

ciencia	deportes	noticias internacionales	noticias positivas o curiosas	sociedad
cultura	economía	noticias locales	política	tiempo

Paso 2 Individualmente, selecciona una o dos noticias para tu sección. Investiga y escribe el guion (*script*) destacando los aspectos más relevantes. Incluye uno o más elementos complementarios relevantes: imágenes, videos, una conexión con un reportero en el lugar de la noticia, una breve entrevista, etc. Cada noticia debe tomar de uno a dos minutos.

Paso 3 En sus grupos, revisen los guiones y decidan la secuencia de su noticiero. Escriban una introducción, transiciones entre noticias y una despedida. Tomen unos minutos para ensayar y memorizar sus textos.

Paso 4 Presenten su noticiero con base en los pasos anteriores. El noticiero debe durar entre seis y ocho minutos.

> **Modelo** *En noticias internacionales, cumbre del medio ambiente en Guinea Ecuatorial. Desde la capital, Malabo, reporta Leonardo Cuevas.*

Palabras útiles

el/la corresponsal
correspondent

la declaración
statement

la entrevista
interview

la noticia de última hora
breaking news

Resources
vhlcentral

☐ **I CAN** write and present a news broadcast.

Proyecto escrito: Una petición a una autoridad

Como estudiante o ciudadano/a involucrado/a (*engaged*) en la vida de tu universidad, ciudad, región o país, vas a escribir una petición o propuesta a la autoridad relevante. Puedes escoger uno de los temas de este capítulo u otro tema que te importe especialmente. Para prepararte, toma unos minutos para revisar el vocabulario y la gramática de este capítulo y escribe las palabras clave que te gustaría incluir.

¡Atención!

Ask your instructor to share the **Rúbrica de calificación** to understand how your work will be assessed.

Estrategia de redacción: Anticipating challenges and counterarguments

When expressing your views on a controversial or debatable topic, anticipating an opposing argument is an essential strategy. After you put forth your own reasons, describe one or two main challenges that have already been raised or that you might anticipate and explain why, in your opinion, they are not valid or applicable. This will make you argument stronger.

Paso 1 Considera tu universidad, ciudad, estado o país y piensa en un aspecto que es problemático, en tu opinión, o donde te gustaría ver un cambio. Puedes elegir un tema de este capítulo u otro diferente. En este caso, es buena idea consultar con tu instructor(a) antes de empezar a escribir.

Paso 2 Prepara el contenido de tu propuesta. En este paso, puedes apoyar o ampliar tus ideas con una investigación en Internet.

- Debes explicar qué propones y por qué: ¿hay un problema que requiere atención? ¿Propones una nueva regla o ley, una práctica o un protocolo que puede ser beneficioso? ¿Cuál es el contexto relevante?
- Escribe una lista de dos o tres argumentos para apoyar tu propuesta y los detalles necesarios para explicar y persuadir a la autoridad a quien escribes.
- Piensa también en dos o tres posibles retos (*challenges*) o argumentos en contra de tu propuesta. Si puedes añadir algún razonamiento para rebatir las posiciones opuestas, anótalo también.

Paso 3 Escribe una propuesta de 300 a 350 palabras aproximadamente con la información de los pasos anteriores. Dirígela a la persona de autoridad relevante en tu universidad, ciudad, estado o país. Después de un párrafo introductorio para captar su atención y presentar tu propuesta, desarrolla los argumentos de forma clara y equilibrada. Finaliza tu propuesta indicando su importancia y beneficios. Por supuesto (*of course*), presta atención especial al desarrollo de cada sección y al uso apropiado y correcto del lenguaje. Prepárate para presentar tu propuesta a la clase.

Palabras útiles

Aunque…, en realidad…
Even though…, in fact…

Es cierto/posible que…, pero…
It is true/likely that…, but…

No olvidemos que…
Let's not forget that…

Por supuesto
Of course

Sin embargo
However

Resources

vhlcentral

☐ **I CAN** write a petition to a person of authority.

El empleo   *Job*

el desempleo   *unemployment*
la entrevista   *interview*
el/la gerente   *manager*
la solicitud (de empleo)   *(employment) application*

Las noticias   *News*

actual   *current*
el noticiero   *news program*
el reportero/la reportera   *reporter*

La política y la sociedad
Politics and society

el aborto   *abortion*
el acuerdo   *treaty, agreement*
el arma   *weapon*
el candidato/la candidata   *candidate*
el ciudadano/la ciudadana   *citizen*
la crisis   *crisis*
la cura   *cure*
el derecho a   *the right to*
los derechos (humanos)   *(human) rights*
el ejército   *army*
la elección   *election*
el éxito   *success*
el gobierno   *government*
la igualdad   *equality*
el impuesto   *tax*
la inmigración   *immigration*
el/la inmigrante   *immigrant*
la investigación   *research*
la justicia   *justice*
la ley   *law*
la libertad   *freedom*
el/la líder   *leader*
la medicina   *medicine*
la paz   *peace*
la pena de muerte   *death penalty*
la política (mundial)   *(world) politics/policy*
el/la político/a   *politician*
el/la presidente/a   *president*
la raza   *race*
el voluntariado   *volunteering*

Los problemas mundiales
World problems

el ataque terrorista   *terrorist attack*
la bomba   *bomb*
el cáncer   *cancer*
la corrupción   *corruption*
el/la delincuente   *delinquent, criminal*
el delito   *misdemeanor, crime*
los desamparados   *homeless people*
la discriminación   *discrimination*
la drogadicción   *drug addiction*
las drogas   *drugs*
la enfermedad   *illness*
la explosión   *explosion*
la guerra   *war*
el hambre   *hunger*
el narcotráfico   *drug trafficking*
la pobreza   *poverty*
el prejuicio   *prejudice*
el terrorismo   *terrorism*
la víctima   *victim*
la violencia   *violence*

Verbos y expresiones verbales

apoyar   *to support*
aumentar   *to increase*
conseguir (irreg.)   *to achieve*
construir (irreg.)   *to build*
controlar   *to control*
eliminar   *to eliminate*
enseñar   *to teach*
escoger   *to choose*
estar a favor/en contra de   *to be in favor of/against*
informar/reportar   *to report*
legalizar   *to legalize*
luchar (por)   *to fight (for)*
mantener (irreg.)   *to maintain*
matar   *to kill*
resolver   *to solve*
robar   *to rob, to steal*
solicitar   *to apply for*
sufrir   *to suffer*
votar (por)   *to vote (for)*

Conjunciones de tiempo

al menos   *at least*
antes de que   *before*
cuando   *when*
después de que   *after*
hasta que   *until*
tan pronto como   *as soon as*

CONSULTA

Contenido

Glossary of Grammatical Terms

ADJECTIVE A word that modifies or describes a noun or pronoun.

muchos libros	un hombre **rico**
many books	a *rich* man

las mujeres **altas**
the *tall* women

Demonstrative adjective An adjective that points out a specific noun.

esta fiesta	**ese** chico
this party	*that* boy

aquellas flores
those flowers

Possessive adjective An adjective that indicates ownership or possession.

mi mejor vestido	Este es **mi** hermano.
my best dress	*This is **my** brother.*

Stressed possessive adjective A possessive adjective that emphasizes the owner or possessor.

Es un libro **mío**.
*It's **my book**./It's a book **of mine**.*

Es amiga **tuya**; yo no la conozco.
*She's a friend **of yours**; I don't know her.*

ADVERB A word that modifies or describes a verb, adjective, or another adverb.

Pancho escribe **rápidamente**.
*Pancho writes **quickly**.*

Este cuadro es **muy** bonito.
*This picture is **very** pretty.*

ARTICLE A word that points out either a specific (definite) noun or a non-specific (indefinite) noun.

Definite article An article that points out a specific noun.

el libro	**la** maleta
the book	*the* suitcase

los diccionarios	**las** palabras
the dictionaries	*the* words

Indefinite article An article that points out a noun in a general, non-specific way.

un lápiz	**una** computadora
a pencil	*a* computer

unos pájaros	**unas** escuelas
some birds	*some* schools

CLAUSE A group of words that contains both a conjugated verb and a subject, either expressed or implied.

Main (or Independent) clause A clause that can stand alone as a complete sentence.
Pienso ir a cenar pronto.
I plan to go to dinner soon.

Subordinate (or Dependent) clause A clause that does not express a complete thought and therefore cannot stand alone as a sentence.
Trabajo en la cafetería **porque necesito dinero para la escuela.**
*I work in the cafeteria **because I need money for school.***

COMPARATIVE A word or construction used with an adjective, adverb or noun to express a comparison between two people, places, or things.

Este programa es **más interesante que** el otro.
*This program is **more interesting than** the other one.*

Tomás no es **tan alto como** Alberto.
*Tomás is not **as tall as** Alberto.*

CONJUGATION A set of the forms of a verb for a specific tense or mood, or the process by which these verb forms are presented.

Preterit conjugation of **cantar**:

cant**é**	cant**amos**
cant**aste**	cant**asteis**
cant**ó**	cant**aron**

GLOSSARY OF GRAMMATICAL TERMS

CONJUNCTION A word or phrase used to connect words, clauses, or phrases.

> Susana es de Cuba **y** Pedro es de España.
> *Susana is from Cuba **and** Pedro is from Spain.*

> No quiero estudiar, **pero** tengo que hacerlo.
> *I don't want to study, **but** I have to do it.*

CONTRACTION The joining of two words into one. The only contractions in Spanish are **al** and **del**.

> Mi hermano fue **al** concierto ayer.
> *My brother went **to the** concert yesterday.*

> Saqué dinero **del** banco.
> *I took money **from the** bank.*

DIRECT OBJECT A noun or pronoun that directly receives the action of the verb.

> Tomás lee **el libro**.   **La** pagó ayer.
> *Tomás reads **the book**.   She paid **it** yesterday.*

GENDER The grammatical categorizing of certain kinds of words, such as nouns and pronouns, as masculine, feminine, or neuter.

> **Masculine**
> *articles*   **el**, un
> *pronouns*   **él**, l**o**, mí**o**, est**e**, es**e, aquel**
> *adjective*   simpátic**o**

> **Feminine**
> *articles*   l**a**, un**a**
> *pronouns*   ell**a**, l**a**, mí**a**, est**a**, es**a**, aquell**a**
> *adjective*   simpátic**a**

IMPERSONAL EXPRESSION A third-person expression with no expressed or specific subject.

> **Es muy importante**.   **Llueve** mucho.
> ***It's very important**.   **It's raining** hard.*

INDIRECT OBJECT A noun or pronoun that receives the action of the verb indirectly; the object, often a living being, to or for whom an action is performed.

> Eduardo **le** dio un libro **a Linda**.
> *Eduardo gave a book **to Linda**.*

> Carlos **me** prestó cincuenta pesos.
> *Carlos loaned **me** fifty pesos.*

INFINITIVE The basic form of a verb. Infinitives in Spanish end in **-ar**, **-er**, or **-ir**.

> **hablar**   **correr**   **abrir**
> *to speak*   *to run*   *to open*

INTERROGATIVE An adjective, adverb, or pronoun used to ask a question.

> **¿Quién** habla?   **¿Cuántos** compraste?
> ***Who** is speaking?   **How many** did you buy?*

> **¿Qué** piensas hacer hoy?
> ***What** do you plan to do today?*

INVERSION Changing the word order of a sentence, often to form a question.

> *Statement:* Elena pagó la cuenta del restaurante.
> *Elena paid the restaurant bill.*

> *Inversion:* ¿Pagó Elena la cuenta del restaurante?
> *Did Elena pay the restaurant bill?*

MOOD A grammatical distinction of verbs that indicates whether the verb is intended to make a statement or command, or to express doubt, emotion, or a condition contrary to fact.

> **Imperative mood** Verb forms used to make commands.

> **Di** la verdad.   **Caminen** ustedes conmigo.
> ***Tell** the truth.   **Walk** with me.*

> **¡Comamos** ahora!
> ***Let's eat** now!*

> **Indicative mood** Verb forms used to state facts, actions, and states considered to be real.

> **Sé** que **tienes** el dinero.
> ***I know** that **you have** the money.*

> **Subjunctive mood** Verb forms used principally in subordinate (or dependent) clauses to express wishes, desires, emotions, doubts, and certain conditions, such as contrary-to-fact situations.

> Prefieren que **hables** en español.
> *They prefer that **you speak** in Spanish.*

> Dudo que Luis **tenga** el dinero necesario.
> *I doubt that Luis **has** the necessary money.*

NOUN A word that identifies people, animals, places, things, and ideas.

hombre	libertad
man	*freedom*
casa	México
house	*Mexico*
gato	libro
cat	*book*

NUMBER A grammatical term that refers to singular or plural. Nouns in Spanish and English have number. Other parts of a sentence, such as adjectives, articles, and verbs, can also have number.

Singular	Plural
una cosa	**unas** cosas
a *thing*	***some*** *things*
el profesor	**los** profesor**es**
the *professor*	***the*** *professor***s**

NUMBERS Words that represent amounts.

Cardinal numbers Words that show specific amounts.

cinco minutos	el año **dos mil veintitrés**
five *minutes*	*the year* **2023**

Ordinal numbers Words that indicate the order of a noun in a series.

el **cuarto** jugador	la **décima** hora
the **fourth** *player*	*the* **tenth** *hour*

PAST PARTICIPLE A past form of the verb used in compound tenses. The past participle may also be used as an adjective, but it must then agree in number and gender with the word it modifies.

Han **buscado** por todas partes.
They have **searched** *everywhere.*

Yo no había **estudiado** para el examen.
I hadn't **studied** *for the exam.*

Hay una **ventana rota** en la sala.
There is a **broken window** *in the living room.*

PERSON The form of the verb or pronoun that indicates the speaker, the one spoken to, or the one spoken about. In Spanish, as in English, there are three persons: first, second, and third.

Person	Singular	Plural
1st	**yo** *I*	**nosotros/as** *we*
2nd	**tú, Ud.** *you*	**vosotros/as, Uds.** *you*
3rd	**él, ella** *he/she*	**ellos, ellas** *they*

PREPOSITION A word that describes the relationship, most often in time or space, between two other words.

Anita es **de** California.
Anita is **from** *California.*

La chaqueta está **en** el carro.
The jacket is **in** *the car.*

¿Quieres hablar **con** ella?
Do you want to talk **to** *her?*

PRESENT PARTICIPLE In English, a verb form that ends in *–ing*. In Spanish, the present participle ends in **–ndo**, and is often used with **estar** to form a progressive tense.

Mi hermana está **hablando** por teléfono ahora mismo.
My sister is **talking** *on the phone right now.*

PRONOUN A word that takes the place of a noun or nouns.

Demonstrative pronoun A pronoun that takes the place of a specific noun.

Quiero **esta**.
I want **this one**.

¿Vas a comprar **ese**?
Are you going to buy **that one**?

Juan prefirió **aquellos**.
Juan preferred **those** *(over there).*

Object pronoun A pronoun that functions as a direct or indirect object of the verb.

Te digo la verdad.	**Me lo** trajo Juan.
I'm telling **you** *the truth.*	*Juan brought* **it** *to* **me**.

GLOSSARY OF GRAMMATICAL TERMS

Reflexive pronoun A pronoun that indicates that the action of a verb is performed by the subject on itself. These pronouns are often expressed in English with –self: myself, yourself, etc.

Yo **me bañé** antes de salir.
I bathed (myself) before going out.

Elena **se acostó** a las once y media.
Elena went to bed at eleven-thirty.

Relative pronoun A pronoun that connects a subordinate clause to a main clause.

El chico **que** nos escribió viene a visitarnos mañana.
The boy who wrote us is coming to visit us tomorrow.

Ya sé **lo que** tenemos que hacer.
I already know what we have to do.

Subject pronoun A pronoun that replaces the name or title of a person or thing and acts as the subject of a verb.

Tú debes estudiar más.	**Él** llegó primero.
You should study more.	*He arrived first.*

SUBJECT A noun or pronoun that performs the action of a verb and is often implied by the verb.

María va al supermercado.
María goes to the supermarket.

(Ellos) Trabajan mucho.
They work hard.

Esos **libros** son muy caros.
Those books are very expensive.

SUPERLATIVE A word or construction used with an adjective or adverb to express the highest or lowest degree of a specific quality among three or more people, places, or things.

Entre todas mis clases, esta es **la más interesante**.
Among all my classes, this is the most interesting.

Raúl es **el menos simpático** de los chicos.
Raúl is the least pleasant of the boys.

TENSE A set of verb forms that indicates the time of an action or state: past, present, or future.

Compound tense A two-word tense made up of an auxiliary verb and a present or past participle. In Spanish, **estar** and **haber** are often auxiliary verbs.

En este momento, **estoy estudiando**.
At this time, I am studying.

El paquete no **ha llegado** todavía.
The package has not arrived yet.

Simple tense A tense expressed by a single verb form.

María **estaba** mal anoche.
María was sick last night.

Juana **hablará** con su mamá mañana.
Juana will speak with her mom tomorrow.

VERB A word that expresses actions or states of being.

Auxiliary verb A verb used with a present or past participle to form a compound tense. **Haber** is the most commonly used auxiliary verb in Spanish.

Los chicos **han** visto los elefantes.
The children have seen the elephants.

Espero que **hayas** comido.
I hope you have eaten.

Reflexive verb A verb that describes an action performed by the subject on itself and is always used with a reflexive pronoun.

Me compré un carro nuevo.
I bought myself a new car.

Pedro y Adela **se levantan** muy temprano.
Pedro and Adela get (themselves) up very early.

Spelling-change verb A verb that undergoes a predictable change in spelling in order to reflect its actual pronunciation in the various conjugations.

practicar	c → qu	practi**c**o	practi**qué**
dirigir	g → j	diri**j**o	diri**gí**
almorzar	z → c	almor**z**ó	almor**c**é

Stem-changing verb A verb whose stem vowel undergoes one or more predictable changes in the various conjugations.

ent**e**nder (e:ie)	ent**ie**ndo
p**e**dir (e:i)	p**i**den
d**o**rmir (o:ue, u)	d**ue**rmo, d**u**rmieron

VERB CONJUGATION TABLES

Verb Conjugation Tables

The verb lists

The list of verbs below and the model-verb tables that start on page A7 show you how to conjugate the verbs taught in *Dicho y hecho*. Each verb in the list is followed by a model verb that is conjugated according to the same pattern. The number in parentheses indicates where in the tables you can find the conjugated forms of the model verb. If you want to find out how to conjugate **divertirse**, for example, look up number 33, **sentir**, the model for verbs that follow the **e:ie** stem-change pattern.

How to use the verb tables

In the tables you will find the infinitive, present and past participles, and all the simple forms of each model verb. The formation of the compound tenses of any verb can be inferred from the table of compound tenses, pages A7–A14, either by combining the past participle of the verb with a conjugated form of **haber** or combining the present participle with a conjugated form of **estar**.

---

abrir like vivir (3) *except* past participle is **abierto**

aburrir(se) like vivir (3)

acabar like hablar (1)

acampar like hablar (1)

aconsejar like hablar (1)

acostar(se) (o:ue) like contar (24)

adelgazar (z:c) like cruzar (37)

afeitar(se) like hablar (1)

ahorrar like hablar (1)

aliviar like hablar (1)

almorzar (o:ue) like contar (24) *except* (z:c)

alquilar like hablar (1)

apagar (g:gu) like llegar (41)

aprender like comer (2)

apurar(se) like hablar (1)

arrancar (c:qu) like tocar (44)

arreglar like hablar (1)

asistir like vivir (3)

aumentar like hablar (1)

bailar like hablar (1)

bajar(se) like hablar (1)

bañar(se) like hablar (1)

barrer like comer (2)

beber like comer (2)

brindar like hablar (1)

bucear like hablar (1)

buscar (c:qu) like tocar (44)

caer(se) (5)

calentarse (e:ie) like pensar (30)

cambiar like hablar (1)

caminar like hablar (1)

cantar like hablar (1)

cargar like llegar (41)

casarse like hablar (1)

celebrar like hablar (1)

cenar like hablar (1)

cepillar(se) like hablar (1)

cerrar (e:ie) like pensar (30)

chatear like hablar (1)

chocar (c:qu) like tocar (44)

cobrar like hablar (1)

cocinar like hablar (1)

comenzar (e:ie) (z:c) like empezar (26)

comer (2)

compartir like vivir (3)

comprar like hablar (1)

comprender like comer (2)

comprometerse like comer (2)

conducir (c:zc) (6)

conectar(se) like hablar (1)

confirmar like hablar (1)

conocer (c:zc) (35)

conseguir (e:i) (g:gu) like seguir (32)

conservar like hablar (1)

consumir like vivir (3)

contaminar like hablar (1)

contar (o:ue) (24)

contestar like hablar (1)

contratar like hablar (1)

controlar like hablar (1)

conversar like hablar (1)

correr like comer (2)

costar (o:ue) like contar (24)

creer (y) (36)

cruzar (z:c) (37)

cuidar like hablar (1)

cumplir like vivir (3)

dañar like hablar (1)

dar(se) (7)

deber like comer (2)

decidir like vivir (3)

decir (e:i) (8)

dejar like hablar (1)

depositar like hablar (1)

desarrollar like hablar (1)

desayunar like hablar (1)

descansar like hablar (1)

descargar like llegar (41)

describir like vivir (3) *except* past participle is **descrito**

descubrir like vivir (3) *except* past participle is **descubierto**

desear like hablar (1)

despedir (e:i) like pedir (29)

despertar(se) (e:ie) like pensar (30)

destruir (y) (38)

dibujar like hablar (1)

disfrutar like hablar (1)

divertirse (e:ie) like sentir (33)

divorciarse like hablar (1)

doblar like hablar (1)

doler (o:ue) like volver (34) *except* past participle is regular

dormir(se) (o:ue, u) (25)

duchar(se) like hablar (1)

dudar like hablar (1)

empezar (e:ie) (z:c) (26)

enamorarse like hablar (1)

encantar like hablar (1)

encontrar (o:ue) like contar (24)

enfermarse like hablar (1)

engordar like hablar (1)

enojar(se) like hablar (1)

enseñar like hablar (1)

ensuciar like hablar (1)

entender (e:ie) (27)

entrenar(se) like hablar (1)

entrevistar like hablar (1)

enviar (envío) (39)

escalar like hablar (1)

escanear like hablar (1)

escribir like vivir (3) *except* past participle is **escrito**

escuchar like hablar (1)

esperar like hablar (1)

esquiar (esquío) like enviar (39)

estacionar like hablar (1)

estar (9)

estudiar like hablar (1)

evitar like hablar (1)

explicar (c:qu) like tocar (44)

faltar like hablar (1)

fascinar like hablar (1)

firmar like hablar (1)

fumar like hablar (1)

funcionar like hablar (1)

ganar like hablar (1)

gastar like hablar (1)

grabar like hablar (1)

graduarse (gradúo) (40)

guardar like hablar (1)

gustar like hablar (1)

haber (hay) (10)

hablar (1)

hacer (11)

importar like hablar (1)

imprimir like vivir (3)

indicar (c:qu) like tocar (44)

insistir like vivir (3)

interesar like hablar (1)

invertir (e:ie) like sentir (33)

invitar like hablar (1)

ir(se) (12)

jubilarse like hablar (1)

jugar (u:ue) (g:gu) (28)

lastimar(se) like hablar (1)

lavar(se) like hablar (1)

leer (y) like creer (36)

levantar(se) like hablar (1)

limpiar like hablar (1)

llamar(se) like hablar (1)

llegar (g:gu) (41)

llenar like hablar (1)

llevar(se) like hablar (1)

llover (o:ue) like volver (34)
   except past participle is regular

mandar like hablar (1)

manejar like hablar (1)

mantenerse (e:ie) like tener (20)

maquillar(se) like hablar (1)

mejorar like hablar (1)

merendar (e:ie) like pensar (30)

mirar like hablar (1)

molestar like hablar (1)

montar like hablar (1)

morir (o:ue) like dormir (25)
   except past participle is **muerto**

mostrar (o:ue) like contar (24)

mudarse like hablar (1)

nacer (c:zc) like conocer (35)

nadar like hablar (1)

necesitar like hablar (1)

negar (e:ie) like pensar (30)
   except (g:gu)

nevar (e:ie) like pensar (30)

obtener (e:ie) like tener (20)

odiar like hablar (1)

ofrecer (c:zc) like conocer (35)

oír (y) (13)

olvidar like hablar (1)

pagar (g:gu) like llegar (41)

parar like hablar (1)

parecer (c:zc) like conocer (35)

pasar like hablar (1)

pasear like hablar (1)

patinar like hablar (1)

pedir (e:i) (29)

peinar(se) like hablar (1)

pensar (e:ie) (30)

perder (e:ie) like entender (27)

pescar (c:qu) like tocar (44)

planchar like hablar (1)

poder (o:ue) (14)

poner(se) (15)

practicar (c:qu) like tocar (44)

preferir (e:ie) like sentir (33)

preguntar like hablar (1)

prender like comer (2)

preocupar(se) like hablar (1)

preparar like hablar (1)

prestar like hablar (1)

probar(se) (o:ue) like contar (24)

prohibir (42)

proteger (g:j) (43)

quedar(se) like hablar (1)

querer (e:ie) (16)

quitar(se) like hablar (1)

recetar like hablar (1)

recibir like vivir (3)

reciclar like hablar (1)

recoger (g:j) like proteger (43)

recomendar (e:ie) like pensar (30)

recordar (o:ue) like contar (24)

reducir (c:zc) like conducir (6)

regalar like hablar (1)

regatear like hablar (1)

regresar like hablar (1)

reír(se) (e:i) (31)

relajarse like hablar (1)

renunciar like hablar (1)

repetir (e:i) like pedir (29)

resolver (o:ue) like volver (34)

respirar like hablar (1)

rogar (o:ue) like contar (24)
   except (g:gu)

romper(se) like comer (2) except past participle is **roto**

saber (17)

sacar(se) (c:qu) like tocar (44)

sacudir like vivir (3)

salir (18)

seguir (e:i) (gu:g) (32)

sentarse (e:ie) like pensar (30)

sentir(se) (e:ie) (33)

separarse like hablar (1)

ser (19)

servir (e:i) like pedir (29)

solicitar like hablar (1)

sonar (o:ue) like contar (24)

sonreír (e:i) like reír(se) (31)

sorprender like comer (2)

subir like vivir (3)

sudar like hablar (1)

sufrir like vivir (3)

sugerir (e:ie) like sentir (33)

suponer like poner (15)

temer like comer (2)

tener (e:ie) (20)

terminar like hablar (1)

textear like hablar (1)

tomar like hablar (1)

torcerse (o:ue) like volver (34)
   except (c:z) and past participle is regular; e.g., **yo tuerzo**

toser like comer (2)

trabajar like hablar (1)

traducir (c:zc) like conducir (6)

traer (21)

tratar like hablar (1)

usar like hablar (1)

vender like comer (2)

venir (e:ie) (22)

ver (23)

vestir(se) (e:i) like pedir (29)

viajar like hablar (1)

visitar like hablar (1)

vivir (3)

volver (o:ue) (34)

Regular verbs: simple tenses

		INDICATIVE					SUBJUNCTIVE		IMPERATIVE
	Infinitive	Present	Imperfect	Preterit	Future	Conditional	Present	Past	
1	hablar	hablo	hablaba	hablé	hablaré	hablaría	hable	hablara	
		hablas	hablabas	hablaste	hablarás	hablarías	hables	hablaras	habla tú (no hables)
	Participles:	habla	hablaba	habló	hablará	hablaría	hable	hablara	hable Ud.
	hablando	hablamos	hablábamos	hablamos	hablaremos	hablaríamos	hablemos	habláramos	hablemos
	hablado	habláis	hablabais	hablasteis	hablaréis	hablaríais	habléis	hablarais	hablad (no habléis)
		hablan	hablaban	hablaron	hablarán	hablarían	hablen	hablaran	hablen Uds.
2	comer	como	comía	comí	comeré	comería	coma	comiera	
		comes	comías	comiste	comerás	comerías	comas	comieras	come tú (no comas)
	Participles:	come	comía	comió	comerá	comería	coma	comiera	coma Ud.
	comiendo	comemos	comíamos	comimos	comeremos	comeríamos	comamos	comiéramos	comamos
	comido	coméis	comíais	comisteis	comeréis	comeríais	comáis	comierais	comed (no comáis)
		comen	comían	comieron	comerán	comerían	coman	comieran	coman Uds.
3	vivir	vivo	vivía	viví	viviré	viviría	viva	viviera	
		vives	vivías	viviste	vivirás	vivirías	vivas	vivieran	vive tú (no vivas)
	Participles:	vive	vivía	vivió	vivirá	viviría	viva	viviera	viva Ud.
	viviendo	vivimos	vivíamos	vivimos	viviremos	viviríamos	vivamos	viviéramos	vivamos
	vivido	vivís	vivíais	vivisteis	viviréis	viviríais	viváis	vivierais	vivid (no viváis)
		viven	vivían	vivieron	vivirán	vivirían	vivan	vivieran	vivan Uds.

All verbs: compound tenses

PERFECT TENSES						
INDICATIVE				SUBJUNCTIVE		
Present Perfect	Past Perfect	Future Perfect	Conditional Perfect	Present Perfect	Past Perfect	
he	había	habré	habría	haya	hubiera	
has	habías	habrás	habrías	hayas	hubieras	
ha — hablado comido vivido	había — hablado comido vivido	habrá — hablado comido vivido	habría — hablado comido vivido	haya — hablado comido vivido	hubiera — hablado comido vivido	
hemos	habíamos	habremos	habríamos	hayamos	hubiéramos	
habéis	habíais	habréis	habríais	hayáis	hubierais	
han	habían	habrán	habrían	hayan	hubieran	

VERB CONJUGATION TABLES

PROGRESSIVE TENSES						
INDICATIVE					**SUBJUNCTIVE**	
Present Progressive	Past Progressive	Future Progressive	Conditional Progressive		Present Progressive	Past Progressive
estoy estás está estamos estáis están	estaba estabas estaba estábamos estabais estaban	estaré estarás estará estaremos estaréis estarán	estaría estarías estaría estaríamos estaríais estarían		esté estés esté estemos estéis estén	estuviera estuvieras estuviera estuviéramos estuvierais estuvieran

Note: hablando / comiendo / viviendo is used with each set of forms above.

Irregular verbs

	Infinitive	INDICATIVE					SUBJUNCTIVE		IMPERATIVE
		Present	Imperfect	Preterit	Future	Conditional	Present	Past	
4	caber	quepo	cabía	cupe	cabré	cabría	quepa	cupiera	
		cabes	cabías	cupiste	cabrás	cabrías	quepas	cupieras	cabe tú (no **quepas**)
	Participles:	cabe	cabía	cupo	cabrá	cabría	quepa	cupiera	**quepa** Ud.
	cabiendo	cabemos	cabíamos	cupimos	cabremos	cabríamos	quepamos	cupiéramos	**quepamos**
	cabido	cabéis	cabíais	cupisteis	cabréis	cabríais	quepáis	cupierais	cabed (no **quepáis**)
		caben	cabían	cupieron	cabrán	cabrían	quepan	cupieran	**quepan** Uds.
5	caer(se)	**caigo**	caía	caí	caeré	caería	**caiga**	**cayera**	
		caes	caías	**caíste**	caerás	caerías	**caigas**	**cayeras**	cae tú (no **caigas**)
	Participles:	cae	caía	**cayó**	caerá	caería	**caiga**	**cayera**	**caiga** Ud.
	cayendo	caemos	caíamos	**caímos**	caeremos	caeríamos	**caigamos**	**cayéramos**	**caigamos**
	caído	caéis	caíais	**caísteis**	caeréis	caeríais	**caigáis**	**cayerais**	caed (no **caigáis**)
		caen	caían	**cayeron**	caerán	caerían	**caigan**	**cayeran**	**caigan** Uds.
6	conducir	**conduzco**	conducía	**conduje**	conduciré	conduciría	**conduzca**	**condujera**	
	(c:zc)	conduces	conducías	**condujiste**	conducirás	conducirías	**conduzcas**	**condujeras**	conduce tú (no **conduzcas**)
		conduce	conducía	**condujo**	conducirá	conduciría	**conduzca**	**condujera**	**conduzca** Ud.
	Participles:	conducimos	conducíamos	**condujimos**	conduciremos	conduciríamos	**conduzcamos**	**condujéramos**	**conduzcamos**
	conduciendo	conducís	conducíais	**condujisteis**	conduciréis	conduciríais	**conduzcáis**	**condujerais**	conducid (no **conduzcáis**)
	conducido	conducen	conducían	**condujeron**	conducirán	conducirían	**conduzcan**	**condujeran**	**conduzcan** Uds.

	Infinitive	INDICATIVE					SUBJUNCTIVE		IMPERATIVE
		Present	Imperfect	Preterit	Future	Conditional	Present	Past	
7	dar	doy	daba	di	daré	daría	dé	diera	
		das	dabas	diste	darás	darías	des	dieras	da tú (no des)
	Participles:	da	daba	dio	dará	daría	dé	diera	dé Ud.
	dando	damos	dábamos	dimos	daremos	daríamos	demos	diéramos	demos
	dado	dais	dabais	disteis	daréis	daríais	deis	dierais	dad (no deis)
		dan	daban	dieron	darán	darían	den	dieran	den Uds.
8	decir (e:i)	digo	decía	dije	diré	diría	diga	dijera	
		dices	decías	dijiste	dirás	dirías	digas	dijeras	di tú (no digas)
	Participles:	dice	decía	dijo	dirá	diría	diga	dijera	diga Ud.
	diciendo	decimos	decíamos	dijimos	diremos	diríamos	digamos	dijéramos	digamos
	dicho	decís	decíais	dijisteis	diréis	diríais	digáis	dijerais	decid (no digáis)
		dicen	decían	dijeron	dirán	dirían	digan	dijeran	digan Uds.
9	estar	estoy	estaba	estuve	estaré	estaría	esté	estuviera	
		estás	estabas	estuviste	estarás	estarías	estés	estuvieras	está tú (no estés)
	Participles:	está	estaba	estuvo	estará	estaría	esté	estuviera	esté Ud.
	estando	estamos	estábamos	estuvimos	estaremos	estaríamos	estemos	estuviéramos	estemos
	estado	estáis	estabais	estuvisteis	estaréis	estaríais	estéis	estuvierais	estad (no estéis)
		están	estaban	estuvieron	estarán	estarían	estén	estuvieran	estén Uds.
10	haber	he	había	hube	habré	habría	haya	hubiera	
		has	habías	hubiste	habrás	habrías	hayas	hubieras	
	Participles:	ha	había	hubo	habrá	habría	haya	hubiera	
	habiendo	hemos	habíamos	hubimos	habremos	habríamos	hayamos	hubiéramos	
	habido	habéis	habíais	hubisteis	habréis	habríais	hayáis	hubierais	
		han	habían	hubieron	habrán	habrían	hayan	hubieran	
11	hacer	hago	hacía	hice	haré	haría	haga	hiciera	
		haces	hacías	hiciste	harás	harías	hagas	hicieras	haz tú (no hagas)
	Participles:	hace	hacía	hizo	hará	haría	haga	hiciera	haga Ud.
	haciendo	hacemos	hacíamos	hicimos	haremos	haríamos	hagamos	hiciéramos	hagamos
	hecho	hacéis	hacíais	hicisteis	haréis	haríais	hagáis	hicierais	haced (no hagáis)
		hacen	hacían	hicieron	harán	harían	hagan	hicieran	hagan Uds.
12	ir	voy	iba	fui	iré	iría	vaya	fuera	
		vas	ibas	fuiste	irás	irías	vayas	fueras	ve tú (no vayas)
	Participles:	va	iba	fue	irá	iría	vaya	fuera	vaya Ud.
	yendo	vamos	íbamos	fuimos	iremos	iríamos	vayamos	fuéramos	vamos (no vayamos)
	ido	vais	ibais	fuisteis	iréis	iríais	vayáis	fuerais	id (no vayáis)
		van	iban	fueron	irán	irían	vayan	fueran	vayan Uds.
13	oír (y)	oigo	oía	oí	oiré	oiría	oiga	oyera	
		oyes	oías	oíste	oirás	oirías	oigas	oyeras	oye tú (no oigas)
	Participles:	oye	oía	oyó	oirá	oiría	oiga	oyera	oiga Ud.
	oyendo	oímos	oíamos	oímos	oiremos	oiríamos	oigamos	oyéramos	oigamos
	oído	oís	oíais	oísteis	oiréis	oiríais	oigáis	oyerais	oíd (no oigáis)
		oyen	oían	oyeron	oirán	oirían	oigan	oyeran	oigan Uds.

VERB CONJUGATION TABLES

Infinitive	INDICATIVE					SUBJUNCTIVE		IMPERATIVE
	Present	Imperfect	Preterit	Future	Conditional	Present	Past	
14 poder (o:ue)	puedo	podía	pude	podré	podría	pueda	pudiera	
	puedes	podías	pudiste	podrás	podrías	puedas	pudieras	**puede** tú (no **puedas**)
Participles:	**puede**	podía	pudo	podrá	podría	pueda	pudiera	**pueda** Ud.
pudiendo	podemos	podíamos	pudimos	podremos	podríamos	podamos	pudiéramos	podamos
podido	podéis	podíais	pudisteis	podréis	podríais	podáis	pudierais	poded (no podáis)
	pueden	podían	pudieron	podrán	podrían	puedan	pudieran	**puedan** Uds.
15 poner	pongo	ponía	puse	pondré	pondría	ponga	pusiera	
	pones	ponías	pusiste	pondrás	pondrías	pongas	pusieras	**pon** tú (no **pongas**)
Participles:	pone	ponía	puso	pondrá	pondría	ponga	pusiera	**ponga** Ud.
poniendo	ponemos	poníamos	pusimos	pondremos	pondríamos	pongamos	pusiéramos	pongamos
puesto	ponéis	poníais	pusisteis	pondréis	pondríais	pongáis	pusierais	poned (no **pongáis**)
	ponen	ponían	pusieron	pondrán	pondrían	pongan	pusieran	**pongan** Uds.
16 querer (e:ie)	quiero	quería	quise	querré	querría	quiera	quisiera	
	quieres	querías	quisiste	querrás	querrías	quieras	quisieras	**quiere** tú (no **quieras**)
Participles:	quiere	quería	quiso	querrá	querría	quiera	quisiera	**quiera** Ud.
queriendo	queremos	queríamos	quisimos	querremos	querríamos	queramos	quisiéramos	queramos
querido	queréis	queríais	quisisteis	querréis	querríais	queráis	quisierais	quered (no queráis)
	quieren	querían	quisieron	querrán	querrían	quieran	quisieran	**quieran** Uds.
17 saber	**sé**	sabía	supe	sabré	sabría	sepa	supiera	
	sabes	sabías	supiste	sabrás	sabrías	sepas	supieras	sabe tú (no **sepas**)
Participles:	sabe	sabía	supo	sabrá	sabría	sepa	supiera	**sepa** Ud.
sabiendo	sabemos	sabíamos	supimos	sabremos	sabríamos	sepamos	supiéramos	sepamos
sabido	sabéis	sabíais	supisteis	sabréis	sabríais	sepáis	supierais	sabed (no **sepáis**)
	saben	sabían	supieron	sabrán	sabrían	sepan	supieran	**sepan** Uds.
18 salir	**salgo**	salía	salí	**saldré**	**saldría**	**salga**	saliera	
	sales	salías	saliste	**saldrás**	**saldrías**	**salgas**	salieras	**sal** tú (no **salgas**)
Participles:	sale	salía	salió	**saldrá**	**saldría**	**salga**	saliera	**salga** Ud.
saliendo	salimos	salíamos	salimos	**saldremos**	**saldríamos**	**salgamos**	saliéramos	**salgamos**
salido	salís	salíais	salisteis	**saldréis**	**saldríais**	**salgáis**	salierais	salid (no **salgáis**)
	salen	salían	salieron	**saldrán**	**saldrían**	**salgan**	salieran	**salgan** Uds.
19 ser	**soy**	**era**	**fui**	seré	sería	**sea**	**fuera**	
	eres	**eras**	**fuiste**	serás	serías	**seas**	**fueras**	**sé** tú (no **seas**)
Participles:	**es**	**era**	**fue**	será	sería	**sea**	**fuera**	**sea** Ud.
siendo	**somos**	**éramos**	**fuimos**	seremos	seríamos	**seamos**	**fuéramos**	**seamos**
sido	**sois**	**erais**	**fuisteis**	seréis	seríais	**seáis**	**fuerais**	sed (no **seáis**)
	son	**eran**	**fueron**	serán	serían	**sean**	**fueran**	**sean** Uds.
20 tener	**tengo**	tenía	**tuve**	**tendré**	**tendría**	**tenga**	**tuviera**	
	tienes	tenías	**tuviste**	**tendrás**	**tendrías**	**tengas**	**tuvieras**	**ten** tú (no **tengas**)
Participles:	**tiene**	tenía	**tuvo**	**tendrá**	**tendría**	**tenga**	**tuviera**	**tenga** Ud.
teniendo	tenemos	teníamos	**tuvimos**	**tendremos**	**tendríamos**	**tengamos**	**tuviéramos**	**tengamos**
tenido	tenéis	teníais	**tuvisteis**	**tendréis**	**tendríais**	**tengáis**	**tuvierais**	tened (no **tengáis**)
	tienen	tenían	**tuvieron**	**tendrán**	**tendrían**	**tengan**	**tuvieran**	**tengan** Uds.

Infinitive	INDICATIVE					SUBJUNCTIVE		IMPERATIVE
	Present	Imperfect	Preterit	Future	Conditional	Present	Past	
21 traer	traigo	traía	traje	traeré	traería	traiga	trajera	
	traes	traías	trajiste	traerás	traerías	traigas	trajeras	trae tú (no **traigas**)
Participles:	trae	traía	trajo	traerá	traería	traiga	trajera	**traiga** Ud.
trayendo	traemos	traíamos	trajimos	traeremos	traeríamos	traigamos	trajéramos	**traigamos**
traído	traéis	traíais	trajisteis	traeréis	traeríais	traigáis	trajerais	traed (no **traigáis**)
	traen	traían	trajeron	traerán	traerían	traigan	trajeran	**traigan** Uds.
22 venir	vengo	venía	vine	vendré	vendría	venga	viniera	
	vienes	venías	viniste	vendrás	vendrías	vengas	vinieras	ven tú (no **vengas**)
Participles:	viene	venía	vino	vendrá	vendría	venga	viniera	**venga** Ud.
viniendo	venimos	veníamos	vinimos	vendremos	vendríamos	vengamos	viniéramos	**vengamos**
venido	venís	veníais	vinisteis	vendréis	vendríais	vengáis	vinierais	venid (no **vengáis**)
	vienen	venían	vinieron	vendrán	vendrían	vengan	vinieran	**vengan** Uds.
23 ver	veo	veía	vi	veré	vería	vea	viera	
	ves	veías	viste	verás	verías	veas	vieras	ve tú (no **veas**)
Participles:	ve	veía	vio	verá	vería	vea	viera	**vea** Ud.
viendo	vemos	veíamos	vimos	veremos	veríamos	veamos	viéramos	**veamos**
visto	veis	veíais	visteis	veréis	veríais	veáis	vierais	ved (no **veáis**)
	ven	veían	vieron	verán	verían	vean	vieran	**vean** Uds.

Stem-changing verbs

Infinitive	INDICATIVE					SUBJUNCTIVE		IMPERATIVE
	Present	Imperfect	Preterit	Future	Conditional	Present	Past	
24 contar (o:ue)	cuento	contaba	conté	contaré	contaría	cuente	contara	
	cuentas	contabas	contaste	contarás	contarías	cuentes	contaras	**cuenta** tú (no **cuentes**)
	cuenta	contaba	contó	contará	contaría	cuente	contara	**cuente** Ud.
Participles:	contamos	contábamos	contamos	contaremos	contaríamos	contemos	contáramos	contemos
contando	contáis	contabais	contasteis	contaréis	contaríais	contéis	contarais	contad (no contéis)
contado	**cuentan**	contaban	contaron	contarán	contarían	**cuenten**	contaran	**cuenten** Uds.
25 dormir (o:ue)	duermo	dormía	dormí	dormiré	dormiría	duerma	durmiera	
	duermes	dormías	dormiste	dormirás	dormirías	duermas	durmieras	**duerme** tú (no **duermas**)
	duerme	dormía	**durmió**	dormirá	dormiría	duerma	durmiera	**duerma** Ud.
Participles:	dormimos	dormíamos	dormimos	dormiremos	dormiríamos	durmamos	durmiéramos	durmamos
durmiendo	dormís	dormíais	dormisteis	dormiréis	dormiríais	durmáis	durmierais	dormid (no **durmáis**)
dormido	**duermen**	dormían	**durmieron**	dormirán	dormirían	**duerman**	durmieran	**duerman** Uds.
26 empezar (e:ie) (z:c)	empiezo	empezaba	**empecé**	empezaré	empezaría	**empiece**	empezara	
	empiezas	empezabas	empezaste	empezarás	empezarías	empieces	empezaras	**empieza** tú (no **empieces**)
	empieza	empezaba	empezó	empezará	empezaría	empiece	empezara	**empiece** Ud.
Participles:	empezamos	empezábamos	empezamos	empezaremos	empezaríamos	empecemos	empezáramos	**empecemos**
empezando	empezáis	empezabais	empezasteis	empezaréis	empezaríais	empecéis	empezarais	empezad (no **empecéis**)
empezado	**empiezan**	empezaban	empezaron	empezarán	empezarían	**empiecen**	empezaran	**empiecen** Uds.

VERB CONJUGATION TABLES

Infinitive	INDICATIVE					SUBJUNCTIVE		IMPERATIVE
	Present	Imperfect	Preterit	Future	Conditional	Present	Past	
27 entender (e:ie)	**entiendo**	entendía	entendí	entenderé	entendería	**entienda**	entendiera	
	entiendes	entendías	entendiste	entenderás	entenderías	**entiendas**	entendieras	**entiende** tú (no **entiendas**)
	entiende	entendía	entendió	entenderá	entendería	**entienda**	entendiera	**entienda** Ud.
Participles:	entendemos	entendíamos	entendimos	entenderemos	entenderíamos	entendamos	entendiéramos	entendamos
entendiendo	entendéis	entendíais	entendisteis	entenderéis	entenderíais	entendáis	entendierais	entended (no entendáis)
entendido	**entienden**	entendían	entendieron	entenderán	entenderían	**entiendan**	entendieran	**entiendan** Uds.
28 jugar (u:ue)	**juego**	jugaba	**jugué**	jugaré	jugaría	**juegue**	jugara	
(g:gu)	**juegas**	jugabas	jugaste	jugarás	jugarías	**juegues**	jugaras	**juega** tú (no **juegues**)
	juega	jugaba	jugó	jugará	jugaría	**juegue**	jugara	**juegue** Ud.
Participles:	jugamos	jugábamos	jugamos	jugaremos	jugaríamos	juguemos	jugáramos	juguemos
jugando	jugáis	jugabais	jugasteis	jugaréis	jugaríais	juguéis	jugarais	jugad (no juguéis)
jugado	**juegan**	jugaban	jugaron	jugarán	jugarían	**jueguen**	jugaran	**jueguen** Uds.
29 pedir (e:i)	**pido**	pedía	pedí	pediré	pediría	**pida**	pidiera	
	pides	pedías	pediste	pedirás	pedirías	**pidas**	pidieras	**pide** tú (no **pidas**)
Participles:	**pide**	pedía	**pidió**	pedirá	pediría	**pida**	pidiera	**pida** Ud.
pidiendo	pedimos	pedíamos	pedimos	pediremos	pediríamos	**pidamos**	pidiéramos	**pidamos**
pedido	pedís	pedíais	pedisteis	pediréis	pediríais	**pidáis**	pidierais	pedid (no **pidáis**)
	piden	pedían	**pidieron**	pedirán	pedirían	**pidan**	pidieran	**pidan** Uds.
30 pensar (e:ie)	**pienso**	pensaba	pensé	pensaré	pensaría	**piense**	pensara	
	piensas	pensabas	pensaste	pensarás	pensarías	**pienses**	pensaras	**piensa** tú (no **pienses**)
Participles:	**piensa**	pensaba	pensó	pensará	pensaría	**piense**	pensara	**piense** Ud.
pensando	pensamos	pensábamos	pensamos	pensaremos	pensaríamos	pensemos	pensáramos	pensemos
pensado	pensáis	pensabais	pensasteis	pensaréis	pensaríais	penséis	pensarais	pensad (no penséis)
	piensan	pensaban	pensaron	pensarán	pensarían	**piensen**	pensaran	**piensen** Uds.
31 reír (e:i)	**río**	reía	**reí**	reiré	reiría	**ría**	riera	
	ríes	reías	**reíste**	reirás	reirías	**rías**	rieras	**ríe** tú (no **rías**)
Participles:	**ríe**	reía	**rio**	reirá	reiría	**ría**	riera	**ría** Ud.
riendo	**reímos**	reíamos	**reímos**	reiremos	reiríamos	**riamos**	riéramos	**riamos**
reído	**reís**	reíais	**reísteis**	reiréis	reiríais	**riáis**	rierais	reíd (no **riáis**)
	ríen	reían	**rieron**	reirán	reirían	**rían**	rieran	**rían** Uds.
32 seguir (e:i)	**sigo**	seguía	seguí	seguiré	seguiría	**siga**	siguiera	
(gu:g)	**sigues**	seguías	seguiste	seguirás	seguirías	**sigas**	siguieras	**sigue** tú (no **sigas**)
	sigue	seguía	**siguió**	seguirá	seguiría	**siga**	siguiera	**siga** Ud.
Participles:	seguimos	seguíamos	seguimos	seguiremos	seguiríamos	**sigamos**	siguiéramos	**sigamos**
siguiendo	seguís	seguíais	seguisteis	seguiréis	seguiríais	**sigáis**	siguierais	seguid (no **sigáis**)
seguido	**siguen**	seguían	**siguieron**	seguirán	seguirían	**sigan**	siguieran	**sigan** Uds.
33 sentir (e:ie)	**siento**	sentía	sentí	sentiré	sentiría	**sienta**	sintiera	
	sientes	sentías	sentiste	sentirás	sentirías	**sientas**	sintieras	**siente** tú (no **sientas**)
Participles:	**siente**	sentía	**sintió**	sentirá	sentiría	**sienta**	sintiera	**sienta** Ud.
sintiendo	sentimos	sentíamos	sentimos	sentiremos	sentiríamos	**sintamos**	sintiéramos	**sintamos**
sentido	sentís	sentíais	sentisteis	sentiréis	sentiríais	**sintáis**	sintierais	sentid (no **sintáis**)
	sienten	sentían	**sintieron**	sentirán	sentirían	**sientan**	sintieran	**sientan** Uds.
34 volver (o:ue)	**vuelvo**	volvía	volví	volveré	volvería	**vuelva**	volviera	
	vuelves	volvías	volviste	volverás	volverías	**vuelvas**	volvieras	**vuelve** tú (no **vuelvas**)
Participles:	**vuelve**	volvía	volvió	volverá	volvería	**vuelva**	volviera	**vuelva** Ud.
volviendo	volvemos	volvíamos	volvimos	volveremos	volveríamos	volvamos	volviéramos	volvamos
vuelto	volvéis	volvíais	volvisteis	volveréis	volveríais	volváis	volvierais	volved (no volváis)
	vuelven	volvían	volvieron	volverán	volverían	**vuelvan**	volvieran	**vuelvan** Uds.

Verbs with spelling changes only

Infinitive	INDICATIVE					SUBJUNCTIVE		IMPERATIVE
	Present	Imperfect	Preterit	Future	Conditional	Present	Past	
35 conocer (c:zc)	**conozco**	conocía	conocí	conoceré	conocería	**conozca**	conociera	
	conoces	conocías	conociste	conocerás	conocerías	**conozcas**	conocieras	conoce tú (no **conozcas**)
Participles:	conoce	conocía	conoció	conocerá	conocería	**conozca**	conociera	**conozca** Ud.
conociendo	conocemos	conocíamos	conocimos	conoceremos	conoceríamos	**conozcamos**	conociéramos	**conozcamos**
conocido	conocéis	conocíais	conocisteis	conoceréis	conoceríais	**conozcáis**	conocierais	conoced (no **conozcáis**)
	conocen	conocían	conocieron	conocerán	conocerían	**conozcan**	conocieran	**conozcan** Uds.
36 creer (y)	creo	creía	**creí**	creeré	creería	crea	**creyera**	
	crees	creías	**creíste**	creerás	creerías	creas	**creyeras**	cree tú (no creas)
Participles:	cree	creía	**creyó**	creerá	creería	crea	**creyera**	crea Ud.
creyendo	creemos	creíamos	**creímos**	creeremos	creeríamos	creamos	**creyéramos**	creamos
creído	creéis	creíais	**creísteis**	creeréis	creeríais	creáis	**creyerais**	creed (no creáis)
	creen	creían	**creyeron**	creerán	creerían	crean	**creyeran**	crean Uds.
37 cruzar (z:c)	cruzo	cruzaba	**crucé**	cruzaré	cruzaría	**cruce**	cruzara	
	cruzas	cruzabas	cruzaste	cruzarás	cruzarías	**cruces**	cruzaras	cruza tú (no **cruces**)
Participles:	cruza	cruzaba	cruzó	cruzará	cruzaría	**cruce**	cruzara	**cruce** Ud.
cruzando	cruzamos	cruzábamos	cruzamos	cruzaremos	cruzaríamos	**crucemos**	cruzáramos	**crucemos**
cruzado	cruzáis	cruzabais	cruzasteis	cruzaréis	cruzaríais	**crucéis**	cruzarais	cruzad (no **crucéis**)
	cruzan	cruzaban	cruzaron	cruzarán	cruzarían	**crucen**	cruzaran	**crucen** Uds.
38 destruir (y)	**destruyo**	destruía	destruí	destruiré	destruiría	**destruya**	**destruyera**	
	destruyes	destruías	destruiste	destruirás	destruirías	**destruyas**	**destruyeras**	**destruye** tú (no **destruyas**)
Participles:	**destruye**	destruía	**destruyó**	destruirá	destruiría	**destruya**	**destruyera**	**destruya** Ud.
destruyendo	destruimos	destruíamos	destruimos	destruiremos	destruiríamos	**destruyamos**	**destruyéramos**	**destruyamos**
destruido	destruís	destruíais	destruisteis	destruiréis	destruiríais	**destruyáis**	**destruyerais**	destruid (no **destruyáis**)
	destruyen	destruían	**destruyeron**	destruirán	destruirían	**destruyan**	**destruyeran**	**destruyan** Uds.
39 enviar (envío)	**envío**	enviaba	envié	enviaré	enviaría	**envíe**	enviara	
	envías	enviabas	enviaste	enviarás	enviarías	**envíes**	enviaras	envía tú (no **envíes**)
Participles:	**envía**	enviaba	envió	enviará	enviaría	**envíe**	enviara	**envíe** Ud.
enviando	enviamos	enviábamos	enviamos	enviaremos	enviaríamos	**enviemos**	enviáramos	enviemos
enviado	enviáis	enviabais	enviasteis	enviaréis	enviaríais	**enviéis**	enviarais	enviad (no **enviéis**)
	envían	enviaban	enviaron	enviarán	enviarían	**envíen**	enviaran	**envíen** Uds.

VERB CONJUGATION TABLES

	Infinitive	INDICATIVE					SUBJUNCTIVE		IMPERATIVE
		Present	**Imperfect**	**Preterit**	**Future**	**Conditional**	**Present**	**Past**	
40	graduarse	**gradúo**	graduaba	gradué	graduaré	graduaría	**gradúe**	graduara	
	(gradúo)	**gradúas**	graduabas	graduaste	graduarás	graduarías	**gradúes**	graduaras	**gradúa** tú (no **gradúes**)
		gradúa	graduaba	graduó	graduará	graduaría	**gradúe**	graduara	**gradúe** Ud.
	Participles:	graduamos	graduábamos	graduamos	graduaremos	graduaríamos	graduemos	graduáramos	graduemos
	graduando	graduáis	graduabais	graduasteis	graduaréis	graduaríais	graduéis	graduarais	graduad (no graduéis)
	graduado	**gradúan**	graduaban	graduaron	graduarán	graduarían	**gradúen**	graduaran	**gradúen** Uds.
41	llegar (g:gu)	llego	llegaba	**llegué**	llegaré	llegaría	**llegue**	llegara	
		llegas	llegabas	llegaste	llegarás	llegarías	**llegues**	llegaras	llega tú (no **llegues**)
	Participles:	llega	llegaba	llegó	llegará	llegaría	**llegue**	llegara	**llegue** Ud.
	llegando	llegamos	llegábamos	llegamos	llegaremos	llegaríamos	**lleguemos**	llegáramos	**lleguemos**
	llegado	llegáis	llegabais	llegasteis	llegaréis	llegaríais	**lleguéis**	llegarais	llegad (no **lleguéis**)
		llegan	llegaban	llegaron	llegarán	llegarían	**lleguen**	llegaran	**lleguen** Uds.
42	prohibir	**prohíbo**	prohibía	prohibí	prohibiré	prohibiría	**prohíba**	prohibiera	**prohíbe** tú (no **prohíbas**)
	(prohíbo)	**prohíbes**	prohibías	prohibiste	prohibirás	prohibirías	**prohíbas**	prohibieras	**prohíba** Ud.
		prohíbe	prohibía	prohibió	prohibirá	prohibiría	**prohíba**	prohibiera	prohibamos
	Participles:	prohibimos	prohibíamos	prohibimos	prohibiremos	prohibiríamos	prohibamos	prohibiéramos	prohibid (no prohibáis)
	prohibiendo	prohibís	prohibíais	prohibisteis	prohibiréis	prohibiríais	prohibáis	prohibierais	**prohíban** Uds.
	prohibido	**prohíben**	prohibían	prohibieron	prohibirán	prohibirían	**prohíban**	prohibieran	
43	proteger (g:j)	**protejo**	protegía	protegí	protegeré	protegería	**proteja**	protegiera	
		proteges	protegías	protegiste	protegerás	protegerías	**protejas**	protegieras	protege tú (no **protejas**)
	Participles:	protege	protegía	protegió	protegerá	protegería	**proteja**	protegiera	**proteja** Ud.
	protegiendo	protegemos	protegíamos	protegimos	protegeremos	protegeríamos	**protejamos**	protegiéramos	**protejamos**
	protegido	protegéis	protegíais	protegisteis	protegeréis	protegeríais	**protejáis**	protegierais	proteged (no **protejáis**)
		protegen	protegían	protegieron	protegerán	protegerían	protejan	protegieran	**protejan** Uds.
44	tocar (c:qu)	toco	tocaba	**toqué**	tocaré	tocaría	**toque**	tocara	
		tocas	tocabas	tocaste	tocarás	tocarías	**toques**	tocaras	toca tú (no **toques**)
	Participles:	toca	tocaba	tocó	tocará	tocaría	**toque**	tocara	**toque** Ud.
	tocando	tocamos	tocábamos	tocamos	tocaremos	tocaríamos	**toquemos**	tocáramos	**toquemos**
	tocado	tocáis	tocabais	tocasteis	tocaréis	tocaríais	**toquéis**	tocarais	tocad (no **toquéis**)
		tocan	tocaban	tocaron	tocarán	tocarían	**toquen**	tocaran	**toquen** Uds.
45	vencer (c:z)	**venzo**	vencía	vencí	venceré	vencería	**venza**	venciera	
		vences	vencías	venciste	vencerás	vencerías	**venzas**	vencieras	vence tú (no **venzas**)
	Participles:	vence	vencía	venció	vencerá	vencería	**venza**	venciera	**venza** Ud.
	venciendo	vencemos	vencíamos	vencimos	venceremos	venceríamos	**venzamos**	venciéramos	**venzamos**
	vencido	vencéis	vencíais	vencisteis	venceréis	venceríais	**venzáis**	vencierais	venced (no **venzáis**)
		vencen	vencían	vencieron	vencerán	vencerían	**venzan**	vencieran	**venzan** Uds.

Guide to Vocabulary

Note on alphabetization

For purposes of alphabetization, **ch** and **ll** are not treated as separate letters, but **ñ** still follows **n**. Therefore, in this glossary you will find that **año**, for example, appears after **anuncio**.

Abbreviations used in this glossary

adj.	adjective	*form.*	formal	*pron.*	pronoun
adv.	adverb	*interj.*	interjection	*sing.*	singular
conj.	conjunction	*m.*	masculine	*v.*	verb
f.	feminine	*pl.*	plural		
fam.	familiar	*prep.*	preposition		

Spanish-English

A

a *prep.* at; to 1
  a causa de because of 12
  a la derecha (de) to the right (of) 14
  a la izquierda (de) to the left (of) 14
  a la parrilla *adj.* grilled 4
  a menos que *conj.* unless 14
  a tiempo *adv.* on time 2
  a veces *adv.* sometimes 2
abierto/a *adj.* open 3
abogado/a *m., f., n.* lawyer 6
aborto *m., n.* abortion 15
abrazar *v.* to hug 3
abrigo *m., n.* coat 8
abril *m., n.* April 1
abrir *v.* to open 7
abrocharse *v.* to fasten 13
  abrocharse el cinturón to fasten one's seatbelt 13
abuela *f., n.* grandmother 3
abuelo *m., n.* grandfather 3
abuelos *m., n. pl.* grandparents 3
aburrido/a *adj.* bored, boring 3
  estar aburrido/a to be bored 3
  ser aburrido/a to be boring 3
acampar *v.* to go camping 12
aceite *m., n.* oil 4
aceituna *f., n.* olive 4
acelerador *m., n.* accelerator, gas pedal 14
aconsejar *v.* to advise 11
acostarse (o:ue) *v.* to go to bed 6
activo/a *adj.* active 3
actual *adj.* current 15
acuerdo *m., n.* treaty, agreement 15
adicto/a *adj.* addicted 14
Adiós. Goodbye. 1
administración de empresas *f., n.* business administration 2
adolescencia *f., n.* adolescence 11
adolescente *m., f., n.* adolescent 11
¿Adónde? Where (to)? 2
aduana *f., n.* customs 13
adulto/a *m., f., n.* adult 11
aerolínea *f., n.* airline 13
afeitarse *v.* to shave 6

afuera *adv.* outdoors, outside 12
agosto *m., n.* August 1
agua *m., n.* water 4
aguacate *m., n.* avocado 4
ahora *adv.* now 2
  hasta ahora until now 10
ahorrar *v.* to save 7
aire acondicionado *m., n.* air conditioning 10
ajo *m., n.* garlic 4
al + *infinitivo prep.* upon doing something 7
al aire libre *adv.* outdoors 12
al lado de *prep.* beside, next to 7
al menos at least 15
alegrarse (de) *v.* to be glad (about) 11
alegre *adj.* cheerful 3
alegría *f., n.* joy, happiness 11
alemán *m., n.* German (language) 2
alergia *f., n.* allergy 9
alfombra *f., n.* rug, carpet 10
álgebra *m., n.* algebra 2
algo *pron.* something; anything (*interrogative*) 8
algodón *m., n.* cotton 8
alguien *pron.* someone; anyone (*interrogative*) 8
alguno/a(s), algún *adj.* any, some, someone 8
allí *adv.* there 3
almohada *f. n.* pillow 13
almorzar (o:ue) *v.* to have lunch 4
almuerzo *m. n.* lunch 4
alquilar *v.* to rent 10
alto/a *adj.* tall 3
alumno/a *m., f., n.* student 2
amable *adj.* friendly, kind 3
amar *v.* to love 3
amarillo/a *adj.* yellow 5
ambulancia *f., n.* ambulance 9
amigo/a *m., f., n.* friend 3
  (mejor) amigo/a best friend
amistad *f., n.* friendship 11
amo/a de casa *m., f., n.* homemaker 6
amor *m., n.* love 11
anaranjado/a *adj.* orange 5
anciano/a *adj.* old, elderly 11
andén *m., n.* platform (*at a train station*) 13
anillo *m., n.* ring 8
año *m., n.* year 4

año pasado last year 6
  este año this year 5
anoche *adv.* last night 6
ansiedad *f., n.* anxiety 9
anteayer *adv.* the day before yesterday 6
antes *adv.* before 2
  antes de *prep.* before 2
  antes de que *conj.* before 15
apagar *v.* to turn off 10
aparato (electrónico) *m., n.* device, gadget 14
apartamento *m., n.* apartment 2
apoyar *v.* to support 15
aprender *v.* to learn 2
aquel *m., adj., pron.* that (over there) 7
aquella *f., adj., pron.* that (over there) 7
aquellos/as *adj., pron., pl.* those (over there) 7
aquí *adv.* here 3
araña *f., n.* spider 12
árbol *m., n.* tree 5
arena *f., n.* sand 12
aretes *m., n., pl.* earrings 8
arma (el arma) *f., n.* weapon 15
arrecife *m., n.* reef 12
arroba *f., n.* @ 14
arroz *m., n.* rice 4
arte *m., n.* art 2
ascensor *m., n.* elevator 13
aseos *m., n., pl.* restrooms 13
asiento *m., n.* seat 13
asistente *m., f., n.* assistant 6
  asistente administrativo/a administrative assistant 6
  asistente de vuelo flight attendant 13
asistir a *v.* to attend 2
ataque terrorista *m., n.* terrorist attack 15
aterrizar *v.* to land 13
atlético/a *adj.* athletic 1
aumentar *v.* to increase 15
aumento *m., n.* increase 12
auriculares *m., n., pl.* headphones 2
autobús *m., n.* bus 7
  parada de autobús bus stop 7
autopista *f., n.* expressway, freeway 14
avenida *f., n.* avenue 11
aventura *f., n.* adventure 12
averiarse *v.* to break down, to stop working 14
avión *m., n.* plane 13
ayer *adv.* yesterday 6

ayudar *v.* to help 7
ayudarse *v.* to help each other 6
azúcar *m., n.* sugar 4
azul *adj.* blue 5

B

bailar *v.* to dance 5
bajar (de) *v.* to go down, to get off 10
bajo/a *adj.* short 3
   planta baja *f., n.* ground floor 10
balcón *m., n.* balcony 10
baloncesto *m., n.* basketball 5
balsa *f., n.* raft 12
banana *f., n.* banana 4
banco *m., n.* bank; bench 7
bañarse *v.* to take a bath 6
bañera *v.* bathtub 10
baño *m., n.* restroom, bathroom 10
   baño privado private bath 13
   cuarto de baño bathroom 10
bar *m., n.* bar (*place*) 7
barato/a *adj.* cheap, inexpensive 8
barco *m., n.* ship 12
barrer *v.* to sweep 10
barrio *m., n.* neighborhood 10
básquetbol *m., n.* basketball 5
bastante *adv.* quite 3
batería *f., n.* battery 14
bebé *m., f., n.* baby 3
beber *v.* to drink 2
beige *adj.* beige 5
béisbol *m., n.* baseball 5
besar *v.* to kiss 3
biblioteca *f., n.* library 2
bien *adv.* well 1
   Muy bien, gracias *adv.* Very well, thanks. 1
¡Bienvenido/a! *adj.* Welcome! 13
billete *m., n.* ticket 13
   billete de ida one-way ticket 13
   billete de ida y vuelta round-trip ticket 13
   billete electrónico e-ticket 13
   billete sencillo one-way ticket 13
billetera *f., n.* wallet 8
biología *f., n.* biology 2
bistec *m., n.* steak 4
blanco/a *adj.* white 5
blusa *f., n.* blouse 8
boca *f., n.* mouth 9
bocadillo *m., n.* sandwich 4
boda *f., n.* wedding 11
boleto *m., n.* ticket 13
   boleto de ida one-way ticket 13
   boleto de ida y vuelta round-trip ticket 13
   boleto electrónico e-ticket 13
   boleto sencillo one-way ticket 13
bolígrafo *m., n.* pen 2
bolsa *f., n.* bag 8
bolso *m., n.* purse 8
bomba *f., n.* bomb 15
bonito/a *adj.* nice, pretty 3
borrador *m., n.* eraser 2
bosque *m., n.* forest 12
botas *f., n. pl.* boots 8
bote *m., n.* boat 12
   bote de basura garbage can 10
   bote de reciclado recycling can 10
brazo *m., n.* arm 9

brócoli *m., n.* broccoli 4
bucear *v.* to scuba dive 12
buen, bueno/a *adj.* good 1
   Buenos días, señorita/señora/señor.
      Good morning, Miss/Ma'am/Sir. 1
   Buenas noches. Good evening. 1
   Buenas tardes. Good afternoon. 1
bufanda *f., n.* scarf 8
buscador *m., n.* search engine 14
buscar *v.* to look for 2
buzón *m., n.* mailbox 7

C

caballo *m., n.* horse 12
cabeza *f., n.* head 9
cable *m., n.* cable 14
cada *adj.* each 9
   cada día each day 9
caerse (*irreg.*) *v.* to fall 9
café *m., n.* coffee, café, coffee shop 4
   color café brown 5
cafetera *f., n.* coffee machine 10
cafetería *f., n.* cafeteria 2
cajero/a *m., n.* cashier 10
   cajero automático ATM 7
calcetines *m., n., pl.* socks 8
calculadora *f., n.* calculator 2
cálculo *m., n.* calculus 2
calefacción *f., n.* heating 10
calentamiento global *m., n.* global warming 12
calidad *f., n.* quality 8
caliente *adj.* hot 4
calle *f., n.* street 7
cama *f., n.* bed 6
   cama doble double bed 13
   cama sencilla single bed 13
cámara *f., n.* camera 12
   cámara de video video camera 14
camarera *f., n.* housekeeper (*hotel*) 13
camarón *m., n.* shrimp 4
cambiar *v.* to change, to exchange 7
cambio climático *m., n.* climate change 12
caminar *v.* to walk 5
camión *m., n.* truck 14
camisa *f., n.* shirt 8
camiseta *f., n.* T-shirt 8
campamento *m., n.* camp 12
campo *m., n.* country, countryside 3
cáncer *m., n.* cancer 15
candidato/a *m., f., n.* candidate 15
cansado/a *adj.* tired 3
cansarse *v.* to get tired 9
cantar *v.* to sing 2
cápsula *f., n.* capsule 9
cara *f., n.* face 9
cariñoso/a *adj.* affectionate 11
carne *f., n.* meat, beef 4
   carne de res beef 4
caro/a *adj.* expensive 8
carretera *f., n.* highway 14
carril *m., n.* lane 14
carro *m., n.* car 3
   carro eléctrico electric car 14
   carro híbrido hybrid car 14
carta *f., n.* letter 7
cartera *f., n.* wallet 8
cartero/a *m., f., n.* mail carrier 7
casa *f., n.* home, house 2
casado/a *adj.* married 11

casarse (con) *v.* to get married (to) 11
cascada *f., n.* waterfall 12
casi nunca *adv.* rarely, almost never 2
catarata *f., n.* waterfall 12
cebolla *f., n.* onion 4
celebrar *v.* to celebrate 11
celos *m., n., pl.* jealousy 11
celoso/a *adj.* jealous 11
cena *f., n.* dinner 4
cenar *v.* to have dinner 2
centro comercial *m., n.* shopping center, mall 7
centro estudiantil *m., n.* student center 2
cepillarse *v.* to brush 6
   cepillarse los dientes to brush one's teeth 6
   cepillarse el pelo to brush one's hair 6
cepillo *m., n.* brush 6
   cepillo de dientes toothbrush 6
cerca de *prep.* near, close to 7
cercano/a *adj.* close (*physically, emotionally*) 11
cerdo *m., n.* pork, pig 4, 12
cereal *m., n.* cereal 4
cerebro *m., n.* brain 9
cereza *f., n.* cherry 4
cerrado/a *adj.* closed 3
cerrar (e: ie) *v.* to close 7
cerveza *f., n.* beer 4
champú *m., n.* shampoo 6
Chao. *fam., interj.* Bye., So-long. 1
chaqueta *f., n.* jacket 8
chequeo *m., n.* checkup 9
chica *f., n.* girl 3
chico *m., n.* boy 3
chimenea *f., n.* fireplace 10
chino *m., n.* Chinese (language) 2
chuleta chop (*cut of meat*) 4
   chuleta de cerdo *f., n.* pork chop 4
ciclismo *m., n.* biking 12
   ciclismo de montaña mountain biking 12
cielo *m., n.* sky 12
ciencias políticas *f., n., pl.* political science 2
cierto/a *adj.* true 12
cine *m., n.* movie theater, cinema 7
cinturón *m., n.* belt 8
cita *f., n.* date, appointment, quote 11
ciudad *f., n.* city 3
ciudadano/a *m., f., n.* citizen 15
claro/a *adj.* light (*in color*) 5
cobija *f., n.* blanket 13
cobrar *v.* to cash; to charge 7
cocina *f., n.* kitchen 10
cocinar *v.* to cook 4
código de área *m., n.* area code 11
colegio *m., n.* school, high school 3
colina *f., n.* hill 12
collar *m., n.* necklace 8
comedor *m., n.* dining room 10
comer *v.* to eat, to have lunch 2
cómico/a *adj.* funny, comical 1
¿Cómo? What?, How? 1
   ¿Cómo está usted? (*form.*) How are you? 1
   ¿Cómo estás? (*fam.*) How are you? 1
   ¿Cómo se llama usted? (*form.*) What's your name? 1
   ¿Cómo te llamas? (*fam.*) What's your name? 1

cómoda *f., n.* bureau, dresser 10
cómodo/a *adj.* comfortable, convenient 8
compañía *f., n.* company 6
compartir *v.* to share 2
comprar *v.* to buy 2
comprender *v.* to understand 2
comprensivo/a *adj.* understanding 11
comprometerse (con) *v.* to get engaged (to) 11
computadora *f., n.* computer 2
   computadora portátil laptop 2
comunicarse *v.* to communicate 11
con *prep.* with 4
con frecuencia *adv.* frequently 2
Con permiso. Pardon me. Excuse me. (*when you want to get by someone*) 1
con tal de que *conj.* provided that 14
conductor(a) *m., f., n.* driver 14
conexión *f., n.* connection 14
   conexión wifi Wi-Fi connection 14
congestión nasal *f., n.* nasal congestion 9
conocer (*irreg.*) *v.* to meet, to know 5
conseguir (*irreg.*) *v.* to achieve 15
conservar *v.* to save, to conserve 12
construir (*irreg.*) *v.* to build 15
consultorio del médico/de la médica *m., n.* doctor's office 9
consumo *m., n.* consumption 12
contabilidad *f., n.* accounting 2
contador(a) *m., f., n.* accountant 6
contaminación *f., n.* pollution 12
contar (o:ue) *v.* to tell, to narrate 7
contento/a *adj.* happy, pleased 3, 11
contestar el teléfono *v.* to answer the phone 11
contraseña *f., n.* password 14
contribuir (*irreg.*) *v.* to contribute 12
décimo/a *adj.* tenth 14
control de seguridad *m., n.* security check 13
control remoto *m., n.* remote control 14
controlar *v.* to control 15
copa *f., n.* goblet 4
corazón *m., n.* heart 9
corbata *f., n.* tie 8
correa *f., n.* belt 8
correo de voz *m., n.* voicemail 11
correo electrónico *m., n.* e-mail 2
correr *v.* to run 5
corrupción *f., n.* corruption 15
cortar(se) *v.* to cut 6, 10
   cortar el césped to mow the lawn 10
   cortarse el pelo to cut one's hair 6
   cortarse las uñas to cut one's nails 6
cortinas *f., n., pl.* curtains 10
corto/a *adj.* short (things, not people) 8
cosa *f., n.* thing 8
costar (o:ue) *v.* to cost 4
creativo/a *adj.* creative 1
crecer *v.* to grow 11
creer *v.* to believe 11
crema *f., n.* cream 4
crema de afeitar *f., n.* shaving cream 6
cruce *m., n.* intersection 14
crucero *m., n.* cruise 12
cruzar *v.* to cross 14
cuaderno *m., n.* notebook 2
cuadra *f., n.* block (*in a city*) 14
cuadro *m., n.* painting 10
¿Cuál? Which (one)? 4
   ¿Cuáles? Which ones? 4
   ¿Cuál es la fecha de hoy? What's the

date today? 1
¿Cuándo? When? 2
   cuando when 4
¿Cuánto/a? How much? 4
¿Cuántos/as? How many? 3
   ¿Cuántos años tienes? How old are you? 3
cuarto *m., n.* quarter, room 1, 2
   cuarto de baño bathroom 10
cuarto/a *adj.* fourth 14
cuchara *f., n.* spoon 4
cucharita *f., n.* teaspoon 4
cuchillo *m., n.* knife 4
cuello *m., n.* neck 9
cuenta *f., n.* check (*in a restaurant*), bill, account 4
cuero *m., n.* leather 8
cuidar a *v.* to take care of 3
cuidarse *v.* to take care (of oneself) 9
cuñada *f., n.* sister-in-law 3
cuñado *m., n.* brother-in-law 3
cura *f., n.* cure 15
curar *v.* to cure 9
   curarse to heal 9

D

dar (*irreg.*) *v.* to give 5
   dar un paseo to take a walk, to take a stroll 4
   dar una caminata to hike 12
De nada. You're welcome. 1
de parte de from, on behalf of 11
de repente *adv.* all of a sudden, suddenly 9
debajo de *prep.* beneath, under 7
deber *v.* should, ought to 5
   deber + *infinitivo* should + *infinitive* 5
décimo/a *adj.* tenth 14
decir (*irreg.*) *v.* to say 5
dedo *m., n.* finger 9
dejar *v.* to leave, to leave behind, to forget 11
   dejar un mensaje to leave a message 11
delante de *prep.* in front of 7
delfín *m., n.* dolphin 12
delincuente *m., f., n.* delinquent, criminal 15
delito *m., n.* misdemeanor, crime 15
demasiado(s)/a(s) *adj.* too much/too many 8
demora *f., n.* delay 13
dentro de *prep.* inside 7
dependiente/a *m., f., n.* salesclerk 6
depositar *v.* to deposit 7
deprimido/a *adj.* depressed 9
derecho *adv.* straight ahead 14
derechos *m., n., pl.* rights 15
   derechos humanos human rights 15
desamparados *m., n., pl.* homeless people 15
desarrollar *v.* to develop 12
desayunar *v.* to have breakfast 2
desayuno *m., n.* breakfast 4
descansar *v.* to rest 5
desear *v.* to wish, to desire 4
desempleo *m., n.* unemployment 15
deshonesto/a *adj.* dishonest 3
desodorante *m., n.* deodorant 6
despedirse de (e: i, i) *v.* to say goodbye to 13
despegar *v.* to take off (*airplane*) 13
desperdiciar *v.* to waste 12
despertarse (e: ie) *v.* to wake up 6
después *adv.* afterwards, later 6
   después de *prep.* after 2
   después de que *conj.* after 15

destruir (*irreg.*) *v.* to destroy 12
detrás de *prep.* behind 7
devolver (o:ue) *v.* to return (*something*) 8
día *m., n.* day 1, 2
   Buenos días, señorita/señora/señor. Good morning, Miss/Ma'am/Sir. 1
   ¿Qué día es hoy? What day is it? 1
diarrea *f., n.* diarrhea 9
diccionario *m., n.* dictionary 2
diciembre *m., n.* December 1
diente *m., n.* tooth 9
diferente *adj.* different 3
difícil *adj.* difficult 3
digital *adj.* digital 14
dinero *m., n.* money 6
dirección *f., n.* address 7
discriminación *f., n.* discrimination 15
Disculpe. Pardon me., Excuse me. (*to get someone's attention*) 1
discutir *v.* to argue 11
disfrutar (de) *v.* to enjoy 13
disponible *adj.* available 11
divertido/a *adj.* amusing, fun 3
divertirse (e: ie, i) *v.* to have fun 6
divorciado/a *adj.* divorced 3, 11
divorciarse (de) *v.* to get divorced (from) 11
divorcio *m., n.* divorce 11
doblar *v.* to turn (*a corner*) 14
doctor(a) *m., f., n.* doctor 6
doler (o:ue) *v.* to hurt, to cause pain 9
dolor *m., n.* pain, ache 9
domingo *m., n.* Sunday 1
¿Dónde? Where? 1
   ¿De dónde es usted? (*form.*) Where are you from? 1
   ¿De dónde eres? (*fam.*) Where are you from? 1
dormir (o: ue, u) *v.* to sleep 4
   saco de dormir *m., n.* sleeping bag 12
dormirse (o: ue, u) *v.* to go to sleep 6
dormitorio *m., n.* bedroom 10
   dormitorio principal master bedroom 10
drogadicción *f., n.* drug addiction 15
drogas *f., n., pl* drugs 15
ducha *f., n.* shower 10
ducharse *v.* to take a shower 6
dudar *v.* to doubt 12
durazno *m., n.* peach 4

E

e and (*before words beginning with* i *or* hi) 3
economía *f., n.* economy 2
edificio *m., n.* building 7
educación *f., n.* education 2
efectivo *m., n.* cash 7
ejercicio *m., n.* exercise 5
ejército *m., n.* army 15
elección *f., n.* election 15
electrónico/a *adj.* electronic 14
elefante *m., n.* elephant 12
eliminar *v.* to eliminate 15
e-mail *m., n.* e-mail address 2
embarazada *adj.* pregnant 9
embarcar *v.* to board (*a plane, ship*) 13
emocionante *adj.* exciting 12
empacar *v.* to pack 13
empezar (e: ie) *v.* to start 7
empleado/a *m., f., n.* employee 6

VOCABULARY

empresa *f., n.* business, company **6**
en *prep.* in, on, at **7**
en caso de que *conj.* in case **14**
en vez de *prep.* instead of **7**
enamorarse (de) *v.* to fall in love (with) **11**
Encantado/a. *adj.* Pleased to meet you. **1**
encantar *v.* to delight **5**
  me encanta(n) I really like it (them) **5**
encima de *prep.* on top of, above **7**
encontrar (o: ue) *v.* to find **7**
encontrarse con (o: ue) *v.* to meet up (with) (by chance), to run into (*someone*) **6, 11**
  encontrarse disponible to be available **11**
energía *f., n.* energy **12**
enero *m., n.* January **1**
enfermarse *v.* to get sick **9**
enfermedades *f., n., pl.* illnesses **15**
enfermero/a *m., f., n.* nurse **6**
enfermo/a *adj.* sick **3**
enfrente de *prep.* opposite, facing **7**
enlace *m., n.* link **14**
enojado/a *adj.* angry **3**
enojarse *v.* to get angry **11**
ensalada *f., n.* salad **4**
enseñar *v.* to teach **7**
entender (e: ie) *v.* to understand **4**
entonces *adv.* then **6**
  hasta entonces until then **10**
entrada *f., n.* entrance; ticket (*for the movies, a concert, etc.*) **7**
entrar *v.* to enter **7**
  entrar en to go in **7**
  entrar a to go in **7**
entre *prep.* between, among **7**
entrevista *f., n.* interview **15**
enviar *v.* to send **2**
equipaje *m., n.* luggage **13**
  equipaje de mano carry-on luggage, hand luggage **13**
equipo *m., n.* team **5**
Es he/she/it is **1**
  Es cierto (que)… It's true (that)… **12**
  Es emocionante (que)… It's exciting (that)… **12**
  Es importante (que)… It's important (that)… **13**
  Es imposible (que)… It's impossible (that)… **12**
  Es improbable (que)… It's unlikely (that)… **12**
  Es interesante (que)… It's interesting (that)… **13**
  Es necesario (que)… It's necessary (that)… **13**
  Es obvio (que)… It's obvious (that)… **12**
  Es peligroso (que)… It's dangerous (that)… **12**
  Es posible (que)… It's possible (that)… **12**
  Es preciso (que)… It's necessary (that)… **13**
  Es probable (que)… It's likely (that)… **12**
  Es ridículo (que)… It's ridiculous (that)… **13**
  Es una lástima (que)… It's a shame (that)…**11**
  Es urgente (que)… It's urgent (that)… **13**
  Es verdad (que)… It's true (that)… **12**
esa(s) *f., adj., pron.* that; those **7**

escalar *v.* to climb **12**
  hacer escalada to do rockclimbing **12**
escalera *f., n.* stairs **10**
escoger *v.* to choose **15**
escribir *v.* to write **2**
escritorio *m., n.* desk **2**
escuchar *v.* to listen to **2**
escuela *f., n.* school **3**
ese *m., adj., pron.* that **7**
eso *neuter, adj., pron.* that **7**
esos *adj., pron., pl.* those **7**
espalda *f., n.* back **9**
español *m., n.* Spanish (language) **2**
espejo *m., n.* mirror **10**
esperar *v.* to wait (for), to hope, to expect **7**
esposa *f., n.* wife **3**
esposo *m., n.* husband **3**
esquiar *v.* to ski **5**
esquina *f., n.* corner **14**
esta(s) *f., adj., pron.* this; these **7**
estacionamiento *m., n.* parking **7**
estacionar *v.* to park **14**
estante *m., n.* shelf **10**
estar (*irreg.*) *v.* to be **3**
  Está lloviendo. It's raining. **5**
  Está nevando. It's snowing. **5**
  Está (muy) nublado. It's (very) cloudy. **5**
  Está (muy) soleado. It's (very) sunny. **5**
  estar a favor de to be in favor of **15**
  estar de vacaciones to be on vacation **12**
  estar en contra de to be against **15**
  estar enamorado/a (de) to be in love (with) **11**
  estar juntos/as to be together **11**
  estar de pie to be standing **9**
  estar seguro/a (de) to be sure (of) **12**
  estar sentado/a to be seated **9**
estatua *f., n.* statue **7**
este *n., adj., pron.* this **7**
esto *neuter, adj., pron.* this **7**
estos *adj., pron, pl.* these **7**
estómago *m., n.* stomach **9**
estrella *f., n.* star **12**
estrés *m., n.* stress **9**
estresado/a *adj.* stressed **3**
estudiante *m., f., n.* student **2**
estudiar *v.* to study **2**
estufa *f., n.* stove **10**
etapas de la vida *f., n., pl.* stages of life **11**
evitar *v.* to avoid **12**
examen *m., n.* exam **2**
examinar *v.* to examine **9**
éxito *m., n.* success **15**
explicar *v.* to explain **7**
explosión *f., n.* explosion **15**
extrañar *v.* to miss (*to feel longing for*) **11**
extraño/a *adj.* strange **11**
extrovertido/a *adj.* extroverted **1**

F

fábrica *f., n.* factory **6**
fácil *adj.* easy **3**
facturar *v.* to check (*baggage*) **13**
facultad *f., n.* school or department within a university **2**
falda *f., n.* skirt **8**
fantástico/a *adj.* wonderful **11**
farmacia *f., n.* pharmacy **9**
fascinar *v.* to be fascinating, to fascinate **12**

febrero *m., n.* February **1**
fecha *f., n.* date **1**
  ¿Cuál es la fecha de hoy? What's the date today? **1**
  ¿Qué fecha es hoy? What's the date today? **1**
feliz *adj.* happy **11**
Fenomenal. *adj.* Great. **1**
feo/a *adj.* ugly **3**
fiebre *f., n.* fever **9**
fiel *adj.* faithful **11**
filosofía *f., n.* philosophy **2**
finalmente *adv.* finally **9**
finanzas *f., n., pl.* finances **2**
física *f., n.* physics **2**
flexible *adj.* flexible **1**
flor *f., n.* flower **5**
fogata *f., n.* campfire **12**
fotos *f., n.* photos **12**
  sacar fotos to take photos **12**
  tomar fotos to take photos **12**
fracturar *v.* to break **9**
  fracturarse to break a bone **9**
francés *m., n.* French (language) **2**
fregadero *m., n.* kitchen sink **10**
freno *m., n.* brake **14**
frente a *prep.* opposite, facing **7**
fresa *f., n.* strawberry **4**
frijoles *m., n. pl.* beans **4**
frío/a *adj.* cold **4**
frito/a *adj.* fried **4**
fuego *m., n.* fire **12**
fuera de *prep.* outside **7**
fuerte *adj.* strong **3**
funcionar *v.* to work, to run (*a machine*) **14**
fútbol *m., n.* soccer **5**
  fútbol americano American football **5**

G

gafas *f., n.* glasses **8**
  gafas de sol sunglasses **8**
galleta *f., n.* cookie **4**
gallina *f., n.* hen, chicken **12**
ganar *v.* to win, to earn, to make (*money*) **6**
garaje *m., n.* garage **10**
garganta *f., n.* throat **9**
gasolina *f., n.* gasoline **12**
  echar gasolina to put gas (*in the tank*) **14**
gasolinera *f., n.* gas station **14**
gastar *v.* to spend (*money*) **7**
gato *m., n.* cat **3**
gel *m., n.* gel **6**
  gel de ducha shower gel **6**
generoso/a *adj.* generous **3**
gente *f., n.* people **7**
gerente *m., f., n.* manager **15**
gestionar *v.* to manage **7**
gimnasio *m., n.* gymnasium **2**
gobierno *m., n.* government **15**
golf *m., n.* golf **5**
gorra *f., n.* cap **8**
gracias thank you, thanks **1**
  Muchas gracias. Thank you (very much.) **1**
grande *adj.* big **3**
  grandes almacenes department store **7**
granja *f., n.* farm **12**
gratis *adj.* free of charge **14**

grave *adj.* serious **9**
gripe *f., n.* flu **9**
gris *adj.* gray **5**
guantes *m., n., pl.* gloves **8**
guapo/a *adj.* good looking, handsome **3**
guardar *v.* to put away, to save, to keep **10**
guerra *f., n.* war **15**
guisantes *m., n. pl.* peas **4**
gustar *v.* to like **4**
me gustaría I would like **4**

H

habitación *f., n.* room **9**
habitación doble double room **13**
habitación principal master bedroom **10**
habitación sencilla single room **13**
servicio de habitación room service **13**
hablar *v.* to talk **2**
hacer *(irreg.) v.* to do, to make **2**
Hace buen tiempo. The weather is nice. **5**
Hace (mucho) calor. It's (very) hot. **5**
Hace fresco. It's cool. **5**
Hace (mucho) frío. It's (very) cold. **5**
Hace mal tiempo. The weather is bad. **5**
Hace sol. It's sunny. **5**
Hace (mucho) viento. It´s (very) windy. **5**
hacer cola to be in line **7**
hacer deportes to play sports **5**
hacer ejercicio to exercise **5**
hacer escala to have a layover **13**
hacer escalada to do rockclimbing **12**
hacer esnórquel to snorkel **12**
hacer fila to be in line **7**
hacer la cama to make the bed **10**
hacer las maletas to pack **13**
hacer senderismo to hike **12**
hacer surf to surf **12**
hacer una cita to make an appointment **9**
hacer un análisis de sangre to do a blood test **9**
hambre *f., n.* hunger **15**
hamburguesa *f., n.* hamburger **4**
Hasta luego. See you later. **1**
hasta que *conj.* until **15**
hay *v.* there is, there are **2**
helado *m., n.* ice cream **4**
helado de chocolate chocolate ice cream **4**
helado de vainilla vanilla ice cream **4**
herida *f., n.* wound **9**
herida grave serious wound **9**
hermana *f., n.* sister **3**
hermanastra *f., n.* stepsister **3**
hermanastro *m., n.* stepbrother **3**
hermano *m., n.* brother **3**
hermoso/a *adj.* beautiful, gorgeous **3**
híbrido/a *adj.* hybrid **14**
hielo *m., n.* ice **4**
hierba *f., n.* grass **12**
hija *f., n.* daughter **3**
hijo *m., n.* son **3**
historia *f., n.* history **2**
hoja *f., n.* leaf **5**
¡Hola! *interj.* Hello!, Hi! **1**
hombre *m., n.* man **3**

hombre/mujer de negocios *m., f., n.* businessperson **6**
hombro *m., n.* shoulder **9**
hora *f., n.* time/hour **1**
¿A qué hora...? At what time...? **1**
horario *m., n.* schedule **13**
horno *m., n.* oven **10**
al horno *adj.* baked, oven-roasted **4**
horrible *adj.* horrible **11**
hospital *m., n.* hospital **9**
hostal *m., n.* hostel **13**
hotel *m., n.* hotel **13**
hotel de... estrellas *(number)*-star hotel **13**
huerto *m., n.* vegetable garden **12**
hueso *m., n.* bone **9**
huésped *m., f., n.* guest **13**
huevo *m., n.* egg **4**
huevos fritos fried eggs **4**
huevos revueltos scrambled eggs **4**

I

iglesia *f., n.* church **7**
igualdad *f., n.* equality **15**
Igualmente. Nice meeting you, too. **1**
importar *v.* to be important, to matter **12**
imposible *adj.* impossible **12**
impresora *f., n.* printer **2**
imprimir *v.* to print **2**
impuesto *m., n.* tax **15**
incendio *m., n.* fire **12**
incendio forestal wildfire **12**
increíble *adj.* incredible **11**
indicar *v.* to indicate **13**
infancia *f., n.* infancy **11**
infección *f., n.* infection **9**
informar *v.* to report **15**
ingeniería *f., n.* engineering **2**
inglés *m., n.* English (language) **2**
inmigración *f., n.* immigration **15**
inmigrante *m. ,f., n.* immigrant **15**
inodoro *m, n.* toilet **10**
insistir (en) *v.* to insist (on) **11**
inteligente *adj.* intelligent **1**
intentar *v.* to try, to attempt **14**
interesante *adj.* interesting **3**
interesar *v.* to be interesting, to interest **12**
introvertido/a *adj.* introverted **1**
invertir (e: ie, i) *v.* to invest **7**
investigación *f., n.* research **15**
invierno *m., n.* winter **5**
invitar *v.* to invite **7**
inyección *f., n.* shot, injection **9**
ir *(irreg.) v.* to go **2**
ir al baño to use the toilet **6**
ir de compras to go shopping **2**
irse *(irreg.) v.* to leave, to go away **13**
ir(se) de vacaciones to go on vacation **4**
irse de viaje to leave/to go away on a trip **13**
isla *f., n.* island **12**

J

jabón *m., n.* soap **6**
jabón líquido liquid soap **6**
jamón *m., n.* ham **4**
jardín *m., n.* garden, backyard **10**
jeans *m., n., pl.* jeans **8**

joven *m., f., n.* young person **11**
joven *adj.* young **3**
joyería *f., n.* jewelry store **7**
judías verdes *f., n. pl.* green beans **4**
jueves *m., n.* Thursday **1**
jugar (u: ue) *v.* to play **5**
jugar al... to play a sport/game **5**
jugo *m., n.* juice **4**
julio *m., n.* July **1**
junio *m., n.* June **1**
juntos/as *adj.* together **11**
justicia *f., n.* justice **15**
justo/a *adj.* fair **11**
juventud *f., n.* youth **11**

K

kayak *m., n.* kayak **12**

L

labio *m., n.* lip **9**
lámpara *f., n.* lamp **10**
lana *f., n.* wool **8**
langosta *f., n.* lobster **4**
lápiz *m., n.* pencil **2**
largo/a *adj.* long **8**
lastimarse *v.* to hurt oneself **9**
lavabo *m., n.* bathroom sink **10**
lavadora *f., n.* washing machine **10**
lavaplatos *m., n.* dishwasher **10**
lavar *v.* to wash **6**
lavar los platos to wash dishes **10**
lavarse to wash (oneself) **6**
lavarse la cara to wash one's face **6**
lavarse las manos to wash one's hands **6**
leche *f., n.* milk **4**
lechuga *f., n.* lettuce **4**
leer *v.* to read **2**
legalizar *v.* to legalize **15**
lejos de *prep.* far from **7**
lengua *f., n.* tongue **9**
lentes *m., n.* glasses **8**
lentes de sol sunglasses **8**
lento/a *adj.* slow **14**
león *m., n.* lion **12**
levantar pesas *v.* to lift weights **5**
levantarse *v.* to get up **6**
ley *f., n.* law **15**
libertad *f., n.* freedom **15**
librería *f., n.* bookstore **2**
libro *m., n.* book **2**
libro de texto textbook **2**
licencia de manejar *f., n.* driver's license **14**
líder *m., f., n.* leader **15**
límite *m., n.* limit **14**
límite de velocidad speed limit **14**
limón *m., n.* lemon **4**
limpiar *v.* to clean **5**
limpio/a *adj.* clean **8**
línea *f., n.* line, phone line **11**
literatura *f., n.* literature **2**
llamada *f., n.* phone call **11**
llamar *v.* to call **3**
¿Le puede decir que he llamado? Could you tell him/her that I've called? **11**
llanta *f., n.* tire **14**
llave *f., n.* key **13**
llegada *f., n.* arrival **13**
llegar *v.* to arrive **2**
llenar *v.* to fill **14**

VOCABULARY

llevar *v.* to wear, to carry, to take **8**
llevarse bien/mal *v.* to get along/to not get along **11**
llorar *v.* to cry **11**
llover (o: ue) *v.* to rain **5**
Llueve. *v.* It's raining. **5**
lluvia *f., n.* rain **5**
Lo siento (mucho). I am (very) sorry. **1**
luchar (por) *v.* to fight for **15**
luego *adv.* then, later **6**
lugar *m., n.* place **2**
luna *f., n.* moon **12**
luna de miel *f., n.* honeymoon **11**
lunes *m., n.* Monday **1**
luz *f., n.* light **10**

M

madrastra *f., n.* stepmother **3**
madre *f., n.* mother **3**
madurez *f., n.* maturity **11**
maestro/a *m., f., n.* teacher **6**
maíz *m., n.* corn **4**
maleta *f., n.* suitcase **13**
maletero *m., m* trunk **14**
malo/a *adj.* bad **3**
mamá *f., n.* mom **3**
mañana *f., n. / adv.* morning, tomorrow **2**
  de la mañana in the morning **1**
  esta mañana this morning **2**
  en la mañana in the morning **2**
  Hasta mañana. See you tomorrow. **1**
  por la mañana in the morning **2**
  todas las mañanas every morning **2**
mandar *v.* to send **2**
mandarina *f., n.* mandarin, tangerine **4**
manejar *v.* to drive **5**
manga *f., n.* sleeve **8**
mano *f., n.* hand **9**
manta *f., n.* blanket **13**
mantener (irreg.) *v.* to maintain **15**
mantequilla *f., n.* butter **4**
manzana *f., n.* apple **4**
mapa *m., n.* map **2**
maquillaje *m., n.* makeup **6**
maquillarse *v.* to put on makeup **6**
máquina de afeitar *f., n.* electric shaver **6**
mar *m., n.* sea **5**
marcador *m., n.* marker **2**
mareo *m., n.* dizziness **9**
mariposa *f., n.* butterfly **12**
marrón *adj.* brown **5**
martes *m., n.* Tuesday **1**
marzo *m., n.* March **1**
más *adv.* more **4**
  más tarde later **2**
matar *v.* to kill **11**
matemáticas *f., n., pl.* mathematics **2**
matrimonio *m., n.* marriage **11**
mayo *m., n.* May **1**
mayor *adj.* old, older **3**
Me llamo... My name is... **1**
medianoche *f., n.* midnight **1**
  Es medianoche. It's midnight. **1**
medias *f., n.* stockings, pantyhose **8**
medicina *f., n.* medicine **5**
médico/a *m., f., n.* doctor **6**
medio/a *adj.* half **1**
mediodía *m., n.* noon **1**
  Es mediodía. It's noon. **1**
mejor *adj.* better, best **7**

el/la mejor the best **7**
melocotón *m., n.* peach **4**
menor *adj.* younger **3**
menos *adv.* less **1**
mensaje *m., n.* message **2, 11**
  mensaje de texto text message **14**
  mensaje electrónico e-mail message **2**
mentir (e: ie, i) *v.* to lie **11**
mermelada *f., n.* jam **4**
mes *m., n.* month **1**
  este mes this month **5**
  mes pasado last month **6**
  mes que viene next month **5**
mesa *f., n.* table **2**
mesero/a *m., f., n.* waiter/waitress, server **4, 6**
mesita *f., n.* coffee table, side table **10**
  mesita de noche nightstand **10**
metro *m., n.* metro, subway **7**
microondas *m., n.* microwave **10**
mientras *conj.* while, meanwhile **9**
miércoles *m., n.* Wednesday **1**
mirar *v.* to look at **8**
mochila *f., n.* backpack **2**
moda *f., n.* fashion **8**
molestar *v.* to be annoying, to bother **11**
moneda *f., n.* currency, money, coin **7**
mono *m., n.* monkey **12**
montaña *f., n.* mountain **3**
montañismo *m., n.* mountain climbing **12**
montar *v.* to ride **12**
  montar a caballo to ride a horse **12**
  montar en bicicleta to ride a bicycle **5**
morado/a *adj.* purple **5**
moreno/a *adj.* dark-skinned, brunette **3**
morir (o: ue, u) *v.* to die **7**
mosca *f., n.* fly **12**
mosquito *m., n.* mosquito **12**
mostrar (o: ue) *v.* to show **8**
moto(cicleta) *f., n.* motorcycle **14**
motor *m., n.* motor **14**
mover (o:ue) *v.* to move (*something*) **10**
moverse (o:ue) *v.* to move oneself **10**
muchacha *f., n.* girl **3**
muchacho *m., n.* boy **3**
mucho *adv.* a lot **4**
Mucho gusto. Nice meeting you. **1**
mucho/a *adj.* much, a lot, many **4**
mudarse *v.* to move (*change residence*) **10**
mueble *m., n.* piece of furniture **10**
muerte *f., n.* death **11**
mujer *f., n.* woman **3**
mujer policía *f., n.* policewoman **6**
mundo *m., n.* world **12**
museo *m., n.* museum **7**
música *f., n.* music **2**
muy *adv.* very **1**

N

nacer *v.* to be born **11**
nada nothing **8**
nadar *v.* to swim **5**
nadie *pron.* no one, nobody **8**
naranja *f., n.* orange **4**
narcotráfico *m., n.* drug trafficking **15**
nariz *f., n.* nose **9**
náusea *f., n.* nausea **9**
navegador *m., n.* browser **14**

navegar *v.* to navigate
  navegar (a vela) to sail **12**
  navegar en la red/Internet to surf the web/Internet **2**
necesitar *v.* to need **4**
negocios *m., n., pl.* business **2**
negro/a *adj.* black **5**
nervioso/a *adj.* nervous **3**
nevar (e: ie) *v.* to snow **5**
ni nor, not even **8**
  ni... ni neither... nor **8**
nieta *f., n.* granddaughter **3**
nieto *m., n.* grandson **3**
Nieva. *v.* It's snowing. **5**
nieve *f., n.* snow **5**
ninguno/a(s), ningún no, none, no one **8**
niña *f., n.* girl **3**
niñez *f., n.* childhood **11**
niño *m., n.* boy **3**
noche *f., n.* evening, night **2**
  Buenas noches. Good night. **1**
  de la noche in the evening **1**
  esta noche this evening **2**
  en la noche in the evening **2**
  por la noche in the evening **2**
  todas las noches every evening **2**
nombre de usuario *m., n.* username **14**
nota *f., n.* grade **2**
noticiero *m., n.* news program **15**
noveno/a *adj.* ninth **14**
novia *f., n.* girlfriend **3**
noviembre *m., n.* November **1**
novio *m., n.* boyfriend **3**
nube *f., n.* cloud **5**
nuevo/a *adj.* new **3**
nunca *adv.* never **2**

O

o *conj.* or **3**
  o... o either... or **8**
obra de teatro *f., n.* play (*theater*) **7**
obtener (irreg.) *v.* to obtain **13**
obvio/a *adj.* obvious **12**
océano *m., n.* ocean **12**
octavo/a *adj.* eighth **14**
octubre *m., n.* October **1**
ocupado/a *adj.* busy **3**
oficina *f., n.* office **2**
  oficina del profesor/ de la profesora (professor's) office **2**
oído *m., n.* middle and inner ear; hearing **9**
oír (irreg.) *v.* to hear **5**
Ojalá que... I hope . . . **11**
ojo *m., n.* eye **9**
ola *f., n.* wave **12**
olvidar *v.* to forget **11**
optimista *adj.* optimistic **1**
ordenar *v.* to tidy up **10**
oreja *f., n.* ear (outer) **9**
oro *m., n.* gold **8**
oscuro/a *adj.* dark **5**
otoño *m., n.* fall, autumn **5**
oveja *f., n.* sheep **12**

VOCABULARY

querer (*irreg.*) *v.* to want, to love **4**
queso *m., n.* cheese **4**
¿Quién(es)? Who? **3**
química *f., n.* chemistry **2**
quinto/a *adj.* fifth **14**
quiosco *m., n.* kiosk, newsstand **7**
quitar *v.* to take away **10**
   quitar la mesa to clear the table **10**
   quitarse la ropa to take off
    one's clothes **6**

R

radio (por satélite) *f., n.* (satellite) radio **14**
rápido/a *adj.* fast **14**
rascacielos *m., n.* skyscraper **7**
rasuradora *f., m.* razor **6**
ratón *m., n.* mouse **2**
rebajas *f., n., pl.* sales (*price reductions*) **8**
recepción *f., n.* reception desk **9**
recepcionista *m., f., n.* receptionist **6**
receta *f., n.* prescription **9**
recibir *v.* to receive **7**
reciclar *v.* to recycle **12**
reclamo de equipaje *m., n.* baggage
   claim **13**
recoger *v.* to pick up **7, 10**
recomendar (e: ie) *v.* to recommend **9**
recordar (o: ue) *v.* to remember **11**
recurso *m., n.* resource **12**
   recurso natural natural resource **12**
red *f., n.* the web, the Internet **2**
red social *f., n.* social network **5, 14**
reducir *v.* to reduce **12**
refresco *m., n.* soda, soft drink **4**
refrigerador *m., n.* refrigerator **10**
regalar *v.* to give (*as a gift*) **7**
regalo *m., n.* gift, present **8**
registrarse *v.* to register, to check in
   (*at a hotel*) **13**
regresar *v.* to return, to go back **2**
reírse (de) *v.* to laugh (at) **11**
relajarse *v.* to relax **6**
religión *f., n.* religion **2**
reloj *m., n.* clock, watch **2**
   reloj despertador alarm clock **6**
remar *v.* to row **12**
reparar *v.* to repair **14**
repartidor(a) *m., f., n.* delivery person **7**
repetir (e: i, i) *v.* to repeat **7**
reportar *v.* to report **15**
reportero/a *m., f., n.* reporter **15**
reservación *f., n.* reservation **13**
resfriado *m., n.* cold (*illness*) **9**
residencia estudiantil *f., n.* student dorm **2**
resolver (o: ue) *v.* to solve **10**
respirar *v.* to breathe **9**
responsable *adj.* responsible **1**
restaurante *m., n.* restaurant **4**
retirar *v.* to withdraw (*money*) **7**
reunirse (con) *v.* to meet, to get
   together (with) **11**
revista *f., n.* magazine **7**
rico/a *adj.* rich **3**
ridículo/a *adj.* ridiculous **11**
río *m., n.* river **12**
robar *v.* to rob, to steal **15**
rojo/a *adj.* red **5**
romántico/a *adj.* romantic **11**
romper *v.* to break **11**
   romper con to break up with **11**

ropa *f., n.* clothes, clothing **6, 8**
ropero *m., n.* closet **8**
rosa *adj.* pink **5**
rubio/a *adj.* blond(e) **3**
ruido *m., n.* noise **10**

S

sábado *m., n.* Saturday **1**
sábana *f., n.* sheet **13**
saber (*irreg.*) *v.* to know **5**
sacar *v.* to take out
   sacar la basura to take out the trash **10**
   sacar buenas notas to get good grades **2**
   sacar fotos to take photos **12**
   sacar malas notas to get bad grades **2**
   sacar sangre to draw blood **9**
   sacar un pasaporte to get a passport **13**
   sacar una radiografía to take an X-ray **9**
saco de dormir *m., n.* sleeping bag **12**
sacudir *v.* to dust **10**
   sacudir los muebles to dust the
   furniture **10**
sal *f., n.* salt **4**
sala *f., n.* living room **10**
   sala de espera waiting room **9**
   sala de estar living room,
   family room **10**
   sala de urgencias emergency room **9**
salchicha *f., n.* sausage **4**
salida *f., n.* departure **13**
salir *v.* to leave, to go out **2**
   salir con to go out with **11**
salmón *m., n.* salmon **4**
saludar *v.* to greet **13**
sandalias *f., n., pl.* sandals **8**
sandía *f., n.* watermelon **4**
sándwich *m., n.* sandwich **4**
sangre *f., n.* blood **9**
   hacer un análisis de sangre to do a
   blood test **9**
   sacar sangre to draw blood **9**
sano/a *adj.* healthy **9**
satélite *m., n.* satellite **14**
secador de pelo *m., n.* hair dryer **6**
secadora *f., n.* clothes dryer **10**
secar *v.* to dry **10**
   secar los platos to dry dishes **10**
secarse *v.* to dry (oneself) **6**
seda *f., n.* silk **8**
seguir (e: i, i) *v.* to continue, to follow **14**
segundo/a *adj.* second **14**
seguro *m., n.* insurance **14**
Seguro que... It's true that... **12**
sello *m., n.* stamp **7**
selva *f., n.* jungle, rain forest **12**
semáforo *m., n.* traffic light **1**
semana *f., n.* week **2**
   el fin de semana weekend **1**
   el fin de semana pasado last weekend **6**
   la semana pasada last week **6**
sentarse (e: ie) *v.* to sit down **9**
sentir (e: ie, i) *v.* to feel; to be sorry,
   to regret **9**
   sentir dolor to feel pain **9**
   sentir estrés to feel stress **9**
   sentirse estresado/a to feel stressed **9**
   sentirse mal to feel bad **9**
señal *f., n.* sign **14**
separarse (de) *v.* to separate (from) **11**
septiembre *m., n.* September **1**

séptimo/a *adj.* seventh **14**
ser (*irreg.*) *v.* to be **1**
serie *f., n.* (TV) series **5**
serio/a *adj.* serious **3**
serpiente *f., n.* snake **12**
servilleta *f., n.* napkin **4**
servir (e: i, i) *v.* to serve **4**
sexto/a *adj.* sixth **14**
siempre *adv.* always **2**
silla *f., n.* chair **2**
   silla de ruedas wheelchair **10**
sillón *m., n.* armchair **10**
similar *adj.* similar **3**
simpático/a *adj.* likeable, nice **3**
sin *prep.* without **4**
sincero/a *adj.* sincere, honest **11**
síntoma *m., n.* symptom **9**
sistema GPS *m., n.* GPS **14**
sitio web *m., n.* website **2**
sobre *prep.* on top of, above **7**
sobre *m., n.* envelope **7**
sobrina *f., n.* niece **3**
sobrino *m., n.* nephew **3**
sociología *f., n.* sociology **2**
sofá *m., n.* sofa **10**
sol *m., n.* sun **12**
solicitar *v.* to apply for **15**
solicitud *f., n.* application **15**
solo/a *adj.* only **5**
soltero/a *adj.* single, unmarried **3**
sombrero *m., n.* hat **8**
sonar (o: ue) *v.* to ring, to sound **6**
sopa *f., n.* soup **4**
sorprender *v.* to surprise, to
   be surprising **11**
sortija *f., n.* ring **8**
sótano *m., n.* basement **10**
Soy de... I am from... **1**
subir *v.* to go up **10**
   subir a to get in/on (*a car, train*),
   to board (*a plane*) **13**
sucio/a *adj.* dirty **8**
suegra *f., n.* mother-in-law **3**
suegro *m., n.* father-in-law **3**
suéter *m., n.* sweater **8**
sufrir *v.* to suffer **15**
sugerir (e: ie, i) *v.* to suggest **11**

T

tableta *f., n.* tablet **2**
talla *f., n.* size **8**
taller mecánico *m., n.* mechanic shop **14**
también *adv.* also **3**
tampoco *adv.* neither, not either **3**
tan pronto como *conj.* as soon as **15**
tanque *m., n.* tank **14**
taquilla *f., n.* ticket window **13**
tarde *f., n.* afternoon **2**
   a tarde late **2**
   Buenas tardes. Good afternoon. **1**
   de la tarde in the afternoon **1**
   en la tarde in the afternoon **2**
   esta tarde this afternoon **2**
   por la tarde in the afternoon **2**
   todas las tardes every afternoon **2**
tarde *adv.* late **2**
tarea *f., n.* homework **2**

VOCABULARY

English-Spanish

A

@ **arroba** *f., n.* 14
academic paper **trabajo escrito** *m., n.* 2
accelerator **acelerador** *m., n.* 14
account **cuenta** *f., n.* 7
accountant **contador(a)** *m., f., n.* 6
accounting **contabilidad** *f., n.* 2
ache **dolor** *m., n.* 9
achieve **conseguir** *(irreg.) v.* 15
active **activo/a** *adj.* 3
addicted **adicto/a** *adj.* 14
address **dirección** *f., n.* 7
administrative assistant **asistente administrativo/a** *m., f., n.* 6
adolescence **adolescencia** *f., n.* 11
adolescent **adolescente** *m., n.* 11
adult **adulto/a** *m., f., n.* 11
adventure **aventura** *f., n.* 12
advise **aconsejar** *v.* 11
affectionate **cariñoso/a** *adj.* 11
after **después de** *prep.* 2
after **después de que** *conj.* 15
afternoon **tarde** *f., n.* 2
  every afternoon **todas las tardes** 2
  in the afternoon **en la tarde, por la tarde** 2
  this afternoon **esta tarde** 2
afterwards **después** *adv.* 6
agreement **acuerdo** *m., n.* 15
air conditioning **aire acondicionado** *m., n.* 10
airline **aerolínea** *f., n.* 13
aisle **pasillo** *m., n.* 13
alarm clock **reloj despertador** *m., n.* 6
algebra **álgebra** *m., n.* 2
all **todo** *adj.* 8
all of a sudden **de repente** *adv.* 9
allergy **alergia** *f., n.* 9
already **ya** *adv.* 6
also **también** *adv.* 3
always **siempre** *adv.* 2
ambulance **ambulancia** *f., n.* 9
among **entre** *prep.* 7
amusing **divertido/a** *adj.* 3
and **y, e** *(before a noun beginning with **i** or **hi**) conj.* 1
angry **enojado/a** *adj.* 3
answer the phone **contestar el teléfono** *v.* 11
anxiety **ansiedad** *f., n.* 9
any **alguno/a(s), algún** *adj.* 8
anyone **alguien** *pron.* 8
apartment **apartamento** *m., n.* 2
appear **parecer** *v.* 13
apple **manzana** *f., n.* 4
application *(for a job)* **solicitud** *f., n.* 15
apply for **solicitar** *v.* 15
appointment **cita** *f., n.* 11
April **abril** *m., n.* 1
area code **código de área** *m., n.* 11
argue **discutir** *v.* 11
arm **brazo** *m., n.* 9
armchair **sillón** *m., n.* 10
army **ejército** *m., n.* 15
around **por** *prep.* 7
arrive **llegar** *v.* 2
arrival **llegada** *f., n.* 13

art **arte** *m., n.* 2
as soon as **tan pronto como** *conj.* 15
ask **preguntar** *v.* 7
  ask for **pedir (e: i, i)** *v.* 4
at **a** *prep.* 1
  at *(a location)* **en** *prep.* 7
at least **al menos** *conj.* 15
athletic **atlético/a** *adj.* 1
ATM **cajero automático** *m., n.* 7
attempt **intentar** *v.* 14
attend **asistir a** *v.* 2
August **agosto** *m., n.* 1
aunt **tía** *f., n.* 3
available **disponible** *adj.* 11
avenue **avenida** *f., n.* 7
avocado **aguacate** *m., n.* 4
avoid **evitar** *v.* 12

B

baby **bebé** *m., f., n.* 3
back **espalda** *f., n.* 9
backpack **mochila** *f., n.* 2
backyard **jardín** *m., n.* 10
bacon **tocino** *m., n.* 4
bad **malo/a** *adj.* 3
badly **mal** *adv.* 3
bag **bolsa** *f., n.* 8
baggage claim **reclamo de equipaje** *m., n.* 13
baked **al horno** 4
bakery **pastelería** *f., n.* 7
balcony **balcón** *m., n.* 10
ball **pelota** *f., n.* 5
banana **banana, plátano** *f., n. / m., n.* 4
band-aid **tirita** *f., n.* 9
bank **banco** *m., n.* 7
bar *(place)* **bar** *m., n.* 7
baseball **béisbol** *m., n.* 5
basement **sótano** *m., n.* 10
basketball **baloncesto, básquetbol** *m., n.* 5
bathroom **baño, cuarto de baño** *m., n.* 10
bathroom sink **lavabo** *m., n.* 10
bathtub **bañera** *f., n.* 10
battery **batería** *f., n.* 14
be **ser** *(irreg.),* **estar** *(irreg.) v.* 1, 3
  be ... years old **tener** *(irreg.)* **... años** *v.* 3
  be able **poder (o: ue, u)** *v.* 4
  be afraid **tener** *(irreg.)* **miedo** *v.* 12
  be against *(something)* **estar** *(irreg.)* **en contra de** *v.* 15
  be annoying **molestar** *v.* 11
  be available **encontrarse disponible** 11
  be born **nacer** *v.* 11
  be (very) cold **tener** *(irreg.)* **(mucho) frío** *v.* 5
  be fascinating **fascinar** *v.* 12
  be glad (about) **alegrarse (de)** *v.* 11
  be (very) hot **tener** *(irreg.)* **(mucho) calor** *v.* 5
  be hungry **tener** *(irreg.)* **hambre** *v.* 4
  be important **importar** *v.* 12
  be in a hurry **tener** *(irreg.)* **prisa** *v.* 13
  be in favor of **estar** *(irreg.)* **a favor de** *v.* 15
  be in line **hacer** *(irreg.)* **cola/fila** *v.* 7
  be in love (with) **estar** *(irreg.)* **enamorado/a (de)** *v.* 11
  be interesting **interesar** *v.* 12
  be on vacation **estar** *(irreg.)* **de vacaciones** *v.* 12

be seated **estar sentado/a** 9
be sleepy **tener** *(irreg.)* **sueño** *v.* 6
be sorry (that) **sentir (e: ie, i) (que)** *v.* 11
be standing **estar de pie** 9
be sure (of) **estar** *(irreg.)* **seguro/a (de)** *v.* 12
be surprising **sorprender** *v.* 11
be thirsty **tener** *(irreg.)* **sed** *v.* 4
beach **playa** *f., n.* 3
beans **frijoles** *m., n. pl.* 4
beautiful **hermoso/a** *adj.* 3
because **porque** *conj.* 4
because of **a causa de** *prep.* 12
become **ponerse** *(irreg.) v.* 9
bed **cama** *f., n.* 6
  double bed **cama doble** *f., n.* 13
  single bed **cama sencilla** *f., n.* 13
bedroom **dormitorio, habitación** *m., n. / f., n.* 10
beef **carne de res** *f., n.* 4
beer **cerveza** *f., n.* 4
before **antes de, antes de que** *adv., prep., conj.* 2
behind **detrás de** *prep.* 7
beige **beige** *adj.* 5
believe **creer** *v.* 11
belt **cinturón, correa** *m., n. / f., n.* 8
bench **banco** *m., n.* 7
beneath **debajo de** *prep.* 7
beside **al lado de** *prep.* 7
best **el/la mejor** *adj.* 7
  best friend **mejor amigo/a** *m., n. / f., n.* 3
better **mejor** *adj.* 7
between **entre** *prep.* 7
big **grande** *adj.* 3
bill **cuenta** *f., n.* 4
bin **papelera** *f., n.* 2
biology **biología** *f., n.* 2
bird **pájaro** *m., n.* 12
bit: a bit, a little bit (of) **un poco (de)** *adj.* 1
black **negro/a** *adj.* 5
blanket **cobija, manta** *f., n.* 13
block *(in a city)* **cuadra** *f., n.* 14
blond(e) **rubio/a** *adj.* 3
blood **sangre** *f., n.* 9
  do a blood test **hacer** *(irreg.)* **un análisis de sangre** 9
  draw blood **sacar sangre** *v.* 9
blouse **blusa** *f., n.* 8
blue **azul** *adj.* 5
board **pizarra** *f., n.* 2
  interactive board **pizarra interactiva** *f., n.* 2
  white board **pizarra blanca** *f., n.* 2
board *(a plane, ship)* **embarcar, subir a** *v.* 13
boarding pass **tarjeta de embarque** *f., n.* 13
boat **bote** *m., n.* 12
bomb **bomba** *f., n.* 15
bone **hueso** *m., n.* 9
book **libro** *m., n.* 2
bookstore **librería** *f., n.* 2
boots **botas** *f., n. pl.* 8
bored **aburrido/a** *adj.* 3
  to be bored **estar aburrido/a** 3
boring **aburrido/a** *adj.* 3
  to be boring **ser aburrido/a** 3

bother **molestar** *v.* 13
boy **chico, muchacho, niño** *m., n.* 3
boyfriend **novio** *m., n.* 3
bracelet **pulsera** *f., n.* 8
brain **cerebro** *m., n.* 9
brake **freno** *m., n.* 14
bread **pan** *m., n.* 4
break **romper, romperse** *v.* 10, 14
   break (*a bone*) **fracturar, fracturarse** *v.* 9
   break down **averiarse** *v.* 14
   break up with (*somebody*) **romper con** *v.* 11
breakfast **desayuno** *m., n.* 4
   to have breakfast **desayunar** *v.* 2
breathe **respirar** *v* 9
bring **traer** (*irreg.*) *v* 5
broccoli **brócoli** *m., n.* 4
brother **hermano** *m., n.* 3
brother-in-law **cuñado** *m., n.* 3
brown **marrón, color café** *adj.* 5
brunette **moreno/a** *adj.* 3
brush **cepillo, cepillarse** *m., n. / v.* 6
   brush one's hair **cepillarse el pelo** *v.* 6
   brush one's teeth **cepillarse los dientes** *v.* 6
build **construir** (*irreg.*) *v.* 15
building **edificio** *m., n.* 7
bureau (*dresser*) **cómoda** *f., n.* 10
bus **autobús** *m., n.* 7
bus stop **parada de autobús** *f., n.* 7
business **empresa, negocios** *f., n. / m., n., pl.* 2, 6
business administration **administración de empresas** *f., n.* 2
businessperson **hombre/mujer de negocios** *m., n. / f., n.* 6
busy **ocupado/a** *adj.* 3
but **pero** *conj.* 3
butter **mantequilla** *f., n.* 4
butterfly **mariposa** *f., n.* 12
buy **comprar** *v.* 2
by **por** *prep.* 7
Bye. **Chao.** *fam., interj.* 1

<h2 style="text-align:center">C</h2>

cable **cable** *m., n.* 14
café **café** *m., n.* 4
cafeteria **cafetería** *f., n.* 2
cake **torta** *f., n.* 4
calculator **calculadora** *f., n.* 2
calculus **cálculo** *m., n.* 2
call **llamar** *v.* 3
   Could you tell him/her that I've called? **¿Le puede decir que he llamado?** 11
calm **tranquilo/a** *adj.* 1
camera **cámara** *f., n.* 12
camp **campamento** *m., n.* 12
campfire **fogata** *f., n.* 12
can **poder (o: ue, u)** *v.* 4
cancer **cáncer** *m., n.* 15
candidate **candidato/a** *m., n. / f., n.* 15
cap **gorra** *f., n.* 8
capsule **cápsula** *f., n.* 9
car **carro** *m., n.* 3
   electric car **carro eléctrico** *m., n.* 14
   hybrid car **carro híbrido** *m., n.* 14

card **tarjeta** *f., n.* 7
   credit card **tarjeta de crédito** *f., n.* 7
   debit card **tarjeta de débito** *f., n.* 7
carrot **zanahoria** *f., n.* 4
carry **llevar** *v.* 8
carry-on luggage **equipaje de mano** *m., n.* 13
cash **efectivo, cobrar** *m., n. / v.* 7
cashier **cajero/a** *m., f., n.* 6
cast **yeso** *m., n.* 9
cat **gato** *m., n.* 3
ceiling **techo** *m., n.* 10
celebrate **celebrar** *v.* 11
cell phone **teléfono celular, teléfono móvil** *m., n.* 2, 11
cereal **cereal** *m., n.* 4
chair **silla** *f., n.* 2
chalk **tiza** *f., n.* 2
change **cambiar** *v.* 7
cheap **barato/a** *adj.* 8
check **cuenta** (*in a restaurant*) *f., n.* 4
   check in (*at a hotel*) **registrarse** *v.* 13
   check luggage **facturar el equipaje** *v.* 13
checkup **chequeo** *m., n.* 9
cheerful **alegre** *adj.* 3
cheese **queso** *m., n.* 4
chemistry **química** *f., n.* 2
cherry **cereza** *f., n.* 4
chest **pecho** *m., n.* 9
chicken **pollo** *m., n.* 4
childhood **niñez** *f., n.* 11
Chinese (language) **chino** *m., n.* 2
choose **escoger** *v.* 15
chop (*cut of meat*) **chuleta** *f., n.* 4
church **iglesia** *f., n.* 7
cinema **cine** *m., n.* 7
citizen **ciudadano/a** *m., n. / f., n.* 15
city **ciudad** *f., n.* 3
clean **limpio/a, limpiar** *adj. / v.* 8, 5
clear the table **quitar la mesa** *v.* 10
climate change **cambio climático** *m., n.* 12
climb **escalar** *v.* 12
clock **reloj** *m., n.* 2
close (*physically, emotionally*) **cercano/a** *adj.* 11
close **cerrar (e: ie)** *v.* 7
closed **cerrado/a** *adj.* 3
closet **ropero** *m., n.* 8
clothes dryer **secadora** *f., n.* 10
clothes, clothing **ropa** *f., n.* 6, 8
cloud **nube** *f., n.* 5
cloudy: It's (very) cloudy. **Está (muy) nublado.** 5
coat **abrigo** *m., n.* 8
coffee **café** *m., n.* 4
   coffee maker **cafetera** *f., n.* 10
   coffee shop **café** *m., n.* 4
   coffee table **mesita** *f., n.* 10
coin **moneda** *f., n.* 7
cold **frío/a** *adj.* 4
   be (very) cold **tener** (*irreg.*) **(mucho) frío** *v.* 5
   It's (very) cold. (*weather*) **Hace (mucho) frío.** 5
cold (*illness*) **resfriado** *m., n.* 9
comb **peine, peinarse** *m., n. / v.* 6
come **venir** (*irreg.*) *v.* 5
comfortable **cómodo/a** *adj.* 8
comical **cómico/a** *adj.* 1
communicate **comunicarse** *v.* 11

company **compañía, empresa** *f., n./ f., n.* 6
complain (about) **quejarse (de)** *v.* 11
computer **computadora** *f., n.* 2
   computer programmer **programador(a) de computadoras** *m., n. / f., n.* 6
connection **conexión** *f., n.* 14
conserve **conservar** *v.* 12
consumption **consumo** *m., n.* 12
continue **seguir (e: i, i)** *v.* 14
contribute **contribuir** (*irreg.*) *v.* 12
control **controlar** *v.* 15
convenient **cómodo/a** *adj.* 14
cook **cocinar** *v.* 4
cookie **galleta** *f., n.* 4
cool: It's cool. (*weather*) **Hace fresco.** 5
corn **maíz** *m., n.* 4
corner **esquina** *f., n.* 14
corruption **corrupción** *f., n.* 15
cost **costar (o: ue)** *v.* 4
cotton **algodón** *m., n.* 8
cough **tos, toser** *f., n. / v.* 9
country **campo, país** *m., n.* 3, 13
country code **prefijo** *m., n.* 11
countryside **campo** *m., n.* 3
cousin **primo/a** *m., f., n.* 3
cow **vaca** *f., n.* 12
cream **crema** *f., n.* 4
creative **creativo/a** *adj.* 1
crime **delito** *m., n.* 15
criminal **delincuente** *m., f., n.* 15
cross (*the street*) **cruzar** *v.* 14
cruise **crucero** *m., n.* 12
cry **llorar** *v.* 11
cup **taza** *f., n.* 4
cure **cura, curar** *f., n. / v.* 15, 9
currency **moneda** *f., n.* 7
current **actual** *adj.* 15
curtains **cortinas** *f., n., pl.* 10
customs (*at the airport*) **aduana** *f., n.* 13
cut **cortar, cortarse** *v.* 6, 10
   cut one's fingernails **cortarse las uñas** *v.* 6
   cut one's hair **cortarse el pelo** *v.* 6

<h2 style="text-align:center">D</h2>

dad **papá** *m., n.* 3
dance **bailar** *v.* 5
dangerous **peligroso/a** *adj.* 12
dark **oscuro/a** *adj.* 5
dark-skinned **moreno/a** *adj.* 3
date **fecha** (*day*), **cita** (*appointment with someone*) *f., n.* 1, 11
   What's the date today? **¿Cuál es la fecha de hoy? ¿Qué fecha es hoy?** 1
daughter **hija** *f., n.* 1
day **día** *m., n.* 2
   day before yesterday **anteayer** *adv.* 6
death **muerte** *f., n.* 11
   death penalty **pena de muerte** *f., n.* 15
December **diciembre** *m., n.* 1
delay **demora** *f., n.* 13
delight **encantar** *v.* 5
delinquent **delincuente** *m., f., n.* 15
delivery person **repartidor(a)** *m., f., n.* 7
deodorant **desodorante** *m., n.* 6
department store **grandes almacenes, tienda por departamentos** *m., n. / f., n.* 7
departure **salida** *f., n.* 13

deposit **depositar** v. 7
depressed **deprimido/a** adj. 9
desire **desear** v. 4
desk **escritorio** m., n. 2
destroy **destruir** (irreg.) v. 12
develop **desarrollar** v. 12
device **aparato (electrónico)** m., n. 14
diarrhea **diarrea** f., n. 9
dictionary **diccionario** m., n. 2
die **morir (o: ue, u)** v. 7
different **diferente** adj. 3
difficult **difícil** adj. 3
digital **digital** adj. 14
dining room **comedor** m., n. 10
dinner **cena** f., n. 4
  to have dinner **cenar** v. 2
dirty **sucio/a** adj. 8
discrimination **discriminación** f., n. 15
dishonest **deshonesto/a** adj. 3
dishwasher **lavaplatos** m., n. 10
divorce **divorcio** m., n. 11
divorced **divorciado/a** adj. 3
dizziness **mareo** m., n. 9
do **hacer** (irreg.) v. 2
doctor **doctor(a), médico/a** m., f., n. 6
doctor's office **consultorio del médico/
  de la médica** m., n. 9
dog **perro** m., n. 3
dolphin **delfín** m., n. 12
door **puerta** f., n. 2
doubt **dudar** v. 12
dot (.) **punto** m., n. 14
dress **vestido** m., n. 8
drink **tomar, beber** v. 2, 4
drive **manejar** v. 5
driver **conductor(a)** m., f., n. 14
driver's license **licencia de manejar**
  f., n. 14
drug trafficking **narcotráfico** m., n. 15
drugs **drogas** f., n., pl 15
dry **secar** v. 10
  dry oneself off **secarse** v. 6
dust **sacudir** v. 10
  dust the furniture **sacudir los
  muebles** 10

E

each **cada** adj., m., f. 9
  each day **cada día** 9
ear (outer) **oreja** f., n. 9
  inner ear **oído** m., n. 9
early **temprano** adv. 2
earn **ganar** v. 6
earrings **aretes, pendientes** m., n., pl. 8
easy **fácil** adj. 3
eat **comer** v. 2
economy **economía** f., n. 2
education **educación** f., n. 2
egg **huevo** m., n. 4
  fried eggs **huevos fritos** m., n. pl. 4
  scrambled eggs **huevos revueltos**
  m., n. pl. 4
eighth **octavo/a** adj. 14
either... or **o... o** 8
election **elección** f., n. 15
electric car **carro eléctrico** m., n. 14
electric shaver **máquina de afeitar** f., n. 6

electronic **electrónico/a** adj. 14
  electronic reading device **lector
  electrónico** m., n. 14
elephant **elefante** m., n. 12
elevator **ascensor** m., n. 13
eliminate **eliminar** v. 15
e-mail address **correo electrónico,
  e-mail** m., n. / m., n. 2
e-mail message **mensaje electrónico**
  m., n. 2
emergency room **sala de urgencias** f., n. 9
employee **empleado/a** m., f., n. 6
energy **energía** f., n. 12
engineering **ingeniería** f., n. 2
English (language) **inglés** m., n. 2
enjoy **disfrutar (de)** v. 13
enter **entrar** v. 7
entrance **entrada** f., n. 7
envelope **sobre** m., n. 7
equality **igualdad** f., n. 15
eraser **borrador** m., n. 2
essay **trabajo escrito** m., n. 2
evening **noche** f., n. 2
  every evening **todas las noches** 2
  in the evening **en la noche, por
  la noche** 2
  this evening **esta noche** 2
every **todo/a/os/as** adj. 8
  every afternoon **todas las tardes** 2
  every day **todos los días** 2
  every evening **todas las noches** 2
  every morning **todas las mañanas** 2
everything **todo** m., n. 8
exam **examen, prueba** m., n./ f., n. 2
examine **examinar** v. 9
exchange **cambiar** v. 7
exciting **emocionante** adj. 12
exercise **ejercicio, hacer** (irreg.) **ejercicio**
  m., n. / v. 5
expect **esperar** v. 7
expensive **caro/a** adj. 8
explain **explicar** v. 7
explosion **explosión** f., n. 15
expressway **autopista** f., n. 14
extroverted **extrovertido/a** adj. 1
eye **ojo** m., n. 9

F

face **cara** f., n. 9
factory **fábrica** f., n. 6
fair **justo/a** adj. 11
faithful **fiel** adj. 11
fall (season) **otoño** m., n. 5
fall **caerse** (irreg.) v. 9
  fall in love (with) **enamorarse (de)** v. 11
family room **sala de estar** v. 10
far from **lejos de** prep. 7
farm **granja** f., n. 12
fascinate **fascinar** v. 12
fashion **moda** f., n. 8
fast **rápido/a** adj. 14
fasten one's seatbelt **abrocharse el cinturón**
  v. 13
father **padre** m., n. 3
father-in-law **suegro** m., n. 3
February **febrero** m., n. 1

feel **sentirse (e: ie, i)** v. 9
  feel bad **sentirse mal** v. 9
  feel like (doing something) **tener** (irreg.)
  ganas de + infinitive v. 5
  feel pain **sentir (e: ie, i) dolor** v. 9
  feel stressed **sentirse (e: ie, i)
  estresado/a** v. 9
fever **fiebre** f., n. 9
fifth **quinto/a** adj. 14
fight (for) **luchar (por)** v. 15
fill **llenar** v. 14
film **película** f., n. 7
finally **finalmente, por fin** adv. 9
finances **finanzas** f., n., pl. 2
find **encontrar (o: ue)** v. 7
finger **dedo** m., n. 9
finish **terminar** v. 7
fire **fuego, incendio** m., n. 12
fireplace **chimenea** f., n. 10
first **primero; primero/a** adv. / adj. 6, 14
fish **pescado** (food), **pez** (animal, pl. **peces**);
  pescar m., n. / v. 4, 12
flexible **flexible** adj. 1
flight **vuelo** m., n. 13
flight attendant **asistente de vuelo**
  m., f., n. 13
floor **piso** m., n. 10
  ground floor **planta baja** f., n. 10
  first, second floor **primer, segundo piso**
  m., n. 10
flower **flor** f., n. 5
flu **gripe** f., n. 9
fly **mosca, volar (o: ue)** f., n. / v. 12
follow **seguir (e: i, i)** v. 14
foot **pie** m., n. 9
football (American football) **fútbol
  americano** m., n. 5
for (recipient, purpose) **para** prep. 7
forbid **prohibir** v. 14
forest **bosque** m., n. 12
fork **tenedor** m., n. 4
forget **olvidar** v. 11
fourth **cuarto/a** adj. 14
free of charge **gratis** adj. 14
freedom **libertad** f., n. 15
freeway **autopista** f., n. 14
French (language) **francés** m., n. 2
French fries **papas fritas** f., n., pl. 4
frequently **con frecuencia** adv. 2
Friday **viernes** m., n. 1
fried **frito/a** adj. 4
friend **amigo/a** m., f., n. 3
friendly **amable** adj. 3
friendship **amistad** f., n. 11
from **de parte de** 11
full-time **a tiempo completo** adv. 6
fun **divertido/a** adj. 3
funny **cómico/a** adj. 1
furniture m., pl. **muebles**
  piece of furniture **mueble** m., n. 10

G

gadget **aparato (electrónico)** m., n. 14
game (match) **partido** m., n. 5
  video game **videojuego** m., n. 14
garage **garaje** m., n. 10
garden **jardín** m., n. 10
garlic **ajo** m., n. 4
gas **gasolina** f., n. 12

gas pedal **acelerador** *m., n.* 14
gas station **gasolinera** *f., n.* 14
gate (*at airport*) **puerta de salida** *f., n.* 13
gel **gel** *m., n.* 6
generous **generoso/a** *adj.* 3
German (language) **alemán** *m., n.* 2
get **conseguir, obtener** *v.*
  get along **llevarse bien** *v.* 11
  get angry **enojarse** *v.* 11
  get broken **romperse** *v.* 14
  get divorced **divorciarse** *v.* 11
  get dressed **vestirse (e: i, i)** *v.* 6
  get engaged **comprometerse** *v.* 11
  get good/bad grades **sacar buenas/malas notas** *v.* 2
  get married **casarse** *v.* 11
  get off (*bus, plane*) **bajar de** *v.* 13
  get on (*bus, plane*) **subir a** *v.* 13
  get sick **enfermarse** *v.* 9
  get tired **cansarse** *v.* 9
  get up **levantarse** *v.* 6
  get well **ponerse** (*irreg.*) **bien** *v.* 9
  not get along **llevarse mal** *v.* 11
gift **regalo, regalar** *m., n / v.* 8
girl **chica, muchacha, niña** *f., n.* 3
girlfriend **novia** *f., n.* 3
give **dar** (*irreg.*) *v.* 5
  give a gift **dar un regalo, regalar** *v.* 7
  give an injection **poner** (*irreg.*) **una inyección** *v.* 9
  give a vaccination **poner** (*irreg.*) **una vacuna** *v.* 9
glass **vaso** *m., n.* 4
glasses **gafas, lentes** *f., n. / m., n.* 8
global warming **calentamiento global** *m., n.* 12
gloves **guantes** *m., n., pl.* 8
go **ir** (*irreg.*) *v.* 2
  go away **irse** *v.* 13
  go away on a trip **irse de viaje** *v.* 13
  go back (*return*) **regresar** *v.* 2
  go by **pasar** *v.* 7
  go camping **acampar** *v.* 12
  go on vacation **ir/irse de vacaciones** *v.* 12
  go out **salir** *v.* 2
  go out with (*someone*) **salir con** *v.* 11
  go rafting **practicar el balsismo/ el rafting** *v.* 12
  go shopping **ir de compras** *v.* 5
  go to bed **acostarse (o: ue)** *v.* 6
goblet **copa** *f., n.* 4
gold **oro** *m., n.* 8
golf **golf** *m., n.* 5
good **buen, bueno/a** *adj.* 1
  Good afternoon. **Buenas tardes.** 1
  Good evening. **Buenas noches.** 1
  Good morning. **Buenos días.** 1
  Goodbye. **Adiós.** 1
  good-looking **guapo/a** *adj.* 3
government **gobierno** *m., n.* 15
GPS **sistema GPS** *m., n.* 14
grade **nota** *f., n.* 2
granddaughter **nieta** *f., n.* 3
grandfather **abuelo** *m., n.* 3
grandmother **abuela** *f., n.* 3
grandparents **abuelos** *m., n. pl.* 3
grandson **nieto** *m., n.* 3
grape **uva** *f., n.* 4
grass **hierba** *f., n.* 12
gray **gris** *adj.* 5

Great. **Fenomenal.** *interj.* 1
green **verde** *adj.* 5
green beans **judías verdes** *f., n. pl.* 4
greet **saludar** *v.* 13
grilled **a la parrilla** *adj.* 4
ground floor **planta baja** *f., n.* 10
grow **crecer** *v.* 11
guest **huésped** *m., f., n.* 13
guesthouse **pensión** *f., n.* 13
gymnasium **gimnasio** *m., n.* 2

H

hair **pelo** *m., n.* 6, 9
hair dryer **secador de pelo** *m., n.* 6
half **medio/a** *adj.* 1
ham **jamón** *m., n.* 4
hamburger **hamburguesa** *f., n.* 4
hand **mano** *f., n.* 9
hand luggage **equipaje de mano** *m., n.* 13
handsome **guapo/a** *adj.* 3
happiness **alegría** *f., n.* 11
happy **contento/a** *adj.* 3, 11
hardworking **trabajador(a)** *adj.* 3
hat **sombrero** *m., n.* 8
have **tener** (*irreg.*) *v.* 3
  have an appointment **tener una cita** *v.* 9
  have breakfast **desayunar** *v.* 2
  have dinner **cenar** *v.* 2
  have fun **divertirse (e: ie, i)** *v.* 6
  have a headache **tener** (*irreg.*) **dolor de cabeza** *v.* 9
  have a layover **hacer** (*irreg.*) **escala** *v.* 13
  have lunch **almorzar (o: ue)** *v.* 2
  have a stomachache **tener** (*irreg.*) **dolor de estómago** *v.* 9
  have to (*do something*) **tener que** + *infinitive* *v.* 5
head **cabeza** *f., n.* 9
headphones **auriculares** *m., n., pl.* 2
healthy **sano/a** *adj.* 9
hear **oír** (*irreg.*) *v.* 5
heart **corazón** *m., n.* 9
heating **calefacción** *f., n.* 10
Hello!/Hi! **¡Hola!** *interj.* 1
help **ayudar** *v.* 7
  help each other **ayudarse** *v.* 6
hen **gallina** *f., n.* 12
here **aquí** *adv.* 3
high school **colegio** *m., n.* 3
hike **dar** (*irreg.*) **una caminata, hacer** (*irreg.*) **senderismo** *v.* 12
hill **colina** *f., n.* 12
history **historia** *f., n.* 2
home **casa** *f., n.* 2
homeless people **desamparados** *m., n., pl.* 15
homemaker **amo/a de casa** *m., f., n.* 6
homework **tarea** *f., n.* 2
honeymoon **luna de miel** *f., n.* 11
hope **esperar** *v.* 7
horrible **horrible** *adj.* 11
horse **caballo** *m., n.* 12
hospital **hospital** *m., n.* 9
hostel **hostal** *m., n.* 13

hot **caliente** *adj.* 4
  be (very) hot **tener** (*irreg.*) **(mucho) calor** *v.* 5
  It's (very) hot. (*weather*) **Hace (mucho) calor.** 5
hotel **hotel** *m., n.* 13
  (*number*)-star hotel **hotel de... estrellas** 13
hour **hora** *f., n.* 1
house **casa** *f., n.* 2
housekeeper (*in a hotel*) **camarera** *f., n.* 13
How? **¿Cómo?** 1
  How many? **¿Cuántos/as?** 3
  How much? **¿Cuánto/a?** 4
  How old are you? **¿Cuántos años tienes?** 3
hug **abrazar** *v.* 3
human rights **derechos humanos** *m., n. pl.* 15
hunger **hambre** *f., n.* 15
hurt (*cause pain*) **doler (o: ue)** *v.* 9
  hurt oneself **lastimarse** *v.* 9
husband **esposo** *m., n.* 3
hybrid **híbrido/a** *adj.* 14

I

I am from... **Soy de...** 1
I am (very) sorry. **Lo siento (mucho).** 1
I hope... **Ojalá que...** 11
ice **hielo** *m., n.* 4
ice cream **helado** *m., n.* 4
  chocolate ice cream **helado de chocolate** *m., n.* 4
  vanilla ice cream **helado de vainilla** *m., n.* 4
illnesses **enfermedades** *f., n., pl.* 15
immigrant **inmigrante** *m., f., n.* 15
immigration **inmigración** *f., n.* 15
important **importante** *adj.* 13
impossible **imposible** *adj.* 12
in **en** *prep.* 7
  in case **en caso de que** *conj.* 14
  in front of **delante de** *prep.* 7
  in order + to do something **para** + *infinitive* 7
  in the afternoon **de la tarde** 1
  in the evening **de la noche** 1
increase **aumento, aumentar** *m., n. / v.* 12, 15
incredible **increíble** *adj.* 11
indicate **indicar** *v.* 13
inexpensive **barato/a** *adj.* 8
infancy **infancia** *f., n.* 11
infection **infección** *f., n.* 9
inside **dentro de** *prep.* 7
insist (on) **insistir (en)** *v.* 11
instead of **en vez de** *prep.* 7
insurance **seguro** *m., n.* 14
intelligent **inteligente** *adj.* 1
interest **interesar** *v.* 12
interesting **interesante** *adj.* 3
Internet **red** *f., n.* 2
intersection **cruce** *m., n.* 14
interview **entrevista** *f., n.* 15
introduce **presentar** *v.* 1
introverted **introvertido/a** *adj.* 1
invest **invertir (e: ie, i)** *v.* 7
invite **invitar** *v.* 7
island **isla** *f., n.* 12

VOCABULARY

J

jacket **chaqueta** *f., n.* 8
jam **mermelada** *f., n.* 4
January **enero** *m., n.* 1
jealous **celoso/a** *adj.* 11
jealousy **celos** *m., n., pl.* 11
jeans **jeans, vaqueros** *m., n., pl.* 8
jewelry store **joyería** *f., n.* 7
journalism **periodismo** *m., n.* 2
journalist **periodista** *m., f., n.* 6
joy **alegría** *f., n.* 11
juice **jugo, zumo** *m., n.* 4
July **julio** *m., n.* 1
June **junio** *m., n.* 1
jungle **selva** *f., n.* 12
justice **justicia** *f., n.* 15

K

kayak **kayak** *m., n.* 12
key **llave** *f., n.* 13
keyboard **teclado** *m., n.* 2
kill **matar** *v.* 11
kiosk **quiosco** *m., n.* 7
kiss **besar** *v.* 3
kitchen **cocina** *f., n.* 10
kitchen sink **fregadero** *m., n.* 10
knife **cuchillo** *m., n.* 4
know **conocer, saber** *(irreg.) v.* 5

L

lamp **lámpara** *f., n.* 10
land **tierra, aterrizar** *(a plane) f., n. / v.* 12, 13
lane **carril** *m., n.* 14
laptop **computadora portátil** *f., n.* 2
last: last month **mes pasado** 6
   last night **anoche** *adv.* 6
   last summer **verano pasado** 6
   last year **año pasado** 6
late **tarde** *adv.* 2
later **después, luego** *adv.* 6, 2
laugh (at) **reírse (de) (e: i, i)** *v.* 11
law **ley** *f., n.* 15
lawyer **abogado/a** *m., f., n.* 6
lazy **perezoso/a** *adj.* 3
leader **líder** *m., f., n.* 15
leaf **hoja** *f., n.* 3
learn **aprender** *v.* 2
leather **cuero, piel** *m., n. / f., n.* 8
leave **irse** *(irreg.)*, **salir** *v.* 13, 2
   leave behind **dejar** *v.* 11
   leave a message **dejar un mensaje** *v.* 11
   leave on a trip **irse de viaje** 13
leg **pierna** *f., n.* 9
legalize **legalizar** *v.* 15
lemon **limón** *m., n.* 4
lend **prestar** *v.* 6
less **menos** *adv.* 1
letter **carta** *f., n.* 7
lettuce **lechuga** *f., n.* 4
library **biblioteca** *f., n.* 2
lie **mentir (e: ie, i)** *v.* 11
life **vida** *f., n.* 11
lift weights **levantar pesas** *v.* 5
light (*in color*) **claro/a** *adj.* 5
light **luz** *f., n.* 10

like **gustar** *v.* 4
   I really like it (them) **me encanta(n)** 5
   I would like **me gustaría** *v.* 4
likeable **simpático/a** *adj.* 3
likely **probable** *adj.* 12
limit **límite** *m., n.* 14
   speed limit **límite de velocidad** 14
link **enlace** *m., n.* 14
lion **león** *m., n.* 12
lip **labio** *m., n.* 9
listen (to) **escuchar** *v.* 2
literature **literatura** *f., n.* 2
little (*quantity*) **poco/a** *adj.* 4
   a little bit **un poco** *adv.* 4
live **vivir** *v.* 2
living room **sala de estar** *f., n.* 10
loan **préstamo** *m., n.* 7
lobster **langosta** *f., n.* 4
long **largo/a** *adj.* 8
look: look at **mirar** *v.* 4
   look for **buscar** *v.* 2
lose **perder (e: ie)** *v.* 5
lot: a lot **mucho/a** *adj.* 4
love **amor; amar, querer** *(irreg.) m., n. / v.* 11, 3, 4
luggage **equipaje** *m., n.* 13
lunch **almuerzo** *m., n.* 4
   to have lunch **almorzar (o: ue)** *v.* 2
lung **pulmón** *m., n.* 9

M

magazine **revista** *f., n.* 7
mail carrier **cartero/a** *m., f., n.* 7
mailbox **buzón** *m., n.* 7
maintain **mantener** *(irreg.) v.* 15
make **hacer** *(irreg.) v.* 2
   make an appointment **hacer una cita** *v.* 9
   make the bed **hacer la cama** *v.* 10
   make (*money*) **ganar** *v.* 6
makeup **maquillaje** *m., n.* 6
man **hombre** *m., n.* 3
manage **gestionar** *v.* 7
manager **gerente** *m., f., n.* 15
mandarin (*fruit*) **mandarina** *f., n.* 4
many **muchos/as** *adj.* 4
map **mapa** *m., n.* 2
March **marzo** *m., n.* 1
marker **marcador** *m., n.* 2
marriage **matrimonio** *m., n.* 11
married **casado/a** *adj.* 11
master bedroom **dormitorio principal, habitación principal** *m., n., / f., n.* 10
mathematics **matemáticas** *f., n., pl.* 2
matter **importar** *v.* 12
maturity **madurez** *f., n.* 11
May **mayo** *m., n.* 1
meanwhile **mientras** *conj.* 9
meat **carne** *f., n.* 4
mechanic shop **taller mecánico** *m., n.* 14
medicine **medicina** *f., n.* 15
meet (*make someone's acquaintance*) **conocer** *v.* 5
   meet (*have a meeting*) **reunirse** *v.* 11
   meet (*run into someone*) **encontrarse (con)** *v.* 11
message **mensaje** *m., n.* 2
metro (*subway*) **metro** *m., n.* 7
microwave **microondas** *m., n.* 10

midnight **medianoche** *f., n.* 1
milk **leche** *f., n.* 4
mirror **espejo** *m., n.* 10
misdemeanor **delito** *m., n.* 15
miss (*feel longing for , fail to catch*) **extrañar, perder (e:ie)** *v.* 11, 13
   miss the train/bus **perder el tren/autobús** 13
mom **mamá** *f., n.* 3
Monday **lunes** *m., n.* 1
money **dinero** *m., n.* 6
monkey **mono** *m., n.* 12
month **mes** *m., n.* 1
moon **luna** *f., n.* 12
more **más** *adv.* 4
morning **mañana** *f., n.* 1
   every morning **todas las mañanas** 2
   in the morning **en la mañana, por la mañana** 2
   this morning **esta mañana** 2
mosquito **mosquito** *m., n.* 12
mother **madre** *f., n.* 3
mother-in-law **suegra** *f., n.* 3
motor **motor** *m., n.* 14
motorcycle **motocicleta, moto** *f., n.* 14
mountain **montaña** *f., n.* 3
   mountain biking **ciclismo de montaña** *m., n.* 12
   mountain climbing **montañismo** *m., n.* 12
mouse **ratón** *m., n.* 2
mouth **boca** *f., n.* 9
move (*change residence*) **mudarse** *v.* 10
   move (*something*) **mover (o:ue)** 10
   move oneself **moverse (o: ue)** *v.* 10
movie theater **cine** *m., n.* 7
mow the lawn **cortar el césped** *v.* 10
much **mucho/a** *adj.* 4
museum **museo** *m., n.* 7
music **música** *f., n.* 2
My name is… **Me llamo…** 1

N

nail (fingernail) **uña** *f., n.* 9
napkin **servilleta** *f., n.* 4
narrate **contar (o:ue)** *v.* 7
nasal congestion **congestión nasal** *f., n.* 9
natural resource **recurso natural** *m., n.* 12
nausea **náuseas** *f., n.* 9
   to have nausea **tener** *(irreg.)* **náuseas** *v.* 9
near **cerca de** *prep.* 7
necessary **necesario/a, preciso/a** *adj.* 13
neck **cuello** *m., n.* 9
necklace **collar** *m., n.* 8
need **necesitar** *v.* 4
neighbor **vecino/a** *m., f., n* 10
neighborhood **barrio** *m., n.* 10
neither **tampoco** *adv.* 3
neither… nor **ni… ni** 8
nephew **sobrino** *m., n.* 3
nervous **nervioso/a** *adj.* 3
never **nunca** *adv.* 2
new **nuevo/a** *adj.* 3
news program **noticiero** *m., n.* 15
newspaper **periódico** *m., n.* 7
newsstand **quiosco** *m., n.* 7

next **próximo/a** *adj.* 5
  next summer **verano próximo** 5
  next to **al lado de** *prep.* 7
  next week **semana próxima** 5
  next year **año próximo** 5
nice **bonito/a; simpático/a** *adj.* 3
  Nice to meet you. **Mucho gusto.** 1
niece **sobrina** *f., n.* 3
night **noche** *f., n.* 1
nightstand **mesita de noche** *f., n.* 10
ninth **noveno/a** *adj.* 14
no **ninguno/a(s), ningún** *pron.* 8
no one **nadie, ninguno/a(s),
    ningún** *pron.* 8
noise **ruido** *m., n.* 10
none **ninguno/a(s), ningún** *pron.* 8
noon **mediodía** *m., n.* 1
nor **ni** 8
nose **nariz** *f., n.* 9
not even **ni** 8
Not much. **Pues nada.** 1
notebook **cuaderno** *m., n.* 2
nothing **nada** 8
November **noviembre** *m., n.* 1
now **ahora** *adv.* 2
nurse **enfermero/a** *m., f., n.* 6

O

obtain **obtener** (*irreg.*) *v.* 13
obvious **obvio/a** *adj.* 12
ocean **océano** *m., n.* 12
October **octubre** *m., n.* 1
office **oficina** *f., n.* 2
oil **aceite** *m., n.* 4
old **viejo/a** *adj.* 3
  old age **vejez** *f., n.* 11
  old man/lady **anciano/a** 11
  older **mayor** *adj.* 3
olive **aceituna** *f., n.* 4
on **en** *prep.* 7
  on behalf of **de parte de** 11
  on time **a tiempo** *adv.* 2
  on top of **encima de, sobre**
    prep / prep. 7, 7
once **una vez** *adv.* 9
onion **cebolla** *f., n.* 4
only **solo** *adj.* 5
open **abrir, abierto/a** *v. / adj.* 7, 3
opposite (*across from*) **enfrente de,
  frente a** *prep.* 7
optimist **optimista** *adj.* 1
or **o, u** (*before words beginning with o
  or ho*) *conj.* 3
orange **naranja, anaranjado/a** *f., n.
  / adj.* 4, 5
order **pedir (e: i, i)** *v.* 4
outdoors **al aire libre** *m., n.* 12
outside **fuera de, afuera** *prep.* 7, 12
oven **horno** *m., n.* 4

P

pack (*a suitcase*) **empacar, hacer
  (*irreg.*) las maletas** *v.* 13
package **paquete** *m., n.* 7
pain **dolor** *m., n.* 9
painting **pintar** *v.* 5
painting **cuadro** *m., n.* 10
pants **pantalones** *m., n., pl.* 8

pantyhose **medias** *f., n.* 8
paper **papel** *m., n.* 2
  academic paper **trabajo escrito**
    m., n. 2
  sheet/piece of paper **hoja de papel**
    f., n. 2
Pardon me. (*to get someone's
  attention*) **Disculpe., Perdón.** 1
  Pardon me. (*when you want to get
  by someone*) **Con permiso.** 1
parents **padres** *m., n. pl.* 3
park **parque** *m., n.* 5
park (*a car*) **estacionar** *v.* 14
parking **estacionamiento** *m., n.* 7
partner **pareja** *f., n.* 3
part-time **a tiempo parcial** 6
pass **pasar** *v.* 7
passenger **pasajero/a** *m., f., n.* 13
passport **pasaporte** *m., n.* 13
  get a passport **sacar un pasaporte** *v.* 13
password **contraseña** *f., n.* 14
pastry **pastel** *m., n.* 4
pastry shop **pastelería** *f., n.* 7
patient (*medical*) **paciente** *m., f., n.* 9
patio **patio** *m., n.* 10
pay (for) **pagar** *v.* 7
peace **paz** *f., n.* 15
peach **durazno, melocotón** *m., n.* 4
pear **pera** *f., n.* 4
peas **guisantes** *m., n. pl.* 4
pen **bolígrafo, pluma** *m., n./ f., n.* 2, 2
pencil **lápiz** *m., n.* 2
people **gente** *f., n.* 7
pepper **pimienta** *f., n.* 4
pessimist **pesimista** *adj.* 1
pesticide **pesticida** *m., n.* 12
pharmacy **farmacia** *f., n.* 9
philosophy **filosofía** *f., n.* 2
phone **teléfono** *m., n.* 2
  phone call **llamada** *f., n.* 11
  phone line **línea** *f., n.* 11
photo **foto** *f., n.* 3
  take photos **tomar/sacar fotos** 12
physics **física** *f., n.* 2
pick up **recoger** *v.* 7, 10
pie **pastel** *m., n.* 4
pig **cerdo** *m., n.* 12
pill **pastilla** *f., n.* 9
pillow **almohada** *f., n.* 13
pilot **piloto** *m., f., n.* 13
pineapple **piña** *f., n.* 4
pink **rosa** *adj.* 5
pizzeria **pizzería** *f., n.* 7
place **lugar, poner** (*irreg.*) *m., n. / v.* 2, 5
plane **avión** *m., n.* 13
planet **planeta** *m., n.* 12
plant **planta** *f., n.* 13
plate **plato** *m., n.* 4
platform (*in a train station*) **andén**
  m., n. 13
play (*theater*) **obra de teatro** *f., n.* 7
play (*a sport/game*) **jugar (a) (u:ue)** *v.* 5
  play (*a musical instrument*) **tocar** *v.* 5
plaza **plaza** *f., n.* 7
Please. **Por favor.** 1
pleased **contento/a** *adj.* 11
Pleased to meet you. **Encantado/a.** 1
pleasure: The pleasure is mine. **El gusto
  es mío.** 1
political science **ciencias políticas**
  f., n., pl. 2

policeman **policía** *m., n.* 6
policewoman **mujer policía** *f., n.* 6
pollution **contaminación, polución**
  f., n. 12
pool **piscina** *f., n.* 10
poor **pobre** *adj.* 3
population **población** *f., n.* 12
pork **cerdo** *m., n.* 4
  pork chop **chuleta de cerdo**
    m., n./ f., n. 4
possible **posible** *adj.* 12
postcard **tarjeta** *f., n.* 7
poster **póster** *m., n.* 10
potato **papa, patata** *f., n.* 4
poverty **pobreza** *f., n.* 15
practice **practicar** *v.* 5
  practice a sport **practicar un deporte** 5
prefer **preferir (e: ie, i)** *v.* 4
pregnant **embarazada** *adj.* 9
prejudice **prejuicio** *m., n.* 15
prepare **preparar** *v.* 2
prescription **receta** *f., n.* 9
present **presentar** *v.* 1
president **presidente/a** *m., f., n.* 15
pretty **bonito/a** *adj.* 3
prevent **prevenir** (*irreg.*) *v.* 12
price **precio** *m., n.* 8
print **imprimir** *v.* 2
printer **impresora** *f., n.* 2
private bath **baño privado** *m., n.* 13
problem **problema** *m., n.* 11
projector **proyector** *m., n.* 2
protect **proteger** *v.* 12
provided that **con tal (de) que** *conj.* 14
psychology **psicología** *f., n.* 2
purple **morado/a** *adj.* 5
purse **bolso** *m., n.* 8
put **poner** (*irreg.*) *v.* 5
  put away **guardar** *v.* 10
  put on (*clothing, shoes*) **ponerse**
    (*irreg.*) *v.* 6
  put on makeup **maquillarse** *v.* 6

Q

quality **calidad** *f., n.* 8
quarter past the hour (*hour*) **y cuarto** 1
quite **bastante** *adv.* 3
quote **cita** *f., n.* 11

R

raft **balsa** *f., n.* 12
rain **lluvia, llover (o: ue)** *f., n. / v.* 5
  It's raining. **Llueve., Está lloviendo.** 5
rain forest **selva** *f., n.* 12
rarely **casi nunca** *adv.* 2
razor **rasuradora** *f., m.* 6
read **leer** *v.* 2
receive **recibir** *v.* 7
reception desk **recepción** *f., n.* 9
receptionist **recepcionista** *m., f., n.* 6
recommend **recomendar (e: ie)** *v.* 9
recycle **reciclar** *v.* 12
recycling bin **papelera de reciclado**
  f., n. 2
recycling can **bote de reciclado** *m., n.* 10
red **rojo/a** *adj.* 5
reduce **reducir** *v.* 12
reef **arrecife** *m., n.* 12

refrigerator **refrigerador** *m., n.* 10
regret **sentir (e: ie, i)** *v.* 13
relative **pariente** *m., f., n.* 3
relax **relajarse** *v.* 6
religion **religión** *f., n.* 2
remember **recordar (o: ue)** *v.* 11
remote control **control remoto** *m., n.* 14
rent **alquilar** *v.* 14
repair **reparar** *v.* 14
repeat **repetir (e: i, i)** *v.* 7
report **informar, reportar** *v.* 15
reporter **reportero/a** *m., f., n.* 15
research **investigación** *f., n.* 15
reservation **reservación** *f., n.* 13
responsible **responsable** *adj.* 1
rest **descansar** *v.* 5
restaurant **restaurante** *m., n.* 4
restrooms **aseos, baño** *m., n., pl. / m., n.* 13
return (*go back*) **regresar, volver (o: ue)** *v.* 2, 4
   return (*give something back*) **devolver (o: ue)** *v.* 8
rice **arroz** *m., n.* 4
rich **rico/a** *adj.* 3
ride: ride a bicycle **montar en bicicleta** *v.* 5
   ride a horse **montar a caballo** *v.* 12
ridiculous **ridículo/a** *adj.* 11
right: the right to... **derecho a...** *m., n.* 15
rights **derechos** *m., n., pl.* 15
ring **anillo, sortija** *m., n. / f., n.* 8
ring (*alarm clock, phone*) **sonar (o: ue)** *v.* 6
river **río** *m., n.* 12
road **carretera** *f., n.* 14
roasted **al horno** *adj.* 4
rob **robar** *v.* 15
romantic **romántico/a** *adj.* 11
roof **techo** *m., n.* 10
room **cuarto, habitación** *m., n. / f., n.* 10
   double room **habitación doble** *f., n.* 13
   family room **sala de estar** *m., n.* 10
   living room **sala de estar** *f., n.* 10
   room service **servicio de habitación** *m., n.* 13
   single room **habitación sencilla** *f., n.* 13
row **remar** *v.* 12
rug **alfombra** *f., n.* 10
run **correr** *v.* 5

S

sad **triste** *adj.* 3
sail **navegar (a vela)** *v.* 12
salad **ensalada** *f., n.* 4
sales (*discounts*) **rebajas** *f., n., pl.* 8
salesclerk **dependiente/a** *m., f., n.* 6
salmon **salmón** *m., n.* 4
salt **sal** *f., n.* 4
sand **arena** *f., n.* 12
sandals **sandalias** *f., n., pl.* 8
sandwich **bocadillo, sándwich** *m., n.* 4
satellite **satélite** *m., n.* 14
   satellite radio **radio por satélite** *f., n.* 14
Saturday **sábado** *m., n.* 1
sausage **salchicha** *f., n.* 4
save **ahorrar, conservar, guardar** *v.* 7, 12, 10

say **decir** (*irreg.*) *v.* 5
   say goodbye **despedirse de (e: i, i)** *v.* 13
scarf **bufanda** *f., n.* 8
schedule **horario** *m., n.* 13
school **colegio, escuela** *m., n./ f., n.* 3
   school (*department within a university*) **facultad** *f., n.* 2
scissors **tijeras** *f., n., pl.* 6
screen **pantalla** *f., n.* 2
scuba dive **bucear** *v.* 12
sea **mar** *m., n.* 5
search engine **buscador** *m., n.* 14
seat **asiento** *m., n.* 13
second **segundo/a** *adj.* 14
security check **control de seguridad** *m., n.* 13
See you later. **Hasta luego.** 1
seem **parecer** *v.* 13
sell **vender** *v.* 5
send **enviar, mandar** *v.* 2
separate **separarse** *v.* 11
September **septiembre** *m., n.* 1
series: TV series **serie** *f., n.* 5
serious **serio/a, grave** *adj.* 3, 9
serve **servir (e: i, i)** *v.* 4
set the table **poner** (*irreg.*) **la mesa** *v.* 10
seventh **séptimo/a** *adj.* 14
shame: It's a shame. **Es una lástima.** 11
shampoo **champú** *m., n.* 6
share **compartir** *v.* 2
shave **afeitarse** *v.* 6
shaving cream **crema de afeitar** *f., n.* 6
sheep **oveja** *f., n.* 12
sheet **sábana** *f., n.* 13
shelf **estante** *m., n.* 10
ship **barco** *m., n.* 12
shirt **camisa** *f., n.* 8
shoes **zapatos** *m., n., pl.* 6, 8
   high-heeled shoes **zapatos de tacón alto** *m., n., pl.* 8
   flat, low-heeled shoes **zapatos de tacón bajo** *m., n., pl.* 8
   shoe store **zapatería** *f., n.* 7
   tennis shoes **zapatos de tenis** *m., n., pl.* 8
shop **tienda** *f., n.* 6
shopping center **centro comercial** *m., n.* 7
short **bajo/a, corto/a** *adj.* 3, 8
shorts **pantalones cortos** *m., n., pl.* 8
shot **inyección** *f., n.* 9
should (*do something*) **deber** + *infinitive* *v.* 5
shoulder **hombro** *m., n.* 9
show **mostrar (o: ue)** *v.* 8
shower **ducha** *f., n.* 10
   shower gel **gel de ducha** *m., n.* 6
   take a shower **ducharse** *v.* 6
shrimp **camarón** *m., n.* 4
sick **enfermo/a** *adj.* 3
sign **señal** *f., n.* 14
significant other **pareja** *f., n.* 3
silk **seda** *f., n.* 8
silver **plata** *f., n.* 8
similar **similar** *adj.* 3
sincere **sincero/a** *adj.* 11
sing **cantar** *v.* 5
single (*not married*) **soltero/a** *adj.* 3
sister **hermana** *f., n.* 3
sister-in-law **cuñada** *f., n.* 3
sit down **sentarse (e: ie)** *v.* 9
sixth **sexto/a** *adj.* 14

size **talla** *f., n.* 8
ski **esquiar** *v.* 5
skirt **falda** *f., n.* 8
sky **cielo** *m., n.* 12
skydiving **paracaidismo** *m., n.* 12
skyscraper **rascacielos** *m., n.* 7
sleep **dormir (o: ue, u)** *v.* 4
   go to sleep **dormirse (o: ue, u)** *v.* 6
sleeping bag **saco de dormir** *m., n.* 12
sleeve **manga** *f., n.* 8
slow **lento/a** *adj.* 14
small town **pueblo** *m., n.* 12
snake **serpiente** *f., n.* 12
snorkel **hacer** (*irreg.*) **esnórquel** *v.* 12
snow **nieve, nevar (e: ie)** *f., n. / v.* 5
   It's snowing. **Nieve., Está nevando.** 5
so that **para que** *conj.* 14
soap **jabón** *m., n.* 6
   liquid soap **jabón líquido** *m., n.* 6
soccer **fútbol** *m., n.* 5
social network **red social** *f., n.* 5, 14
sociology **sociología** *f., n.* 2
socks **calcetines** *m., n., pl.* 8
soda (*soft drink*) **refresco** *m., n.* 4
sofa **sofá** *m., n.* 10
software **programa, programa de computadora** *f., n.* 14
soil **tierra** *f., n.* 12
So-long. **Chao.** *fam., interj.* 1
solve **resolver (o: ue)** *v.* 10
some **alguno/a(s), algún** *adj.* 8
someone **alguien** *pron.* 8
something **algo** *pron.* 8
sometimes **a veces** *adv.* 2
somewhat (+ *adj.*) **un poco** (+ *adj.*) *adv.* 1
son **hijo** *m., n.* 3
soup **sopa** *f., n.* 4
Spanish (*language*) **español** *m., n.* 2
spend (money) **gastar** *v.* 7
spend (time) **pasar** *v.* 7
spider **araña** *f., n.* 12
spoon **cuchara** *f., n.* 4
spring **primavera** *m., n.* 5
stages of life **etapas de la vida** *f., n., pl.* 11
stairs **escalera** *f., n.* 10
stamp **sello** *m., n.* 7
star **estrella** *f., n.* 12
start **empezar (e: ie)** *v.* 7
statue **estatua** *f., n.* 7
stay **quedarse** *v.* 9
steak **bistec** *m., n.* 4
steal **robar** *v.* 15
steering wheel **volante** *m., n.* 14
stepbrother **hermanastro** *m., n.* 3
stepfather **padrastro** *m., n.* 3
stepmother **madrastra** *f., n.* 3
stepsister **hermanastra** *f., n.* 3
still **todavía** *adv.* 4
stockings **medias** *f., n.* 8
stomach **estómago** *m., n.* 9
stop **parar** *v.* 14
   stop working **averiarse** *v.* 14
store **almacén, tienda** *m., n. / f., n.* 7
   clothing store **tienda de ropa** *f., n.* 6
storm **tormenta** *f., n.* 5
stove **estufa** *f., n.* 10
straight ahead **derecho** *adv.* 14
strange **extraño/a** *adj.* 11
strawberry **fresa** *f., n.* 4
street **calle** *f., n.* 7
stress **estrés** *m., n.* 9

stressed **estresado/a** *adj.* 3
strong **fuerte** *adj.* 3
student **alumno/a, estudiante** *m., f., n.* 2
   student center **centro estudiantil**
     m., n. 2
   student dorm **residencia estudiantil**
     f., n. 2
study **estudiar** *v.* 2
subway **metro** *m., n.* 7
success **éxito** *m., n.* 15
suddenly **de repente** *adv.* 9
suffer **sufrir** *v.* 15
sugar **azúcar** *m., n.* 4
suggest **sugerir (e: ie, i)** *v.* 11
suit **traje** *m.* 8
   bathing suit **traje de baño** *m., n.* 8
suitcase **maleta** *f., n.* 13
summer **verano** *m., n.* 5
sun **sol** *m., n.* 12
sunbathe **tomar el sol** *v.* 5
Sunday **domingo** *m., n.* 1
sunglasses **gafas del sol, lentes de sol**
   f., n. / m., n. 8
sunny: It's sunny. **Hace sol.** 5
support **apoyar** *v.* 15
surf **hacer (irreg.) surf** *v.* 12
   surf the web/Internet **navegar en la**
     red/en Internet *v.* 2
surprise **sorprender** *v.* 11
sweater **suéter** *m., n.* 8
sweep **barrer** *v.* 10
swim **nadar** *v.* 5
symptom **síntoma** *m., n.* 9

T

table **mesa** *f., n.* 2
   side table **mesita** *f., n.* 10
tablet **tableta** *f., n.* 2
take **tomar** *v.* 2, 4
   take a bath **bañarse** *v.* 6
   take care of **cuidar a** *v.* 3
   take care (of oneself) **cuidarse** *v.* 9
   take notes **tomar apuntes** *v.* 2
   take off (plane) **despegar** *v.* 13
   take off (one's clothes, shoes) **quitarse**
     (la ropa, los zapatos) *v.* 6
   take one's blood pressure **tomar la**
     presión arterial *v.* 9
   take one's temperature **tomar la**
     temperatura *v.* 9
   take out the trash **sacar la basura** *v.* 10
   take photos **tomar/sacar fotos** *v.* 12
   take a shower **ducharse** *v.* 6
   take a stroll **pasear, dar (irreg.)**
     un paseo *v.* 5
   take a walk **pasear, dar (irreg.)**
     un paseo *v.* 5
   take an X-ray **sacar una radiografía**
     v. 9
talk **hablar** *v.* 2
tall **alto/a** *adj.* 3
tangerine **mandarina** *f., n.* 4
tank **tanque** *m., n.* 14
tax **impuesto** *m., n.* 15
taxi **taxi** *m., n.* 7
tea **té** *m., n.* 4
teach **enseñar** *v.* 7
teacher **maestro/a, profesor(a)**
   m., f., n. 6, 2
team **equipo** *m., n.* 5

teaspoon **cucharita** *f., n.* 4
television (general) **televisión** *f., n.*
   television set **televisor** *m., n.* 2
   flat-screen television **televisor de**
     pantalla plana *m., n.* 2
   high-definition television **televisor de**
     alta definición *m., n.* 2
tell **contar (o:ue)** *v.* 7
tennis **tenis** *m., n.* 5
tent **tienda de campaña** *f., n.* 12
tenth **décimo/a** *adj.* 14
terrorism **terrorismo** *m., n.* 15
terrorist attack **ataque terrorista** *m., n.* 15
test **prueba** *f., n.* 2
test out (try) **probar (o: ue)** *v.* 14
text book **libro de texto** *m., n.* 2
text message **mensaje de texto** *m., n.* 14
Thank you., Thanks. **Gracias.** 1
   Thank you very much.
     Muchas gracias. 1
that **ese/a, eso** *adj., pron.* 7
   that (over there) **aquel/aquella** *adj.,*
     pron. 7
theater **teatro** *m., n.* 7
then **entonces, luego** *adv.* 6
there **allí** *adv.* 3
   there is, there are **hay** *v.* 2
thermometer **termómetro** *m., n.* 9
these **estos/as** *adj , pron. pl.* 7
thing **cosa** *f., n.* 8
think **pensar (e: ie)** *v.* 4
   think about **pensar en** *v.*
   think about (doing something) **pensar**
     + infinitive v.
third **tercero/a** *adj.* 14
this **este/a, esto** *adj., pron.* 7
those **esos/as** *adj., pron., pl.* 7
   those (over there) **aquellos/as** *adj.,*
     pron., pl. 7
throat **garganta** *f., n.* 9
throw (away) **tirar** *v.* 10
Thursday **jueves** *m., n.* 1
ticket (for the movies, a concert)
   entrada *f., n.*
     ticket (airline, bus, etc.) ticket **billete,**
     boleto *m., n.* 13
     e-ticket **billete/boleto electrónico**
       m., n. 13
     one-way ticket **billete/boleto de ida,**
       billete/boleto sencillo *m., n.* 13
     round-trip ticket **billete/boleto de**
       ida y vuelta *m., n.* 13
ticket window **taquilla** *f., n.* 13
tidy up **ordenar** *v.* 10
tie **corbata** *f., n.* 8
tiger **tigre** *m., n.* 12
time **hora** *f., n.* 1
   At what time...? **¿A qué hora...?** 1
   leisure time **tiempo libre** *m., n.* 5
   many times **muchas veces** *adv.* 9
   one time **una vez** *adv.* 9
tip **propina** *f., n.* 13
tire **llanta** *f., n.* 14
tired **cansado/a** *adj.* 3
   get tired **cansarse** *v.* 9
to **a** *prep.* 1
   to the left **a la izquierda** 14
   to the right **a la derecha** 14
toast **pan tostado** *m., n.* 4
toaster **tostador** *m., n.* 10
together **juntos/as** *adj.* 11

toilet **inodoro** *m, n.* 10
   toilet paper **papel higiénico** *m., n.* 6
tomato **tomate** *m., n.* 4
tomorrow **mañana** *adv.* 1
   See you tomorrow. **Hasta mañana.** 1
tongue **lengua** *f., n.* 9
too much **demasiado/a** *adj. sing.* 8
too many **demasiados/as** *adj. pl.* 8
tooth **diente** *m., n.* 9
   toothbrush **cepillo de dientes** *m., n.* 6
   toothpaste **pasta de dientes** *f., n.* 6
toss **tirar** *v.* 10
touch **tocar** *v.* 5
towel **toalla** *f., n.* 6
town square **plaza** *f., n.* 7
traffic **tráfico** *m., n.* 14
   traffic light **semáforo** *m., n.* 14
train **tren** *m., n.* 13
tranquil **tranquilo/a** *adj.* 1
travel **viajar** *v.* 5
treaty **acuerdo** *m., n.* 15
tree **árbol** *m., n.* 5
trip **viaje** *m., n.* 13
truck **camión** *m., n.* 14
true **cierto/a** *adj.* 12
   It's true that... **Es verdad que...,**
     Seguro que... 12
trunk **maletero** *m* 14
truth **verdad** *f., n.* 11
try (taste) **probar (o: ue)** *v.* 14
   try (to do something) **intentar**
     + infinitive v. 14
   try on (clothes) **probarse (o: ue)** *v.* 8
T-shirt **camiseta** *f., n.* 8
Tuesday **martes** *m., n.* 1
turkey **pavo** *m., n.* 4
turn (a corner) **doblar** *v.* 14
   turn off **apagar** *v.* 10
   turn on **prender** *v.* 10
TV (see television)

U

ugly **feo/a** *adj.* 3
umbrella **paraguas** *m., n.* 8
uncle **tío** *m., n.* 3
under **debajo de** *prep.* 7
understand **comprender, entender**
   (e:ie) *v.* 2, 4
understanding **comprensivo/a** *adj.* 11
unemployment **desempleo** *m., n.* 15
university **universidad** *f., n.* 2
unless **a menos que** *conj.* 14
until **hasta que** *conj.* 15
upon + doing something **al** *+ infinitivo*
   prep. 7
urgent **urgente** *adj.* 13
USB port **puerto USB** *m., n.* 14
use **usar** *v.* 2
username **nombre de usuario** *m., n.* 14

V

vaccine **vacuna** *f., n.* 9
vacuum **pasar la aspiradora** *v.* 10
   vacuum cleaner **aspiradora** *f., n.* 10
valley **valle** *m., n.* 12
vegetable garden **huerto** *m., n.* 12
very **muy** *adv.* 1
victim **víctima** *f., n.* 15

video camera **cámara de video** *f., n.* 14
video game **videojuego** *m., n.* 5
   video game console **videoconsola**
     f., n. 14
village **pueblo** *m., n.* 12
vinegar **vinagre** *m., n.* 4
violence **violencia** *f., n.* 15
visa **visado** *m., n.* 13
visit **visitar** *v.* 3
voicemail **correo de voz** *m., n.* 11
volleyball **voleibol** *m., n.* 5
volume **volumen** *m., n.* 14
volunteer **voluntario/a** *m., f., n.* 15
volunteering **voluntariado** *m., n.* 15
vomit **vómito, vomitar, tener** *(irreg.)*
   vómitos *m., n., v.* 9
vote (for) **votar (por)** *v.* 15

W

wait (for) **esperar** *v.* 7
waiter/waitress **mesero/a** *m., f., n.* 6
waiting room **sala de espera** *f., n.* 9
wake up **despertarse (e: ie)** *v.* 6
walk **caminar** *v.* 5
wall **pared** *f., n.* 10
wallet **billetera, cartera** *f., n.* 8
want **querer** *(irreg.)* *v.* 4
war **guerra** *f., n.* 15
wash **lavar, lavarse** *v.* 6, 10
   wash the dishes **lavar los platos** *v.* 10
   wash one's face **lavarse la cara** *v.* 6
   wash one's hands **lavarse**
     las manos *v.* 6
washing machine **lavadora** *f., n.* 10
waste **desperdiciar** *v.* 12
watch *(timepiece)* **reloj** *m., n.* 2
watch **mirar** *v.* 5
   watch television **ver la televisión/**
     la tele *v.* 5
water **agua** *m., n.* 4
waterfall **cascada, catarata** *f., n.* 12
watermelon **sandía** *f., n.* 4
wave **ola** *f., n.* 12
weapon **arma** *(takes the singular*
   definite aricle **el)** *f., n.* 15
wear **llevar** *v.* 8
weather **tiempo** *m., n.* 6
   The weather is bad. **Hace mal tiempo.** 6
   The weather is good. **Hace buen**
     tiempo. 6
web **red** *f., n.* 2
   web page **página web** *f., n.* 2
website **sitio web** *m., n.* 2
wedding **boda** *f., n.* 11
Wednesday **miércoles** *m., n.* 1
week **semana** *f., n.* 1
weekend **fin de semana** *m., n.* 2
Welcome! **¡Bienvenido/a!** *adj.* 13
well **bien** *adv.* 1
   (I am) Very well, thanks. **Muy bien,**
     gracias. 1
What? **¿Qué?** *interrog. pron.* 1
   What day is it today? **¿Qué día**
     es hoy? 1
   What is the date today? **¿Qué fecha es**
     hoy?, ¿Cuál es la fecha de hoy? 1
   What is the weather like today?
     ¿Qué tiempo hace? 5
   What's happening? **¿Qué pasa?** 1

What's your name? **¿Cómo se llama**
   usted? *(form.)*, **¿Cómo te llamas?**
   (fam.) 1
wheelchair **silla de ruedas** *f., n.* 9
when **cuando** *conj.* 15
When? **¿Cuándo?** *interrog. pron.* 2
Where? **¿Dónde?** *interrog. pron.*
   From where? **¿De dónde?** *interrog. pron.*
   To where? **¿Adónde?** *interrog. pron.* 2
   Where are you from? **¿De dónde es**
     usted? *(form.)*, **¿De dónde eres?**
     (fam.) 1
Which? **¿Qué?, ¿Cuál?** *interrog. pron.* 4
   Which ones? **¿Cuáles?** *interrog. pron.* 4
while **mientras** *conj.* 9
white **blanco/a** *adj.* 5
Who? **¿Quién?, ¿Quiénes?** *interrog.*
   pron. 4
Why? **¿Por qué?** *interrog. pron.* 4
widower/widow **viudo/a** *m., f., n.* 11
wife **esposa** *f., n.* 3
Wi-Fi **wifi** *m., n.* 13
   Wi-Fi connection **conexión wifi**
     f., n. 14
wildfire **incendio forestal** *m., n.* 12
win **ganar** *v.* 6
window **ventana** *(in a house)*, **ventanilla** *(in*
   a plane) *f., n.* 2, 13
windy: It's (very) windy. **Hace (mucho)**
   viento. 5
wine **vino** *m., n.* 4
winter **invierno** *m., n.* 5
wish **desear** *v.* 4
with **con** *prep.* 4
withdraw *(money)* **retirar** *v.* 7
without **sin** *prep.* 4
woman **mujer** *f., n.* 3
wonderful **fantástico/a** *adj.* 11
wool **lana** *f., n.* 8
work **trabajo, trabajar** *m., n. / v.* 2
   work *(operate correctly)* **funcionar** *v.* 14
   work for *(a company)* **trabajar para** *v.* 6
world **mundo** *m., n.* 12
   world politics **política mundial** *f., n.* 15
worried **preocupado/a** *adj.* 3
wound **herida** *f., n.* 9
   serious wound **herida grave** *f., n.* 9
write **escribir** *v.* 2

X

X-ray **radiografía** *f., n.* 9

Y

year **año** *m., n.* 4
yellow **amarillo/a** *adj.* 5
yesterday **ayer** *adv.* 6
   day before yesterday **anteayer** *adv.* 6
young **joven** *(pl. jóvenes)* *adj.* 3
young person **joven** *m., f., n.* 7
younger **menor** *adj.* 3
You're welcome. **De nada.** 1
youth **juventud** *f., n.* 11

INDEX

INDEX

INDEX

CREDITS

Every effort has been made to trace the copyright holders of the works published herein. If proper copyright acknowledgment has not been made, please contact the publisher and we will correct the information in future printings.

Photography and Art Credits

All images © by Vista Higher Learning unless otherwise noted.

Cover: Westend61/Getty Images.

FM
xxx: Diana Gran Portraits.

Chapter 1
2: Bear Fotos/Shutterstock; **3:** (t) Rocketclips Inc/Shutterstock; (m) View Apart/Shutterstock; (b) Anton Ivanov/Shutterstock; **7:** Zgel/123RF; **9:** (tl) Monkey Business Images/Shutterstock; (tr) SrdjanPav/Getty Images; (bl) Jeff Bergen/Getty Images; (br) Anderson Ross/Getty Images; **10:** Trendsetter Images/Shutterstock; **11:** (l) Joel Saget/Getty Images; (r) Gary Gershoff/Getty Images; **12:** (l) Rido/Shutterstock; (r) Ranta Images/Shutterstock; **14:** (tl) Disobey Art/Shutterstock; (tr) Ampueroleonardo/Getty Images; (bl) NurPhoto/Getty Images; (br) Strickke/Getty Images; **15:** (ml) Xavier Collin/Image Press Agency/Alamy; (l) Rob Leiter/Getty Images; (mr) Jamie McCarthy/Getty Images; (r) DPA Picture alliance/Alamy; **16:** (tl) Pierre-Olivier/Shutterstock; (tr) Stanislav Shkoborev/123RF; (bl) Luis Echeverri Urrea/Shutterstock; (br) Christina Hemsley/123RF; **17:** (t) Stephen Rees/Shutterstock; (b) Aliaksandr Huseu/123RF; **20:** Khosro/Shutterstock; **21:** Claudio Cruz/Getty Images; **22:** (t) Phil Crean A/Alamy; (b) Jutta Klee/Shutterstock; **23:** Tatiana Chekryzhova/Getty Images; **24:** Davorana/Shutterstock; MPFPhotography/Shutterstock; **27:** ImageBroker/Alamy; **28:** (l) Peter Hermes Furian/123RF; (r) Busiukas/Shutterstock; **29:** (t) Everyday Artistry Photography/Alamy; (b) Polarpx/Shutterstock; **30:** (l) Rawpixel/Deposit Photos; (r) Westend61/Getty Images; **31:** (t) Morsa Images/Getty Images; (ml) Carlo A/Getty Images; (mr) Stephen Zeigler/Getty Images; (bl) CSA-Printstock/Getty Images; (bl) Proformabooks/Getty Images; (br) Christian Vinces/Shutterstock; **34:** Wavebreak Media/Alamy.

Chapter 2
36: Klaus Vedfelt/Getty Images; **41:** (t) Vgajic/Getty Images; (b) Sam Edwards/Getty Images; **42:** (tl) DJ Srki/Shutterstock; (tm) Worakamon Saykajarn/123RF; (tr) Laurent Davoust/123RF; (bl) Dolgachov/123RF; (bm) Ariel Skelley/Getty Images; (br) Westend61/Getty Images; **43:** (l) Olga Yastremska/123RF; (ml) Ryan J Lane/Getty Images; (mr) Incamerastock/Alamy; (r) Olegdudko/123RF; **44:** AGCuesta/Shutterstock; **45:** F64/Getty Images; **46:** (l) Vadym Pastukh/Alamy; (ml) Fancy Photography/Veer; (mr) Aleksandr Davydov/Alamy; (r)Daniel Ernst/123RF; **49:** Primagefactory/123RF; **51:** DisobeyArt/Shutterstock; **52:** (tl) Mark Bowden/123RF; (tr) Africa Studio/Shutterstock; (bl) Fizkes/123RF; (br) Adamkaz/Getty Images; **53:** Michael Spring/123RF; **54:** Ferli/123RF; **56:** Mark Bowden/123RF; **57:** Carlo Prearo/Shutterstock; **58:** Ferrantraite/Getty Images; **59:** (t) SDI Productions/Getty Images; (b) Jim West/AGE Fotostock; **60:** (t) TexPhoto/Getty Images; (m) Copyright 2016 Edgardo Miranda-Rodriguez, www.la-borinquena.com; (b) Eva Parey/Alamy; **61:** Steve Sanchez Photos/Shutterstock; **63:** Sergio Monti/Getty Images; **65:** Klaus Vedfelt/Getty Images.

Chapter 3
68: Mark Bowden/123RF; **72:** SDI Productions/Getty Images; **73:** Tony Anderson/Getty Images; **75:** Nick David/Getty Images; **76:** AJR_Images/Getty Images; **78:** Fotoluminate LLC/Shutterstock; **79:** (t) Anton Mukhin/Shutterstock; (ml) MM.f/Shutterstock; (mr) Martin Novak/123RF; (bl) Serezniy/123RF; (br) Erik Lam/123RF; **81:** Kathy Hutchins/Getty Images; **82:** Jeremy Woodhouse/Getty Images; **83:** Mangostar/123RF; **84:** Vesnaandjic/Getty Images; **85:** Okssi68/123RF; **86:** (tl) Nata Rass/Deposit Photos; (tm) Simon Dannhauer/Shutterstock; (tr) Patryk Kosmider/123RF; (bl) Nenad Aksic/123RF; (bml) SeventyFour/Shutterstock; (bmr) Annas.Stills /Deposit Photos; (br) Lena9208/Shutterstock; **88:** (tl) Prostock-Studio/Shutterstock; (tml) Phleum/iStockphoto; (tmr) Ben Gingell/Shutterstock; (tr) Vadym Pastukh/Shutterstock; (bl) Andrey Popov/Shutterstock; (bml) Prostock-Studio/Shutterstock; (bmr) Elnur/Deposit Photos; (br) Y-Boychenko/Deposit Photos; **89:** (tl) Alina Reynbakh/Shutterstock; (tr) Sabphoto/Shutterstock; (bl) Antonio Guillem/Shutterstock; (br) Iofoto/123RF; **90:** (t) Titonz/123RF; (bl) Stephen Noble/Alamy; (br) Pytyczech/123RF; **91:** (t) John Parra/Getty Images; (b) Joel Saget/Getty Images; **92:** Monkey Business Images/Getty Images; **95:** SDI Productions/Getty Images.

SlayStorm/Deposit Photos; (t, bml) Siraphol/123RF; (t, bmr) John Muggenbor/Alamy; (t, br) Estudiosaavedra/Deposit Photos; (b, tl) Inspire Finder/Shutterstock; (b, tml) RJ Lerich/Shutterstock; (b, tmr) Narith Thongphasuk/123RF; (b, tr) Ruslan Gilmanshin/123RF; (b, bl) Lubos Chlubny/123RF; (b, bml) ICE Supanut/Shutterstock; (b, bmr) Rashid Valitov/123RF; (b, br) Zurbagan/Shutterstock; **245:** Barna Tanko/Shutterstock; **246:** Monkey Business/Deposit Photos; **247:** Dolgachov/123RF; **248:** (t) Imagebroker/Alamy; (b) Andia/Alamy; **249:** Luckybusiness/123RF; **250:** Holger Hill/Getty Images; **251:** 123RF; **252:** Mark Adams/123RF; **253:** (tl) Keith Levit/Alamy; (tr) Barna Tanko/Shutterstock; (ml) Sunsinger/Shutterstock; (mr) Ireneuke/Deposit Photos; (b) ML Harris/Alamy; **258:** (t) Mihmihmal/Deposit Photos; (m) Tochim/Shutterstock; (b) Mihmihmal/Deposit Photos; **259:** Milton Rodriguez/Shutterstock; **260-261:** PeSeta.org; **263:** Alena Ozerova/123RF; **264:** Ground Picture/Shutterstock.

Chapter 9

266: Aldomurillo/Getty Images; **270:** LWA/Dann Tardif/Getty Images; **272:** FG Trade/Getty Images; **275:** (t) Sbossert/Getty Images; (b) Francisco Rodriguez Herna/Shutterstock; **276:** Rabusta/Shutterstock; **277:** Robert Harding/Shutterstock; **280:** Especial/Notimex/Newscom; **281:** Courtesy of Silvia Sobral; **283:** Cavan Images/Alamy; **284:** Mark Bowden/123RF; **287:** Alena Ozerova/Shutterstock; **288:** Ulf Andersen/Getty Images; **289:** (l) Racorn/123RF; (r) Wavebreak Media Ltd/123RF; **290:** (m) S Bukley/Deposit Photos; (b) Juan Alonzo/Shutterstock; **291:** Revolucian/Shutterstock; **292-293:** Michael Zysman/Shutterstock; **295:** Ammentorp/123RF.

Chapter 10

298: Karyn Millet/Shutterstock; **299:** Anton Ivanov/Shutterstock; **304:** (tl) Maciej Maksymowicz/123RF; (tr) Onzon/Shutterstock; (bl) Roman Babakin/123RF; (br) Denis Rozhnovsky/123RF; **306:** Photographee.eu/Deposit Photos; **307:** DGL Images/Getty Images; **308:** Kirill Kendrinski/123RF; **311:** Fabian Schmiedlechner/Getty Images; **313:** Halfpoint Images/Getty Images; **315:** Alex Nazuaruk/Deposit Photos; **316:** AB Forces News Collection/Alamy; **317:** Photographee. eu/Deposit Photos; **318:** (l) Ventura69/Deposit Photos; (r) Iriana88w/Deposit Photos; **320:** (tl) Vanessa Volk/Alamy; (tm) Zveiger/Deposit Photos; (tr) Drazen/Getty Images; (bl) Nikascorpionka/Deposit Photos; (bm) Lisunova/Deposit Photos; (br) Odua/Deposit Photos; **321:** Alexandre Cappellari/Alamy; **322:** Saiko3p/123RF; **324:** (t) Yay Media AS/Alamy; Junior Gonzalez/Getty Images; (m) Album/Alamy; (b) Daniel Garcia/Getty Images; **325:** Don Mammoser/Alamy; **326-327:** (l) Tasfoto/Alamy; (m) Mark Herreid/Getty Images; (r) Alizada Studios/Shutterstock.

Chapter 11

332: Vgajic/Getty Images; **337:** Rawpixel/Deposit Photos; **338:** (tl) Krakenimages/Shutterstock; (tm) Krakenimages/Deposit Photos; (tr) Mentatdgt/Deposit Photos; (bl) Michael Spring/Fotolia; (bm) Rido/123RF; (br) Wavebreak Media/Deposit Photos; **341:** (l) Stuart Monk/Shutterstock; (r) Avemario/Deposit Photos; **343:** Santypan/Deposit Photos; **346:** (t) West61/Offset/Shutterstock; (b) Elliott Kaufman/Getty Images; **347:** (t) Stockbroker/123RF; (mt) Kadettmann/123RF; (m) Instaphotos/123RF; (mb) Gstockstudio/123RF; (b) Alfredo Maiquez/Alamy; **348:** Rafael Perez/Reuters/Alamy; **352:** View Apart/Shutterstock; **353:** (tl) Wirestock/Alamy; (tr) Oneinchpunch/Shutterstock; (ml) Soloviova Liudmyla/Shutterstock; (mr) VI-Images/Getty Images; (bl) Nimito/Shutterstock; (br) Tommaso79/123RF; **355:** (t) Gorodenkoff/Shutterstock; (b) Stratford Productions/Shutterstock; **357:** Arcady31/123RF; **360:** Gualberto107/123RF; (m) Matyas Rehak/123RF; **361:** Tuul and Bruno Morandi/Alamy; **362-363:** Sergio Hayashi/Alamy.

Chapter 12

368: Perfect Lazybones/Shutterstock; **374:** (tl) Luis Cesar Tejo/Alamy; (tr) Image Broker/Peter Giovannin/Alamy; (ml) Kenneth Garrett/Danita Delimont/Alamy; (mr) Matyas Rehak/Alamy; (b) Serge-Kazakov/Getty Images; **376:** America Rocio/Getty Images; **377:** AllaSerebrina/Deposit Photos; **378:** Pawel Toczynski/Getty Images; **379:** Carlos Mora/Alamy; **380:** (tl) AndrewMayovskyy/Deposit Photos; (tml) TR Stok/Shutterstock; (tmr) Nadyginzburg/123RF; (tr) Tampatra/Deposit Photos; (ml) Maksim Safaniuk/Shutterstock; (mml) Grindstone Media Group/Shutterstock; (mmr) Byrdyak/123RF; (mr) Heath Korvola/Getty Images; (bl) Mariiaboiko/123RF; (bml) Shisu_Ka/Shutterstock; (bmr) Hryshchyshen Serhii/Shutterstock; (br) Kjekol/123RF; **381:** Aarti Kalyani/Shutterstock; **382:** Wavebreak Media/Deposit Photos; **384:** Mark Green/Alamy; **385:** (t) SL_Photography/Getty Images; (ml) Arkadij Schell/Shutterstock; (mr) Paula Diez; (bl) Wolfgang Kaehler/Alamy; (br) Michel Viard/Getty Images; **386:** Weedezign/123RF; **387:** Marius Godoi/Shutterstock; **388:** (t) Bunyos/Getty Images; Robert Paul Laschon/123RF; (m) Nstanev/123RF; (b) Petrsalinger/123RF; **389:** (t) ShutterStock Studio/Shutterstock; (b) Francois Ancellet/Gamma-Rapho/Getty Images; **390-391:** NiarKrad/Shutterstock.

Chapter 13

396: Hinterhaus Productions/Getty Images; **400:** Piere Bonbon/Alamy; **402:** JGI/Tom Grill/Media Bakery; **405:** Yuran78/Deposit Photos; **406:** Vitamin Design/Shutterstock; **408:** Salmonnegro-Stock/Shutterstock; **411:** Pedro Salaverría/AGE Fotostock/Alamy; **414:** Jacob Ammentorp Lund/Getty Images; **416:** (t) Krakenimages/Deposit Photos; (bl) Noam Armonn/Shutterstock; (bml) SeventyFour/Shutterstock; (bmr) Sabrina Bracher/Shutterstock; (br) Akira Kaelyn/Shutterstock; **417:** Pxhidalgo/123RF; **418:** (t) Carsten Reisinger/Alamy; (m) Wenn US/Alamy; (b) Francisco Sandoval Guate/Shutterstock; **419:** (t) Lucy.Brown/Shutterstock; (b) Edfuentesg/iStockphoto; **420-421:** Robert Harding/Alamy; **423:** Annie Pickert Fuller; **424:** Ivan Kokoulin/123RF.

Chapter 14

426: Westend61/Getty Images; **432:** (t) Diegograndi/123RF; (b) Richardsjeremy/Deposit Photos; **434:** Orbon Alija/Getty Images; **435:** (tl) Diegograndi/Deposit Photos; (tml) Clicksdemexico/123RF; (tmr) Max Rastello/Shutterstock; (tr) Craig Pershouse/Getty Images; (bl) Travelpix/Alamy; (bml) Billperry/123RF; (bm) Jesse Kraft/Alamy; (bmr) Wendy Connett/Alamy; (br) Bjanka Kadic/Alamy; **437:** Joos Mind/Getty Images; **438:** Eva Marie Uzcategui/Getty Images; **439:** Drazen/Getty Images; **440:** Frederick M. Brown/Getty Images; **441:** Tupungato/Shutterstock; **442:** Kontur-Vid/Shutterstock; **443:** Kobby Dagan/Shutterstock; **444:** Diego Grandi/Shutterstock; **446:** Dobledphoto/123RF; **447:** Dolgachov/123RF; **448:** (t) Promesa Art Studio/Getty Images; (t) Natural Warp/Getty Images; (m) Andi Edwards/Alamy; (b) BBP76000/Shutterstock; **449:** Diego Grandi/Shutterstock; **450:** (l) Courtesy of Mateo Salvatto; (r) Courtesy of Julieta Porta.

Chapter 15

456: Sopa Images/Getty Images; **460:** Jovanmandic/123RF; **461:** (l) Jorge Silva/Reuters/Alamy; (m) Antonio Tanaka/Shutterstock; (r) Eyepix/NurPhoto/Shutterstock; **462:** Europa Press Entertainment/Getty Images; **464:** US Army Photo/Alamy; **465:** Fstop123/Getty Images; **466:** Ariel Skelley/Getty Images; **467:** Erlucho/123RF; **468:** Andrea Comas/Reuters/Getty Images; **470:** Hung Chung Chih/Shutterstock; **474:** (t) Simeond/123RF; (m) Fotocinema/Getty Images; (b) Tabitha Caetano/Shutterstock; **475:** Jan Ziegler/Shutterstock; **476:** GaudiLab/Shutterstock; **479:** Olena Yakobchuk/123RF; **480:** Andrea De Martin/123RF.

Back Cover: Demaerre/iStockphoto.

Text Credits

69: Galletas Pozuelo; **74:** TV Azteca; **104:** Text and images courtesy of Goya Foods, Inc. All rights reserved.; **194:** De la revista Punto y Coma; **235:** Camper; **260:** De la revista Punto y Coma; **326:** De la revista Punto y Coma; **362:** De la revista Punto y Coma; **369:** Fundación Ambiente y Recursos Naturales; **390:** De la revista Punto y Coma; **397:** GrowPro; **420:** De la revista Punto y Coma; **427:** Ipsos Perú; **434:** Hotel Colonial de Puebla; **450:** La Nación; **463:** Source: https://www.un.org/sustainabledevelopment/. The content of this publication has not been approved by the United Nations and does not reflect the views of the United Nations or its officials or Member States.; **476:** Voice of America.

Video Credits

32: Easy Spanish; **64:** Universidad Siglo 21; **94:** Galletas Pozuelo; **99:** Tastemade Español; **128:** Copyright Deutsche Welle; **164:** Copyright Deutsche Welle; **169:** AL100.TV; **196:** Carlos Ivan Foto Y Video; **230:** Lira Arte Público; **262:** El País; **267:** PAHO TV; **294:** Aprendemos Juntos es una iniciativa de BBVA (https://www.bbvaaprendemosjuntos.com), con la colaboración de El País que desarrolla contenidos audiovisuales útiles e inspiradores para transformar la vida de las personas; **328:** Copyright Deutsche Welle; **333:** AL100.TV; **364:** Reflecto Films, Mexico; **392:** Kiss the Ground; **422:** Hotel Taselotzin, Cuetzalan, Video realizado por Estefani Gonzalez proyecto Perceptuala; **451:** Asteroid Technologies; **452:** Pienso, Luego Actúo; **457:** BBC 2020 and Pedrito el Paketero, Reproduced by permission; **478:** Producción y realización: Sara Rosati.

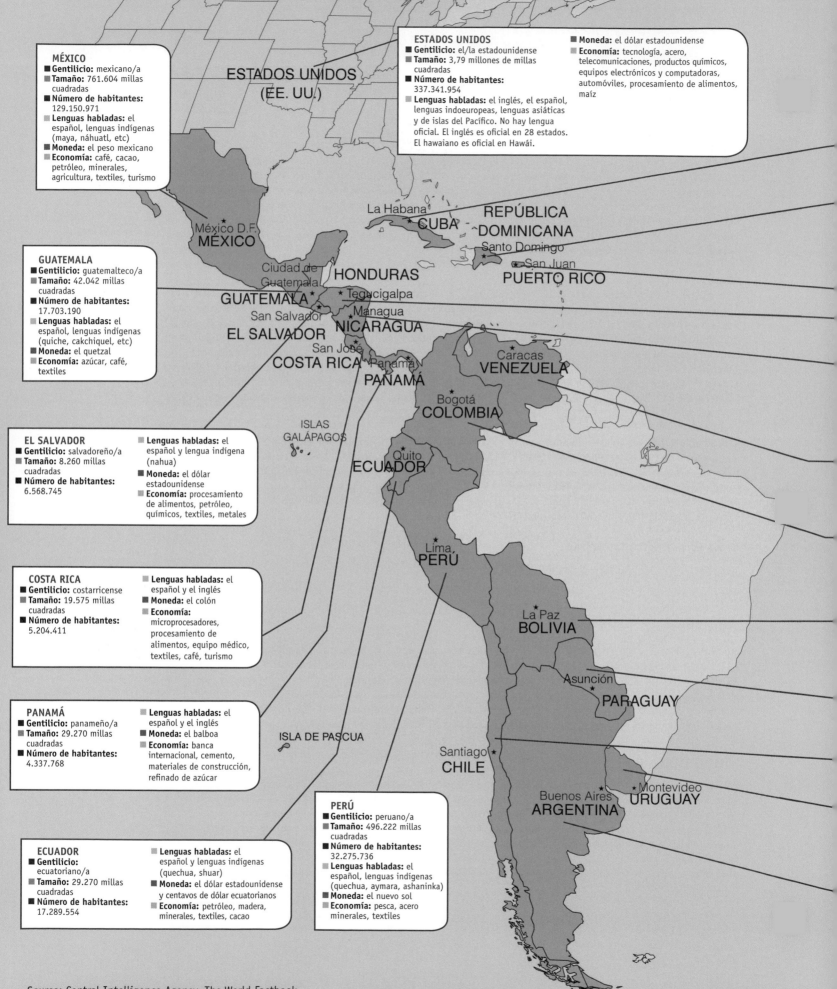

MÉXICO
- **Gentilicio:** mexicano/a
- **Tamaño:** 761.604 millas cuadradas
- **Número de habitantes:** 129.150.971
- **Lenguas habladas:** el español, lenguas indígenas (maya, náhuatl, etc)
- **Moneda:** el peso mexicano
- **Economía:** café, cacao, petróleo, minerales, agricultura, textiles, turismo

ESTADOS UNIDOS (EE. UU.)

ESTADOS UNIDOS
- **Gentilicio:** el/la estadounidense
- **Tamaño:** 3,79 millones de millas cuadradas
- **Número de habitantes:** 337.341.954
- **Lenguas habladas:** el inglés, el español, lenguas indoeuropeas, lenguas asiáticas y de islas del Pacífico. No hay lengua oficial. El inglés es oficial en 28 estados. El hawaiano es oficial en Hawái.
- **Moneda:** el dólar estadounidense
- **Economía:** tecnología, acero, telecomunicaciones, productos químicos, equipos electrónicos y computadoras, automóviles, procesamiento de alimentos, maíz

GUATEMALA
- **Gentilicio:** guatemalteco/a
- **Tamaño:** 42.042 millas cuadradas
- **Número de habitantes:** 17.703.190
- **Lenguas habladas:** el español, lenguas indígenas (quiche, cakchiquel, etc)
- **Moneda:** el quetzal
- **Economía:** azúcar, café, textiles

EL SALVADOR
- **Gentilicio:** salvadoreño/a
- **Tamaño:** 8.260 millas cuadradas
- **Número de habitantes:** 6.568.745
- **Lenguas habladas:** el español y lengua indígena (nahua)
- **Moneda:** el dólar estadounidense
- **Economía:** procesamiento de alimentos, petróleo, químicos, textiles, metales

COSTA RICA
- **Gentilicio:** costarricense
- **Tamaño:** 19.575 millas cuadradas
- **Número de habitantes:** 5.204.411
- **Lenguas habladas:** el español y el inglés
- **Moneda:** el colón
- **Economía:** microprocesadores, procesamiento de alimentos, equipo médico, textiles, café, turismo

PANAMÁ
- **Gentilicio:** panameño/a
- **Tamaño:** 29.270 millas cuadradas
- **Número de habitantes:** 4.337.768
- **Lenguas habladas:** el español y el inglés
- **Moneda:** el balboa
- **Economía:** banca internacional, cemento, materiales de construcción, refinado de azúcar

ECUADOR
- **Gentilicio:** ecuatoriano/a
- **Tamaño:** 29.270 millas cuadradas
- **Número de habitantes:** 17.289.554
- **Lenguas habladas:** el español y lenguas indígenas (quechua, shuar)
- **Moneda:** el dólar estadounidense y centavos de dólar ecuatorianos
- **Economía:** petróleo, madera, minerales, textiles, cacao

PERÚ
- **Gentilicio:** peruano/a
- **Tamaño:** 496.222 millas cuadradas
- **Número de habitantes:** 32.275.736
- **Lenguas habladas:** el español, lenguas indígenas (quechua, aymara, ashaninka)
- **Moneda:** el nuevo sol
- **Economía:** pesca, acero minerales, textiles

La Habana
CUBA
REPÚBLICA DOMINICANA
Santo Domingo
San Juan
PUERTO RICO
México D.F.
MÉXICO
Ciudad de Guatemala
HONDURAS
GUATEMALA
Tegucigalpa
San Salvador
Managua
EL SALVADOR
NICARAGUA
San José
COSTA RICA
Panamá
PANAMÁ
Caracas
VENEZUELA
Bogotá
COLOMBIA
ISLAS GALÁPAGOS
Quito
ECUADOR
Lima
PERÚ
La Paz
BOLIVIA
Asunción
PARAGUAY
ISLA DE PASCUA
Santiago
CHILE
Buenos Aires
ARGENTINA
Montevideo
URUGUAY

Source: Central Intelligence Agency, The World Factbook.

PAÍSES DE HABLA HISPANA

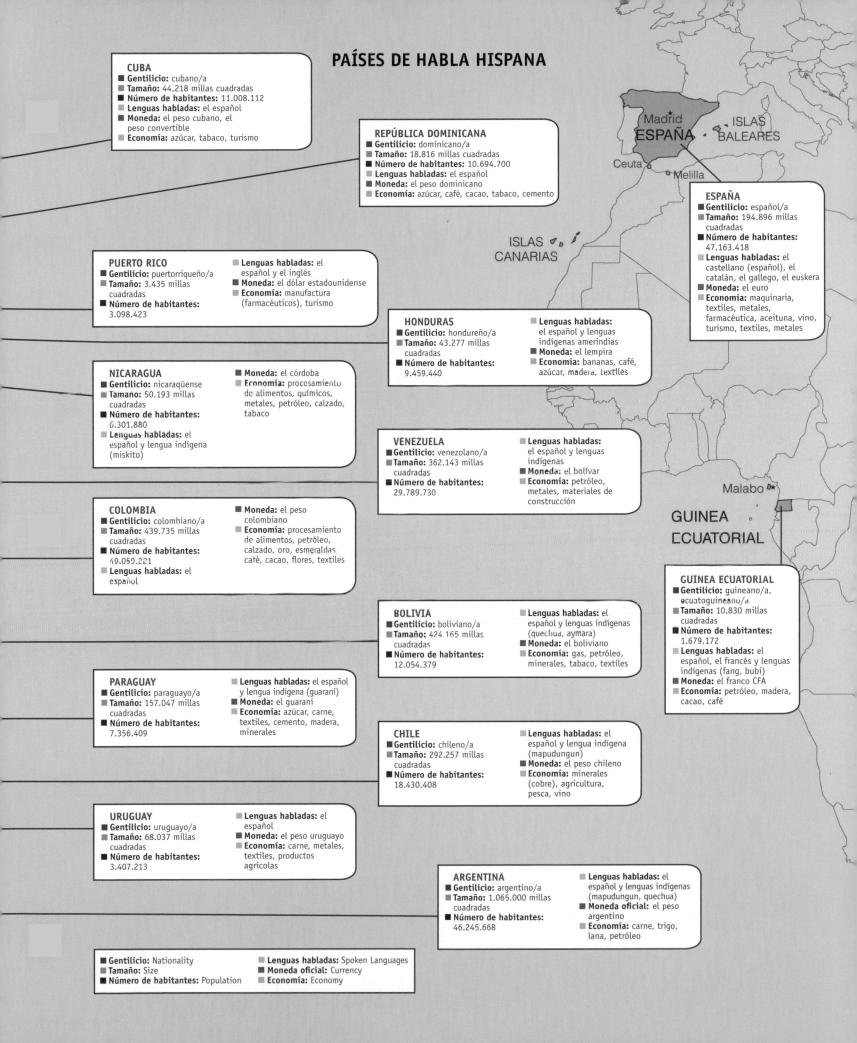

CUBA
- **Gentilicio:** cubano/a
- **Tamaño:** 44.218 millas cuadradas
- **Número de habitantes:** 11.008.112
- **Lenguas habladas:** el español
- **Moneda:** el peso cubano, el peso convertible
- **Economía:** azúcar, tabaco, turismo

REPÚBLICA DOMINICANA
- **Gentilicio:** dominicano/a
- **Tamaño:** 18.816 millas cuadradas
- **Número de habitantes:** 10.694.700
- **Lenguas habladas:** el español
- **Moneda:** el peso dominicano
- **Economía:** azúcar, café, cacao, tabaco, cemento

ESPAÑA
- **Gentilicio:** español/a
- **Tamaño:** 194.896 millas cuadradas
- **Número de habitantes:** 47.163.418
- **Lenguas habladas:** el castellano (español), el catalán, el gallego, el euskera
- **Moneda:** el euro
- **Economía:** maquinaria, textiles, metales, farmacéutica, aceituna, vino, turismo, textiles, metales

PUERTO RICO
- **Gentilicio:** puertorriqueño/a
- **Tamaño:** 3.435 millas cuadradas
- **Número de habitantes:** 3.098.423
- **Lenguas habladas:** el español y el inglés
- **Moneda:** el dólar estadounidense
- **Economía:** manufactura (farmacéuticos), turismo

HONDURAS
- **Gentilicio:** hondureño/a
- **Tamaño:** 43.277 millas cuadradas
- **Número de habitantes:** 9.459.440
- **Lenguas habladas:** el español y lenguas indígenas amerindias
- **Moneda:** el lempira
- **Economía:** bananas, café, azúcar, madera, textiles

NICARAGUA
- **Gentilicio:** nicaragüense
- **Tamaño:** 50.193 millas cuadradas
- **Número de habitantes:** 6.301.880
- **Lenguas habladas:** el español y lengua indígena (miskito)
- **Moneda:** el córdoba
- **Economía:** procesamiento de alimentos, químicos, metales, petróleo, calzado, tabaco

VENEZUELA
- **Gentilicio:** venezolano/a
- **Tamaño:** 362.143 millas cuadradas
- **Número de habitantes:** 29.789.730
- **Lenguas habladas:** el español y lenguas indígenas
- **Moneda:** el bolívar
- **Economía:** petróleo, metales, materiales de construcción

COLOMBIA
- **Gentilicio:** colombiano/a
- **Tamaño:** 439.735 millas cuadradas
- **Número de habitantes:** 49.059.221
- **Lenguas habladas:** el español
- **Moneda:** el peso colombiano
- **Economía:** procesamiento de alimentos, petróleo, calzado, oro, esmeraldas, café, cacao, flores, textiles

GUINEA ECUATORIAL
- **Gentilicio:** guineano/a, ecuatoguineano/a
- **Tamaño:** 10.830 millas cuadradas
- **Número de habitantes:** 1.679.172
- **Lenguas habladas:** el español, el francés y lenguas indígenas (fang, bubi)
- **Moneda:** el franco CFA
- **Economía:** petróleo, madera, cacao, café

BOLIVIA
- **Gentilicio:** boliviano/a
- **Tamaño:** 424.165 millas cuadradas
- **Número de habitantes:** 12.054.379
- **Lenguas habladas:** el español y lenguas indígenas (quechua, aymara)
- **Moneda:** el boliviano
- **Economía:** gas, petróleo, minerales, tabaco, textiles

PARAGUAY
- **Gentilicio:** paraguayo/a
- **Tamaño:** 157.047 millas cuadradas
- **Número de habitantes:** 7.356.409
- **Lenguas habladas:** el español y lengua indígena (guaraní)
- **Moneda:** el guaraní
- **Economía:** azúcar, carne, textiles, cemento, madera, minerales

CHILE
- **Gentilicio:** chileno/a
- **Tamaño:** 292.257 millas cuadradas
- **Número de habitantes:** 18.430.408
- **Lenguas habladas:** el español y lengua indígena (mapudungun)
- **Moneda:** el peso chileno
- **Economía:** minerales (cobre), agricultura, pesca, vino

URUGUAY
- **Gentilicio:** uruguayo/a
- **Tamaño:** 68.037 millas cuadradas
- **Número de habitantes:** 3.407.213
- **Lenguas habladas:** el español
- **Moneda:** el peso uruguayo
- **Economía:** carne, metales, textiles, productos agrícolas

ARGENTINA
- **Gentilicio:** argentino/a
- **Tamaño:** 1.065.000 millas cuadradas
- **Número de habitantes:** 46.245.668
- **Lenguas habladas:** el español y lenguas indígenas (mapudungun, quechua)
- **Moneda oficial:** el peso argentino
- **Economía:** carne, trigo, lana, petróleo

- **Gentilicio:** Nationality
- **Tamaño:** Size
- **Número de habitantes:** Population
- **Lenguas habladas:** Spoken Languages
- **Moneda oficial:** Currency
- **Economía:** Economy